PT・OTのための

臨床技能と
OSCE

コミュニケーションと介助・検査測定編

第2版補訂版

監修
才藤　栄一

編集
金田　嘉清・冨田　昌夫・大塚　　圭・杉山　智久・前田　晃子
鈴木めぐみ・鈴木由佳理・土山　和大・山田　将之

金原出版株式会社

第2版の序

　2018年10月，19年ぶりに理学療法士作業療法士養成施設指定規則が改正されました。現在，全国の養成校が対応への準備を始めています。この改正では，臨床実習の重要性が強調され，「臨床実習前及び臨床実習後の評価」が必須要件として明記されています。

　藤田医科大学リハビリテーション部門（藤田リハ）の一翼を担う藤田医科大学保健衛生学部リハビリテーション学科（旧・藤田保健衛生大学医療科学部リハビリテーション学科）では，2004年，学科開設の際，臨床中心主義を掲げて中核システム「COSPIRE（Clinical-Oriented System for Progression & Innovation of Rehabilitation Education）」を定義しました。その際，治療技術の精緻化と標準化のため，医学生向けに普及しつつあったOSCE（Objective Structured Clinical Examination：客観的臨床能力試験）を療法士版として開発し学習体系に組み込みました。

　技術は，文字では記載しにくい性質を有するとともに，文字で示す概念がその理解を促進するという側面も持っています。OSCEは，試験課題という役割を超えて，現存するもののなかで合理的と思われる答えを画像と文字で示す有力な方法論です。私たちのOSCEは，卒前教育はもちろん，卒後教育として，大学病院のみならず関連施設でも活用されています。

　その経験をもとに2015年には「コミュニケーションと介助・検査測定編」，2017年には「機能障害・能力低下への介入編」という教科書2冊を出版しました。学生や若手療法士が身につけるべき技能を概ね網羅したこの2冊は技術の標準化と精緻化に役立っています。また，多くの養成校にもご活用頂いており，嬉しい限りです。

　今回の改訂では，2015年に出版した直後から検討を重ね，課題と採点基準，動画コンテンツに関して改善を図りました。ぜひ，この新版を実際にご覧ください。

　最後に予告的ご案内をひとつ。現在，藤田リハでは，訓練（練習）の定量化のため，ELF（Exercise Log in FHUR）という課題内容を5分単位で詳細に記載する記録システムを開発中です。従来，見過ごされてきた「治療の質」を「時間という量」で記載するこの記録システムは，既に長い歴史を有する藤田リハデータベースClover（⌘，qpdb：Quantified Prognostication by using Data-Base）と組み合わさり，帰結予測精度の向上とともに治療の精緻化・標準化に役立つと考えています。

　私たちの作品が，多くの学生や若手療法士の学習とリハビリテーション医療の発展の一助になることを願っています。

2019年春

藤田医科大学学長
藤田医科大学リハビリテーション部門代表
藤田医科大学医学部リハビリテーション医学I講座

才藤 栄一

初版の序

　本書は，2011 年に出版した「PT・OT のための OSCE」の改訂書です。OSCE の紹介を中心に構成した初版に対して，技能に関わる解説を増やし，足りなかった課題を追加しました。また，初版では伝えきれなかった部分をよりよく理解いただけるよう，実技を動画にまとめました。

　日本は，超高齢社会のなかにいます。そこで生まれる「多障害」をいかに支え乗り切るか，この課題解決の鍵がリハビリテーション医療です。私たち藤田保健衛生大学リハビリテーション部門は，この課題を解決する「新しいモデル」になりたいと願っています。

　リハビリテーション医療の治療効果は「療法士の質」が決定します。質は学習（教育）によって変わります。私たちは，臨床が療法士教育の中心であるという信念のもと，2004 年に藤田保健衛生大学において臨床指向的教育・学習・研究プロジェクト「COSPIRE」をスタートさせました。

　OSCE は，COSPIRE の一部です。リハビリテーション学科の前身である藤田保健衛生大学リハビリテーション専門学校の時代から，多くの臨床家とともに各課題に含まれる問題点を整理しながら，いくつかの新しい糸口をもって構造化したものです。今回の版は，その拡大・改良版となります。

　ぜひ，多くの学生さんの学習の一助にしていただくとともに，臨床の先生方にも読んでいただき，臨床教育を考えるきっかけにしていただければ，著者一同このうえない幸せです。

　2015 年春

藤田保健衛生大学リハビリテーション部門代表
藤田保健衛生大学医学部リハビリテーション医学Ⅰ講座

才藤 栄一

執筆者・協力者一覧

執筆者
(執筆順)

才藤　栄一　藤田医科大学医学部リハビリテーション医学I講座 教授

金田　嘉清　藤田医科大学保健衛生学部リハビリテーション学科 理学療法専攻 教授

大塚　　圭　藤田医科大学保健衛生学部リハビリテーション学科 理学療法専攻 准教授

鈴木由佳理　藤田医科大学保健衛生学部リハビリテーション学科 理学療法専攻 講師

山田　将之　藤田医科大学保健衛生学部リハビリテーション学科 作業療法専攻 講師

粥川　知子　学校法人藤田学園法人本部人事部労務厚生室 厚生課長

横田　元実　藤田医科大学保健衛生学部リハビリテーション学科 理学療法専攻 講師

松田　文浩　藤田医科大学保健衛生学部リハビリテーション学科 理学療法専攻 講師

土山　和大　藤田医科大学保健衛生学部リハビリテーション学科 理学療法専攻 助教

佐藤　真一　医療創生大学健康医療科学部作業療法学科 准教授

鈴木めぐみ　藤田医科大学保健衛生学部リハビリテーション学科 作業療法専攻 教授

杉山　智久　藤田医科大学保健衛生学部リハビリテーション学科 作業療法専攻 講師

渡辺　章由　藤田医科大学保健衛生学部リハビリテーション学科 作業療法専攻 講師

前田　晃子　藤田医科大学保健衛生学部リハビリテーション学科 作業療法専攻 助教

加賀　順子　藤田医科大学保健衛生学部リハビリテーション学科 理学療法専攻 講師

都築　　晃　藤田医科大学保健衛生学部リハビリテーション学科 理学療法専攻 講師

壹岐　英正　渡辺病院リハビリテーション科 部長

小山総市朗　藤田医科大学保健衛生学部リハビリテーション学科 理学療法専攻 講師

保木本のぞみ　藤田医科大学保健衛生学部リハビリテーション学科 作業療法専攻 助教

櫻井　宏明　藤田医科大学保健衛生学部リハビリテーション学科 理学療法専攻 教授

寺西　利生　藤田医科大学保健衛生学部リハビリテーション学科 理学療法専攻 教授

渡　　哲郎　藤田医科大学保健衛生学部リハビリテーション学科 理学療法専攻 助手

和田　陽介　辻村外科病院リハビリテーション部 部長

阿部　祐子　藤田医科大学保健衛生学部リハビリテーション学科 作業療法専攻 助教

太田　皓文　藤田医科大学保健衛生学部リハビリテーション学科 作業療法専攻 助手

藤村　健太　藤田医科大学保健衛生学部リハビリテーション学科 作業療法専攻 助教

渡邉　　誠　藤田医科大学七栗記念病院リハビリテーション科 主任

大國　茉莉　藤田医科大学病院リハビリテーション部

稲本　陽子　藤田医科大学保健衛生学部リハビリテーション学科 作業療法専攻 教授

伊藤美保子　藤田医科大学保健衛生学部リハビリテーション学科 作業療法専攻 助教

谷川　広樹　藤田医科大学保健衛生学部リハビリテーション学科 理学療法専攻 講師

協力者

冨田　昌夫　藤田医科大学保健衛生学部リハビリテーション学科 客員教授

宇野　秋人　東名ブレース株式会社事業開発部 取締役部長

市野　謙二　藤田医科大学事務局学務部保健衛生学部学務課

CONTENTS

第 2 版の序
初版の序
執筆者・協力者一覧

本書の使い方

客観的臨床能力試験（OSCE）とは

1 理学療法士・作業療法士の現状 ……………………………………………… 2

2 COSPIRE ─療法士が生まれる場のあり方 …………………………… 6
（コスパイア）

3 OSCE の概要 ………………………………………………………………… 10

4 OSCE の実施における要点 ……………………………………………… 12

レベル 1

1 標準予防策（スタンダードプレコーション） ……………………………… 16

2 リスク管理 ………………………………………………………………… 21

3 コミュニケーション技法 …………………………………………………… 35
　　患者とのラポール形成　39
　　OSCE 課題 コミュニケーション技法　40

4 ホットパック実施の補助 …………………………………………………… 44
　　OSCE 課題 ホットパック実施の補助　50

5 上肢管理（三角巾の装着） ………………………………………………… 55
　　OSCE 課題 三角巾の装着　60

6 下肢装具の装着介助 ……………………………………………………… 65
　　OSCE 課題 短下肢装具の装着介助　76

7 車椅子の駆動介助 ………………………………………………………………… 81

OSCE 課題 車椅子の駆動介助　88

8 移乗介助 …………………………………………………………………………… 93

OSCE 課題 移乗介助（2 人介助）：上肢担当者　107

OSCE 課題 移乗介助（2 人介助）：下肢担当者　113

レベル 2

1 療法士面接 ………………………………………………………………………… 120

OSCE 課題 療法士面接　124

2 面接所見からの高次脳機能障害の推測 …………………………………………… 128

OSCE 課題 面接所見からの高次脳機能障害の推測　135

3 脈拍と血圧の測定 ………………………………………………………………… 140

OSCE 課題 脈拍と血圧の測定　151

4 呼吸パターンと動脈血酸素飽和度の評価 ………………………………………… 157

OSCE 課題 呼吸パターンと動脈血酸素飽和度の評価　167

5 関節可動域測定 …………………………………………………………………… 172

OSCE 課題 関節可動域測定（上肢：肩関節外転）　177

OSCE 課題 関節可動域測定（手指：示指 PIP 関節屈曲）　182

OSCE 課題 関節可動域測定（下肢：股関節屈曲）　187

6 筋力測定 …………………………………………………………………………… 194

OSCE 課題 MMT（上肢）　202

OSCE 課題 MMT（手指）　207

OSCE 課題 MMT（下肢）　212

OSCE 課題 HHD を用いた測定（上肢）　217

OSCE 課題 HHD を用いた測定（下肢）　221

7 形態測定 …………………………………………………………………………… 227

OSCE 課題 前腕周径　231

OSCE 課題 下肢長　236

8 整形外科疾患別検査 ……………………………………………………………… 242

OSCE 課題 drop arm test　255

OSCE 課題 下肢伸展挙上テスト　259

9 筋の触診 264

OSCE 課題 筋の触診　269

10 感覚検査 275

OSCE 課題 触覚検査　282

OSCE 課題 受動運動覚検査　286

11 反射検査（腱反射・病的反射）.. 291

OSCE 課題 反射検査（腱反射・病的反射）　298

12 脳神経検査 302

OSCE 課題 視野検査　308

13 脳卒中の麻痺側運動機能の評価 312

OSCE 課題 Brunnstrom Recovery Stage（BRS）　322

OSCE 課題 SIAS（麻痺側運動機能の評価）　327

14 構音障害のスクリーニング 331

OSCE 課題 構音障害のスクリーニング　338

15 摂食嚥下障害のスクリーニング 342

OSCE 課題 摂食嚥下障害のスクリーニング　350

16 運動失調検査 356

OSCE 課題 運動失調検査　365

17 立位バランスの評価 370

OSCE 課題 立位バランスの評価　376

18 下肢装具・歩行補助具の調整 382

OSCE 課題 下肢装具の調整　394

採点シート集

〔レベル 1〕

1-3. コミュニケーション技法
1-4. ホットパック実施の補助
1-5. 三角巾の装着
1-6. 短下肢装具の装着介助

1-7. 車椅子の駆動介助
1-8. 移乗介助（2 人介助）：上肢担当者
1-8. 移乗介助（2 人介助）：下肢担当者

〔レベル 2〕

2-1. 療法士面接
2-2. 面接所見からの高次脳機能障害の推測
2-3. 脈拍と血圧の測定
2-4. 呼吸パターンと動脈血酸素飽和度の評価
2-5. 関節可動域測定（上肢：肩関節外転）
2-5. 関節可動域測定（手指：示指 PIP 関節屈曲）
2-5. 関節可動域測定（下肢：股関節屈曲）
2-6. MMT（上肢）
2-6. MMT（手指）
2-6. MMT（下肢）
2-6. HHD を用いた測定（上肢）
2-6. HHD を用いた測定（下肢）
2-7. 前腕周径

2-7. 下肢長
2-8. drop arm test
2-8. 下肢伸展挙上テスト
2-9. 筋の触診
2-10. 触覚検査
2-10. 受動運動覚検査
2-11. 反射検査（腱反射・病的反射）
2-12. 視野検査
2-13. Brunnstrom Recovery Stage（BRS）
2-13. SIAS（麻痺側運動機能の評価）
2-14. 構音障害のスクリーニング
2-15. 摂食嚥下障害のスクリーニング
2-16. 運動失調検査
2-17. 立位バランスの評価
2-18. 下肢装具の調整

索引 ……… 435

動画撮影：柴田義政　　写真撮影：阿部正博

本書の使い方

本書の構成

　本書は，2015年4月に出版した『PT・OTのための臨床技能とOSCE コミュニケーションと介助・検査測定編』の第2版です。今回は初版から大切にしてきた患者への接遇や道具の取り扱いについて，より詳細な解説をレベル1「1 標準予防策（スタンダードプレコーション）」と「3 コミュニケーション技法」に追加しました。

　本書の構成は，臨床技能の解説とOSCE課題で構成され，コミュニケーションと介助技能のレベル1は8課題，検査測定技能のレベル2は18課題で設定しています。

　臨床技能の解説は，各技能の概要（目的，適応，環境など）と手順のポイントで構成されています。また，臨床で実践する際にヒントとなる「臨床のコツ」を手順ごとにまとめています。

　OSCE課題のテキスト構成は，「課題の提示（設問，準備するもの，患者情報，課題の目標）」「手順」「採点基準」としています。OSCE課題は各項目の臨床技能の解説と対応し，いくつかの課題は臨床技能の一部から作成されています（例えば，上肢の関節可動域測定のOSCE課題は多数ある測定項目の中から「肩関節外転」が採用されています）。そのためOSCE課題を実施するためには臨床技能の解説に掲載されている手順のポイントとOSCE課題の手順の双方を理解する必要があります。採点基準については態度項目の見直しを行い，患者接遇に関する項目を追加しました。OSCE実施時には，巻末のOSCE採点シート集もしくは金原出版ホームページ内の読者サポートページにアクセスのうえ，ダウンロードしご活用ください。

　OSCE課題の見本の動画教材も用意しています。なお，動画に登場する模擬患者は健常者が演じています（動画の視聴方法は「Web動画の視聴方法・採点シート集についてのご案内」参照）。

学習者のみなさんへ

　本書を使用する際は各項目の技能習得を目標に，技能のポイント解説やOSCE課題の手順をよく読み，動画を参考にポイントや手順を十分に理解していただきたいと思います。ただし，学習者に求められる最も大切なことは，学習内容を理解したうえで「できるようになる」ことです。「できるようになる」ためにも自身の身体を動かして技術を繰り返し練習しなければなりません。また，練習する際には患者体験が大きな気づきの機会となります。そのため，患者役を演じ，他者による介入の影響を体感しながら学習していただきたいと思います。

　OSCEを受験する際は，OSCE課題の患者情報を十分に把握してください。実際の臨床場面でも患者情報の収集と把握は，リスク管理や症状に応じたリハビリテーションを実施するうえで重要となります。また，「採点基準」も参考にすると，どのような技能を求められているのかを整理しやすくなります。

指導者のみなさんへ

　OSCE課題は学習者の技能習得状況を確認するためだけでなく，技能習得のための練習課題としてもご活用ください。学習者が課題で設定した患者役を演じられるよう病態の把握を促すことは，臨床技能の習得を促進すると考えます。

　OSCEを実施するにあたり課題の難易度にばらつきが生じないよう，あらかじめ「OSCE担当者確認事項」を確認していただく必要があります。いうまでもありませんが，模擬患者には患者

情報を十分に把握したうえで再現性の高い演技が求められます。試験環境も極力一定にできるよう，本書の OSCE 課題の「設問」や「準備するもの」「OSCE 担当者確事項」を参考に，十分な準備が必要です。各施設の物品の所有状況や環境によって，本書で設定した「設問」や「採点項目」の変更が必要となる場合は，学習指導段階で受験者となりうる学習者と変更する情報を共有しておくなどして本書をご活用ください。

web 動画・採点シート集・ルーブリックのご案内

・本書では，「レベル 1」「レベル 2」各項目に対応する動画を web 上にてご視聴いただけます。
・動画は，各項目の対応動画📹の QR コードを読み込むことにより，お手持ちの端末（スマートフォン，タブレット端末等）でご視聴いただけます。
・QR コードのご利用には QR コードリーダーが必要となります。
・動画は，金原出版 web サイトでもご視聴いただけます。金原出版 web サイト内の読者サポートページにアクセスのうえ，ログインしてください。ログインには下記パスワードが必要です。
・採点シート集（本書巻末に掲載）およびルーブリック（本書未掲載）は，金原出版 web サイト内の読者サポートページより PDF にてご利用いただけます。

パスワード：**knhr75055**　　＊半角小文字

ご注意
・動画の無断複製・頒布，個人が本書の購入・使用に付随して再生する以外の使用は固く禁じます。
・本サービスに関するサポートは行いません。再生によって生じたいかなる損害についても，金原出版および著作権者は責任を負いません。また，本サービスは金原出版および著作権者の都合により変更・訂正する場合があります。
・QR コードは株式会社デンソーウェーブの登録商標です。

動画目次

レベル 1

1-3 コミュニケーション技法
1-4 ホットパック実施の補助
1-5 三角巾の装着
1-6 短下肢装具の装着介助
　　長下肢装具の装着介助
1-7 車椅子の駆動介助
1-8 移乗介助（2人介助）：上肢担当者
　　移乗介助（2人介助）：下肢担当者

レベル 2

2-1 療法士面接
2-2 面接所見からの高次脳機能障害の推測
2-3 脈拍と血圧の測定
2-4 呼吸パターンと動脈血酸素飽和度の評価
2-5 関節可動域測定（上肢：肩関節外転）
　　関節可動域測定（手指：示指 PIP 関節屈曲）
　　関節可動域測定（下肢：股関節屈曲）
2-6 MMT（上肢）
　　MMT（手指）
　　MMT（下肢）
　　HHD を用いた測定（上肢）
　　HHD を用いた測定（下肢）
2-7 前腕周径
　　下肢長
2-8 drop arm test
　　下肢伸展挙上テスト
2-9 筋の触診
2-10 触覚検査
　　 受動運動覚検査
2-11 反射検査（腱反射・病的反射）
2-12 視野検査
2-13 Brunnstrom Recovery Stage（BRS）
　　 SIAS（麻痺側運動機能の評価）
2-14 構音障害のスクリーニング
2-15 摂食嚥下障害のスクリーニング
2-16 運動失調検査
2-17 立位バランスの評価
2-18 下肢装具の調整

客観的臨床能力試験 (OSCE) とは

1	理学療法士・作業療法士の現状
2	COSPIRE コスパイア —療法士が生まれる場のあり方
3	OSCEの概要
4	OSCEの実施における要点

1 理学療法士・作業療法士の現状

わが国における理学療法士と作業療法士（以下，療法士）の養成は，1963年に国立療養所東京病院リハビリテーション学院の創設に始まり，1966年に第1回理学療法士作業療法士国家試験が実施され，理学療法士183名と作業療法士22名が誕生した[1,2]。2015年，療法士が誕生してから半世紀を迎えようとしている。この50年間に日本の療法士を取り巻く社会情勢，医療環境は大きく変動した。

日本は遂に高齢化社会に突入し，高齢者人口割合は，1970年には7％ほどであったが，2010年には23％を超え，高齢化率は世界でもトップとなった（図1，2）[3,4]。日本の人口は，この50年間に緩やかではあるが増加を続けてきた。しかし，今後，日本は人口増加問題に頭を抱える諸外国とは異なり，人口減少の一途を辿ることが予想されている（表1）[5]。日本はいま，人口減少と高齢化の双方の問題を同時に解決しなければいけないという，世界でもまだ経験のない課題に直面している（図3）[4]。

医療技術は飛躍的に進歩した。新しい医療技術は，死

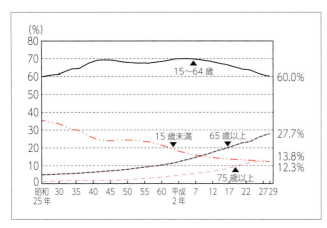

図1　日本の人口構成の推移（2017年10月1日現在）
（総務省統計局ホームページ：年齢別人口より）
https://www.stat.go.jp/data/jinsui/2017np/pdf/gaiyou2.pdf

年次	総数	15歳未満	15～64歳	65歳以上	うち75歳以上	15歳未満	15～64歳	65歳以上	うち75歳以上
昭和25年	83,200	29,430	49,661	4,109	1,057	35.4	59.7	4.9	1.3
30	89,276	29,798	54,730	4,747	1,388	33.4	61.3	5.3	1.6
35	93,419	28,067	60,002	5,350	1,626	30.0	64.2	5.7	1.7
40	98,275	25,166	66,928	6,181	1,874	25.6	68.1	6.3	1.9
45	103,720	24,823	71,566	7,331	2,213	23.9	69.0	7.1	2.1
50	111,940	27,232	75,839	8,869	2,842	24.3	67.7	7.9	2.5
55	117,060	27,524	78,884	10,653	3,661	23.5	67.4	9.1	3.1
60	121,049	26,042	82,535	12,472	4,713	21.5	68.2	10.3	3.9
平成2年	123,611	22,544	86,140	14,928	5,986	18.2	69.7	12.1	4.8
7	125,570	20,033	87,260	18,277	7,175	16.0	69.5	14.6	5.7
12	126,926	18,505	86,380	22,041	9,012	14.6	68.1	17.4	7.1
17	127,768	17,585	84,422	25,761	11,639	13.8	66.1	20.2	9.1
18	127,901	17,435	83,731	26,604	12,166	13.6	65.5	20.8	9.5
19	128,033	17,293	83,015	27,464	12,703	13.5	65.0	21.5	9.9
20	128,084	17,176	82,300	28,216	13,218	13.5	64.5	22.1	10.4
21	128,032	17,011	81,493	29,005	13,710	13.3	63.9	22.7	10.8
22	128,057	16,839	81,735	29,484	14,194	13.1	63.8	23.0	11.1
23	127,834	16,705	81,342	29,752	14,708	13.1	63.6	23.3	11.5
24	127,593	16,547	80,175	30,793	15,193	13.0	62.9	24.1	11.9
25	127,414	16,390	79,010	31,898	15,603	12.9	62.1	25.1	12.3
26	127,237	16,233	77,850	33,000	15,917	12.8	61.3	26.0	12.5
27	127,095	15,945	77,282	33,868	16,322	12.5	60.8	26.6	12.8
28	126,933	15,780	76,562	34,591	16,908	12.4	60.3	27.3	13.3
29	126,706	15,592	75,962	35,152	17,482	12.3	60.0	27.7	13.8

注）各年10月1日現在。昭和25年～平成17年，22年及び27年は国勢調査人口（年齢不詳をあん分した人口）による。
昭和45年までは沖縄県を含まない。

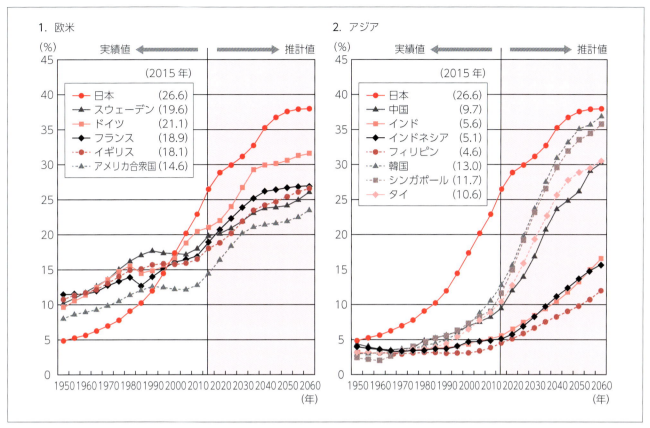

図2 世界の高齢化率の推移
資料：UN, World Population Prospects : The 2017 Revision. ただし日本は，2015年は総務省「国勢調査」，2020年以降は国立社会保障・人口問題研究所「日本の将来推計人口（平成29年推計）」の出生中位・死亡中位仮定による推計結果による。
（注）先進地域とは，北部アメリカ，日本，ヨーロッパ，オーストラリアおよびニュージーランドからなる地域をいう。発展途上国とは，アフリカ，アジア（日本を除く），中南米，メラネシア，ミクロネシアおよびポリネシアからなる地域をいう。
（内閣府ホームページ：平成30年版高齢社会白書（全体版）より）
https://www8.cao.go.jp/kourei/whitepaper/w-2018/zenbun/pdf/1s1s_02.pdf

表1 主要国の人口および将来人口推移（1950～2100年）

国　名	人口（1,000人）				
	1950年	1980年	2015年	2050年	2100年
日　本	82,802	117,827	127,975	108,794	84,532
韓　国	19,211	38,050	50,594	50,457	38,707
アメリカ合衆国	158,804	229,763	319,929	389,592	447,483
イギリス	50,616	56,265	65,397	75,381	80,975
フランス	41,880	54,071	64,457	70,609	74,242
ドイツ	69,966	78,301	81,708	79,238	71,033
ベトナム	24,810	54,373	93,572	114,630	107,646
中　国	554,419	993,877	1,397,029	1,364,457	1,020,665
インド	376,325	696,784	1,309,054	1,658,978	1,516,597

（国立社会保障・人口問題研究所：人口統計資料集2018年版より）
http://www.ipss.go.jp/syoushika/tohkei/Popular/P_Detail2018.asp?fname=T01-15.htm

因となっていた疾病の延命を可能とし，平均寿命の延伸に大きく貢献してきた[6]。しかし，その一方で延命の後に，主たる疾病によって生じた障害とともに余生を送る患者を増やすことになった。

理学療法の対象となる疾患も，草創期では骨・関節疾患が多く，次いで脳血管疾患であったが，1990年後半に入ると心疾患，呼吸器疾患，糖尿病，認知症，悪性新生物が扱われるようになり，治療対象も変化してきた[7]。

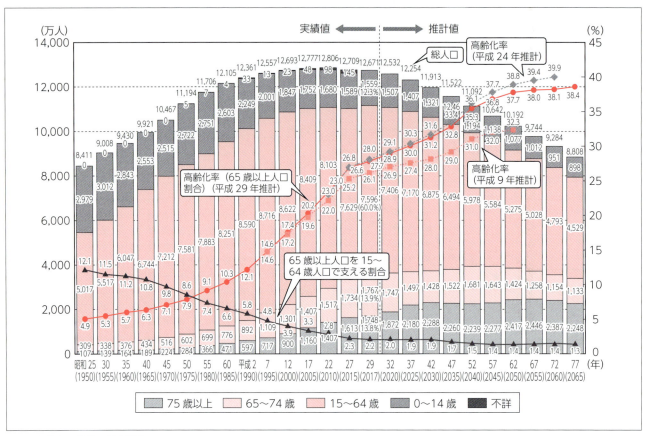

図3 高齢化の推移と将来推移

資料：棒グラフと実線の高齢化率については，2015年までは総務省「国勢調査」，2017年は総務省「人口推計」（平成29年10月1日確定値），2020年以降は国立社会保障・人口問題研究所「日本の将来推計人口（平成29年推計）」の出生中位・死亡中位仮定による推計結果。
点線と破線の高齢化率については，それぞれ「日本の将来推計人口（平成9年推計）」の中位仮定，「日本の将来推計人口（平成24年推計）」の出生中位・死亡中位仮定による，推計時点における将来推計結果である。

(注1) 2017年以降の年齢階級別人口は，総務省統計局「平成27年国勢調査　年齢・国籍不詳をあん分した人口（参考表）」による年齢不詳をあん分した人口に基づいて算出されていることから，年齢不詳は存在しない。なお，1950年〜2015年の高齢化率の算出には分母から年齢不詳を除いている。

(注2) 年齢別の結果からは，沖縄県の昭和25年70歳以上の外国人136人（男55人，女81人）及び昭和30年70歳以上23,328人（男8,090人，女15,238人）を除いている。

(注3) 将来人口推計とは，基準時点までに得られた人口学的データに基づき，それまでの傾向，趨勢を将来に向けて投影するものである。基準時点以降の構造的な変化等により，推計以降に得られる実績や新たな将来推計との間には乖離が生じうるものであり，将来推計人口はこのような実績等を踏まえて定期的に見直すこととしている。

（内閣府ホームページ：平成30年版高齢社会白書（全体版）より）
https://www8.cao.go.jp/kourei/whitepaper/w-2018/html/zenbun/s1_1_1.html

2000年に開始した介護保険制度は，療法士の職域を医療から介護へ拡大させた。また，近年では，地域包括ケアに高い注目が集まり，理学療法・作業療法も病院・施設から地域・在宅と幅広い活躍が期待されるようになり，現在，理学療法士・作業療法士協会をあげて地域包括ケアシステムの構築に着手している。

1980年代に入り，高騰する医療費が問題となり医療費抑制を反映して診療報酬改定率は低下傾向を示してきたが，リハビリテーションに対する社会的需要は高まり，1990年代から療法士養成校と学生定員が増加し，多くの療法士が誕生することになった（図4）[1,2,8]。養成校は，1963年の国立療養所東京病院リハビリテーション学院の創設以降，1970年代は専門学校が新設され，1979年以降は短期大学の新設が広がり，1990年代からは国立大学の短期技術短期大学部や公立の短期大学が次々と大学に昇格，新設され，療法士の大学における養成の動きが加速した[9]。

理学療法士作業療法士学校養成施設指定規則（以下：指定規則）は，1966年に施行され，これまで4回の改正が行われた。その中で臨床実習時間は，1989年に810時間と定められており，これまでの改正の時間数（1966年1,680時間，1972年1,080時間）から更に減少した[10,11]。

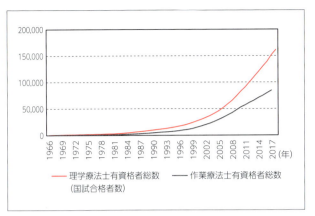

図4 理学療法士・作業療法士の推移
理学療法士は1966～2018年,作業療法士は1966～2017年。理学療法士有資格者数は,公益社団法人理学療法士協会ホームページ 資料・統計を参考に作成。作業療法士有資格者数は,作業療法白書2015,日本作業療法協会誌第57号(2016),第69号(2017)を参考に作成。

臨床実習は実践的教育の機会であり,教育課程において最も重要な位置づけとなる。したがって,臨床実習時間の減少は,臨床家を育成するという観点からしても,卒前の教育水準に大きく影響を及ぼすものになった。

また,養成校の増加に伴い臨床実習施設不足の問題が生じた。多くの養成校は,臨床実習が行えるような付属施設を持たず,外部の病院・施設に委託している。その一方で,臨床実習指導が行える病院・施設は限られているため,臨床実習生の数に対して実習施設が圧倒的に足りていない。また,実習施設側も昨今の診療報酬の改訂(後述)に伴い,指導者は診療時間内に診療実績を確保しつつ,学生を指導しなければいけないという大きな負担を請け負っている。そのため養成校は,実習施設に対して教育方針を強く示すことができない「弱い立場」となりやすく,実習施設主導の「おまかせの臨床実習」になっていることが多い。その臨床実習形態の実状が問題視され,2018年の指定規則改正では診療参加型実習の推奨が盛り込まれた。

療法士を取り巻く社会情勢や医療環境の変動のなか,診療報酬も大きく変化してきた[12～16]。療法士に関わる診療報酬は,2000年まで変更を繰り返しながら上昇してきた。しかし,2002年の改訂では複雑・簡単な運動療法から個別・集団に変更となり,初めてのマイナス改訂となった。また,2006年の改訂では,理学療法,作業療法,言語聴覚療法と療法ごとに分けられていたリハビリテーション料が,疾患別体系,すなわち脳血管疾患,運動器疾患,呼吸器疾患,心大血管疾患の4つの疾患別体系に再編された。つまり,理学療法,作業療法,言語聴覚療法を区別することなく一括してリハビリテーション料の単位数を算定することになったわけである。診療報酬の項目から理学療法,作業療法,言語聴覚療法が外されたこの改訂は,療法士にとって大きな転換となったと言っても過言ではない。その後,2010年には休日リハビリテーション提供体制加算やリハビリテーション充実加算の新設,2012年には,2000年に始まった介護保険制度の介護報酬同時改訂となり,医療から介護への円滑な移行を目的とした介護保険被保険者のリハビリテーション料の見直し,2014年には急性期病棟におけるリハビリテーション専門職の配置に対する評価,地域包括ケアを支援する病棟の評価などが新設された。2018年には医療と介護の連携の推進により,医療保険から介護保険に円滑に移行されるよう双方で使用可能な計画書の共通様式が新設された。

以上のように,この50年間に療法士を取り巻く環境は大きく変化してきたが,近年,養成校の増加に伴い「療法士の質の低下」が問題になっている。日本のリハビリテーション医療に対する注目と期待が大きいが故に,国民の注目が「療法士の質の低下」に集まり,患者や利用者のみならず病院・施設の他職種からも信頼を失う結果を招いてしまっている。そして,遂に療法士の供給が,社会の需要を上回ろうとしている[12]。現在の社会保障制度の枠では,多くの療法士の余剰が生まれることは確実であろう。療法士の質の低下と余剰問題,どちらも死活問題であるのは間違いない。

療法士が誕生してから半世紀が経過した現在,高齢化社会と人口減少,職域拡大と求められる高い専門性,養成校乱立と療法士の急増問題,診療報酬改定,そして療法士の質の低下と余剰問題,と我々療法士にとって厳しい世界になった。今こそ,我々療法士は,療法士の職能性と育成のあり方を再考するときではないだろうか。

引用文献

1) 公益社団法人日本理学療法士協会ホームページ 資料・統計.
   http://www.japanpt.or.jp/about/about_jpta/05_index/
2) 社団法人日本作業療法士協会:作業療法白書2005. 作業療法 第25巻特別号 p17, 2006.
3) 総務省統計局ホームページ:人口推計(2012年7月6日).
   http://www.e-stat.go.jp/SG1/estat/NewList.do?tid=000000090001
4) 内閣府ホームページ:平成23年版高齢社会白書.
   http://www8.cao.go.jp/kourei/whitepaper/w-2011/zenbun/23pdf_index.html
5) 国立社会保障・人口問題研究所:人口統計資料集2011年版.
   http://www.ipss.go.jp/syoushika/tohkei/Popular/Popular2011.asp?chap=0

6   客観的臨床能力試験（OSCE）とは

6）厚生労働省：平成 21 年簡易生命表.
　　http://www.mhlw.go.jp/toukei/saikin/hw/life/life09/
7）奈良 勲：理学療法士の職域—10 年の変遷と将来展望. 理学
　　療法ジャーナル 40：1101-1107（2006 年 12 月増刊号），2006.
8）日本作業療法士協会誌 No.35，2015.
9）乾 公実：日本における理学療法士教育の歴史的変遷. 理学療
　　法ジャーナル 41：77-85，2007.
10）黒川幸雄（奈良 勲 編）：理学療法教育. 理学療法概論第 6 版.
　　p239-286，医歯薬出版，2013.
11）内山 靖：理学療法学教育—10 年の変遷と将来展望. 理学療

法ジャーナル 40：1115-1120（2006 年 12 月増刊号），2006.
12）岩井信彦（奈良 勲 編）：理学療法（士）の役割とその領域.
　　理学療法概論第 6 版. p183-228，医歯薬出版，2013.
13）両角昌実：理学療法診療報酬—10 年の変遷と将来展望. 理学
　　療法ジャーナル 40：1095-1099（2006 年 12 月増刊号），2006.
14）社団法人日本理学療法士協会 編：理学療法白書 2005.
15）社団法人日本理学療法士協会 編：理学療法白書 2006.
16）公益社団法人日本理学療法士協会ホームページ 診療報酬改訂
　　情報
　　http://www.japanpt.or.jp/members/fee/

2 COSPIRE —療法士が生まれる場のあり方
コスパイア

　少子高齢社会はリハビリテーション医療に大きな影響を与えている。「高齢化」は需要の継続的拡大を，そして「少子化」は供給者確保の問題をもたらす。この問題は 2040 年頃まで続くであろう。療法士が生まれる場である養成校は，この 2 つが組み合わさった複雑な状況のもとにある。

　藤田医科大学（当時は藤田保健衛生大学）は，1992 年に開校したリハビリテーション専門学校を 2007 年に発展的に閉校し，2004 年春，現在の保健衛生学部リハビリテーション学科（当時は衛生学部リハビリテーション学科）を開設した。同時に，藤田医科大学リハビリテーション部門では，その使命を果たすため COSPIRE（Clinical-Oriented System for Progression and Innovation of Rehabilitation Education の略で，CO：共に，SPIRE：芽を出す，成長するという含意を持つ）プロジェクトを開始した。

　本項では私たちの臨床指向的教育／学習・研究統合プロジェクト，COSPIRE の考え方を紹介する。

　COSPIRE は新しい療法士教育／学習を目指したプロジェクトである。また，リハビリテーションチームのあり方そのものを問うプロジェクトでもある。

1 「少子高齢社会」と療法士養成

　療法士養成の現場は，高齢社会の需要圧力による養成校急増と少子化による学生数減少が混じり合った複雑な状況にある。

　日本は，これからさらに著しい高齢社会になる。65 歳以上の人口は 2005 年に 20％であったが，2030 年には 31

％，2055 年には 38％と増加を続ける。高齢化率という考え方でみると，すでに 2007 年に超高齢社会（21％以上）に突入した。

　高齢社会の医療・福祉分野を実際に支えていく中核がリハビリテーション医療関連の諸科学・技術である。そのため大きな社会的要請によって多数の学校新設が認可され，多くの卒業生が出るようになった。1990 年時点において理学療法士（PT）約 10,000 人，作業療法士（OT）約 4,700 人であった有免許者数は，2017 年には PT 約 150,000 人（1990 年の 15 倍），OT 約 85,000 人（1990 年の 18 倍）と急速な増加をみた。

　一方，現在の日本が抱えるもう一つの側面，少子化は学校運営上，深刻である。18 歳人口は第 2 次ベビーブームの影響により 1986 年から急増し，1992 年にピークの 205 万人に達したが，以降は減少に転じ，わずか 8 年後の 2000 年には 151 万人になり，さらに 2009 年には 121 万人とピーク時の 6 割まで減り，その状態が持続している。2018 年を過ぎると，再度減少傾向をたどり，2032 年には 100 万人を割って約 98 万人まで減少するといわれている。

　このような状況下で，養成校増加と入学希望者減少が相まって，学校は存続のためにその適性を見定めた入学基準を維持することが困難になり，理想とする教育を行うには相当な努力を要するようになった。この点が学校の立場を弱気なものにし，学生を顧客として扱い，過度に迎合するような風潮さえ生んでいる。

2 療法士養成の問題点

現状の療法士養成校はさまざまな問題を抱えている。養成校急増による教員の水準低下，実習施設の不足，入学希望者減少に伴う学生の問題意識低下，学生の学力低下が言われるようになって久しい。また，養成校の形態が専門学校，短大，大学とさまざまで，養成期間が3年，4年と異なるなど，養成校のカリキュラム内容の格差問題も解決すべき課題であろう。

しかし，私たちは「臨床不在」問題こそが最大の問題と考えている。理学療法・作業療法は治療の学問である。つまり臨床科学である。しかし，研修医制度をもつ医師教育と異なり，その教師陣，教育場面は臨床から離れたものである場合が多く，それが学生の臨床技能を低下させる根本的原因となっている。すなわち，教師の臨床経験不足・臨床からの分離，臨床実習の外注，卒後教育の不足が主たる問題となる。

3 私たちの試み― COSPIRE プロジェクト

COSPIRE は臨床中心の教育／学習・研究プログラムである。

ここでは教育／学習を中心に話を進める。COSPIRE の骨子は，臨床を中心に考える，専門家教育／学習の本質を考える，基準課題を卒後におく，専門家による教育，というものである。つまり，

・教員のあり方を見直し，教員が日常的に臨床に接する場面を大学病院内に設定した。
・臨床実習を最重要と位置づけ，大学病院で教員が臨床実習指導を行うことを基本とした。
・卒後教育・学習を重視し，教職員・卒業生・関連施設に継続的教育／学習を提供するシステムを作った。

4 COSPIRE の前提概念

A. 臨床が中心

理学療法士や作業療法士というリハビリテーション専門家は臨床家，すなわちリハビリテーション臨床をその活動の場とする人間である。今日の患者を助けつつ明日の臨床をより素晴らしいものとするため，臨床・教育／学習・研究に励んでいる。臨床が全ての中心にあることが大前提である。

B. 専門家教育／学習の目的

私たちは，専門家教育／学習を「専門家集団がその社会貢献と発展の継続性を確保するための仲間作り」と定義する。リハ専門家を含む「医療者の専門性」の特徴は，臨床を支える利他性，科学性，そして行為性にあり，これらの基礎を会得することが学生の課題となる。

利他性とは，他者の利益を第一義に考える態度を意味する。ともすると忘れられがちだが，自由主義（市場主義）の社会体制では職業人としての利他性はむしろ辺縁的態度であり，十分な再確認が必要である。学生は，自分のために学ぶのではなく人に役立つために学ぶという「覚悟」を正面から受け入れる必要がある。

医療の本質的は**科学性**にあり，科学性を考えるうえで見逃せない側面は，今までの膨大な積み重ねデータが存在し，その刷新が常時行われていること，そして，それらを保証する厳密な科学的方法論という基本ルールが存在するということである。そのため，その修得には膨大な時間と努力が要求される。さらに，これらの側面では，例えばいわゆる伝統的技を綿々と伝える職人の生活とは異なり（一流の職人に対しては失礼な表現であるが），常に学び続け，データの書き換えを図り続ける生涯学習の重要性を強調しておきたい。

行為性は明確な正解のない場面で，人の生活を不可逆的に変える行為を行う必要性に応じた，極めて深刻な責任を伴う積極性，能動性を意味する。臨床における行動の多くは，建前とは裏腹に，対照比較ができないという課題がある。

C. 基準課題という観点

療法士教育／学習プログラムの前提は,「卒後の臨床場面での問題解決を基準課題（criterion task）として，学習法則に基づいた教育／学習を行う」というものである。

リハビリテーション医学・医療は「学習の医学・医療」である。患者の学習機能を利用して，障害に適した新しい行動を学んでもらうことがその治療の中核だからである。私たちは，リハビリテーション医学・医療の概念は学生教育／学習にも応用できると考えている。

ここでは，その重要な概念である「基準課題」と「学習の特異性」について触れる。基準課題とは，学習や練習の本来の目的となる課題を意味する。例えば，バスケットのスローイング練習は，試合でのフリースロー（基準課題）で役立って初めて意味がある。学習や練習の成

果が基準課題で発揮できるとき，転移性（transference）が高いという。そして，課題が似ているほど転移性が高い（near transfer），という特異性の原則がある。

ところで，専門家という視点で眺めると，卒業や国家試験合格は専門家としてのスタートであって，決してゴール（最も重要な基準課題）ではないことに気づく。臨床に出て患者に適切な治療ができること，有効な経験を積めること，そのなかで生涯伸び続けることが最も大切なことなのである。つまり，最大の基準課題は「臨床家として療法士人生における患者治療成果の積分値を最大化すること」といえる。

この転移性の観点に立つと，授業，ノート，テストといった通常見慣れたアイテムも，もう一度その意味を考え直す必要が出てくる。なぜなら，卒後の臨床という基準課題場面には授業，ノート，テストといったアイテムはほとんど存在しないからである。さらに，学生の態度（姿勢）についての考え方にも再考が必要である。つまり，学生を「顧客（消費者）」として捉えるなら，卒後の臨床家という「行為者（生産者）」との姿勢のギャップは極めて大きくなってしまうからである。

私たちは，卒後に利他的・科学的・行為者である臨床家としてその責務を全うできるよう，そして生涯にわたり学習する姿勢を継続できるよう，以下のように基準課題を洞察し，学生の教育／学習上の基本的戦略とした。

想定される基準課題場面，すなわち卒後の臨床現場は以下のようなものである。

1. 動機づけ：臨床現場では，試験はなく教師はいない。つまり，外部からの合理的な動機づけ機構やペースメーカーは乏しいといってよい。

2. 学習目標：正解のある試験と異なり，臨床現場では正解の存在さえ未知であることがしばしばある。そして真理は常に刷新される。

3. 学習課題：臨床現場では，誘導（guidance）など手続き課題（procedural task）が数多く存在する。

4. 学習手段：臨床現場では授業がない。学生時代の大切なノートも，やがてはセピア色になってしまう。

5. 環境条件：療法士の場合，卒後教育／学習システムが圧倒的に不足している。一方，チーム医療として他職種との多関係性が必須である。

そこで，COSPIRE では以下の観点を重視する。

Heart（利他的科学的行為者姿勢の獲得）：態度としての利他的規範と科学的好奇心賦活の強調，能動性の強調によって内在的動機づけを形成する。

Brain（科学的視点の獲得）：科学的思考としてのメタ認知・メタ学習視点を誘導する。ノウハウを学ぶだけでなく，ノウハウの学び方を学び，卒後，臨床という不良設定問題環境のなかでも生涯学習ができる専門家になることを指向する。

Hand（実地技術の獲得）：体系的実習による技術の学習を重視する。OSCE はその一環をなす。

Tool（生涯学習能力の獲得）：学習手段としてのコンピュータ識文，英語識文，教科書・文献利用を促進する。

Suit（対人関係能力の獲得）：円滑な臨床導入としての臨床リハーサル，対人関係技術を習得する。

5 専門家による教育

専門家教育において考えるべき必要があるもう一つの点は，教育方法として「教育の専門家」がよいのか，「専門家による教育」がよいのかという問題である。この点について二分法的な立場はとらないが，COSPIRE は「専門家による教育」を目指す。そのために教師はモデルになる必要がある。

最大の理由は，「複雑な課題はモデルの模倣から始めると効率がよい」という考え方による。例えば（多少失礼な表現になるが），文学部において教授になってやろうと思う学生はそう多くないはずである。しかし，医師の教育においては，学生のほとんどが教師と同じ職業生活，すなわち医師になることを目指して学ぶ。そして，多くの場合，同じ職業を目指す人々間の教育／学習は，そうでない場合に比べ効率的である（最近の医学教育改革における主張とは多少意見を異にする）。

つまり，極めて複雑で膨大な課題を苦労して学ぶこのような場面（専門家教育）において，効率の良い方法の一つに「教師というモデルの模倣（あるいは同一化）」というスタンスから始めるというものがある。日本の武道などで古くから伝わる「守・破・離」といわれる修行の段階は，このモデルの発展段階を指すものである[注]。

しかし，医療者のなかでも医師以外の専門家の教育場面では，その分野の臨床家ではなく，むしろ教育の専門家になってしまった教師によって教育がなされることが多いようである（その理由については省略する）。そして，さらに療法士教育の場合，近年の養成校急増により臨床経験の少ない教員で溢れるようになっている。これ

は臨床家としての専門性を考えた教育の場合，不利な状況と考えられる。

　私たちは以上の点を突きつめ，COSPIRE という臨床指向的システムを開発した。すなわち，「教員は臨床家として生活することを基本とする」と再定義した構造を作った。私たち専門家は，専門家（臨床家）として美しい姿になりたいと願いながら，社会に対して継続してその使命を果たすために後に続く仲間を必要とし，教師として仲間になりたいという志のある人間（学生）に目を向けるのである。

　蛇足になるが，私たちは，近年しばしば強調される大学教育におけるファカルティ・デベロップメント（faculty development），つまり教育指導能力の開発という動きに反対の立場をとっているわけではない。そのうえで，専門家とその教育という観点はとりわけ大切であり，この点を強調する必要があると考えている。

　　注）専門家の養成に関して昔から徒弟制度を支持する考え方とその批判の両者が存在する。職人制については正統的周辺参加といった考え方，大学に関してはフンボルト主義とフォーディズム（フォード主義〜消費者主義）の対比などがある。筆者は，学習の転移性という観点から消費者主義強調の問題点を感じている。また，福澤諭吉の「半学半教」という考え方は，徒弟制の悪い部分を減じながらモデル模倣の発展性を確保できる良い例と考えている。

6 カリキュラムの要点

　COSPIRE という戦略のもと，藤田医科大学の戦術としてのカリキュラムの要点は以下のようになる。

1）科学的視点獲得の促進

　4 年間を通して，各科目間の繋がり（文脈）を正しく把握しながら系統的に学ぶ重要性を強調する。

2）利他的行為者姿勢の獲得

　社会人になるために必要な基本的な知識・態度を確認し，医療人としての広い視野とバランスのとれた教養を身につけるために，全教科を通して，利他的行為者としての姿勢を真摯に論議できる雰囲気・環境を作る。

3）生涯学習能力の獲得

　「5 年前の常識は非常識」が科学の世界である。したがって，必要な情報を手に入れて吟味し自分のものとする生涯学習能力が必須となる。"Science speak English"である。英語識文 literacy を高めるために，大学 3 年間にわたり 120 時間を設けた。また，情報ツールとしてのコンピュータを使いこなすために 5 単位を設定した。これ

により，生涯にわたり科学的根拠に基づく研究活動，臨床活動を支える能力の獲得を可能とする。

4）専門基礎学習

　医科系総合大学のメリットを生かし，充実した科目設定を行った。解剖学では実習も取り入れたので，人体構造への理解を深められる。また，言語病理関連の 3 単位を加え，コミュニケーション，認知機能への理解を促進する。

5）専門教育

　各科目の講義，実習は，原則として 2 人以上の教職員講師が共同分担し，講義の客観性を高めると同時に，相互評価による発展を期待する。

6）実地技術の習得(1)

　技術の確実な習得のため，臨床実習前後に OSCE を行い，到達度を確認する。COSPIRE と OSCE は，リハビリテーション専門学校の学生調査の検討結果に基づいて入念に計画されたものである。

7）実地技術の習得(2)

　臨床実習は，全体で 39 単位（1,560 時間）と極めて十分な時間設定にした。この豊富な臨床実習の多くを，当校の教員が直接，臨床現場で実際に患者を治療しながら学生に教育する。私たちは，療法士教育の大きな弱点の一つに「卒後教育の貧弱さ」があると認識している。そのため卒前に十分な臨床実習を行い，その弱点の克服を目指す。

8）対人関係能力の習得

　臨床は人間を対象としたものである。人との接し方は，熟練を要する技術に裏打ちされる必要がある。基礎，専門，実習を通して，対人関係に対する意識的配慮を姿勢として学ぶ。

7 学習と教育

　最後に，COSPIRE の基底にある教育と学習の関係性について触れておく。

　教師と学生は役割関係で結ばれている。対の役割関係には種々の形態があるが，この二者のような関係性は相補的役割関係と呼ばれる。

　学生の能動性は，基準課題という観点でみた場合，能動的役割の典型である専門家になるために必須のものといえる。つまり，学生が能動的に「学習する，学ぶ」ことは，その後の基準課題である専門家役割とフィットする。前述のように課題は似ていれば転移が起こりやすい。

しかし,「最近の学生の動機づけは…」という動機づけへの疑問がしばしば聞かれる。動機づけは能動性に影響を及ぼすために,「教師は学生の動機づけに責任を持たねば…」という考え方が生まれてくる。

ここでひとつ考えてみよう。「責任を持たねば…」という意識は役割意識そのものである。そして,非常に能動的であり,教師という専門家の役割に適したものある。しかし,この役割意識が強くなればなるほど「教育する,教える」という立場に偏り,それに伴って,相補的な関係にあるはずの学生側は「学習する,学ぶ」ではなく,次第に「学習させられる,教えられる」という受動形に変わってしまうのではないであろうか。相補的役割では,このような能動-受動の役割関係はしばしば両者の安定をもたらす。しかし,安定した役割関係も,その基準課題に沿わない設定であれば本末転倒であろう。

そこで,教師は学生に対し積極性を発揮し過ぎるのではなく,臨床という専門性に積極性を示し,一種のモデルとして学生に「背中を見せる」のである。それによっ

て,学生はモデルを学ぶという積極性をためらいなく発揮できる機会を増やせるであろう。これが臨床中心のCOSPIRE の目指す「臨床-教育-学習」の関係性である。

学生に「美しい背中」を見せるのは並大抵のことではない。それは決して「背を向ける」ことを意味するのではなく,患者を診つつ,自分の背中を見ている学生に注意しながら,学生が自分でモデルを作る過程を支援するのである。能動的な教師は,臨床なしには「教育に走ってしまい」,「過度な教育」をしかねない。「臨床中心」という姿勢は,その意味で「教育」という能動性の調整が難しい課題を適切な強度にペースダウンしてくれると期待できる。

リハビリテーション医療では,課題達成において最も重要な調整が課題難易度の設定にある。

ただ「褒める」ことではなく,また「過度」ではない「適切な量と質のフィードバック」が重要であることもリハビリテーション医療では常識になっている。

3 OSCE の概要

1 OSCE の歴史—医学生に対する OSCE

医学・医療が急速に変化する影響を受けて,医学教育は大きく変貌を遂げている(表2)[1]。これから紹介するOSCE の世界的普及と発展はその顕著な例である。

教育とは,「学習者の能力を向上させるための働きかけ」である。医学教育はカリキュラムという明示的システムをもち,教育目標は学生を主語とする。また,目標能力はブルーム(Bloom BS)の「知識,技能,態度」の3領域にその基礎をおく。そして医学教育の最終目標は,この3領域の目標能力の達成により医学・医療を発展させ,患者や社会にその恩恵をもたらすこととする[1]。

さて,近年の医学の長足な進歩と医学における人道主義の規範の徹底は,治療選択におけるインフォームドコンセントの促進と EBM の徹底,そして QOL 追求の深化をもたらした。そのため,世界の医学教育は膨大な医学「知識」の学習に教育期間の大半を費やす従来の医学教育から,「知識」の生涯学習化(卒前・卒後教育)を進める

表2 医学・医療の変化

医学情報・医学知識の変化 　量の増大,質への批判,領域の拡大と細分化, 　疾病構造の変化,IT の発達
保健・医療・福祉システムの変化 　個人の守備範囲↓,チーム・グループ診療↑, 　外来・在宅診療↑,病棟診療↓
患者の考え方の変化 　独自の情報↑,能動的・主体的,価値観の多様化, 　EBM の要求,医療に対する寛容性↓
医師の変化 　教えること・学ぶことの質・量↑,余裕↓, 　生涯学習の必要性↑,他職種との連携↑, 　コミュニケーション能力の必要性↑
医学生の変化 　医学教育への要求↑,教育目標↑, 　自己学習能力の必要性↑, 　バックグラウンド・価値観・将来像の多様化

(大滝純司 編:OSCE の理論と実際.p1-165,篠原出版新社,2007.より)

表3　OSCE の特徴

> 1) ステーションと呼ばれる小部屋を数個ないし数十個連続的に配置し，各ステーションに課題を設定する。
> 2) 筆記試験や口頭試問などいろいろな形式の課題を設定できるが，医療面接や身体診察など「技能」や「態度」領域の能力を測定するための実地試験 (practical examination) が中心になる。休憩するためのステーション（レストステーションと呼ばれる）を所々に配置することもできる。
> 3) 実地試験を行うために，本物の患者同様の演技とその患者役の立場からの評価ができるように訓練を受けた標準模擬患者 standardized patient(SP)や，模型／シミュレーターを利用する課題が多い。
> 4) 実地試験のステーションには評価者が配置され，評価（測定）マニュアルに従って所定の評価用紙に測定結果を記入する。SP からの評価も必要に応じて加味される。
> 5) 受験者は各ステーションに1人ずつ入り，進行係の合図（全体に聞こえるベルや放送などによる）に従って，予め決められた一定の時間（通常は数分間〜数十分間）ごとに隣のステーションに移動しながら一連の課題に対応し，ステーションを一巡する。
> 6) 必要に応じて，各ステーションの評価者や SP が受験者に対して指導(feed back)を行うことも可能である。

（大滝純司 編：OSCE の理論と実際. p1-165, 篠原出版新社，2007. より）

一方，知識に裏付けられた「技能，態度」の教育に力を注ぐようになってきた。そのために多くの医学部・医科大学では「技能，態度」の医学教育に実技試験を課してきたが，それは普遍的なものではなく，また，能力評価の客観性に行き詰まっていた。

評価は目的によって総括的評価と形成的評価に分かれる。総括的評価とは学習過程が終了した段階における合否や進級のための評価であり，形成的評価とは学習過程の途中でその学習目標がどの程度達成されているかどうかについて測定する評価である[1]。進級の度合いに応じて，実技試験には総括的評価も形成的評価も行われうる。また，国家試験での実技試験であれば総括的評価といえる。

1975 年，イギリスの医学教育に影響力をもつハーデン（Harden RM）ら[2]は，従来の医学教育における臨床技能レベルの能力評価に一石を投じた。彼らが提案したのが OSCE(objective structured clinical examination：客観的臨床能力試験）である。OSCE の特徴を表3[1]に示す。

OSCE は瞬く間に世界中に普及し，日本においては1993 年の川崎医科大学[1]での導入を機に，「医学教育モデル・コア・カリキュラム」（文部科学省医学・歯学教育の在り方に関する調査研究協力者会議）の提案を受け，2005 年からコア・カリキュラムの実習前実技試験，共用試験 OSCE として，すべての医学部・医科大学 80 校で実施されるに至る[1]。そして，高学年での臨床実習後試験あるいは卒業試験として Advanced OSCE が行われるようになり，国家試験への OSCE の導入も検討されている。なお，カナダでは 1992 年，医師国家試験に OSCE が導入され，アメリカでは 2005 年に医師免許試験に導入されている。また，ハーデンらの OSCE 提案より早い

1964 年，バローズ（Barrows HS）らにより標準模擬患者（standardized patient：SP）の導入が『医学教育』誌で報告され，その後，OSCE に導入されて SP は世界に普及する[1]。現在，医学教育の各段階（卒前・卒後・生涯教育）において要求される臨床能力の教育と評価のために，OSCE は最も望ましい評価方法であるとされている。

2　医学教育における OSCE の利点と効果

大学医学部・医科大学で実施されている OSCE には，①臨床実習開始前，②臨床実習後，③卒業時の3つのタイプがある。このうち臨床実習開始前の共用試験 OSCE の課題は，医療面接，頭頸部診察，胸部診察，腹部診察，神経診察，救急蘇生あるいは基本的外科手技の基本6ステーションからなる[1]。これらが手技として身についているかどうかを判定することが目的とされている。一方，臨床実習後 OSCE では，医療面接や診察手技でも症例を想定した場面設定になっているものが多く，患者の異常所見を適切に得られるかどうか（例えば，腹痛を主訴に来院した SP に対する医療面接や胸痛を主訴に来院した SP の胸部診察など）に主眼がおかれる傾向にある[3]。

このように，臨床実習開始前 OSCE では手技の確認，臨床実習後 OSCE では異常所見の把握，そして卒業時の OSCE では診療の流れに沿った臨床推論に主眼がおかれており，求められる基本的臨床能力の深さが段階的に増すように設計されている。臨床実習開始前の共用試験 OSCE のように基本的な手技や医療面接など個別課題を中心とするものに対して，卒業時の OSCE は Advanced OSCE といわれ，総合的な臨床能力を評価することが期待できる[3]。

医学教育における OSCE は，医師として必要な技能，態度の基本能力を学生に身につけさせる効果をもたらした。学習目標の到達には卒前・卒後教育の連結が必要であり，OSCE はその役割を果たすことが可能と思われる。膨大な時間と場所と人員を要求される OSCE であるが，現在は医学教育において効果を上げる安定した教育および評価手法として定着したといえる。

最後に，歯学教育や看護教育では既に OSCE を導入している。遅きに失する感はあるが，演習や臨床実習等を通して技能習得を重視している理学療法士・作業療法士の教育に OSCE を導入する動きが急速に強まってきている。その先鞭をつけたのが藤田保健衛生大学リハビリテーション専門学校および藤田医科大学保健衛生学部リハビリテーション学科，首都大学東京，群馬大学および茨城県立医療大学である[4〜9]。

引用文献

1) 大滝純司：OSCE の理論と実際．p1-165，篠原出版新社，2007.
2) Harden RM, Stevenson M, Downie MM：Assessment of clinical competenceusing objective structured examination. British Medical Journal 22：447-451, 1975.
3) Tim Dornan, Paul Ònell：事例で学ぶ OSCE —基本臨床技能試験のコアスキル．p1-14，西村書店，2004.
4) 渡辺章由，河野光伸，岡田 誠，他：作業療法士教育における客観的臨床能力試験（OSCE）の試み，第 1 報．作業療法 22：462，2003.
5) 河野光伸，渡辺章由，櫻井宏明，他：療法士教育における客観的臨床能力試験（OSCE）．作業療法ジャーナル 38：198-200，2004.
6) 山路雄彦，渡邉 純，浅川康彦，他：理学療法における客観的臨床能力試験（OSCE）の開発と試行．理学療法学 31：348-358，2004.
7) 井上 薫，谷村厚子，伊藤裕子，他：作業療法教育における客観的臨床能力試験（OSCE）の導入—評価上の問題点と改善策．医学教育 36：51，2005.
8) 阪井康友，篠崎真枝，坂本由美，他：理学療法におけるクラークシップ型臨床実習に対応した Basic OSCE の開発．理学療法いばらき 10：22-26，2006.
9) 鈴木孝治：作業療法教育における OSCE の現状．OT ジャーナル 41：791-796，2007.

---

4 OSCE の実施における要点

1 人員と時間の設定

OSCE では，数カ所に設置されたステーション（部屋）で課題が出題され，各ステーションで評価者が採点する。したがって，課題毎に標準模擬患者（standardized patient：SP）と評価者を配置しなければならない。また，OSCE が適切に運営されるよう進行を管理するタイムキーパーが配置されるとよい。

例えば，100 名の学生を対象に 3 ステーションを設置し，学生が 2 課題を受験する場合，3 名を一組とし，3 つのステーションにて同時に進行する。1 つ目の試験の終了に伴い，タイムキーパーの号令に従って，学生は各ステーションを移動し，2 つ目の試験が開始される。1 つの試験時間を 5 分，試験後の個別フィードバックを 2 分に設定すると（1 課題 7 分×2 課題×100 名/3 ステーション），約 7 時間以上を要する。また，各ステーションに SP を 1 名，評価者を 2 名と配置すると，タイムキーパー 1 名を合わせ，合計 10 名の運営者を要する。

2 評価者間の信頼性

OSCE に限らず，検査や評価全般において評価者間信頼性は重要な要素となる。例えば，複数日にわたる OSCE にて同一の課題を設定する場合，常に同一の評価者が担当するとは限らないため，評価者間の信頼性が担保されるよう留意しなければならない。具体的には，評価者はあらかじめ各採点基準を確認し，十分な検討を行っておく必要がある。また，複数の評価者にて評価する，試験の実施内容をビデオ撮影しておくなどの対策方法もある。

3 SP の演技と環境の信頼性

OSCE において SP には再現性の高い演技が求められる。まず，高い再現性を担保するためには，練り上げられたシナリオが必要となる。SP には，このシナリオに沿って，細部にわたり再現性の高い演技力が求められる。また，課題の環境も常に一定となるよう配慮しなければ

ならない。例えば、本書に掲載しているレベル1「6 下肢装具の装着介助」では、装着後に歩行を観察することを見越して、立ち上がった際にズボンの裾がずれ落ちないよう装着時に捲り上げる旨を手順に定めている。この課題を2名のSPが演じる場合、1名のSPのズボンが捲り上げ難い素材やデザインであると、その手順で手間を要することとなり、試験結果に影響を及ぼすこととなる。

日々一つひとつの機器（道具）をメンテナンスしておくことで事故の防止につながり、スムーズな介入や検査・測定の信頼性向上となるため、メンテナンスは必要不可欠である。

本書のOSCE課題で使用する機器（道具）はメンテナンス済みで、適切な機器（道具）を使用するものとしている。

4 本学のOSCEの紹介

本学では、理学療法専攻と作業療法専攻の両専攻のOSCEを同時に実施しており、学年毎に、おおよそ110名前後の学生が受験する。1回のOSCEでは、3つのステーションを設置し、ステーション毎に評価者2名、SP1名（評価者とSPは、必ず教員が担当）、タイムキーパ

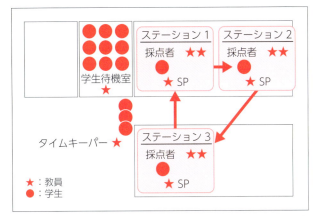

図5 OSCEでの受験生（学生）の動き方（3ステーションの場合）
受験生（学生）は3人を一組とし、タイムキーパーの合図に従ってローテーションしながら、各ステーションで5分の試験と2分のフィードバックを受ける。一組目が3回ローテーションし、3人全員が各ステーションでの受験を終了したら、次の組が受験を開始する。

ーを1名、学生待機室に1名、全ステーションの総括者（運営のマネジメント）1名と計12名を配置している。3つのステーションは、学生の移動時間を短縮させるため、同一フロアに設置するよう配慮している。学生は、3つ設置されたステーションのうち、2つのステーションにて課題を受験する（図5, 6）。評価者2名が採点し、評価者間の採点が2点差となった場合、合議による採点の

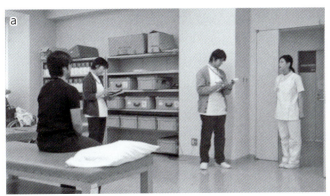
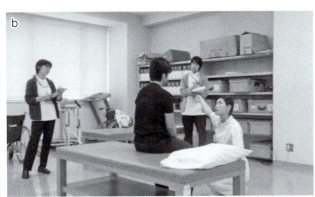
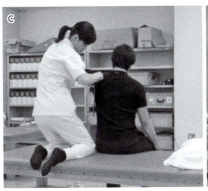

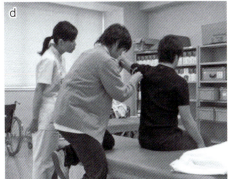

図6 本学でのOSCE実施場面
a：設問、b：患者への挨拶と説明、c：計測と結果説明、d：学生へのフィードバック

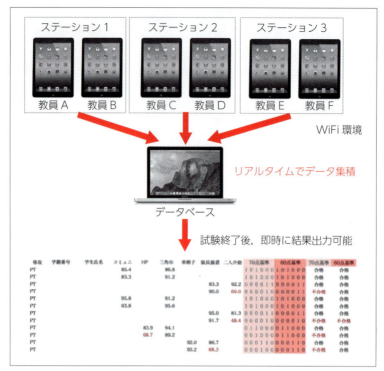

図7　採点入力システム

見直しを図っている。学生に対するフィードバックは，個人を対象とした試験時の即時フィードバックとともに，OSCEの全日程が終了した翌日に全学生を対象とした遅延フィードバックを実施している。即時フィードバックでは，可能な限り実演を交えるよう心がけ，遅延フィードバックでは，各課題において学生に共通して点数の低かった内容を伝えている。

また，採点の集計作業を効率化させるため，本学ではタブレット端末とデータベース用ソフトを利用して採点入力および成績管理を行っている(図7)。タブレット端末とデータベースはLANで接続されており，採点結果はリアルタイムでデータベースに集積されるとともに，統計処理が施され，OSCEの終了とともに，平均点，標準偏差などが出力できるようになっている。

さらに，本学では，評価者間の信頼性やSPの演技の再現性を向上させる取り組みとして，年間を通じて，教員を対象としたOSCEに関する勉強会を開催している。

レベル 1

1-1	標準予防策 （スタンダードプレコーション）
1-2	リスク管理
1-3	コミュニケーション技法
1-4	ホットパック実施の補助
1-5	上肢管理（三角巾の装着）
1-6	下肢装具の装着介助
1-7	車椅子の駆動介助
1-8	移乗介助

1 標準予防策（スタンダードプレコーション）

1 標準予防策（スタンダードプレコーション）とは

　手は人間にとって便利な道具であり，同時に微生物にとっても伝播のための便利な媒介になる。医療関連感染の多くも手を介して伝播されるといわれている。そのため医療従事者は，感染対策のために汚れと通過菌のすべてを除去することを目的とした衛生的手洗いや手指消毒が必要である。

　標準予防策は，感染症の有無にかかわらず，すべての患者のケアに際して普遍的に適応する予防策である。患者の血液，体液，分泌物（汗は除く），排泄物，傷のある皮膚や粘膜を感染の可能性のある物質とみなし対応することで，患者と療法士双方における感染の危険性を減少させる。

　本項では，療法士が臨床場面において頻回に実施する手指衛生と，手袋や隔離ガウンなどの個人防護具の着用について説明する。

2 標準予防策の目的と注意点

A. 目的

　手指衛生とは，流水と石けん，もしくは抗菌剤を含む石けんによる手洗いと，水を必要としないアルコールを主成分とした製剤（ローション，ジェル，泡状のもの）を使用する方法がある。目に見える汚れがな

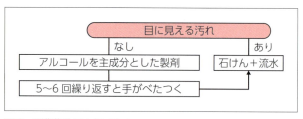

図1　手指衛生アセスメント

い場合は，殺菌効果や簡便性からアルコール製剤を使用する。アルコール製剤による手指衛生は，5〜6回繰り返すと手がべたつくことや，一部のウィルスに対する十分な効果が期待できないため，そのような場合は，目で見て汚れていない場合であっても，流水と石けんによる手洗いを選択する。

　手袋，隔離ガウンは，患者の血液や体液，損傷のある皮膚と療法士の手指や身体が接触することを防ぐために使用する。

　マスク，ゴーグルは，呼吸器の分泌物や血液など，感染の可能性のある物による，医療従事者の鼻と口，および目の粘膜汚染を防ぐために使用する。なお，眼鏡はゴーグルの代わりにはならない。

B. 適応

　それぞれの予防策の適応は以下の通りである。
【手指衛生】：患者に接触する前，患者に直接接触した後，患者周囲の物品に触れた場合
【手袋，隔離ガウン】：血液などで衣服を汚染する恐れがある場合
【マスク，ゴーグル】：血液，体液などが飛び散って目，鼻，口を汚染する恐れがある場合

C. 注意すべき点

1）必要な予防策の選択

　標準予防策には，①感染症から患者を守る，②感染症から自分を守る，③感染拡大を防ぐ，という意識が重要である。医療や介護業務に従事する者は，感染管理について理解し，実践することが求められる。

感染経路は，接触，飛沫，空気の3つの種類に分けられる。注意すべき感染性病原体を理解し，必要な予防策を選択する。

【手指衛生】：爪は短く切る。指輪や時計等のアクセサリー類は外し，手首まで洗う。ユニフォームが長袖の場合は腕まくりをする。皮脂の除去につながる温水の使用は避ける。

【手袋，隔離ガウン】：体に合うサイズを使用する。一患者ごとに交換する。外すときに汚染表面に触れないように内側へ丸め込むようにする。手袋は稀に小さな穴が開いている場合があるため，手袋を外した後は手洗いをする。

【マスク，ゴーグル】：体に合うサイズを使用する。目，鼻，口をしっかりと覆うように装着する。外すときに汚染表面に触れないようにする。

2）手指衛生のタイミング

世界保健機関（World Health Organization：WHO）のガイドラインには「手指衛生の5つのタイミング」が提示されている。5つのタイミングとは①患者に触れる前（手指を介して伝播する病原微生物から患者を守るため），②清潔/無菌操作の前（患者の体内に微生物が侵入することを防ぐため），③体液に曝露された可能性のある場合（患者の病原微生物から医療従事者を守るため），④患者に触れた後（患者の病原微生物から医療従事者と医療環境を守るため），⑤患者周辺の環境や物品に触れた後（患者の病原微生物から医療従事者と医療環境を守るため）である。リハビリテーションの現場では，患者から次の患者にリハビリテーションを実施する際に手洗いもしくは手指消毒を行うことが必須である。

3）医療機器への実践

リハビリテーションでは，多くの機器（道具）を使用する。機器類表面の清潔も感染予防のために重要となる。

患者に触れる行為はもちろんだが，ベッド柵やシーツ，モニターなどの医療機器に触れる行為の際にも，標準予防策を実践することが重要である。

3　手　順

A. 手指衛生

1）ハンドソープによる手洗い（図2）
2）速乾性擦式手指消毒液による手洗い（図3）

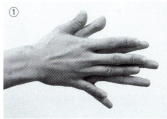
① 手掌を合わせてよくこする

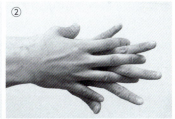
② 手の甲を伸ばすように洗う

③ 指先，爪の間を洗う

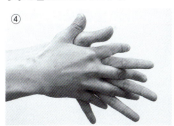
④ 指の間を洗う

⑤ 親指と手掌をねじり洗いする

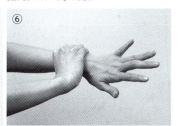
⑥ 手首，前腕も忘れずに洗う

図2　ハンドソープによる手洗い

  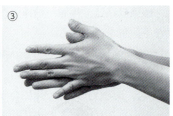
① 消毒液1プッシュ分 (3〜5 ml) を手にとる　② 両手の指先をこする　③ 両手を合わせ, 手掌をこする

④ 手甲をこする　⑤ 指を組み合わせ, 指間をこする　⑥ 反対の手掌で爪をこする

⑦ 親指を反対の手掌で包むように, ねじりながら擦り込む　⑧ 手首にも忘れずに擦り込む

図3　速乾性擦式手指消毒液での手洗い

B. 手袋の着脱

1）着け方（図4）
- 手のサイズに合わせて選ぶ。
- 手首まで覆うように引き延ばす。

2）脱ぎ方（図5）
- 対側の手袋を装着している手で手袋の外側をつかんで外す（裏側になるように）（図5①）。
- 手袋を装着している手で脱いだ手袋を持つ（図5②）。
- 手袋を装着していない手の指を残りの手袋の手首の部分から入れる（図5③）。
- 先に外した手袋を包み込むように裏返して外し, そのまま廃棄容器へ捨てる（図5④）。

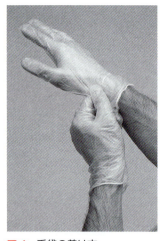

図4　手袋の着け方

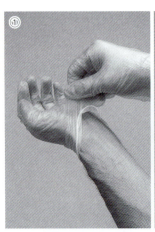 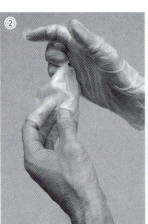 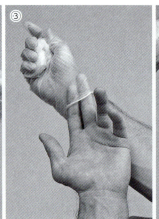 

図5　手袋の脱ぎ方

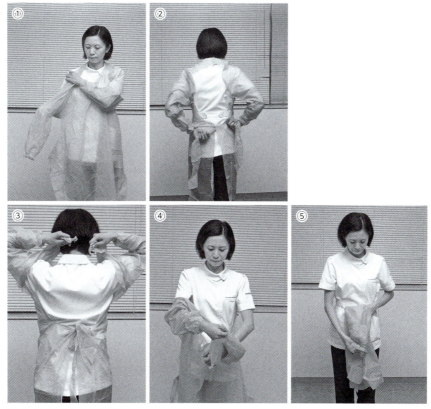

図6　隔離ガウンの着脱

C. 隔離ガウンの着脱

1）着け方
- 胴体を首から膝まで覆い，腕は手首の先まで通す（図6①）。
- ウエスト部分にある紐を結ぶ（図6②）。

2）脱ぎ方
- 首の後ろを外してから，ウエストの紐をほどく（図6③）。
- ガウンを肩から同側の手に向かって引き下ろし，ガウンは裏返しにする（図6④）。
- 脱いだガウンは身体から離して持ち，丸めて包み，捨てる（図6⑤）。

D. マスクの装着

- ヒダが下方向，ノーズピースが上方向にくるように装着する（図7①）。
- 顎まで覆うようにヒダを伸ばす（図7②）。
- ノーズピースを押さえ，鼻の形に合わせる。口・鼻が覆われ，顎などに隙間がない状態にする。外す場合は，紐を持って外し，そのまま捨てる（図7③）。

図7　マスクの装着

臨床のコツ

◆手荒れや傷がある場合は，手袋を着用する。

◆手洗い後，ペーパータオルを使用する時は，強くこすらないように，やさしく軽く叩くようにして水分を吸い取るようにする。

◆日頃から保湿効果のあるローションやクリームでハンドケアを行う。

◆複数の物を組み合わせて使用する場合，着用順は①ガウン，②マスク，③ゴーグル，④手袋，脱ぎ方の順は①手袋，②ゴーグル，③ガウン，④マスク，が推奨されている。

◆全ての個人防護具を脱いだあとは，すぐに手洗いを実施する。

参考文献

1）満田年宏 監訳：医療現場における手指衛生のための CDC ガイドライン．国際医学出版，2003.

2）亀田メディカルセンターリハビリテーション科リハビリテーション室 編：リハビリテーションリスク管理ハンドブック 改訂第 2 版．メジカルビュー社，2012.

2 リスク管理

リスク管理とはリスクを予測し，未然に対応することである。リスク管理を遂行し，リハビリテーションの中断や新たな治療を発生させずに治療を提供することは重要である。一方，過剰なリスク管理のために消極的なリハビリテーションとならないようにしなければならない。本項ではリスク管理のうち，患者誤認防止，転倒予防，点滴管理，カテーテル管理について解説する。

1 患者誤認防止

A. 患者誤認とは

患者誤認は医療事故の中でも重大な事故につながる恐れがある。患者誤認が生じる背景には，患者確認の際に姓のみで確認した，患者本人に名乗ってもらわずに療法士が名前を呼んで確認したなどが挙げられる。リハビリテーションの対象者は意識障害や認知症，失語症などにより本人確認に工夫が必要なケースが少なくない。施設の特性を踏まえて施設ごとに患者誤認防止のためのルールを定め，実行を徹底する必要がある。

B. 目　的

患者誤認が生じる背景を理解し，患者誤認防止のために行うべき行動を実践できるようにする。

C. 注意すべき点

1) 患者確認の方法
・自身で名乗ることができる患者には姓と名を名乗ってもらう。療法士が患者の名前を呼んで確認すると，難聴や認知症，場の雰囲気などにより患者は自身の名前と異なる名前で呼ばれていても「はい」と返事をしてしまうことがある。そのため患者自身に名乗ってもらうことが重要である。
・自身で名乗ることのできない患者の場合，付き添い者に患者の姓と名を名乗ってもらう。もしくはリストバンドや検査表などで患者確認を行う。ベッドネームでの確認も1つの手段であるが，患者が自身の部屋やベッドを間違え他者のベッドで休んでいるといったようなイレギュラーな事態が生じる可能性があるため，ほかの手段も考慮する。
・介入の際には姓と名を名乗ってもらうほかに生年月日や患者 ID，住所など多項目の識別子での確認が望ましい。本書の各課題では2つの識別子で確認することとする。

2) 患者確認のタイミング
・患者確認は初回介入時のみでなく，毎回必ず実施する。

> **臨床のコツ**
> ◆患者誤認対策に患者の協力は不可欠である。快く協力してもらえるよう患者誤認防止対策を理解してもらう。
> ◆患者誤認防止対策はリハビリテーションのみならず施設全体で取り組むべきことである。よって患者は日に何度も氏名を名乗る必要性が生じる。こうした状況に配慮して「何度も伺ってすみません」「確認のためお名前を教えてください」など一言添えるとよい。

2 転倒予防（移乗，座位，歩行，階段）

A. 転倒とは

転倒は「意図せずに地面，床，その他の低い位置に倒れることであり，その他の場所から意図的に体位を変えて家具，壁，その他の物体に座ったり，横になる，もたれ掛かることは除く」[1]と定義されている。類義語として転落があり，「高低差のある場所から地表面または静止位置までのスロープに接触しながら転がり落ち受傷したもの」[2]と定義されている。今回は広義的解釈として転落を含めて転倒とし，解説する。

転倒すれば，時に骨折や裂傷など新たな治療を要する事象を招く。リハビリテーションを必要とする患者の多くは高齢者である。高齢者は身体的リスクとして，骨粗鬆症を有するため，軽度な外力によっても骨折を生じることがある。また，心理的リスクとして，転倒への恐怖心が増大し，不活動によって心身の機能がいっそう低下することがある[3]。

転倒事故の発生には複数の要因が関与することが知られているが，環境因子と患者因子に大別される。環境因子としてはベッドサイド環境，明暗環境，履物，補助具などがある。患者因子としては，運動機能低下，失禁・頻尿，精神機能低下が挙げられる。

B. 目　的

移乗，座位，歩行，階段昇降などの練習中に起こりうる転倒リスクを理解し，リハビリテーション実施中のリスク管理をできるようにする。

C. 注意すべき点

1）起き上がり

- ベッドからの殿部ずり落ち：背臥位から座位になる過程で殿部の位置が浅くなり，転落することがある。療法士は転落の恐れがあるときに介助できる体勢をとる必要がある（図1）。

2）座位

- ベッドからの殿部ずり落ち：浅く座ると殿部が落下しやすい。
- 後方倒れ：座位が不安定で体幹筋力が低下している場合，骨盤が後傾していることが多く，座位を保てず，後方へ倒れることがある。また，転倒の際にはベッド柵に後頭部を打つことがあるため，注意が必要である（図2）。
- 靴を着脱する際の注意：療法士が患者の足下ばかりを見ていると座位の崩れに気づきにくい（図3a）。座位の安全を確認しながら，靴の着脱を介助する（図3b）。

3）立ち上がり

- 一度での立ち上がり困難：骨盤後傾位や後方重心の場合，立ち上がりきれずに勢いよく座面に戻ることがある（図4）。下肢の筋力低下がみられる患者は，膝関節伸展が困難で，立ち上がりきれずに勢いよく座面に戻るもしくは転倒しやすい。

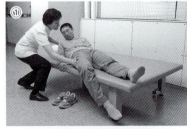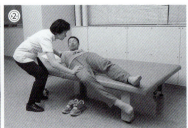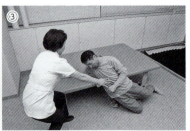

図1　ベッドからの殿部ずり落ち
背臥位から座位になる過程で殿部の位置が浅くなり，転落することがある。

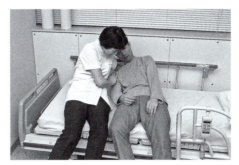

図2 後方倒れ
後方に転倒し後頭部をベッド柵に打つことがある。

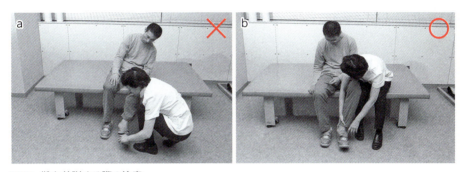

図3 靴を着脱する際の注意
患者の足下ばかりを見ていると座位が崩れていることに気づきにくい (a)。座位を確認しながら靴の着脱を介助する (b)。

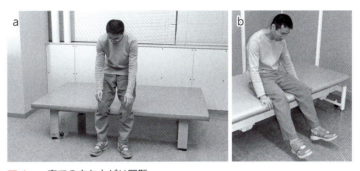

図4 一度での立ち上がり困難
立ち上がりきれず (a)、勢いよく座面に座ることがある (b)。

4) 立位
- 膝折れ：下肢の支持性が低下している患者は、立位で膝折れが生じやすい。また、下肢の筋力低下がみられる患者は、わずかな外乱にて膝折れが生じることがある（図5）。

5) 移乗
- 膝折れ：離殿が不十分な状態で移乗を試みると、膝折れが生じ、転倒しやすい（図6）。

6) 歩行
転倒リスクの高い患者には転倒予防のためのベルト使用（図7）や、さらしの使用（図8）を検討するとよい（転倒予防のためのベルト装着方法はレベル2「17 立位バランスの評価」を参照）。また、転倒の恐れがあるときは、支えられる距離で体勢をとる（図9）。適切な距離は療法士の肘関節を軽度屈曲した際に、療法士の手部が患者の体幹に容易に届く距離とする。また、療法士と患者の体格差が大きい、転倒のリスクが高い場合は、患者の動作を妨げない範囲でさらに接近してもよい。
- 膝折れ：特に大腿四頭筋の筋力低下がある患者に生じやすい。

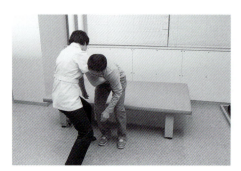

図5 膝折れ（立位時）
立位をとったところで膝折れが生じやすい。

図6 膝折れ（移乗時）
離殿が不十分で膝折れが生じる恐れがある。

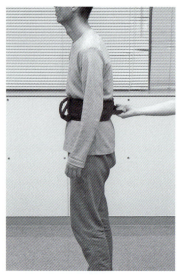

図7 転倒予防のためのベルト（装着例）

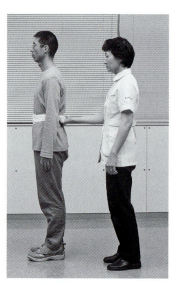

図8 さらしの装着例

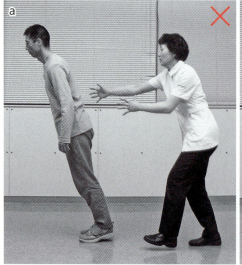

図9 転倒を防ぐ距離と体勢
a：患者と療法士の距離が遠過ぎる
b：患者と療法士の距離が適切である

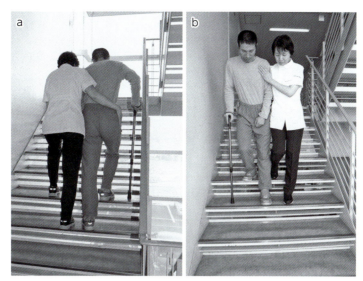

図10　階段での監視・介助方法
a：昇段時，b：降段時

- つまずき：わずかな段差，アスファルトや砂利道など摩擦力の強い歩行路，狭路にて生じやすい。
- 補装具のすべり：杖先ゴムの劣化・すり減りがあると，補装具が滑りやすく，バランスを崩して転倒する恐れがある。
- バランス不良：わずかな外乱にて転倒の恐れがある。

7) 階段

　平地歩行よりも転倒の危険が高まるため，患者は恐怖心を抱きやすい。また，昇段より降段での転倒が大きな事故につながる恐れがある。実際の階段昇降練習の前に，低い段差での練習から開始し，その後，階段と同じ蹴上高での段差昇降練習を十分行うことが重要である。昇段時には患者の斜め後方（図10a）から，降段時は患者の側方（図10b）から監視・介助を行うことを基本とする。

- つまずき，段差の踏み外し：関節可動域の不足，腸腰筋や前脛骨筋の筋力低下，動作時に疼痛を伴う患者，筋緊張の亢進，感覚低下，視力低下がみられる患者では注意が必要である。
- 膝折れ：特に大腿四頭筋の筋力低下がみられる患者の降段時に生じやすい。

D. 転倒時の対応

　各施設にて報告・対応方法がマニュアル化されていることがほとんどである。各自で自施設のマニュアルを確認されたいが，一般的な報告・対応方法を以下に記載する。
　転倒時は，①患者の安全確保，②応援要請，③バイタルサイン（血圧，脈拍，呼吸，体温，意識レベル）の測定，④医師に報告もしくは院内救急（コードブルー）発信，⑤病棟看護師に連絡，⑥所属長に報告，⑦カルテ記載，を行う。

1) 療法士が患者を支えたが床面以外の安全な環境に戻せない場合

　療法士が患者を支え勢いよく転倒することを防いだが，療法士1人では安全な環境に戻すことが困難な場合は，患者を静かに床面に下ろす。疼痛の有無を確認した後に，必要に応じて応援を呼び，床面ではない安全な環境に移す。

2) 療法士が支えきれず勢いよく転倒した場合

　速やかに患者を安全な姿勢にし，患者から決して離れることなく大きな声で応援を呼ぶ。応援を呼ぶ声が届かない環境でリハビリテーションを実施しないことが原則であるが，やむを得ない場合は院内用携帯電話を所持しておくなどの対応があらかじめ必要である。患者の安全を確保した後は，バイタルサインの測定と医師への報告を速やかに行う。

```
 9：10   リハ開始時：意識 清明，BP 120/80 mmHg，HR 72 bpm，SPO₂ 98%
 9：15   血圧測定後，端座位，歩行を実施
        端座位：意識 清明，BP 125/80 mmHg，HR 80 bpm，SPO₂ 98%
 9：25   杖歩行練習中に膝折れを起こし殿部をつくように転倒
        応援を呼び，ベッド上に臥位としバイタルサイン測定
        臥位：意識 清明，BP 140/90 mmHg，HR 99 bpm，SPO₂ 98%
        新たな腰の痛みの訴え（－），しかし元々腰痛あり
 9：27   リハ医師到着
        X線撮影の指示あり
10：05   骨折（－）を確認
所属長，病棟看護師に上記の内容を報告

歩行は昨日より歩行器にて病棟を修正自立である。リハでは本日より杖歩行を開始し
た。大腿四頭筋筋力は MMT 2～3 で，膝折れを起こす可能性はあった。転倒に備え近
位で監視していたが，患者はふくよかな体型のため，支えきれず転倒に至った。次回か
らは転倒防止ベルトを装着してリハを実施する。
```

図11　カルテ記載の例

　患者の意識がなく，呼吸が止まっている，もしくは正常でない場合は，直ちに胸骨圧迫を開始する。院内救急（コードブルー）を発信する判断も迅速に行う。発信の判断基準は事前に施設内で検討しておく必要がある。意識があり，患者が「大丈夫だ」と発言してもバイタルサインの測定は速やかに行い，医師への報告も怠らないようにする。

　転倒患者への対応後は，療法士の所属長と，患者が入院している場合は病棟看護師に必ず報告する。また，カルテへの記載は転倒に至った経緯および対応内容をありのままに時系列で記載する。考察は事実記録と混同せず記載することが重要である（図11）。

臨床のコツ

◆転倒・転落が起きる場合に備えて，常に患者を支えられる体勢をとっている必要があるため，ノートやペンを持たない，手を後ろに組まない，ポケットに手を入れないように注意する。

◆患者の身体機能を評価するときは必ず安全な環境から開始し，療法士と患者が互いに安心できる環境で行う。

◆平行棒内歩行練習を実施する場合，療法士は原則平行棒内にて転倒予防に努める。

◆療法士が転倒・転落予防に不安があるときはリハビリテーションを続行せず，環境を整えてから再実施するか，他の療法士を呼んで補助についてもらうなどを検討する。

◆視力の低下，コントラスト感度低下，視野の狭窄，照明不足，感覚障害，起立性低血圧がある患者は転倒リスクが高い。

◆認知機能が低下している患者への対応では，患者が実施したい動作方法を予測し，対応する。療法士よがりの動作方法を強いると，患者はそれを理解できずに混乱し，転倒リスクが高まることがある。

◆移乗動作時は靴による滑り止め作用があるため，患者には靴を脱がずに動作を実施してもらう。

引用文献
1）鈴木みずえ，金森雅夫，中川経子 監訳：WHO グローバルレポート 高齢者の転倒予防．p1，双文社印刷，2010.
2）日本転倒予防学会ホームページ：http://www.tentouyobou.jp/senmonka/teigi.html
3）泉　キヨ子 編：エビデンスに基づく転倒・転落予防．p17，中山書店，2005.

参考文献
1）嶋田智明，有馬慶美，齋藤英之：ベッドサイド理学療法の基本技術・技能．p21-24，文光堂，2013.

3 点滴管理

A. 点滴の種類

　点滴には末梢静脈点滴法と中心静脈点滴法がある。末梢静脈点滴法は水分・電解質の補給や薬剤の投与に用いる。中心静脈点滴法は栄養管理を目的とした高カロリー輸液や循環管理を目的とした昇圧剤および高濃度の電解質製剤の投与に用いられる。

　点滴刺入部位は末梢静脈点滴法では上肢が多く，下肢は上肢に刺入が困難な場合や自己抜去の可能性がある場合に使用することがある。中心静脈点滴法では内頸静脈，外頸静脈，鎖骨下静脈，大腿静脈などの深部静脈を使用する。中心静脈点滴法は看護師が刺入や抜去を実施することはなく，医師が行う。挿入するカテーテルの長さは穿刺部位や穿刺角度，患者の体型，血管走行などに大きく影響を受けるが，右内頸静脈穿刺では上大静脈内に達する長さとなるため，挿入距離は約13cmになる。また，カテーテル先端の位置は必ず胸部X線にて確認し詳細に調整，縫合固定を行う。中心静脈穿刺の挿入は合併症を伴うリスクがあり，挿入の適応も慎重に決定されているため，リハビリテーション時の点滴トラブルは，末梢静脈点滴法よりリスクが高いものとなる。

　穿刺針には翼状針，留置針がある（図12）。翼状針は針が短く，体動にて抜けやすい。そのため，刺入部を動かさずにベッド上臥位姿勢でリハビリテーションを実施する，もしくは点滴を実施していない時間帯にリハビリテーション時間を変更するなどの配慮が必要である。

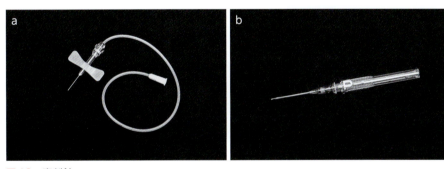

図12　穿刺針
a：翼状針，b：留置針

B. 目　的

　点滴の種類と仕組みを理解し，リハビリテーション実施中にリスクに対応できるようにする。

C. 点滴の仕組み

　点滴はサイフォンの原理（水のつまった管を使用して，高い所の水を低い所へ移す仕組み）で成り立っている。そのため，点滴バッグ内液面上縁から刺入部までの高さは80〜100cm，背臥位での設定が基本となる。点滴中に臥位，座位，立位など姿勢が変化すると，点滴バッグと刺入部までの高さが変動し，滴下速度が変化してしまうことがある。リハビリテーション実施中は常に点滴バッグと刺入部までの高低差を維持し，点滴トラブルが生じないようにする（図13）。

　クレンメ（図14）は点滴薬剤の流量，三方活栓（図15）は点滴薬剤の流れの方向を調節することが可能である（図16）。療法士がクレンメや三方活栓にて点滴流量を調整することは許可されていないが，これらの役割を理解しておくとよい。また輸液ポンプ（図17a）やシリンジポンプ（図17b）を使用して点滴流量を調整していることも多い。

　輸液ポンプやシリンジポンプは機器の設定で流量をコントロールしている。輸液ポンプの流量は患者の姿勢が変化しても一定であるため，点滴バッグと刺入部の高低差調節を必要としない。シリンジポン

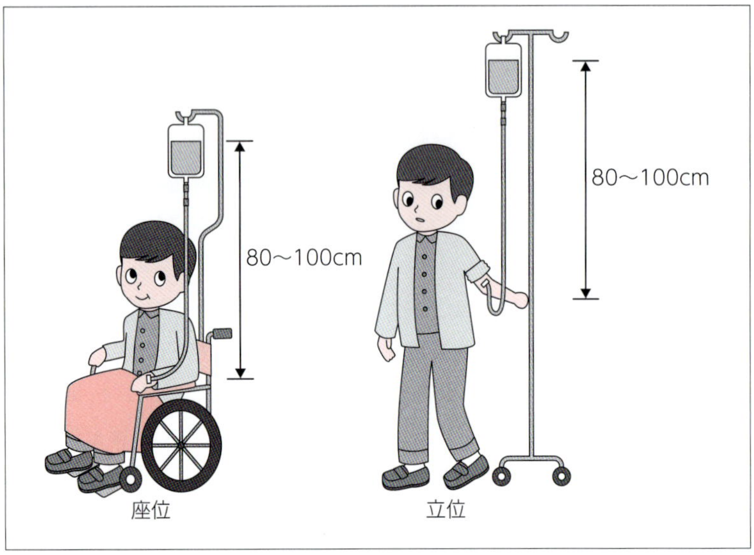

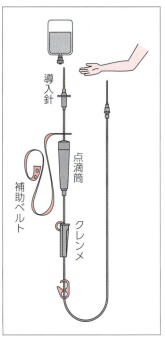

図13 輸液剤容器と刺入部の高さ
常に点滴バッグ内液面上縁から刺入部までの高さを調整し，点滴トラブルが生じないようにする。

図14 輸液セットと名称

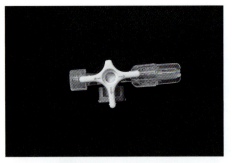

図15 三方活栓

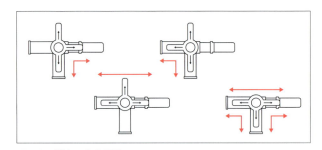

図16 薬液の方向調整
三方活栓の向きによって薬剤の流れの向きが変わる。

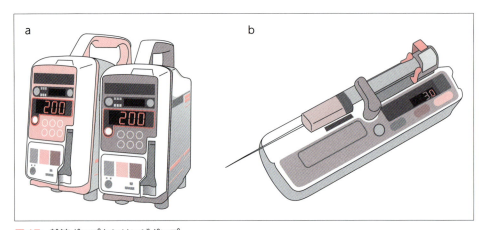

図17 輸液ポンプとシリンジポンプ
a：輸液ポンプ，b：シリンジポンプ

プではサイフォニング現象（図18）を理解し，療法士がシリンジポンプの高さを変更しないようにする。これらの機器は，リハビリテーション実施中はバッテリーで稼働させることが多いが，必要に応じて充電しながらリハビリテーションを実施する。リハビリテーション終了時にはバッテリーの充電を行うため，コンセントに挿すことを忘れないようにする。

D. 注意すべき点

点滴トラブルとして滴下不良，閉塞，逆流，点滴バッグからのルート外れ，接続部外れ，点滴漏れ，静脈炎（図19）などがある。

1）滴下不良や閉塞

原因として，①刺入部が関節の屈曲によって関節付近で圧迫されている，②過度の筋収縮が生じている，③点滴バッグと刺入部までの高低差が足りない，④点滴バッグが空になっている，などがある。これらの対応として，①関節を刺入部の圧迫が解除される角度まで戻す，②過度の筋収縮をさせない，③滴下不良や閉塞が改善する高さまで点滴バッグを挙上させる，④看護師に報告する，などがある。

2）逆流

血液逆流の場合，多くは滴下不良が原因である。薬剤逆流の場合，複管点滴で一方の点滴バッグが空になっていることが多い。

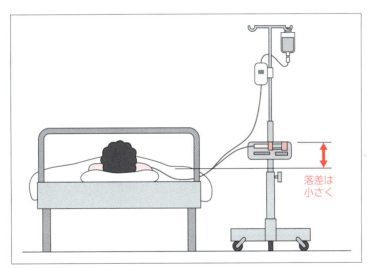

図18　サイフォニング現象
シリンジの固定が不良な場合，シリンジポンプが刺入部より高い位置にあると落差により陰圧がかかり，一気に薬液が注入される現象である。

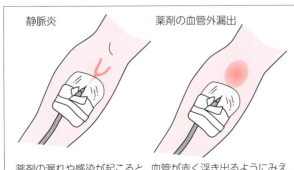

図19　血管炎と点滴漏れの所見
（角田直枝：図でわかるエビデンスに基づく点滴の安全管理と看護ケア．p27, 中央法規出版, 2005. より改変）

3）点滴漏れ

　点滴漏れは血管外に薬剤が漏れることを指す。所見としては刺入部の発赤，疼痛，腫脹がある。特に抗がん剤や強いアルカリ性薬剤が血管外に漏れると組織壊死を生じることがあり，迅速な処置を必要とするため，これらの点滴加療中は原則リハビリテーションを実施しない。リハビリテーション中に点滴漏れを発見した場合は，薬剤にかかわらず速やかに看護師に報告する。

4）その他

　導入針（図 14）が点滴バッグから抜けた場合は，床面に触れていなくても不潔となるため，療法士が再び挿入することは絶対にせず，速やかに看護師に報告し対応してもらう。接続部位の外れや留置針の一部が抜けかけた場合も，療法士が再接続や再挿入を行うことは禁忌事項であり，速やかに看護師に報告し対応してもらう。留置針が完全に抜けた場合は患者の血液による感染リスクが高いため，留置針には決して触れてはならない。

E. 点滴トラブルを予防するための対応と工夫

1）開始時

　リハビリテーション開始時は点滴刺入部位，穿刺針の種類，刺入部の固定の程度，点滴漏れの有無，接続部位の緩みがないことを確認し，リハビリテーションを開始してよい状態かを判断する。血圧測定は点滴トラブルを生じやすいため，原則，点滴側では測定しない。

　点滴バッグと刺入部の高低差と滴下速度，点滴残量の把握を行う。リハビリテーションを実施する際は点滴バッグと刺入部位の高さを確認し高低差を保ち，リハビリテーション開始時の点滴滴下速度を維持するよう配慮する。リハビリテーション実施中に点滴が終了する可能性がある場合は，実施前に看護師に相談する。

2）運動時

　関節付近への刺入は血管の蛇行・細さ・もろさなどの患者側の問題によって選択されているため，再挿入は困難なことが多い。加えて，刺入部位が関節付近にある場合は点滴漏れや閉塞を生じやすい。そのため，点滴刺入部位に過度の筋収縮を生じさせない，刺入部位を圧迫しないよう配慮する。具体的には，手関節付近に刺入部位がある場合には，杖の使用や平行棒での支持を行わないなどの配慮が必要である。また，関節運動を実施する際，刺入部が圧迫されるようであれば関節運動は行わない。

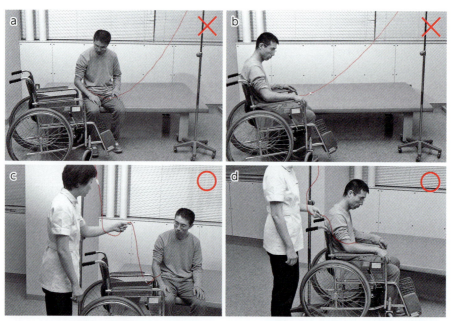

図 20　ルート配置への配慮
点滴スタンドが移動先の車椅子と反対にあり，移乗動作を行うと，ルートが引っ張られてしまう（a，b）。点滴スタンドを車椅子側に配置し，ルートを引っ張らないよう移乗動作を実施する（c，d）。

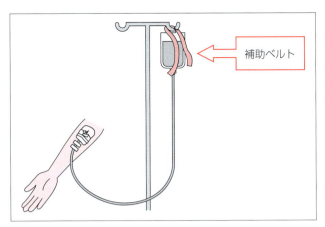

図21　補助ベルト

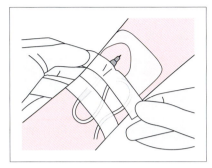

図22　刺入部が抜けないための固定の工夫

3) 滴下速度への配慮

リハビリテーション実施中に開始前と比較して点滴の滴下速度が大幅に変化しているときや，点滴が実施中に終了してしまった場合は，速やかに看護師に報告・相談する．リハビリテーションでは立位練習や歩行練習を実施することも多いため，練習姿勢に見合った点滴棒の高さに適宜変更することを忘れてはならない．

4) ルートの長さへの配慮

起居動作や移乗動作の際などはルート抜去の事故が生じやすい．動線を考慮したルートの配置を行い，介助中にルートを牽引したり，患者の殿部で圧迫しない位置に配置する（図20）．

また，ルートの長さも把握しておく必要がある．リハビリテーション中の動作に対してルートの長さが足りなければ，看護師に相談しルートの延長を検討してもらう．点滴ルートが短い場合，ルートが牽引され点滴バッグから抜けてしまう可能性がある．予防策としてルートに補助ベルト（図14，21）が付いていれば，必ず補助ベルトの穴を点滴棒の吊り下げ部にかけて使用する．やむを得ず，練習内容や療法士の介助によってルートに牽引力がかかる恐れがあれば，刺入部が抜去されないよう看護師に対応を依頼することを検討する（図22）．

> **臨床のコツ**
> ◆点滴ルートが車椅子の車輪部分や床に触れると不潔となるので注意が必要である．また，車輪への巻き込みやルートの踏みつけで，点滴抜去の危険がある．
> ◆遮光袋がかかっている点滴バッグはビタミンが分解促進されやすいので，遮光袋で点滴バッグを覆ったまま取り扱う．

参考文献

1) 道又元裕 監：忘れてはいけない 点滴管理の基本とコツ．日本看護協会出版会，2003．
2) 日本看護協会：医療・看護安全管理情報 10（427），2003．
3) 大阪労災病院看護部：はじめての輸液（はじめてのシリーズ）．メディカ出版，2006．
4) 角田直枝：図でわかるエビデンスに基づく点滴の安全管理と看護ケア．中央法規出版，2005．
5) 安全な中心静脈カテーテル挿入・管理のため手引改訂WG：安全な中心静脈カテーテル挿入・管理のためのプラクティカルガイド2017．日本麻酔科学会 安全委員会，2017．

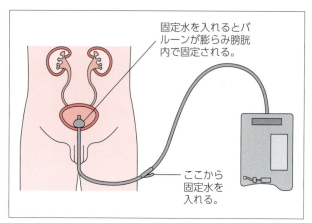

図23 膀胱内で固定される仕組み

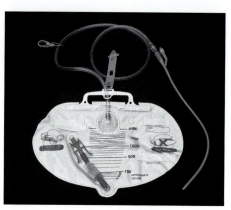

図24 一体型（閉鎖式）の蓄尿袋

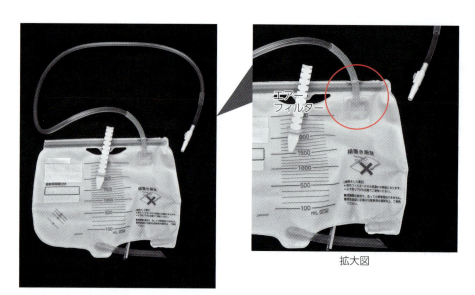

図25 カテーテルと接続するタイプの蓄尿袋

4 カテーテル管理（尿道留置カテーテル）

A. 尿道留置カテーテルとは

　尿路の閉塞や神経因性の尿閉，泌尿器・生殖器疾患の術後に治癒を促進する場合，重症者の尿量を正確に把握したい場合に使用される。

　尿道からカテーテルを挿入し，膀胱内でバルーンを膨らませて固定される（図23）。さらに，カテーテルの抜去を防ぐ目的で，皮膚へ直接テープで固定される。蓄尿袋は，カテーテルと一体型（閉鎖式）のものと，カテーテルと接続するタイプのものがある（図24, 25）。また，蓄尿袋には通常「エアーフィルター」もしくは「通気フィルター」と呼ばれるフィルター（図25 拡大図○部）が付属している。フィルターは蓄尿袋内の圧を調整し，蓄尿袋内への尿の排出を良好に保つ役割がある。尿が入ったまま蓄尿袋を寝かせて水平にし蓄尿袋を濡らすと，フィルターが濡れてしまい，尿路感染のリスクが生じる（後述）。

B. 目的

　尿道留置カテーテルの仕組みを理解し，尿路感染など臨床で注意すべき点について理解する。

C. 注意すべき点

尿路感染とカテーテルの抜去に注意してリハビリテーションを行う。

1）尿路感染

尿路感染経路は，①カテーテルと尿道粘膜との間，②カテーテルと蓄尿袋との結合部，③蓄尿袋からの逆流，④尿排出口によるものが考えられる。

全身状態の良い患者は無症状に経過し，症状のある患者もカテーテルの抜去によって症状が改善することは多い。しかし，稀に膀胱炎，腎盂腎炎，さらに敗血症に至ることもある。

2）蓄尿袋の不適切な取り扱い

療法士の衣服などに患者の蓄尿袋をぶら下げることは感染管理上，不適切である。歩行練習時は支柱台（点滴スタンド）の使用や，患者のベルトや腰につけた紐にぶら下げることなどが望ましい。

蓄尿袋の取り扱いは，蓄尿袋から尿が逆流しないよう蓄尿袋をカテーテル挿入部位よりも高く上げないよう注意する。ギャッチベッド上ではベッド柵などに蓄尿袋をぶら下げるようにする（図26）。

> **臨床のコツ**
> - リハビリテーション実施前にカテーテルの装着状態と蓄尿量，尿中の浮遊物の量などを確認する。対応が必要な場合は看護師へ報告し，対応を依頼する。
> - カテーテルの接続部位と尿排出口部分のクランプ状態に緩みがないかを確認し，緩みがある場合は修正する。
> - 移乗動作時や歩行動作時などは，カテーテルに過度な牽引力がかからないよう，長さを確認する。
> - 治療用ベッドでは，あらかじめマグネットや吸盤付きフックなどを準備しておき，蓄尿袋を掛けることができるようにしておく（図27）。

特に車椅子乗車時はS字フックや吸盤付きフックなどを使用し，蓄尿袋が床に触れずカテーテルに牽引力がかからないようにする（図28，29）。蓄尿袋が空であれば，未使用のビニール袋や蓄尿袋を管理するために準備されたカゴなどに入れて水平に管理することも可能である。しかし，蓄尿袋に尿が入ったまま蓄尿袋自体が水平になると，エアーフィルターが濡れる恐れがあり，尿路感染のリスクが高まるため垂直に保持する。

蓄尿袋をカテーテル挿入部位よりも低い位置で管理することが困難な床やマット上での練習時は，膀胱と蓄尿袋の位置関係が水平になり逆流や尿路感染の恐れが生じるため，リハビリテーション実施前に

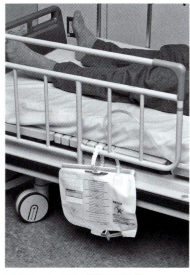
図26　ベッドサイドでの管理

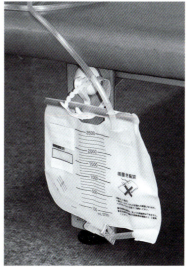
図27　治療用ベッドでの管理

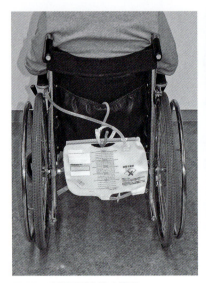 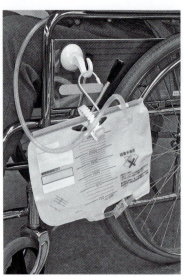 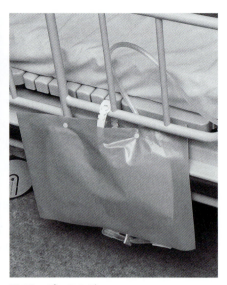

図28　車椅子乗車時の管理　　図29　車椅子乗車時の管理　　図30　パックカバー

看護師に蓄尿袋を空にしてもらう。

　蓄尿袋の中身が見えないようにする場合は，上から被せるタイプの専用カバー（パックカバー）を使用するとよい（図30）。

3）カテーテルの不適切な取り扱い

　カテーテルの先端は，5～10 cc 程度のバルーンで膀胱内に固定されているので，無理に引っ張ると抜ける恐れがある。認知面に問題のある患者の場合，自己抜去する可能性もあるため，看護師と相談し，ズボンの裾にカテーテルを通すなどの工夫をするとよい。また，動作時にカテーテルに牽引力がかかり，挿入部位が擦れるなどで疼痛を訴える患者もいる。その場合はカテーテルをテープ固定するなどの工夫を看護師にしてもらう。カテーテルと蓄尿袋を接続するタイプのものを使用する場合は，リハビリテーション実施前に接続の緩みがないかを確認する。

参考文献
1) 満田年宏：カテーテル関連尿路感染予防のための CDC ガイドライン 2009．ヴァンメディカル，2010．
2) 力石辰也 監：泌尿器科看護技術コツとポイント．メディカ出版，2013．
3) 池田知子，辻 典子，北 奈美子，他：蓄尿バッグの固定具の考案：安全性，利便性，経済性，感染予防を考慮して．葦 37：83-87, 2007．

3 コミュニケーション技法

1 コミュニケーション技法とは

A. 臨床におけるコミュニケーションの目的

　臨床現場において，患者とコミュニケーションをとる目的のひとつに患者の緊張をほぐし，安心してリハビリテーションに取り組める信頼関係を築くことがある。一人ひとりの患者に関わることのできる時間は限られているため，短時間に良好なコミュニケーションがとれることは非常に重要である。

B. 非言語的コミュニケーションの重要性

　コミュニケーションは，言語的・非言語的な要素に分けられる。表情，視線，動作，姿勢，ジェスチャー，触れ合いなどによるものを非言語的コミュニケーションという。マジョリー・F・ヴァーガスは，非言語的コミュニケーションを「ことばならざることば」と称し，それらがことばと一緒に用いられるかどうかとは無関係に，人間のあらゆるコミュニケーションに寄与するところ大であると述べている[1]。私たちは，言葉以外の要素を通して多くの情報を相手に与え，また相手から得ていることを理解しておく必要がある。同じ言葉を用いても，それに伴う非言語的な要素によって相手への伝わり方は大きく異なる。言語的な要素と非言語的な要素を一致させることが重要である。

C. 共感的理解の態度

　患者と信頼関係を築くためには，患者の話に傾聴し，その思いや考え方を否定することなく受容する姿勢が必要である。また，患者の発言の裏にある心情を察し，理解しようと努めることが重要である。健常な人間が患者の不安や苦痛を完全に理解することは困難であるため，安易に「気持ちがわかる」と言ってはいけない。しかし，患者の訴えから状況を理解することはできる。「不安があるのですね」「痛みが強いのですね」と，患者の状況に対して理解を示す言葉を添えながら，患者の話を聴くようにする。また，話を聴く際には，以下の傾聴技法を用いることで，より共感的な態度をとることができる。

【主な傾聴技法】
・相づちを打つ
・頷く
・相手の言葉を繰り返す
・相手の発言を待つ

2 手順のポイント

1) 患者に配慮して，患者との位置関係，視線の高さ，距離を調整する（図1）

・位置関係：患者から見えやすい斜め前方につくとよい。患者の正面は圧迫感を与えるため避ける。
・視線の高さ：できる限り患者と視線の高さを合わせる。患者が座位や臥位の場合は，患者の視界に入る位置で，患者を見下ろす形にならない程度にかがんで高さを調整する。患者が背臥位の場合は，姿勢を低くし過ぎると視界に入りにくいため注意する。感染予防のため膝や手を床につかないようにする。
・距離：話すときの互いの距離は，患者の顔と手が自然に見え，顔を動かせばほぼ全身が楽に見えるく

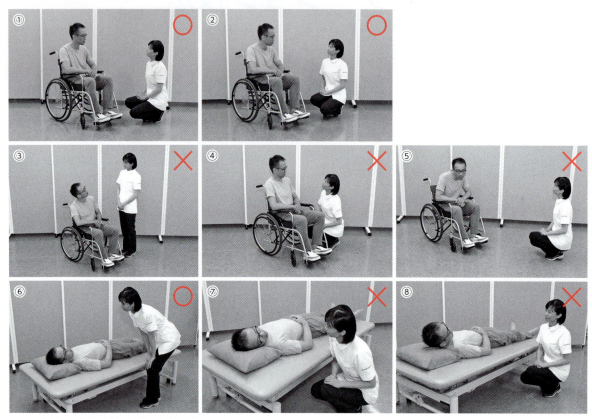

図1 患者との位置関係，姿勢，視線の高さ，距離
①，②，⑥ 位置・視線・距離が自然であり，適切
③ 高い位置から患者を見下ろす形であり，不適切
④ 距離が近く，相手に圧迫感を与えるので，不適切
⑤ 対面位で距離が遠く，不適切
⑦ 姿勢が低く，患者が頭部を大きく回旋しなければならないため，不適切
⑧ 姿勢が低く，患者が頭部を挙上しなければならないため，不適切

らいを目安にするとよい．しかし，人が快適と感じる距離には個人差があり，また相手との関係性や会話の内容によっても変化する．自分にとっては快適な距離であったとしても，相手にとっても快適とは限らない．会話中の相手の表情や動き（徐々に離れようとする，体を反らせ顔を遠ざける，徐々に近づいてくる，前のめりになるなど）を見ながら相手にとって快適な距離となるよう常に気を配る．

2）患者に視線を向ける

- 患者の方に顔を向け，基本的に患者の目を見て会話する．会話の途中で顔や視線の向きが頻繁に動くと，落ち着きがなく会話に集中していない印象を与え，患者の不快感につながる場合がある．
- 目を合わせることが苦手な人もいる．あまり目を合わせない患者に対しては，見つめ続けないようにする．
- 目をそらす際は，ゆっくりと視線を下に向けるようにすると，聴きながら相手の話の内容を咀嚼しているような印象を与え違和感が少なくなる[2]．

3）適切な姿勢をとり，不自然なしぐさをしないようにする

- 相手に与える印象に影響する．背筋を伸ばし，脚を大きく開かないようにするとよい．また，会話中，頻回に姿勢を変えたり不必要に手を動かしたりすると，相手に落ち着きのない印象を与える．精神的に緊張した状況では，特に不自然なしぐさが生じやすいため注意する．

4）挨拶・自己紹介を行い，2つの識別子で患者の確認を行う

- 患者とのラポール（信頼関係）形成のため，挨拶，自己紹介を行う．
- 患者の取り違いを防止するため，氏名に加え生年月日もしくはIDなど，2つの識別子で確認する．

5）担当療法士が来るまでの間，自分と会話してもらいたい旨を患者に伝え了承を得る

6）自然に会話を始める

・適切な話題を選択し，穏やかな表情で話しかける。

・体調の確認や天候の話題から始めるとよい。

　例）「今日はお体の調子はいかがですか」「暑い（寒い）日が続いていますが，お変わりありませんか」

・その後は患者の反応（楽観的，悲観的）に応じて話題を選択しながら会話を続ける。

7）話し方，声の明瞭度に注意して自分の言葉を確実に伝える

・相手との関係性に応じた適切な言葉を用いる。

・会話のスピード，声量，声の明瞭度は患者の療法士への印象を大きく左右するため，十分に配慮する。

・早口であったり，声が聞き取りづらかったりすると，患者に不快感を与える。

・必ず相手が話し終わってから発言するよう意識し，話を遮らないようにする。

> **臨床のコツ**
> ◆難聴がある患者に対しては，声量を大きくし，声のトーンと話すスピードを抑える。また，一文を短くしたり，ジェスチャーを交えたりすることで内容が伝わりやすくなる。聞こえやすい側があれば，そちら側に移動して話をするとよい。
> ◆失語症により言語理解が難しい患者に対しては，口頭での声かけよりも漢字や数字を用いた筆談の方が伝わりやすい場合がある。
> ◆会話の相手が片麻痺者の場合，相手について十分な情報を持ち合わせていない時は，麻痺側に注意が向きにくい可能性を考慮し非麻痺側から話しかけるとよい。

8）会話をスムーズに展開する

・患者の話をよく聴きながら，話を広げるようにする。

・興味をもって話を聴くことにより，新たな質問が生まれ，自然な会話となりやすい。

・相手に質問するだけでなく，適度に自分の情報を開示することで，相手も心を開いて自分の話をしやすくなる。「私は○○の絵が好きで，よく美術館に行くのですが，△△さんは何か趣味をお持ちですか」というように，先に自分の情報を示すとよい。

・自分の知らない話題になった場合でも，「○○のことはわかりません」とは言わず，「○○について詳しく知らないのですが（初めて聞いたのですが），少し教えていただけませんか」など興味をもって質問し，話題を展開する。

・会話の中では，患者の発言，考え方を受け入れ，否定しないようにする。

・つながりのない質問を続けたり，唐突に話題を変えたりしないようにする。

> **臨床のコツ**
> ◆宗教，政治，思想などの話題は，患者や周囲の人に対して強い不快感を与える可能性があるため避けた方がよい。
> ◆経済状況や家族構成に関する質問は，患者を不快にさせることがあるため，コミュニケーションを目的とした会話においては，患者から話題に挙げない限り避けた方がよい。

9）患者の表情・場の雰囲気に合わせて自分の表情や話し方を調整する

・患者の表情・場の雰囲気，または会話の内容に自分の表情や話し方を合わせることで，患者に安心感を与えることができる。

> **臨床のコツ**
> ◆マスクの使用は，声だけでなく，表情の伝達も妨げる。コミュニケーションをとるうえでは不利となるため，極力使用を控える。感染予防のために使用する場合は，その旨をあらかじめ伝えるとよい。

10) 傾聴技法を用いて患者の話を聴く
・相づちを打つ，頷く，相手の言葉を繰り返す，相手の発言を待つといった傾聴技法を適切なタイミングで用いて患者の話を聴く。

11) 患者の心情を察する態度を示す
・患者の悩み，不安，苦しみなどは直接的な訴えとして表されるだけでなく，医療従事者への質問や苦言という形で表されることもある。
・患者の発言の裏にある心情を察し，「そんなことがあったのですね」「つらい思いをされたのですね」といった言葉で理解を示すようにする。

12) 立場をわきまえた対応をする
・入院期間や予後についてなど，自分が答えられない質問を受けた場合，もしくは自分では対応できない要求をされた場合には，自分の立場を説明し，答えられない旨を伝える。
・「それはお答えできません」などと言って患者を突き放すような態度をとらず，「それについて私からお答えすることはできませんが，○○が気になる（つらい）のですね」というように，理解を示す言葉を添える。
・答えられない旨を直接的に伝えず，「○○について不安がありますか」「先生からはどのように説明されていますか」と質問で返して患者の話を聴くように展開してもよい。ただし，繰り返し同じ質問をされる場合は，答えられないことをはっきりと伝える。
・「あとで担当者（指導者）に聞いておきます」などといった安易な回答や約束をしてはならない。それは指導者が答えられる（答えてもよい）内容とは限らないからである。
・無責任な対応は，患者との信頼関係を損なうことにつながるため，十分な注意が必要である。

> **臨床のコツ**
> ◆初対面あるいはまだ関係性を築けていない患者に対して，「頑張ってください」といった安易な励ましや，「絶対に治ります」「何でも（私に）相談してください」といった無責任な発言をしないよう注意する。

13) 患者に終了を伝える
・挨拶をして会話を終結させる。
・会話の内容に合わせて，患者の心情に配慮した感想や感謝を表す言葉を添えるとよい。

患者とのラポール形成

　私たちが関わる多くの患者は，病気や怪我などで心細さや不安を抱えているだけでなく，自身の身を守るため，いつでも外界刺激に反応できるよう身体を緊張させて身構えていたりする。なかには，意識混濁により理性に基づいた活動よりも情緒的で本能的な活動が優位になっている場合もある。そのような患者には会話内容の論理性よりも，会話時の雰囲気や相手と共有する情動経験が信頼関係を築くためのより有効な要因となり得る。

　人は初対面の相手に対して，潜在意識の中で情報処理を行い，相手がどのような人なのかを0.5秒で判断するといわれている[3]。実際には情動を支配するといわれる視床下部を中心とするA10神経群に基づき好き／嫌いなどの情動レッテルを貼り，原始的な意思決定を行っている。さらに視床や大脳辺縁系との統合で前頭前野が最終的な意思決定を行うとされている[4]。ただし，不安や過剰なストレスによって交感神経優位な状態では，前頭前野の機能は抑制され情動系が優位となる[5]。

　第一印象の決定要素として，表情，身だしなみ，仕草，相手との距離感などの視覚情報は55%，声の質，大きさ，テンポ，会話の間などの聴覚情報は38%，会話内容などの言語情報は7%である。第一印象は多くの非言語的要素により決定されていることがわかる[6]。

　患者と初対面からラポールを築くためには不信感を抱かせず，安心感を与えることができるスキルを身につける必要がある。まず，清潔な身だしなみが重要である。具体的には，不快感を与えない頭髪（色，長さ），適切な衣服や履物を選択し，不要な装飾品を外す。接遇では自身の表情に注意しながら，相手の心情に配慮し適度な距離感をとる。声かけでは，言葉遣いや話し方（声の質，大きさ，テンポ，会話の間など），話を聞く姿勢としてそのとき行っている作業を止めて話を聞くような対応の仕方を習得しておく必要がある。加えて，私たち療法士は介入時，相手に触れることが多いため，相手のパーソナルスペースへの入り方，身体へ触れるタイミングや触れ方，不快感を与えないよう粗雑に身体を扱わない介助・補助・誘導スキルを十分に習得する必要がある。

　そのためにも，マニュアルに準じた対応や一方向的な介助・補助・誘導ではなく，相手との相互の関係の中で，相手が示す反応に注意を向けて日々接するとよい。

OSCE課題　コミュニケーション技法

対応動画

設問

3日後に手術を控えた変形性膝関節症の入院患者です。リハビリテーション室で担当療法士を待っています。リハビリテーション開始時間より少し早いため，担当療法士はまだ不在です。担当療法士が戻ってくるまでの間，患者を不快にすることなく，また親和関係を築くことができるよう，話し相手として対応をしてください。なお，受験者は担当療法士の指示を受けて対応する者で，患者とは初対面です。制限時間は5分です。では，始めてください。

準備するもの

車椅子

患者情報

疾患・障害	変形性膝関節症（術前）	筋　　力	右膝関節屈曲・伸展 MMT3
年齢・性別	不問	座　　位	安定
障 害 側	右（進行期）	理　　解	良好
発症後期間	1年	表　　出	良好
疼　　痛	右膝関節，荷重時	心 理 面	手術に対して，また今後の生活について強い不安をもっている
Ｒ Ｏ Ｍ	右膝関節屈曲100°，伸展−10°		

課題の目標

態度

1. 患者との会話に備えた心がけができる（清潔かつ安全な身なり）。
2. 状況を説明し，自分と会話しながら待つことに対し了承を得ることができる。
3. 患者に不快な思いをさせない（話し方，表情，振る舞い）。

技能

1. 適切な話題を選択し，会話を始めることができる。
2. 患者の話に傾聴しながら，自然な会話をすることができる。
3. 患者から予後などについて質問を受けた際に適切な対応ができる。

手 順

1. **患者に配慮して，患者との位置関係，距離を調整する。**
   - 患者から見えやすい斜め前方につく。
   - 患者を見下ろす，または視界に入りにくいほど低くならないように視線の高さを調整する。

2. **患者に視線を向ける。**
   - 患者の方に顔を向け，基本的に患者の目を見て会話する。

3. **適切な姿勢をとり，不自然なしぐさをしないようにする。**
   - 背筋を伸ばし，脚を開かないようにする。
   - 頻回に姿勢を変えたり，不必要に手を動かしたりしない。

4. **挨拶・自己紹介を行い，2つの識別子で患者の確認を行う。**

5. **担当療法士が来るまでの間，自分と会話してもらいたい旨を患者に伝え了承を得る。**

6. **自然に会話を始める。**
   - 適切な話題を選択し，穏やかな表情で話しかける。

7. **話し方，声の明瞭度に注意して自分の言葉を確実に伝える。**
   - 相手との関係性に応じた適切な言葉を用いる。
   - 会話のスピード，声量，声の明瞭度は患者の療法士への印象を大きく左右するため，十分に配慮する。
   - 必ず相手が話し終わってから発言するよう意識し，話を遮らないようにする。

8. **会話をスムーズに展開する。**
   - 患者の話をよく聴きながら，話を広げるようにする。
   - 興味をもって話を聴くことにより，新たな質問が生まれ，自然な会話となりやすい。
   - 相手に質問するだけでなく，適度に自分の情報を開示することで，相手も心を開いて自分の話をしやすくなる。
   - 会話の中では，患者の発言，考え方を受け入れ，否定しないようにする。
   - つながりのない質問を続けたり，唐突に話題を変えたりしないようにする。

9. **患者の表情・場の雰囲気に合わせて自分の表情や話し方を調整する。**

10. **傾聴技法を用いて患者の話を聴く。**
    - 傾聴技法を適切なタイミングで用いる。

11. **患者の心情を察する態度を示す。**
    - 患者の発言の裏にある心情を察し，それを言葉で理解を示す。

12. **立場をわきまえた対応をする。**
    - 自分では答えられない質問に対して適切に対応する。
    - 相手の心情に理解を示すが無責任な対応をしない。

13. **患者に終了を伝える。**

採点基準

採点者は模擬患者に受験者の言動の適否を適宜確認して，以下の項目を採点してください。

1. 態度

①適切な身なりで明瞭な挨拶（開始時・終了時）・自己紹介ができる。	2点 1点 0点	適切な身なり，明瞭な挨拶（開始時・終了時）・自己紹介ができる 上記のうち1項目ができない 2項目以上できない
②2つの識別子で患者の確認ができる。	2点 1点 0点	2つの識別子で患者の確認ができる 1つの識別子で確認ができる 確認ができない
③会話しながら担当療法士を待ってほしい旨を患者に伝え，了承を得ることができる。	2点 1点 0点	会話しながら担当療法士を待ってほしい旨を伝え，患者の了承を得ることができる どちらか一方のみできる どちらもできない

2. 技能

①患者に配慮して，位置関係，距離の調整ができる。	2点 1点 0点	患者との位置関係，距離が適切である どちらか一方のみできる どちらもできない
②視線の高さ，方向が適切である。	2点 1点 0点	視線の高さ，方向が適切である どちらか一方のみできる どちらもできない
③会話の姿勢，しぐさが適切である。	2点 1点 0点	姿勢，しぐさが適切である どちらか一方のみできる どちらもできない
④適切な話題を選択し，会話を自然に開始できる。	2点 1点 0点	適切な話題を選択し，会話の導入が自然である どちらか一方のみできる どちらもできない
⑤言葉づかい，会話のスピードが適切である。	2点 1点 0点	言葉づかい，会話のスピードが適切である どちらか一方のみできる どちらもできない
⑥声量が適切で，声が明瞭である。	2点 1点 0点	声量が適切で，声が明瞭である どちらか一方のみできる どちらもできない
⑦話の流れがスムーズである。	2点 1点 0点	不自然な沈黙や話題転換がなく，会話がスムーズである ときにスムーズさを欠く 全般的に会話がスムーズでない
⑧表情が自然である。	2点 1点 0点	表情が自然である ときに不自然である 演技らしさがある，不自然である
⑨傾聴技法（相づちを打つ，頷く，相手の言葉を繰り返す，相手の発言を待つ）を用いることができる。	2点 1点 0点	適切なタイミングで傾聴技法を用いて話を聴くことができる 傾聴技法を用いるが，頻度が不十分，あるいはタイミングが不適切である 傾聴技法を用いることができない
⑩患者の訴えに対して，心情を察する発言ができる。	2点 1点 0点	心情を察する自然な発言がみられる 心情を察する発言はあるが，不自然あるいは不十分 心情を察する発言がない

⑪予後に関する質問に対して，立場をわきまえた対応ができる。	2点 立場をわきまえており，適切な対応ができる 1点 一部不適切な行動，会話がある 0点 立場をわきまえていない 0点 対応しない

OSCE 担当者確認事項

模擬患者

- 課題開始時は，車椅子に乗車した状態で待機する（図2）。
- 受験者との会話の中で膝関節の疼痛に話題を誘導する。その後，膝関節に負担のかかる仕事をしていた（している）旨の発言をする。
- 必ず会話中に疼痛の予後について質問するよう話を展開する。
- 4分20～40秒の時点で模擬患者が「○○さん（担当者）が来ましたね」と言って会話の終結を促す。
- 模擬患者側から必要以上に話題を展開しない。
- 受験者からの質問に対して単語で返事をするなど，過度に無愛想にならないようにする。
- 沈黙が20秒ほど続いた場合は，模擬患者から受験者に話しかける。

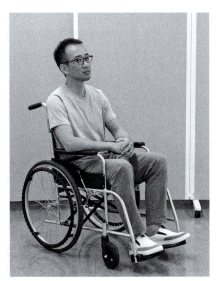

図2 模擬患者の開始姿勢

タイムキーパー

- 4分20秒の時点で模擬患者に時間を知らせる。

引用文献

1) マジョリー・F・ヴァーガス（石丸 正 訳）：非言語コミュニケーション．p15，新潮社，1987．
2) 山口美和：PT・OTのための これで安心 コミュニケーション実践ガイド．p155，医学書院，2012．
3) 竹内一郎：やっぱり見た目が9割．p12，新潮社，2013．
4) 冨田昌夫，竹中弘行，玉垣 努 編：臨床動作分析．p142，三輪書店，2018．
5) 冨田昌夫，竹中弘行，玉垣 努 編：臨床動作分析．p139，三輪書店，2018．
6) 竹内一郎：人は見た目が9割．p18，新潮社，2005．

参考文献

1) 林 成之：思考の解体新書－独創的創造力発生のメカニズムを解く．産経新聞出版，2008．
2) 下条信輔：サブリミナル・マインド 潜在的人間観のゆくえ．中公新書，1996．
3) 福田正治：情動・感情のメカニズム．現代思想 34，2006．

4 ホットパック実施の補助

1 ホットパックとは

　ホットパックは，準備が短時間で済むなど簡便に使用できることから，日常の臨床において最も用いられている温熱療法の一つである．後述の適応で述べる通り，局所を加温することによってさまざまな治療効果が期待できるため，運動療法の実施前に頻繁に利用されており，理学療法だけではなく作業療法を施行するうえでも重要である．

　治療を行う際には，ホットパック，ハイドロコレーター，タオル，ビニールシートが必要となる．ホットパックは，大きく分けると3種類が臨床で用いられている．古くから用いられているのは，シリカゲルやベントナイトなど吸水性が高く長時間の熱放出が可能な素材を，取り扱いしやすいよう厚い木綿の袋に入れたものである（図1a左）．本項ではこの構造を前提に説明する．そのほかには塩化ビニールなど水分を通さない外装にゲル状の内容物を入れたもの（図1a右），ハイドロコレーターではなくホットパック自体に内蔵された電熱線によって加温するものがある（図1b）．どの構造においても，加温部位に適合するようさまざまな大きさや形状（大，中，小，頸部用，肩部用など）が用意されている．

　ハイドロコレーターは，電気によって水を設定した温度まで温め，保温する水槽である．ホットパックは熱水内で70～80℃に保たれており，同条件で治療を行うことが可能である．一度使用したホットパックはハイドロコレーター内に戻して加温するが，再び使用するために15～30分の加温が必要である．

　タオルは，ホットパックから人体への急速な熱量移動を防ぐために用いる．高温のホットパックは直接人体に当てると熱傷を引き起こすため，空気を多く含むタオル層を通して当てることで穏やかな温熱となり，皮膚温は40～42℃となる．使用するタオルの枚数については，その材質や厚さによって調整する必要がある．

　ビニールシートは，ゲルを木綿の袋に入れた構造のホットパック全体を包み，乾熱として用いるために使用する．本来ホットパックは直接タオルで包む湿熱療法として用いられてきたが，ホットパック除

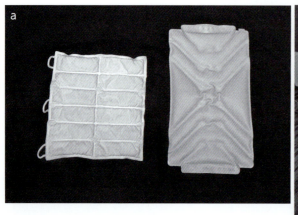 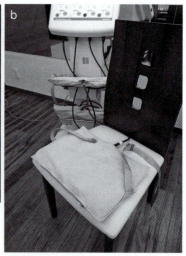

図1　臨床で用いられているさまざまなホットパック
aの左は厚い木綿の袋で包まれたもの，右は塩化ビニールなど水分を通さない外装で包まれたものを示す．bはホットパック自体に内蔵された電熱線によって加温するものを示す．

去後の適用部の冷えが起こらない，タオルを乾燥させる手間が省ける，使用するタオルの枚数を少なくできる，衣服が濡れることによる不快感がないなどの利点から，現在では乾熱による方法を採用している施設が多い。塩化ビニールなど水分を通さない外装のものであれば，表面の水分を取り除くだけでよく，ビニールシートで包む必要はない。

2 ホットパックの目的と適応

A. 目 的

ホットパックによる体表面の加温は，温度上昇自体の作用のみでなく，それに伴う鎮痛作用，血流増加作用，筋緊張軽減作用などさまざまな治療効果が得られる。したがって，その目的も体温維持，疼痛軽減，軟部組織の伸張性増大，循環改善，身体的あるいは精神的緊張緩和など多岐にわたる。

B. 適応と禁忌

本項はホットパック実施の補助が目的であることから，ホットパックの適応と禁忌については簡潔に記す。適応としては，疼痛（過度の疼痛を除く），関節拘縮，循環障害（重度の障害を除く），局所栄養障害，痙縮，精神的緊張などが挙げられる。禁忌としては，あらゆる疾患の急性期，感覚障害，急性炎症，出血傾向部位，血管障害起因の循環不全，皮膚疾患，感染部位，開放創，悪性腫瘍などが挙げられる。

C. 実施上の注意点

ホットパックを実施するうえで注意すべきことがある。具体的には，熱傷，脱水症状，皮膚疾患の悪化，失神，出血などである。ホットパックを当てている部位の熱傷を防止するためには，ホットパック実施中の皮膚温が局所的な灼熱感や不快感を与えない許容限界温度である44℃を超えないことに留意する。加えて，ホットパック準備中にハイドロコレーター内の熱水やホットパックの熱で準備する者自身が熱傷を負う可能性もある。したがって，ホットパックがタオルからはみ出たり，落下したりしないよう取り扱いには十分注意する。

温熱療法に対する禁忌がない場合でも，実施中の患者の状態を注意深く観察し，万が一，ホットパックの実施により患者に異変や症状の悪化がみられた場合にはただちに中止する。具体的な症状を医師に報告し，医師の指示に従って，適切な対応を行うことが重要である。

3 手順のポイント

ホットパックの準備方法は，ホットパックの大きさと形状，タオルの形状，湿熱か乾熱かなどの違いによって異なる。本項では，ゲルを木綿の袋に入れた構造のホットパック全体をビニールシートで包み，乾熱として用いる場合の膝関節へのホットパック実施を例として示す。

A. 事前確認

1) ホットパックの温度低下防止のため素早く包めるよう，ハイドロコレーターおよび作業台が適切な位置に配置されているかを確認する（図2）

2) ホットパックが患者に禁忌でないことを確認する

・適用箇所とその周辺部の皮膚の状態：適用箇所を観察して開放創や発疹がないことを確認する。

・感覚障害の有無（触覚，痛覚，温度覚）：適用箇所の感覚障害がないことを確認する。

B. ホットパック実施

1) 挨拶・自己紹介を行い，2つの識別子で患者の確認を行う
- 患者とのラポール（信頼関係）形成のため，挨拶，自己紹介を行う。
- 患者の取り違いを防止するため，氏名に加え生年月日もしくはIDなど，2つの識別子で確認する。

2) ホットパック実施を行う旨を患者に伝え了承を得る
- ホットパックの目的，方法，時間について，患者にわかりやすく説明する。

3) 患者をできるだけリラックスさせ，安楽な姿勢かを患者に口頭で確認する
- 背臥位の場合は，膝の下に枕やクッションを入れるとよい（図3）。
- 座位の場合は，背もたれ付きの椅子を使用するとよい。

4) 患者に了承を得たうえで，適用部位全体を露出させる
- 適用部位を均一に加温するため，適用部位全体が露出できる場合は全体を露出させる。
- 疼痛の部位：問診，視診，触診をして確認する。
- 貴金属類の有無：適用部位のアクセサリーなど，患者が身につけているものを外す。

> **臨床のコツ**
> ◆ 湿熱で実施する場合は，衣服が濡れることを防ぐため必ず適用部位を露出させる。

5) 作業台に2〜3枚重ねでタオルを広げ，その上にビニールシートを広げる（図4）

6) ハイドロコレーターから適用する部位に合った大きさ，形状のホットパックをピックアップバーもしくはトングを用いて素早く取り出し，水切りをして作業台に置く
- 水滴は熱傷の原因となるだけでなく，床に落ちると滑って転倒の原因となるため，水滴が落ちない程度にホットパックの水切りを行う。

図2　適切な物品配置

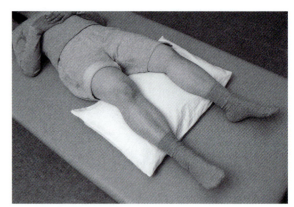

図3　背臥位での安楽な姿勢

図4　タオルとビニールシートの準備

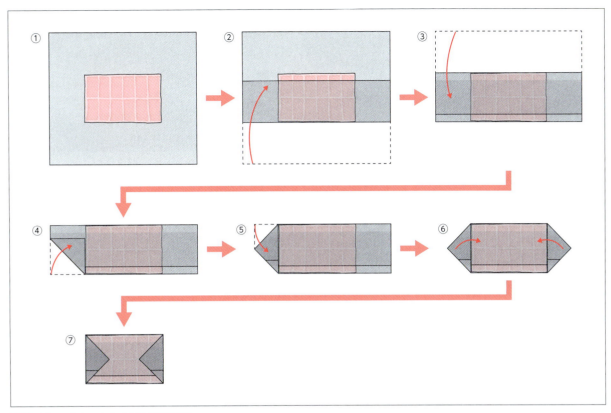

図5 ビニールシートによる包装の手順

7) ハイドロコレーターの蓋を閉める
・水槽内の温度低下防止と熱傷などの事故防止のために，できるだけ早く閉める。

8) ホットパックの表面についた水分を取り除いた後，ビニールシートで素早く包む
・水分除去用のタオルで水分を取り除き，ホットパックと水分が出ないようビニールシートで適切に包む。

> **臨床のコツ**
> ◆ビニールシート内に溜まった水分が漏れ出ないように，ビニールシートの左右を三角形になるように折り込むとよい（図5）。

9) ビニールシートに包まれたホットパックを乾いたタオルの左右中央に置き，タオルからはみ出ないよう注意して4〜6層に素早く包む（図6）
・ホットパックが直接当たると容易に熱傷を引き起こすため，タオルからはみ出ないようしっかりと包む。

> **臨床のコツ**
> ◆ホットパックを作業台の上で回転させてタオルを巻くと，内部のビニールシートが開いたり，ホットパックの位置がずれてしまうため，ホットパック自体を持ち上げ，タオルをホットパックの下に折り込むとよい（図6③④）。

10) 患者に声をかけたうえで，適用部位へ均等に接するように患部の上方から静かにホットパックを当てる（図7）
・患部に接する面のタオルが4〜6層になるように，またタオルがしわにならないように注意する。
・水漏れを防ぐため，タオル内のビニールシートの折り目が患部に接する面に向かないように当てる。

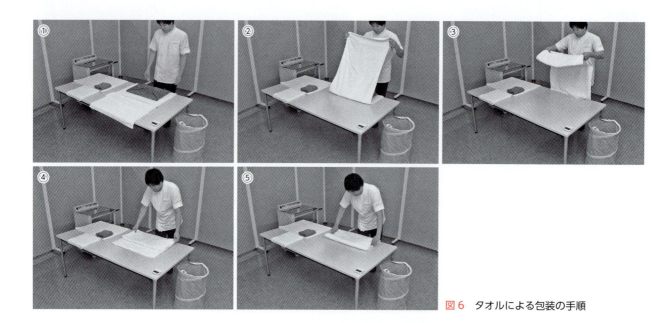

図6　タオルによる包装の手順

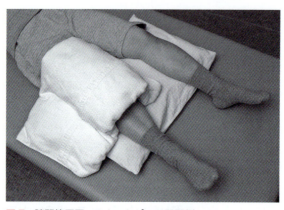

図7　膝関節周囲へのホットパック設置例

・ホットパックの位置が不安定で落下する恐れがある場合には，局所的な圧迫にならないように注意しながらベルトを用いて固定する．難しければ，全体を包むように，さらに大きなタオルで固定してもよい．
・ホットパックの設置位置は適用部位の上に置くのが一般的である．ホットパックの端を適用部位の下に巻き込んだり，適用部位の下に置く場合は，タオルの層が薄くなるため熱が伝達しやすくなる，局所循環が制限されるなどの要因によって熱傷の危険性が高まる．やむを得ず下に置かなければならない場合は，通常よりも多い枚数のタオルで包む．また，水分を絞り出すような形となるため，前述の水分除去も徹底する．

11）ホットパックを当てた直後に，熱過ぎたり，不快感がないかを患者に確認する

・患者から「熱い」「痛い」などの訴えがあった場合，ホットパックをいったん適用部位から離し，新しいタオルをホットパックと適用部位の間に挿入したり，肢位を修正したりして，温度および肢位の調節を図る．
・治療中は皮膚温の上昇によって温度感受性が低下している可能性があるため，タオルを取り除いて層の厚みを減らすような，温度上昇につながる行為を行わない．

12）過熱時の対応について具体的に説明し，理解を得る

・適用部位が熱くなったり，不快感が生じた場合には，患者自身でホットパックを取り外す，あるいは，近くの職員に声をかけることなどを説明し，理解を得る．

13）タイマーを適用時間に設定し，実施中に姿勢や適用部位に対する患者の不快感を尋ね，皮膚の状態を視診および触診しながら確認する。また脱水症状などがないかを確認する

・一般的には 20 分程度が適切である。

・ホットパック実施中に，過度の発赤，水泡形成，その他の熱傷兆候や脱水症状などがないかを確認する。

> 臨床のコツ
>
> ◆ 電気式は通常のホットパックと異なり熱エネルギーが減少しないため，特に注意する。また，自律神経障害がある場合，広範囲にホットパックを行うと，脱水症状を引き起こす可能性がある。頻回に状態を確認するほか，必要であれば飲料水を用意する。

14）終了時には患者に声をかけてホットパックを取り除く。その際，患者に不快感の有無を尋ね，皮膚の状態，発汗の有無を確認する

・皮膚の状態，発汗の有無は視診および触診で確認し，多量の発汗がある場合はタオルで拭き取る。

15）衣服を整える

16）患者に終了を伝える

17）片づけを行う

・ホットパックをタオルおよびビニールシートから出し，ハイドロコレーターに戻す。

・使用したビニールシートの水分をタオルで拭き取り，次に使用しやすいように畳んでおく。

・使用したタオルは未使用のタオルとは別の場所に分けて，クリーニングに出す。

OSCE課題　ホットパック実施の補助

対応動画

設問

　　右膝関節周囲の疼痛に対し，疼痛軽減を目的にホットパックを実施している変形性膝関節症の患者です．担当療法士の代わりに乾熱によるホットパックの準備・実施・片づけをしてください．担当療法士からホットパックの実施時間は20分と指示が出ています．患者へのオリエンテーション（目的・方法・時間の説明）と実施前に行う適用部位の疼痛部位確認，貴金属類の有無確認については，担当療法士が済ませているため不要とします．また，実施中および実施後の適用部位の皮膚の状態確認も担当療法士が行います．ホットパックの準備・実施をし終えたら，採点者に声をかけてください．片づけを指示します．制限時間は5分です．では，始めてください．

準備するもの

　　ハイドロコレーター，ピックアップバーもしくはトング，作業台，ホットパック各種（さまざまな大きさ・形状を用意），ビニールシート（塩化ビニールなど水分を通さない外装のホットパックであれば不要），タイマー，タオル（大，小），治療用ベッド，枕，洗濯カゴ

患者情報

疾患・障害	変形性膝関節症	深部覚	正常
年齢・性別	不問	ROM	右膝関節伸展 −5°
障害側	右	筋力	右膝関節伸筋 MMT4
発症後期間	1年	理解	良好
疼痛	右膝関節，荷重時	表出	良好
表在覚	正常		

課題の目標

態度
1. ホットパックの実施に備えた心がけができる（清潔かつ安全な身なり）．
2. 患者にホットパックの実施の補助を行う旨を説明し，了承を得ることができる．
3. 患者に不快な思いをさせない（話し方，表情，振る舞い）．

技能
1. 患者の安全に配慮しながら進めることができる．
2. ホットパックを適切な手順および方法で行うことができる．

手 順

1. 挨拶・自己紹介を行い，2つの識別子で患者の確認を行う。
2. ホットパック実施の補助を行う旨を患者に伝え了承を得る。
3. 患者をリラックスさせ，安楽な姿勢かを患者に口頭で確認する。
   - 膝関節周囲への加温の場合は枕を膝下に配置し，できるだけ安楽な姿勢にする。
4. 患者に了承を得たうえで，適用部位全体を露出させる。
5. 作業台にタオルおよびビニールシートを準備する。
   - 2〜3枚のタオルを重ねて，その上にビニールシートを重ねる。
6. ハイドロコレーターから適用する部位に合った大きさ，形状のホットパックをピックアップバーもしくはトングを用いて素早く取り出し，水切りをして作業台に置く。
   - 水滴は熱傷の原因となるだけでなく，床に落ちると滑って転倒の原因となるため，水滴が落ちない程度にホットパックの水切りを行う。
7. ハイドロコレーターの蓋を閉める。
   - 水槽内の温度低下防止と熱傷などの事故防止のために，できるだけ早く閉める。
8. ホットパックの表面についた水分を取り除いた後，ビニールシートで素早く包む（図5）。
   - 水分除去用のタオルで水分を取り除き，ホットパックと水分が出ないようビニールシートで適切に包む。
9. ビニールシートに包まれたホットパックを乾いたタオルの左右中央に置き，タオルからはみ出ないように注意して4〜6層に素早く包む（図6）。
   - ホットパックが直接当たると容易に熱傷を引き起こすため，タオルからはみ出ないようにしっかりと包む。
10. 患者に声をかけたうえで，膝関節周囲へ均等に接するよう患部の上方から静かにホットパックを当てる。
    - 適用部位の上からホットパックを当て，患部に接する面のタオルが4〜6層になっていること，タオル内のビニールシートの折り目が患部に接する面に向いていないことを確認する。
11. ホットパックを当てた直後に，熱過ぎたり，不快感がないかを患者に確認する。
12. 過熱時の対応について具体的に説明し，理解を得る。
    - 患者自身でホットパックを取り外す，近くの職員に声をかけるなどの対処法を説明し，理解を得る。
13. タイマーをセットする。
    - 20分に設定する。
14. ホットパック実施後，患者に声をかけてホットパックを取り除き，不快感および発汗の有無を確認する。
    - 不快感などがないかを尋ね，かつ発汗の有無を視診および触診で確認する。
15. 衣服を整える。
16. 患者に終了を伝える。
17. 片づけを行う。
    - ホットパックはハイドロコレーターに戻す。
    - ビニールシートは水分をタオルで拭き取り，畳んでおく。
    - 使用したタオルは未使用のタオルとは別の場所に分けておく。

採点基準

採点者は模擬患者に受験者の言動の適否を適宜確認して，以下の項目を採点してください。

1．態度

①適切な身なりで明瞭な挨拶（開始時・終了時）・自己紹介ができる。	2点	適切な身なり，明瞭な挨拶（開始時・終了時）・自己紹介ができる
	1点	上記のうち1項目ができない
	0点	2項目以上できない
②2つの識別子で患者の確認ができる。	2点	2つの識別子で患者の確認ができる
	1点	1つの識別子で確認ができる
	0点	確認ができない
③ホットパック実施の補助を行う旨を患者に伝え，了承を得ることができる。	2点	ホットパック実施の補助を行う旨を正確に伝え，患者の了承を得ることができる
	1点	どちらか一方のみできる
	0点	どちらもできない
④課題全般を通して，患者の様子（表情・心情・姿勢・身体機能）や状況に応じた丁寧な対処（声かけ・触れ方・動かし方）ができる。	2点	課題全般を通して，患者の様子や状況に応じた丁寧な声かけ，触れ方，動かし方ができる
	1点	上記3項目のうち1項目ができない
	0点	2項目以上できない

2．技能（水分を通さない外装のホットパックであればビニールシートに関する採点は不要）

①ホットパック準備前に患者をリラックスさせ，安楽な姿勢かを口頭で確認できる。	2点	リラックスさせ，安楽な姿勢かを確認できる
	1点	どちらか一方のみできる
	1点	ホットパック準備後に実施する
	0点	どちらもできない
②患者に了承を得たうえで適用部位全体を露出させることができる。	2点	患者に了承を得たうえで適用部位全体を露出できる
	1点	患者に了承を得ずに適用部位全体を露出させる
	0点	適用部位全体を露出させることができない
③ホットパックを水槽から取り出す前に2～3枚のタオルを重ねて，その上にビニールシートを重ねる準備ができる。	2点	2～3枚のタオルを重ねて，その上にビニールシートを重ねる準備ができる
	1点	どちらか一方のみできる
	1点	ホットパックを水槽から取り出す前に準備しない
	0点	どちらもできない
④適用する部位に合った大きさ，形状のホットパックを選択できる。	2点	素早く適切なホットパックを選択できる
	1点	時間を要するが，適切なホットパックを選択できる
	0点	不適切なホットパックを選択する
⑤ハイドロコレーターから取り出す際，床に水滴が落ちない程度に水切りができる。	2点	十分に水切りができる
	1点	水切りが不十分で床に水滴が落ちる
	0点	水切りをしない
⑥ホットパックを作業台の水切り用タオルに置き，素早くハイドロコレーターの蓋を閉めることができる。	2点	ホットパックを作業台の水切り用タオルに置き，素早くハイドロコレーターの蓋を閉めることができる
	1点	どちらか一方のみできる
	0点	どちらもできない
⑦ビニールシートで包む前に，ホットパックの表面についた水分をタオルで十分に取り除くことができる。	2点	タオルで十分に水分を取り除くことができる
	1点	水分を取り除くが不十分
	0点	水分を取り除かない

⑧ビニールシートでホットパックと水分が出ないよう素早く適切に包むことができる。	2点	ビニールシートでホットパックと水分がはみ出ないよう素早く適切に包むことができる
	1点	ビニールシートからホットパックと水分がはみ出ないよう包むことができるが，時間がかかる
	0点	包み方が不適切である
⑨タオルからホットパックがはみ出ないよう素早く4〜6層に包むことができる。	2点	タオルからホットパックがはみ出ないよう素早く4〜6層に包むことができる
	1点	タオルからホットパックがはみ出ないよう4〜6層に包むことができるが，時間がかかる
	0点	包み方が不適切である
⑩タオルの4〜6層の面が患部に接し，ビニールの折り目が患部に向くことがないよう，ホットパックを膝関節周囲へ均等に当てることができる。	2点	タオルの4〜6層の面が患部に接し，ビニールの折り目が患部に向くことがないよう，ホットパックを膝関節周囲へ均等に当てることができる
	1点	上記のうち1項目ができない
	0点	2項目以上できない
⑪ホットパックを当てた直後に，熱過ぎたり不快感がないかを患者に確認できる。	2点	直後に熱感や不快感について確認できる
	1点	確認までに時間を要する
	1点	どちらか一方のみできる
	0点	どちらもできない
⑫過熱時の対応について具体的に説明し，理解を得ることができる。	2点	具体的な対応を説明し，理解を得ることができる
	1点	対応について説明するが具体的ではない
	0点	対応について説明しない
⑬タイマーを20分にセットすることができる。	2点	直ちにタイマーを20分にセットすることができる
	1点	タイマーのセットに時間を要する
	0点	タイマーの時間が間違っている
	0点	タイマーをセットしない
⑭ホットパック終了時に，不快感や発汗の有無を問診・視診・触診にて確認できる。	2点	問診・視診・触診にて確認できる
	1点	上記のうち1項目ができない
	0点	2項目以上できない
⑮ホットパック，ビニールシート，タオルを適切に片づけることができる。	2点	ホットパック，ビニールシート，タオルを適切に片づけることができる
	1点	上記のうち1項目ができない
	0点	2項目以上できない

OSCE 担当者確認事項

環境設定
- ハイドロコレーターの横にホットパック作製用の机を設置する。
- ハイドロコレーター内に大きさや形状の異なるホットパックを各サイズ1つずつ浸漬させておく。
- 机の上に，ホットパックを置くための水切り用タオルを広げておく。さらに，ホットパックを包める大きさのタオルを5枚程度，水切り用タオルを1枚，ビニールシートを畳んで置いておく（図2）。
- タオルの湿り具合に応じて，タオルを新しいものに交換して試験を行う。

採点者と模擬患者
- 受験者，模擬患者に熱傷の危険がある場合には途中で中断し，危険要因の除去および注意喚起をしてから再開する。

模擬患者
- 課題開始時はズボン（丈が膝よりも上のもの）を着用し，ベッド上に背臥位で待機する（図8）。
- 右膝関節を軽度屈曲位にする。

採点者
- 受験者がホットパック実施の報告をしたら，片づけを指示する。

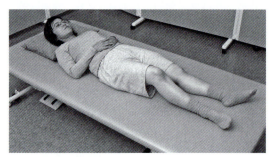

図8　模擬患者の開始姿勢

参考文献
1) 千住秀明 監（沖田 実 編）：理学療法学テキスト IX　物理療法 第2版．神陵文庫，2009．
2) 荻島秀男 編（P.P.A. Chanmugam 他，著）：物理療法のすべて．医歯薬出版，1973．
3) 細田多穂 監（木村貞治 他，編）：シンプル理学療法学シリーズ 物理療法学テキスト．南江堂，2008．
4) Michelle H. Cameron 編著（渡部一朗 訳）：EBM 物理療法　原著第4版．医歯薬出版，2015．
5) 柳澤 健 編：理学療法学 ゴールド・マスター・テキスト3 物理療法学．メジカルビュー社，2009．
6) 嶋田智明 他，著：物理療法マニュアル．医歯薬出版，1996．
7) 奈良 勲 監（網本 和 編）：標準理学療法学 専門分野 物理療法学 第4版．医学書院，2013．

5 上肢管理（三角巾の装着）

1 上肢管理とは

　上肢管理とは，麻痺や外傷後の上肢に二次的合併症が生じないよう，三角巾などを用いて一時的に安全な肢位に保護することを指す。特に三角巾は入手が容易で低コストまた簡便である利点から，臨床場面で応急的処置に用いられることが多い。
　本項では，三角巾を用いた上肢管理について解説する。

2 上肢管理の目的と適応

A. 目　的

　上肢管理は，一時的に肩関節を内外力より保護し，関節のアライメントを適切に管理することで治療を促進させ，二次的な損傷や疼痛を回避することが主な目的になる。
　上肢の外傷や外科手術後の患者の安静位保持は損傷組織の回復や疼痛回避手段となる。また肩関節に亜脱臼を認める脳血管障害患者の場合，上肢管理が不十分だと肩に疼痛を生じることが多く慢性化することもあり，それがリハビリテーションや日常生活に大きな影響を与える。そのため，三角巾などによる上肢管理では，肩関節のアライメントを整えて二次的損傷を予防するだけでなく，患者への上肢管理の有用性を意識づけ，疼痛を予防することを目指す。
　三角巾による上肢管理技能は，応急的処置などに応用できるため，医療従事者は基本的技能として体得していることが望ましい。また三角巾の装着方法には2種の方法がある（図1）。三角巾の両端を頸部後方で結び上肢を支持する方法がよく知られているが（図1a），本項では図1bのように三角巾の一端は腋窩を通す方法を示す。この方法は肩甲帯を含む体幹で上肢全体の重量を支持するため，頸部のみに負担がかかりにくい利点がある。また固定力に優れるため肩関節を整復位に保持しやすいといった利点もある。

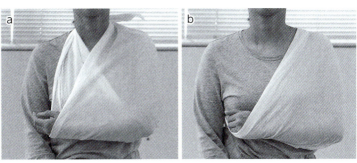

図1　2種類の三角巾装着法
a：通常の装着法，b：本項で推奨する装着法
aは簡便な装着法であり，運動器疾患において三角巾装着下での運動にも適する。bは三角巾の一端は腋窩を通すことで上肢の重量を肩甲帯を含む体幹で支持する方法である。頸部のみに負担がかからない利点がある。

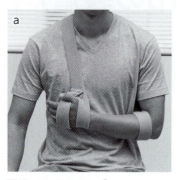 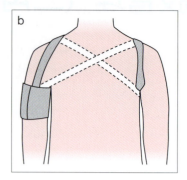

図2　アームスリング
a：肘関節屈曲タイプ，b：肘関節伸展タイプ

B. 適　応

　脳卒中片麻痺者で肩甲帯や肩関節周囲筋の低緊張により，肩関節に亜脱臼を認める場合や，上肢の浮腫がある場合，感覚障害が重度で上肢の自己管理が不十分な場合，また上肢の外傷や外科手術後の一時的な安静位保持のための固定が必要な患者が本項で紹介する三角巾装着法の適応となる。ただし，片麻痺者の三角巾による上肢管理はアームスリング（図2）[注]を作成するまでの間，一時的に利用するものであることに注意する。

[注] アームスリングとは，肩関節から上肢を支持固定する装具の総称である。肘関節屈曲タイプ（図2a），肘関節伸展タイプ（図2b）の2種類に大きく分かれる。

3　手順のポイント

1）挨拶・自己紹介を行い，2つの識別子で患者の確認を行う
・患者とのラポール（信頼関係）形成のため，挨拶，自己紹介を行う。
・患者の取り違いを防止するため，氏名に加え生年月日もしくはIDなど，2つの識別子で確認する。

2）三角巾を装着する旨を患者に伝え了承を得る
・上肢の不良肢位が肩関節の疼痛を誘発する可能性について説明する。

3）三角巾装着に適した座位姿勢であるかを確認し，必要に応じて座位を修正する
・両下肢の足底を全面接地させ，体幹・骨盤を可能な限り直立位にする。麻痺側上肢の安全を確保する。

4）肩関節・肩甲帯のアライメント，疼痛の有無を確認する
・肩関節の状態（亜脱臼の程度，疼痛の有無）について視診・触診で確認する。疼痛の有無は，肩関節のみでなく上肢・手指の痺れも含めて確認する。
・亜脱臼の程度を触診で確認するには肩峰と上腕骨頭の間にできた隙間を示・中指を用いて触診する。上腕骨の長軸に対して示・中指を直交させ，肩峰と上腕骨頭の連続性を確認する（図3）。記録の際は「〇横指」と表現する。
・アライメントの評価として，肩甲帯では挙上・下制，内転・外転，上方回旋・下方回旋，肩関節では垂直方向の脱臼・亜脱臼のみでなく，上腕骨頭の前方への偏位など，左右差も含めて評価する。

5）三角巾を適切に装着する
　本項で推奨する三角巾の装着手順は2通りある。いずれの手順でもよい。

a. あらかじめ肘部を結ぶ手順
①三角巾装着前に，装着時，肘部が収まる位置で三角巾を結ぶ（図4）
　・三角巾の二等辺の頂点部分にポケットができるように結ぶ。
②三角巾の長辺を折り返す（図5）
　・手指に布が被らないようにし，布の張りの調節のために体幹前面を横切るバイアス部分を折り返す。
　・折り返しの幅や結び目の大きさは患者の上肢の長さ，肩幅などに応じて適宜変更する。それによって装着に必要な布の量も変化する。

5 上肢管理（三角巾の装着） 57

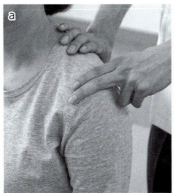
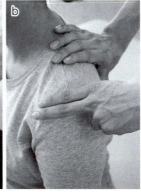

図3　肩甲上腕関節の亜脱臼の確認
肩関節周囲筋の麻痺により，上腕骨頭を肩関節窩に引きつける力が減弱し，上腕骨頭は前下方に滑り落ち，外観上，肩峰が突出してみえる。肩峰と上腕骨頭の間にできた隙間で，療法士の示・中指を用いて触診する。

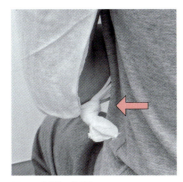
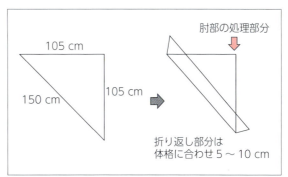

図4　肘部の処理
（麻痺側上肢を背面からみた図）

図5　三角巾の長辺の折り返し
右のように長辺を折り返し，背中で結ぶ部分とする。

- 三角巾の長辺を折り返す目的は，長辺の生地がバイアスで伸びやすいため，布を折り返すことで強度を上げること，また MP 関節以遠を露出するために体幹前面の布の量を調整することにある。

③患者に非麻痺側上肢で自身の麻痺側上肢を支持してもらい，作成したポケット部分に麻痺側肘関節を収め，三角巾の一端を麻痺側肩関節にかけて，他の一端を非麻痺側腋窩に通す（図6①，②）
- 麻痺側肩関節外転内転中間位・内旋位，肘関節 90°程度で身体前面に保持できるよう，患者に非麻痺側上肢で麻痺側前腕下方から支持してもらう。

④麻痺側の前腕，手関節，MP 関節までを三角巾で包み込み，上腕骨を上方に（関節窩方向に）牽引して保持する（図6③）
- 三角巾のポケット部分に肘部から MP 関節までが収まるよう，非麻痺側腋窩へ通す側の三角巾下端を体幹側にしっかりと巻き込む。巻き込みが不十分であると腕が落下してしまうため注意する。
- 前腕は水平もしくは手部が肘関節よりもわずかに挙上した肢位にする。
- 前腕は回内外中間位にする。
- 手関節は掌屈や尺屈をせず，中間位にする。
- 肘関節は肩関節の真下に位置させて，上腕骨を関節窩に向けて上方へ牽引する。

⑤上腕骨頭を関節窩に適合させ，三角巾の両端を引き，布の張りを作りながら背部へ回して結ぶ
- 結ぶ前に麻痺側前腕を支持していた患者の手をいったん離してもらうことで，前腕が落ちないか確認し，三角巾全体の緩みを必要に応じて修正しながら結ぶ。
- 結び目は骨突出部と重ならないように配慮する（図7）。脊柱と非麻痺側の肩甲骨内側との間で結び目を作るのがよいが，上肢の状態や体格によっては，麻痺側に作ることもあり得る。
- 前腕を三角巾のポケット部で下方から支持して上方へ牽引し，上腕骨頭が関節窩に適合できるよう，肩甲骨上方回旋に誘導しながら，張りを調整して両端を結ぶ。肩側に回す端は，肩関節全体を覆う

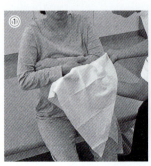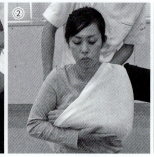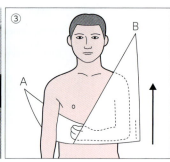

図6 肘部・両端の装着
①：肘部の装着，②：両端の装着，③：前腕の包み方
作成したポケット部分に肘関節を収める（①）。三角巾の一端を麻痺側肩関節にかけて，他の一端は非麻痺側腋窩を通す（②）。③のように三角巾で前腕を下方から包み込み，Bで矢印方向に前腕を上方に押し上げて，肩関節整復位を確認して三角巾を肩に沿わせて背側へAとBを結ぶ。

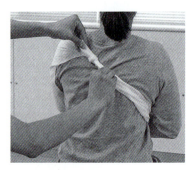

図7 結び目の位置
結び目は脊柱と非麻痺側の肩甲骨内側との間がよい。

図8 最終段階で肘部を処理する三角巾装着
長辺を折り返した状態で一端を麻痺側肩関節にかけて，他の一端は非麻痺側腋窩を通す。

ようにする（図10b）。
・肩関節前面から肘部および前腕にかけて，体幹前面の布を全体的に張らせることで布の張力を利用して，肩甲帯全体で前腕を持ち上げ支えることができる。

b．三角巾装着の最終段階で肘部を処理する手順

①三角巾の長辺を折り返す（図5）
・手指に布が被らないようにし，布の張りの調節のために体幹前面を横切るバイアス部分を折り返す。
・折り返しの幅は患者の体格に合わせて調整する。

②患者に非麻痺側上肢で自身の麻痺側前腕を支持してもらい，三角巾の一端を麻痺側肩関節にかかるようにし，他の一端は非麻痺側腋窩を通す（図8）
・麻痺側肩関節外転内転中間位・内旋位，肘関節90°程度で身体前面に保持できるよう，患者に非麻痺側上肢で麻痺側前腕下方から支持してもらう。
・腕が落下しないよう，非麻痺側腋窩へ通す側の三角巾下端を肘部から前腕にかけて体幹側にしっかり巻き込む。

③麻痺側の前腕，手関節，MP関節までを三角巾で包み込み，三角巾の両端を引き，体の前面に布の張りを作りながら背部へ回して結ぶ
・前腕は水平もしくは手部が肘関節よりもわずかに挙上した肢位にする。
・前腕は回内外中間位にする。
・手関節は掌屈や尺屈をせず，中間位にする。
・肘関節は肩関節の真下に位置させておく。
・三角巾の両端を引き，体の前面に布の張りを作りながら背部へ回して結ぶ。
・結び目は骨突出部と重ならないように配慮する。

④肘部に三角巾でポケットができるよう結ぶ（図9）
・肩関節前面から肘部および前腕にかけて，体幹前面の布を全体的に張らせた状態で肘部の三角巾を

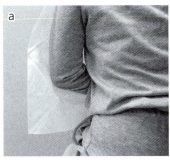
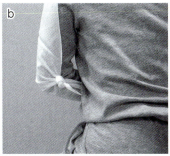

図9 三角巾の肘部にポケット部分を作成する
a：結ぶ前，b：深さを調整しながら結ぶ

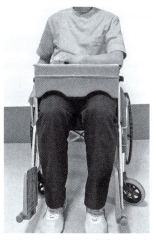

図11 ソフトラップボード

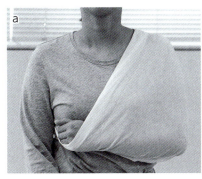
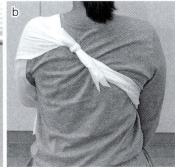
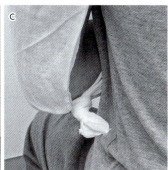

図10 三角巾の装着完成図

結ぶ．
・上腕骨を上方（関節窩方向）に牽引して，上腕骨頭を関節窩に適合させるよう支持する．布の張力を利用することで，肩甲帯全体で前腕を持ち上げ支えることができる．
・麻痺側前腕を支持していた患者の手を離してもらい，腕が落ちないか確認する．三角巾全体の緩みを必要に応じて修正しながら結ぶ．

> **臨床のコツ**
> ◆ 三角巾は一枚の薄い布で作られており，布が伸びたり，よれたりして固定が十分に行えない場合があるので，適宜新しい物を使用する．
> ◆ 脳卒中片麻痺者に使用する場合は，肩関節内転・内旋，肘関節屈曲位を強制するアームスリングの使用と同様に，長期の継続使用により，屈曲運動パターンの助長，ボディイメージの歪み，歩容改善の遅延などの問題を生じる危険性がある．肩の疼痛や状態，麻痺の程度などを評価することで，固定の必要性を定期的に見直す．
> ◆ 脳卒中片麻痺者で，ベッド上や車椅子などで長時間の座位を保つ場合には，肩関節の下方への牽引の予防による関節保護と前額面上での体幹側屈予防の目的でクッション，ラップボードやカットアウトボードを使用するとよい（図11）．

6）患者に疼痛の有無や不快感がないか確認し，上腕骨頭が適切な位置にあるか視診・触診する

> **臨床のコツ**
> ◆ 運動器疾患患者に三角巾を使用する場合，多くの使用目的は安静位保持であり，短期の使用が多い．指定された肢位保持を厳格に守る必要がある．

7）患者に終了を伝える

OSCE課題　三角巾の装着

対応動画

設問

　脳梗塞による左片麻痺を呈した患者です。上肢管理が不十分のため，この患者に三角巾を適切に装着してください。三角巾の装着手順（あらかじめ肘部を結ぶ・装着の最終段階で結ぶ）はどちらでも可とします。制限時間は5分です。では，始めてください。

準備するもの

　治療用ベッド，三角巾

患者情報

疾患・障害	脳梗塞，片麻痺	深 部 覚	重度鈍麻
年齢・性別	不問	R O M	左肩関節屈曲120°，外転100°
障 害 側	左	座 位	安定
発症後期間	2週間	立 位	監視
B R S	上肢：Ⅱ　手指：Ⅱ　下肢：Ⅲ	理 解	良好
筋 緊 張	左上肢屈筋に痙性出現（＋）低緊張	表 出	良好
疼 痛	肩関節，安静時に軽度	そ の 他	左肩関節亜脱臼1横指，左上肢の位置に無頓着であり，管理ができない
表 在 覚	軽度低下		

課題の目標

態度
1. 三角巾の装着に備えた心がけができる（清潔かつ安全な身なり）。
2. 三角巾の装着を行う旨を説明し，了承を得ることができる。
3. 患者に不快な思いをさせない（話し方，表情，振る舞い）。

技能
1. 患者の安全に配慮しながら進めることができる。
2. 三角巾装着を適切な手順および方法で行うことができる。

5 上肢管理（三角巾の装着） 61

手 順

1. **挨拶・自己紹介を行い，2つの識別子で患者の確認を行う。**
2. **三角巾を装着する旨を患者に伝え了承を得る。**
3. **三角巾装着に適した座位姿勢であるかを確認し，必要に応じて座位を修正する。**
   - 両下肢の足底を全面接地させ，体幹・骨盤を直立位にする。麻痺側上肢の安全を確認する。
4. **麻痺側肩関節・肩甲帯のアライメント，疼痛・上肢手指の痺れの有無を確認する。**
5. **三角巾を適切に装着する。**

   a. あらかじめ肘部を結ぶ手順

   ①三角巾装着前に，装着時，肘部が収まる位置で三角巾を結ぶ（図4）
   - 三角巾の二等辺の頂点部分にポケットができるように結ぶ。

   ②三角巾の長辺を折り返す（図5）
   - 手指に布が被らないようにし，布の張りの調節のために体幹前面を横切るバイアス部分を折り返す。
   - 折り返しの幅や結び目の大きさは患者の上肢の長さ，肩幅などに応じて適宜変更する。

   ③患者に非麻痺側上肢で自身の麻痺側上肢を支持してもらい，作成したポケット部分に麻痺側肘関節を収め，三角巾の一端を麻痺側肩関節にかけ，他の一端を非麻痺側腋窩に通す（図6①，②）
   - 患者に麻痺側肩関節外転内転中間位・内旋位，肘関節90°程度で身体前面に保持してもらう。

   ④麻痺側の前腕，手関節，MP関節までを三角巾で包み込み，上腕骨を上方に（関節窩方向に）牽引して保持する（図6③）
   - 三角巾のポケット部分に肘部からMP関節までが収まるよう，非麻痺腋窩へ通す側の三角巾下端を体幹側にしっかりと巻き込む。巻き込みが不十分であると腕が落下してしまうため注意する。
   - 前腕は水平もしくは手部が肘関節よりもわずかに挙上した肢位で，回内外中間位にする。
   - 手関節は掌屈や尺屈をせず，中間位にする。
   - 肘関節は肩関節の真下に位置させて，上腕骨を関節窩に向けて上方へ牽引する。

   ⑤上腕骨頭を関節窩に適合させ，三角巾の両端を引き，張りを作りながら背部へ回して結ぶ
   - 結ぶ前に麻痺側前腕を支持していた患者の手をいったん離してもらうことで，前腕が落ちないか確認し，三角巾全体の緩みを必要に応じて修正しながら結ぶ。
   - 結び目は骨突出部と重ならないように配慮する（図7）。
   - 前腕を三角巾のポケット部で下方から支持して上方へ牽引し，上腕骨頭が関節窩に適合できるようにする。肩側に回す端は，肩関節全体を覆うようにする（図10b）。
   - 肩関節前面から肘部および前腕にかけて，体幹前面の布を全体的に張らせる。

   b. 三角巾装着の最終段階で肘部を処理する手順

   ①三角巾の長辺を折り返す（図5）
   - 手指に布が被らないようにし，布の張りの調節のために体幹前面を横切るバイアス部分を折り返す。
   - 折り返しの幅は患者の体格に合わせて調整する。

   ②患者に非麻痺側上肢で自身の麻痺側前腕を支持してもらい，三角巾の一端を麻痺側肩関節にかかるようにし，他の一端は非麻痺側腋窩を通す（図8）
   - 麻痺側肩関節外転内転中間位・内旋位，肘関節90°程度で身体前面に保持する。
   - 腕が落下しないよう，非麻痺側腋窩へ通す側の三角巾下端を肘部から前腕にかけて体幹側にしっかり巻き込む。

   ③麻痺側の前腕，手関節，MP関節までを三角巾で包み込み，三角巾の両端を引き，張りを作りながら背部へ回して結ぶ
   - 前腕は水平もしくは手部が肘関節よりもわずかに挙上した肢位で回内外中間位にする。
   - 手関節は掌屈や尺屈をせず，中間位にする。
   - 肘関節は肩関節の真下に位置させておく。
   - 三角巾の両端を引き，体の前面に張りを作りながら背部へ回して結ぶ。結び目は骨突出部と重なら

ないように配慮する。

④肘部に三角巾でポケットができるよう結ぶ（図9）

・肩関節前面から肘部および前腕にかけて，体幹前面の布を全体的に張らせた状態で肘部の三角巾を結ぶ。上腕骨を上方（関節窩方向）に牽引する。

・麻痺側前腕を支持していた患者の手を離してもらうことで，前腕が落ちないか確認し，三角巾全体の緩みを必要に応じて修正しながら結び直す。

6. 患者に疼痛の有無や不快感がないかを確認し，上腕骨頭が適正な位置にあるか視診・触診する。

7. 患者に終了を伝える。

5　上肢管理（三角巾の装着）　63

採 点 基 準

採点者は模擬患者に受験者の言動の適否を適宜確認して，以下の項目を採点してください。

1. 態度

①適切な身なりで明瞭な挨拶（開始時・終了時）・自己紹介ができる。	2点	適切な身なり，明瞭な挨拶（開始時・終了時）・自己紹介ができる
	1点	上記のうち1項目ができない
	0点	2項目以上できない
②2つの識別子で患者の確認ができる。	2点	2つの識別子で患者の確認ができる
	1点	1つの識別子で確認ができる
	0点	確認ができない
③三角巾の装着を行う旨を患者に伝え，了承を得ることができる。	2点	三角巾の装着を行う旨を正確に伝え，患者の了承を得ることができる
	1点	どちらか一方のみできる
	0点	どちらもできない
④課題全般を通して，患者の様子（表情・心情・姿勢・身体機能）や状況に応じた丁寧な対処（声かけ・触れ方・動かし方）ができる。	2点	課題全般を通して，患者の様子や状況に応じた丁寧な声かけ，触れ方，動かし方ができる
	1点	上記3項目のうち1項目ができない
	0点	2項目以上できない

2. 技能

①三角巾装着に適した座位姿勢（足底接地，体幹・骨盤直立位，麻痺側上肢の肢位）を確認し，修正できる。	2点	三角巾装着に適した座位姿勢（足底接地，体幹・骨盤直立位，麻痺側上肢の肢位）を確認し，修正できる
	1点	座位姿勢を確認するが，修正が不十分
	0点	座位姿勢を修正できない
②麻痺側肩関節・肩甲帯のアライメントを視診・触診で確認できる。	2点	麻痺側肩関節・肩甲帯のアライメントを視診・触診で確認できる
	1点	どちらか一方のみできる
	0点	どちらもできない
③肩関節を含む上肢・手指の疼痛や痺れの有無について確認できる。	2点	肩関節を含む上肢・手指の疼痛や痺れの有無について確認できる
	1点	一部分の疼痛や痺れの有無を確認できる
	1点	疼痛もしくは痺れのどちらか一方の確認ができる
	0点	どちらも確認しない
④三角巾の二等辺の頂点部分にポケットができるよう結び，長辺を折り返すことができる。	2点	三角巾の二等辺の頂点部分にポケットができるよう結び，長辺を折り返すことができる
	1点	どちらか一方のみできる
	0点	どちらもできない
⑤麻痺側肩から肘関節を三角巾で覆うことができる。	2点	適切に肘関節をポケットに収め，麻痺側の肩を覆うことができる
	1点	どちらか一方のみできる
	0点	どちらもできない
⑥麻痺側の前腕，手関節，MP関節までを三角巾で包み込むことができる。	2点	三角巾で麻痺側前腕・手関節・MP関節を包み込むことができる
	1点	麻痺側前腕・手関節・MP関節を包み込んでいるが不十分
	0点	三角巾で指先まで包み込んでいる
⑦肘関節は肩関節真下に位置し，手部が肘関節よりわずかに挙上した肢位にすることができる。	2点	肘関節は肩関節真下に位置し，手部が肘関節よりわずかに挙上した肢位にすることができる
	1点	どちらか一方のみできる
	0点	どちらもできない

⑧前腕を回内外中間位で手関節が掌屈や橈屈しないよう中間位に保持することができる。	2点 前腕を回内外中間位で手関節が掌屈や橈屈しないよう中間位に保持することができる 1点 どちらか一方のみできる 0点 どちらもできない
⑨骨突出部に重ならない位置で，適切な強さで結ぶことができる。	2点 骨突出部に重ならない位置で，適切な強さで結ぶことができる 1点 どちらか一方のみできる 0点 どちらもできない
⑩上肢を支持するように布の張りを調整しながら装着することができる。	2点 布の張りにより，上肢を支持するように装着することができる 1点 布の張りによる上肢の支持が不十分 0点 布の張りによる上肢の支持がされていない
⑪装着後に疼痛の有無，不快感がないか確認できる。	2点 装着後に疼痛の有無，不快感がないか確認できる 1点 どちらか一方のみできる 0点 どちらもできない
⑫装着後に上腕骨頭が適切な位置にあるか視診・触診で確認できる。	2点 装着後に上腕骨頭が適切な位置にあるか視診・触診で確認できる 1点 どちらか一方のみできる 0点 どちらもできない

OSCE 担当者確認事項

環境設定
- 三角巾は畳んで，患者の側に置く。
- 試験では布が伸びていない新しい三角巾を用いる。三角巾が伸びた場合には，適宜交換する。

模擬患者
- 肩関節が触知しやすいように，上衣は薄手のものを着用する。
- 課題開始時は治療用ベッド上に端座位で待機する（図12）。
- 座位姿勢は骨盤後傾位，左上肢は体側に置き，肩関節軽度伸展内旋位とする。

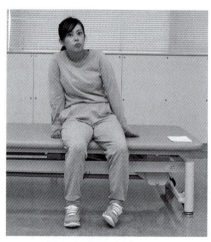

図12 模擬患者の開始姿勢

引用文献
1) 矢崎 潔：手のスプリントのすべて 第4版．三輪書店，2015．

参考文献
1) 日本赤十字社 編：赤十字救急法講習教本 第14版．日赤サービス，2019．
2) 若林秀隆 他：上肢管理と障害受容．総合リハ 28：1133-1137, 2000．
3) 福井國彦 他，編：脳卒中最前線 急性期の診断からリハビリテーションまで 第4版．医歯薬出版，2009．
4) 服部一郎，細川忠義，和才嘉昭：リハビリテーション技術全書 第2版．医学書院，1984．
5) 寺山和雄，片岡 治 監：整形外科 痛みへのアプローチ5 肩の痛み．南江堂，1998．
6) Stanley Hoppenfeld（野島元雄 監訳）：図解 四肢と脊椎の診かた．医歯薬出版，1984．

6 下肢装具の装着介助

1 下肢装具とは

装具は「四肢・体幹の機能障害の軽減を目的として使用する補助器具」と定義され[1]、その目的は①固定・免荷、②変形の予防・矯正、③機能的補助の3点に要約できる。装着部位によって上肢装具、下肢装具、体幹装具に大別され、本項で扱う下肢装具はさらに装着部位別に分類される。

2 下肢装具

A. 基本構成

下肢装具は継手、骨盤帯、半月、ベルト、支柱にて構成され[2,3]（図1，2）、必要に応じて膝当てやストラップなどの付属品が付加される（図3）。

1）短下肢装具

短下肢装具（ankle foot orthosis：AFO）は下腿部から足部までを覆う下肢装具で、足継手、下腿半月、ベルト、支柱にて構成される（図4）。短下肢装具は金属製とプラスチック製に大別でき、プラスチック製には足継手を有さない一体構造のものと足継手付きのものがある。

2）長下肢装具

長下肢装具（knee ankle foot orthosis：KAFO）は大腿部から足部までを覆う下肢装具で、膝継手、足継手、大腿半月、下腿半月、ベルト、支柱にて構成される（図5）。長下肢装具には金属製が多用されており、一体型フレーム構造のものと大腿部が取り外し可能な構造のものがある（図6）。

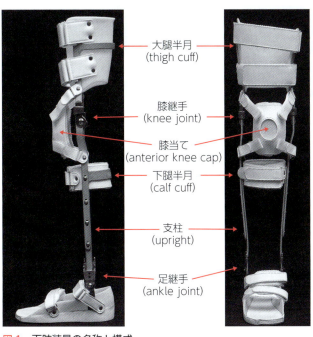

図1 下肢装具の名称と構成

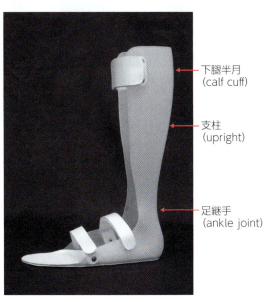

図2 プラスチック製短下肢装具の名称と構成
プラスチック製短下肢装具は一体構造を成している。

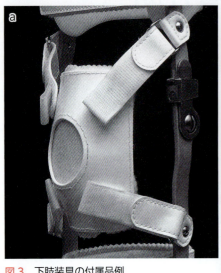
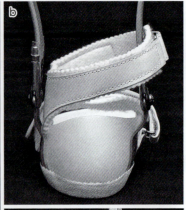

図3 下肢装具の付属品例
a：膝当て
b：ストラップ
c：ストラップ（展開したところ）

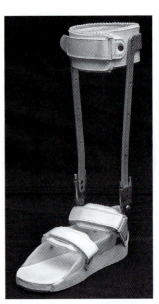

図4 短下肢装具

図5 長下肢装具

図6 大腿部が取り外し可能な
タイプの長下肢装具

> **臨床のコツ**
> ◆脳血管障害患者の長下肢装具は，回復に応じて短下肢装具へと簡便に移行できるよう，大腿部が取り外し可能なタイプのものが有効である。
> ◆大腿部が取り外し可能なタイプの長下肢装具は，リハビリテーション場面での立位・歩行練習では長下肢装具として，移乗練習では短下肢装具として使用できる。また，病棟では短下肢装具として使用することで，車椅子座位や移乗時の下肢管理の助けとなる。

B. チェックアウト

　装具のみの状態，装具を装着しての静的・動的状態を確認する必要がある。装具のみでのチェックアウトは装具単体でのアライメントを確認する。

　装具を装着しての静的・動的状態のチェックアウトは座位や立位，歩行で行い，装具による圧迫の有無，半月や継手の位置，足長・足幅サイズの適否，ベルトの締まり具合，目的とした制御，制動，可動性は適切か確認する（立位でのチェックアウトや制御，制動，可動性に関するチェックアウトはレベル2「18 下肢装具・歩行補助具の調整」参照）。

　継手位置は生体の関節軸に一致するのが理想的であるが，装具の機械的構造と，体表に設置されなければならないという制約から厳密ではない[3]。

- 股継手軸（図7）：前額面において大転子より2cm上方を通る。矢状面において大転子より1～2cm前方を通り，床面に平行。
- 膝継手軸（図8）：前額面において内転筋結節と膝関節裂隙の中間点を通り，床面に平行。矢状面において前後径の1/2の点と後方1/3の点の中間点を通る。
- 足継手軸（図9）：前額面において外果中央と内果下端を通り，床面に平行。水平面において足部中心線に直行し，外果を通る。

　半月は一般的に大腿部に大腿近位半月（大腿上位半月）と大腿遠位半月（大腿下位半月）が用いられる。下腿部には下腿半月が用いられる。半月の設置位置は以下の通りである（図10）。

- 大腿近位半月：大腿近位半月上端の内側は会陰部から2～3cm下方，外側は大転子から2～3cm下方に設置する。
- 大腿遠位半月：膝継手と下腿半月上端までの距離と等しい地点に大腿遠位半月下端がくるように設

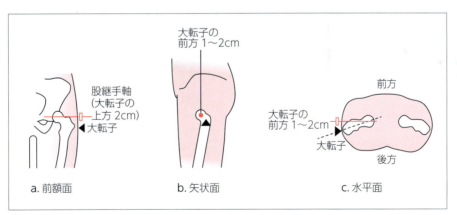

図7　股継手軸

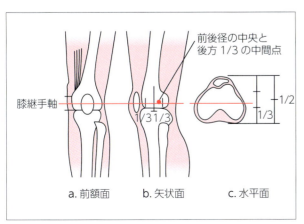

図8　膝継手軸

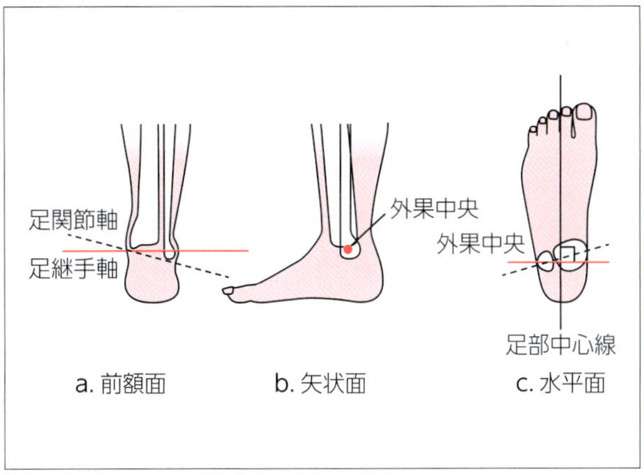

図9　足継手軸

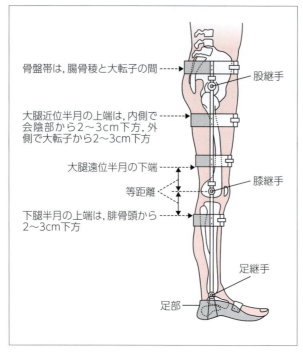

図10 下肢装具のチェックアウト
(日本義肢装具学会 監, 飛松好子, 高嶋孝倫 編著：装具学 第4版. p53, 医歯薬出版, 2013. より改変)

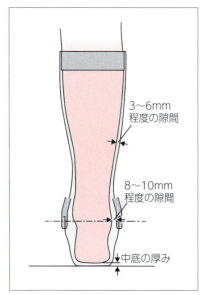

図11 継手と支柱のチェックアウト

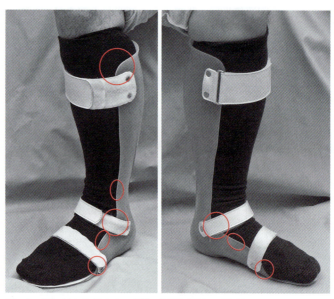

図12 当たりの生じやすい部位（短下肢装具の場合）
骨突起部は当たりが生じやすいため，十分に確認する必要がある。

置する。

・**下腿半月**：腓骨神経を圧迫しないように下腿半月上端は腓骨頭から2～3 cm下方に設置する。

金属支柱型下肢装具の場合，支柱と生体間は3～6 mm程度，継手と生体間は8～10 mm程度の隙間が必要である（図11）。

装具装着介助時は，装具による圧迫や当たりが生じていないか疼痛や違和感の確認を患者に行うとともに，視診，触診にて確認する。骨突起部[注]は当たりが生じやすいため，十分に確認する必要がある（図12）。装具を外した後にも発赤や圧迫の痕がないか，装着時同様に確認する。

注) 骨突起部：会陰部，大転子，膝関節，腓骨頭，内果，外果，腓骨骨幹部遠位部，舟状骨，第1中足骨頭，第5中足骨基部，第5中足骨頭

3 手順のポイント

A. 短下肢装具の装着介助の場合

1) 挨拶・自己紹介を行い，2つの識別子で患者の確認を行う
- 患者とのラポール（信頼関係）形成のため，挨拶，自己紹介を行う。
- 患者の取り違いを防止するため，氏名に加え生年月日もしくはIDなど，2つの識別子で確認する。

2) 短下肢装具の装着介助を行う旨を患者に伝え了承を得る

3) 装着に適した座位姿勢であるか確認し，必要に応じて座位を修正する
- 姿勢を確認し，骨盤直立位の安定した座位姿勢を確保する。
- 患者の足部（踵部）が床に接地するように座位姿勢を確保できると，装具に踵部を収める際に床面を利用でき，装具が安定し，アライメントを一致させやすくなる（図13）。

> **臨床のコツ**
> ◆ 車椅子座位で装具を装着する場合は，はじめに車椅子のブレーキがかかっているかを確認する。ブレーキが解除された状態で患者の四肢体幹を動かすと，患者に不安感を与えるとともに，転倒の危険性が増す。また，周囲との衝突などのリスクが増大する。
> ◆ 股関節周囲の筋緊張が低下している患者では，骨盤が後傾していると股関節は外転・外旋位になりやすく装具装着の際に下肢と装具のアライメントを一致させにくくなるため，骨盤を直立位にする（図14）。
> ◆ 患者の体格に対して車椅子が大きく，前方に殿部を移動させるだけでは足底接地が不十分な場合は，装着側の殿部を前方に出して座面に対して斜めに座ると足底が接地しやすくなる（図15）。座面に対して斜めに座る場合は，装着側の坐骨結節が座面から滑り落ちないように注意する。

4) 装具のベルトを外し，装着時の邪魔にならないように準備する（図16）
- 折り返しベルトは長いままでは取り扱いにくいため，半分のところで折り返し，面ファスナーを合わせておくなどの工夫をしておく。
- 重ね合わせタイプや片側止めタイプの前足部ベルトは足底板の裏側で面ファスナーを合わせておくと，装着時にベルトを挟み込まず，邪魔にならない。

5) 膝関節を露出する
- 短下肢装具装着による歩行練習では，膝関節の観察が必要となる。このため患者に了承を得たうえで膝関節を露出して短下肢装具を装着するとよい。ズボンの場合は，歩行練習中に裾が下がってこないようにしっかりと巻き上げておく。その際，巻き上げた裾の締めつけが強くなり過ぎないよう注意する。

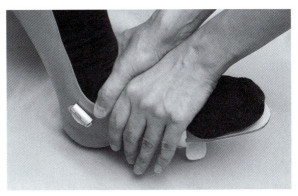

図13 踵部挿入時の床面の利用
床面を利用して踵部を装具内に収めると装具が安定し，アライメントを一致させやすくなる。

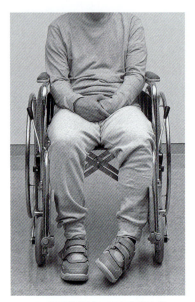
図14　装具装着時の不良座位姿勢
骨盤が後傾していると，股関節は外転・外旋位になりやすい。

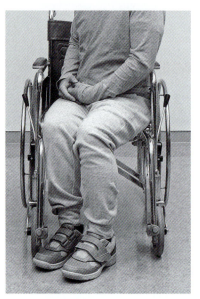
図15　装具装着時の座位姿勢（車椅子が大きい場合）
装着側の殿部を前方に出して，座面に対して斜めに座ると足底が接地しやすくなる。

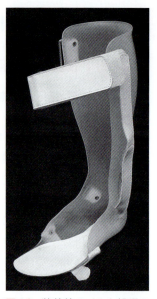
図16　装着前のベルト処理の一例
面ファスナーを合わせておくなど，邪魔にならないように処理しておくとよい。

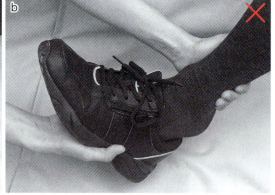
図17　靴の脱がせ方
a：良好例，b：不良例
衛生面への配慮から，療法士は靴底や装具足底を直接，手で触れないように留意する。

6) 靴などの履物を脱がす
- 療法士は患者の正面からやや側方に位置すると介助が行いやすい。
- 下肢装具装着介助の際には衛生面を考慮し，靴底や装具足底をむやみに触れないように留意する（図17）。
- 靴下を着用しているか確認する。装具による傷の予防や衛生管理のためにハイソックスを着用したうえで，装具を装着することが望ましい。
- 衛生面への配慮から，装具を装着する直前に靴を脱がすとよい。
- 装具や靴は丁寧に取り扱う。周囲の邪魔にならない場所，かつ，円滑に装着介助が行える場所に装具や靴を置き，管理する（図18）。装具が倒れる可能性があるときは，安定するよう，何かに立てかけておくか横にしておく。

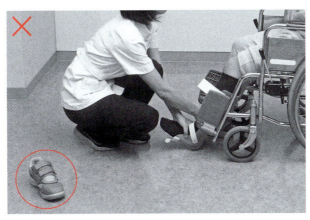

図18 靴の管理不良例
靴や装具は周囲の邪魔になるところに置かない。

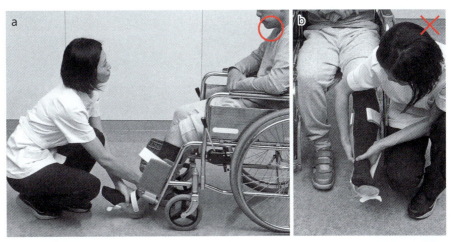

図19 装着介助時の姿勢
a：良好例（装着介助が行いやすく，患者の様子が把握しやすい）
b：不良姿勢の一例（装着介助が行いづらく，患者の様子を確認できない）

7) 下腿部を適切に保持して，短下肢装具を装着する

・療法士は患者の正面からやや側方に位置すると介助が行いやすく，下肢と装具のアライメントを一致させやすくなる。
・患者に背を向けて介助を行うと，介助中に患者の表情や姿勢を確認できないため，適宜，患者の状態が把握できる場所に位置する（図19）。装着介助中，療法士の注意が下肢や装具のみに集中しないように，患者の表情や姿勢にも注意し，急変時は速やかに対応できるように心がける。
・患者からの距離が遠過ぎると下肢を把持しにくく，安定性も悪くなるため，安定して下肢を保持できる距離まで近づく。
・麻痺肢を支える際は，できるだけ手掌の広い面で支えると安定し，患者の不快感を軽減できる。
・下腿部を高く持ち上げると膝関節が伸展位となり，ハムストリングスに不快感を与える。また，腓腹筋が伸長されるため足関節の背屈可動域が減少し，下肢と装具のアライメントを一致させにくくなる可能性がある。さらに，必要以上に膝関節を伸展位にすることで平衡反応により骨盤や体幹の後傾を誘発し患者の姿勢が崩れやすくなる（図20）。
・踵部を装具にしっかりと収め，下肢と装具のアライメントが一致するように（踵部や前足部，下腿が正しく装具内に収まるように）装具を装着する（図21）。

8) 装具のベルトをしっかりと締める

・3点固定の原理による固定をしっかりと行うためには，踵部が浮かないよう足関節部ベルトを最初に締めて固定性を高める。次に，前足部ベルトを締めて前足部の固定性を得る。最後に下腿半月部ベル

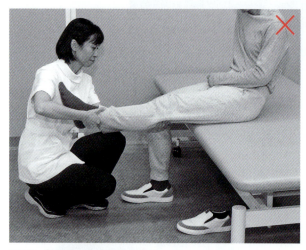

図20 装着時の不良姿勢
端座位で足部を高く持ち上げて膝関節を伸展すると、ハムストリングスに不快感を生じさせる可能性がある。平衡反応により骨盤や体幹の後傾を誘発し、姿勢が崩れやすくなる。

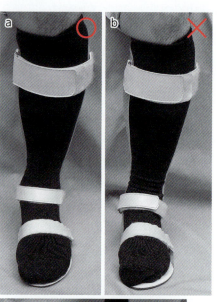

図21 装具装着例
a：良好例（下肢と装具のアライメントが一致している）
b：不良例（前足部のアライメントが一致していない）
c：不良例（踵部が適切に収まっていない）

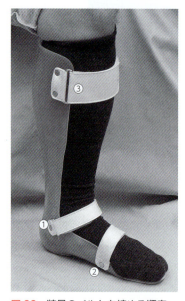

図22 装具のベルトを締める順序
①足関節部ベルト→②前足部ベルト→③下腿半月部ベルトの順に締める。

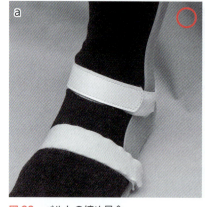

図23 ベルトの締め具合
a：良好例
b：不良例（ベルトの締め具合が緩い）
ベルト固定が緩いと装具の効果が十分に得られないため、しっかりと締める。

トを締める（図22）。
・ベルト固定が緩いと装具の効果が十分に得られないため、しっかりと締める（図23）。
・ベルトを締める際に軟部組織を挟み込まないように注意する。

図24 ベルトを締める際の床面の利用
ベルトを締める際に床面を利用すると，片手でも下肢と装具を同時にしっかりと固定しておける。

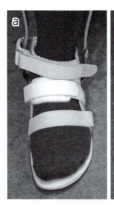
図25 荷重によるフィッティングの変化
a：非荷重時（座位）
b：荷重時（立位）

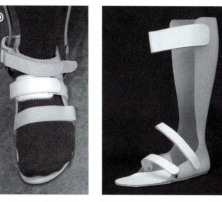
図26 装具を外している時のベルトの処理例
埃などで面ファスナーの接着力が低下しないように重ね合わせておくとよい。

> **臨床のコツ**
> ◆ ベルトを締める際には療法士は片手で装具と下肢を同時に固定しておかなければならないため，床面を利用すると固定しやすくなる（図24）。下腿三頭筋の筋緊張が亢進している場合は，ベルトを締める際に装具から踵部が浮き上がりやすいため特に注意が必要である。
> ◆ 軟部組織の多い部位ではベルトを締める際に，軟部組織を挟み込んでしまう可能性が高い。ベルトを締める前に軟部組織の盛り上がりを均しておくとよい。

9）フィッティングを確認する

- 問診，視診，触診にてフィッティングを確認する。
- 下肢と装具のアライメントは一致しているか（踵部や前足部，下腿が正しく装具内に収まっているか），足長・足幅サイズは適切か，半月や継手軸等の位置は適切か，軟部組織の挟み込みがないか，骨突起部等に装具が当たっていないか，疼痛や発赤はないかを確認する。
- ベルトの締め具合は適切かを確認する。
- フィッティングの確認は，座位にて確認した後，立位，歩行など荷重をかけた状態でも行う必要がある（レベル2「18 下肢装具・歩行補助具の調整」参照）。

> **臨床のコツ**
> ◆ 脳血管障害患者や脊髄損傷患者などでは感覚障害を有する場合が多いため，フィッティング確認は疼痛や違和感を口頭で確認するのみでなく，視診，触診を確実に行う必要がある。
> ◆ 荷重することで足アーチが低くなり，足長・足幅サイズは座位よりも立位にて長くなる。座位にてフィッティングを確認する際は，足長・足幅に適度な余裕が必要である（図25）。
> ◆ 装具を外している時はベルトの面ファスナーを合わせておくと埃などが付かず，接着力の低下を防止できる（図26）。

10）患者に終了を伝える
11）採点者にフィッティング状況を報告する

- 装具サイズの適否，下腿半月の位置，足継手軸の位置の適否について所見を述べる。

B. 長下肢装具の装着介助の場合

本項では，長下肢装具の装着介助について解説する。下記の手順のポイントに沿って，対応動画を参照いただきたい。

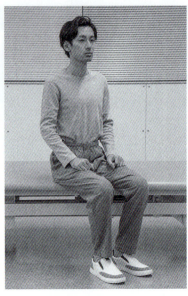

図27 長下肢装具装着時の座位姿勢
治療用ベッドで装着側の殿部を前方に出して斜めに座る。

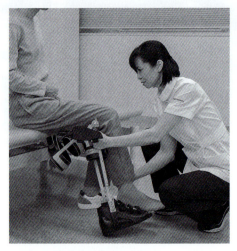

図28 長下肢装具装着の様子
下肢を高く持ち上げたり，足部を前方に持ち上げたりすると平衡反応によって姿勢が崩れやすい。

1) 挨拶・自己紹介を行い，2つの識別子で患者の確認を行う
- 患者とのラポール（信頼関係）形成のため，挨拶，自己紹介を行う。
- 患者の取り違いを防止するため，氏名に加え生年月日もしくはIDなど，2つの識別子で確認する。

2) 長下肢装具の装着介助を行う旨を患者に伝え了承を得る

3) 装着に適した座位姿勢に修正する
- 治療用ベッドで，装着側の殿部を前方に出して，座面に対して斜めに座る（図27）。装着側の大腿部の下の空間を利用できるため，長下肢装具の装着が行いやすい。殿部を前方に移動して浅く座るよりも，座面に対して斜めに座った方が，非装着側の大腿部が座面上に広く接地でき，安定性を得やすい。非装着側の手を大腿の横につくことで，支持面を拡大することも可能である。また，座面の広がりが患者の視界に入りやすく，安心感が得られやすいことも利点である。

> **臨床のコツ**
> - 座面に対して斜めに座る場合，坐骨結節が座面から落ちないように注意する。
> - 脳血管障害や脊髄損傷で，長下肢装具を使用する患者では座位保持能力が低下していることが多い。装具装着時の座位保持が困難な場合は，臥位で装着するとよい。無理に座位で装着すると不良姿勢をとらせることになるため注意が必要である。

4) 装具のベルトを外し，装着時の邪魔にならないように準備する

5) 靴などの履物を脱がす

6) 下肢を適切に保持して，長下肢装具を装着する
- 座位姿勢が崩れないように配慮しながら長下肢装具を装着する（図28）。
- 長下肢装具の短下肢装具部と下腿および足部のアライメントが一致するように装着する。
- 長下肢装具は膝継手軸と膝関節軸が一致するように大腿部を大腿半月に収める。

> **臨床のコツ**
> - 長下肢装具使用者では，座位保持能力の低い患者も多いため，下肢を高く持ち上げたり，下腿部を持ち上げて膝関節を過度に伸展したりすると座位姿勢が崩れやすいので注意する。

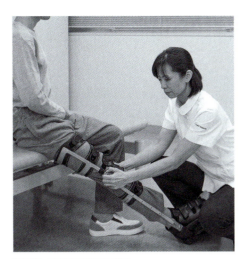

図29 膝継手操作の様子
座面に対して斜めに座ると，踵部を床に接地した状態で膝を伸展位にすることができる。

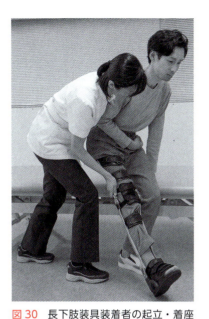

図30 長下肢装具装着者の起立・着座動作誘導・補助例
治療ベッドでは車椅子からの起立・着座に比べ療法士が使用できる空間が広い。

7) 装具のベルトをしっかりと締める

・足関節部ベルト→前足部ベルト→下腿部ベルトの順に締め，続いて大腿近位部ベルトと大腿遠位部ベルトを締める。膝当てがある場合は最後に膝当てを留める。

> **臨床のコツ**
> ◆長下肢装具の膝当ては膝関節の角度によってテンションが異なるため，膝関節伸展位にした（膝継手をロックした）際にテンションを確認し，必要に応じて締め直す。

8) フィッティングを確認する

・長下肢装具では短下肢装具装着の確認ポイントに加えて会陰部，大転子，膝関節に圧迫や疼痛などが生じていないかを確認する。
・膝継手のロックが正しくかかるかを確認する。

> **臨床のコツ**
> ◆装着側が一側の場合，治療用ベッドで座面に対して斜めに座ることで，膝継手をロック・アンロックする際も大腿カフが座面上に乗らないため，踵部を床に接地したまま膝関節を伸展位にできる（図29）。ハムストリングスを過度に伸長すること，座位姿勢を不安定にすることを最小限に留めることができる。
> ◆立位保持の補助量が多い患者では座位で膝継手ロック・アンロックを行うことは少なくない。長下肢装具装着側の膝を伸展し起立・着座動作を行う場合，治療用ベッドで起立・着座動作を行うと車椅子での場合に比べて療法士が誘導・補助のために使用できる空間が広く誘導・補助しやすい（図30）。

9) 患者に終了を伝える

OSCE課題　短下肢装具の装着介助

対応動画

設問

脳梗塞により左片麻痺を呈した患者です．今から歩行練習を行うため，担当療法士の代わりに装具装着を全介助にて行ってください．なお，装具はズボンの下に装着し，歩行練習時に膝関節の状態を確認できるようにしておいてください．装具装着の介助にあたっては，移乗や立ち上がり，歩行は行わず車椅子座位にて装着してください．装具装着後，採点者に座位における装具のフィッティング状態（足長・足幅サイズの適否，下腿半月位置の適否）を報告してください．なお，今回は装具の制御，制動，可動性に関する適合判定は行わないものとします．制限時間は5分です．では，始めてください．

準備するもの

車椅子，シューホーン型短下肢装具（左側）

患者情報

疾患・障害	脳梗塞，片麻痺	疼　　痛	なし
年齢・性別	不問	表 在 覚	中等度鈍麻
障 害 側	左	深 部 覚	中等度鈍麻
発症後期間	1カ月	R O M	制限なし
B R S	上肢：Ⅰ　手指：Ⅱ　下肢：Ⅲ	座　　位	安定
筋 緊 張	下腿三頭筋軽度亢進，股関節回旋筋群低緊張	理　　解	良好
		表　　出	良好

課題の目標

態度
1. 下肢装具装着介助に備えた心がけができる（清潔かつ安全な身なり）．
2. 患者に下肢装具の装着を行う旨を説明し，了承を得ることができる．
3. 患者に不快な思いをさせない（話し方，表情，振る舞い）．

技能
1. 患者の安全に配慮しながら進めることができる．
2. 下肢装具の装着介助を適切な手順および方法で行うことができる．
3. 短下肢装具のフィッティングの適否を判断できる．

手　順

1. 挨拶・自己紹介を行い，2つの識別子で患者の確認を行う。
2. 短下肢装具の装着介助を行う旨を患者に伝え了承を得る。
3. 車椅子のブレーキを確認し，安定した車椅子座位を確保する。
   - 車椅子のブレーキがかかっているかを確認する。
   - 姿勢を確認し，骨盤直立位，足底接地の安定した座位姿勢を確保する。
4. 装具のベルトを準備する。
   - 装具のベルトは環_{カン}から外し，装着時に邪魔にならないように処理しておく。
5. 膝関節を露出する。
   - 患者に了承を得たうえで，膝関節がしっかりと確認できる位置までズボンの裾を巻き上げる。
   - ズボンの裾が歩行練習時に下がってこないようにしっかりと巻き上げておく。その際，巻き上げた裾の締めつけが強くなり過ぎないよう注意する。
6. 靴を脱がす。
   - 衛生面への配慮から，靴底を直接手で触れないように留意する。
7. 装具や靴を丁寧に扱う。
   - 邪魔にならないように装具や靴を管理する。
8. 装具を装着する。
   - 患者の正面からやや側方に位置し，介助に適した姿勢で装具装着介助を行う。
   - 麻痺肢を支える際は，できるだけ手掌の広い面で支えると安定し，患者の不快感を軽減できる。
   - 下腿部を高く持ち上げると膝関節が伸展位となり，ハムストリングスに不快感を与える。また，腓腹筋が伸長されて足関節の背屈可動域が減少し，下肢と装具のアライメントを一致させにくくなる可能性がある。さらに，必要以上に膝関節を伸展位にすることで平衡反応により骨盤や体幹の後傾を誘発し患者の姿勢が崩れやすくなる（図 21）。
   - 踵部を装具に挿入し，アライメントを整えながら前足部や下腿を装具内に適切に収める。
9. 装具のベルトを締める。
   - 足関節部ベルト→前足部ベルト→下腿半月部ベルトの順で，しっかりと締める。
   - ベルトを締める際に，フィッティング不良とならないように留意する。
10. フィッティングを確認する。
    - フィッティングは，課題指示により，車椅子座位にて確認する。
11. 患者に終了を伝える。
12. 採点者にフィッティング状況を報告する。
    - 装具サイズの適否，下腿半月の位置の適否について所見を述べる。

採 点 基 準

採点者は模擬患者に受験者の言動の適否を適宜確認して，以下の項目を採点してください。

1．態度

①適切な身なりで明瞭な挨拶（開始時・終了時）・自己紹介ができる。	2点	適切な身なり，明瞭な挨拶（開始時・終了時）・自己紹介ができる
	1点	上記のうち1項目ができない
	0点	2項目以上できない
②2つの識別子で患者の確認ができる。	2点	2つの識別子で患者の確認ができる
	1点	1つの識別子で確認ができる
	0点	確認ができない
③下肢装具の装着介助を行う旨を患者に伝え，了承を得ることができる。	2点	下肢装具の装着介助を行う旨を正確に伝え，患者の了承を得ることができる
	1点	どちらか一方のみできる
	0点	どちらもできない
④課題全般を通して，患者の様子（表情・心情・姿勢・身体機能）や状況に応じた丁寧な対処（声かけ・触れ方・動かし方）ができる。	2点	課題全般を通して，患者の様子や状況に応じた丁寧な声かけ，触れ方，動かし方ができる
	1点	上記3項目のうち1項目ができない
	0点	2項目以上できない

2．技能

①ブレーキの確認を行い，車椅子を固定できる。	2点	装着介助開始前にブレーキを確認し，車椅子を固定することができる
	1点	装着介助中にブレーキがかかっていないことに気づき，固定することができる
	0点	ブレーキの確認ができない
	0点	車椅子を固定できない
②装着に適した骨盤直立位，足底接地の座位姿勢を確保できる。	2点	骨盤直立位で足底をしっかりと接地させることができる
	1点	どちらか一方のみできる
	0点	どちらもできない
③ベルトが装着時の邪魔にならないよう準備することができる。	2点	装着前に準備することができる
	1点	装着中に気づき処理できる
	0点	準備しない
④患者に了承を得て，膝関節がしっかりと確認できる位置までズボンの裾を上げることができる。	2点	了承を得て，膝関節がしっかりと確認できる位置までズボンの裾を上げることができる
	1点	どちらか一方のみできる
	0点	どちらもできない
⑤衛生面に配慮して，手際よく靴を脱がすことができる。	2点	衛生面に配慮して，手際よく靴を脱がすことができる
	1点	どちらか一方のみできる
	0点	どちらもできない
⑥装具や靴を丁寧に扱うことができ，邪魔にならないよう管理できる。	2点	装具・靴を丁寧に扱うことができ，邪魔にならないように管理できる
	1点	丁寧に扱うことはできるが，装具・靴の管理ができない
	0点	扱いが乱雑である
⑦患者の正面からやや側方に位置し，介助および患者の観察に適した姿勢をとることができる。	2点	介助しやすく，かつ，患者の様子が随時確認できる位置・姿勢をとることができる
	1点	自身に負担のかかる位置・姿勢で実施する
	0点	患者の急変に対応できない位置・姿勢で実施する
⑧下肢を手掌の広い面で支え，下腿部を高く持ち上げずに保持できる。	2点	下肢を手掌の広い面で支え，下腿部を高く持ち上げずに保持できる
	1点	どちらか一方のみできる
	0点	どちらもできない

⑨手際よく，かつ正確にアライメントを整えながら踵部，前足部，下腿を装具内に収めることができる。	2点 1点 0点	手際よく，かつ正確に収めることができる 時間がかかる 正確に収めることができずアライメントが一致していない
⑩適切な順序（足関節部→前足部→下腿半月部），適切な強度でベルトを締めることができる。	2点 1点 0点 0点	適切な順序（足関節部→前足部→下腿半月部），適切な強度でベルトを締めることができる ベルトを締める順序が間違っている ベルトを締める強度が不適切である 軟部組織を挟み込んでいる
⑪問診・触診・視診にて装具による骨突出部などへの当たりや疼痛の有無を確認できる。	2点 1点 0点	問診，触診，視診にて装具による骨突出部などへの当たりや疼痛を確認できる 上記のうち1項目ができない 2項目以上できない
⑫フィッティングの判定（足長・足幅サイズの適否・下腿半月位置の適否）結果を採点者に報告することができる。	2点 1点 0点	足長・足幅サイズの適否，下腿半月位置の適否を適切に判定できる 上記のうち1項目ができない 2項目以上できない

OSCE 担当者確認事項

環境設定

- 車椅子のブレーキは外しておく。
- 装具は模擬患者に適したもの，もしくは少し大き目のものを選択し使用する。小さいものを反復して着脱すると擦過傷を生じる可能性があるため注意が必要となる。
- 装具は模擬患者の右側（車椅子の駆動輪横）に置いておく（図31）。ベルトはすべて環に通して留めておく。

採点者と模擬患者

- あらかじめフィッティング状況（足長・足幅サイズの適否，下腿半月位置の適否）を把握しておく。

模擬患者

- ズボン（締めつけが強くなり過ぎずに大腿まで巻き上げることができ，丈が踝まであるもの），ハイソックスを着用する。靴は簡単に脱ぐことのできるものを着用する。紐靴の場合は紐を緩めなくても脱げるようにしておく。
- 課題開始時は車椅子上にて待機する。骨盤後傾位で麻痺側股関節は屈曲・外転・外旋位，足部は内反尖足のためフットサポート上で足底接地していない（図32）。
- ブレーキの操作，座位姿勢の修正は促しがあれば自己にて可能な設定とする。
- 介助されるにあたり怪我をするなどの危険が生じそうな場合は，試験中でも疼痛などの不快感を受験者に伝える。わずかな疼痛や違和感は試験後のフィードバックにて伝える。
- 装具に足部を入れる際の下腿三頭筋の筋緊張は軽度亢進で，他動で足関節を容易に背屈して装具をはめることができる設定とする。

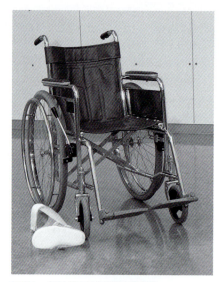

図31　開始時の下肢装具準備例

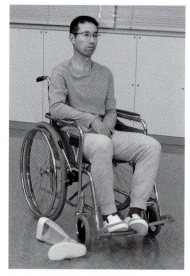

図32　模擬患者の開始姿勢

採点者

- 受験者が靴紐を緩めようとしたときは緩める必要がないことを伝える。
- 装具による骨突出部などへの当たりや疼痛の有無を模擬患者に確認したうえで採点する。

引用文献

1) 日本工業規格（JIS）：福祉関連機器用語［義肢・装具部門］JIS T 0101-1997.
2) 細田多穂 監，磯崎弘司，両角昌実，横山茂樹 編：シンプル理学療法学シリーズ 義肢装具テキスト 改訂第2版．南江堂，2013.
3) 日本整形外科学会，日本リハビリテーション医学会 監：義肢装具のチェックポイント 第7版．医学書院，2007.
4) 日本義肢装具学会 監（飛松好子，高嶋孝倫 編著）：装具学 第4版．医歯薬出版，2013.

7 車椅子の駆動介助

1 車椅子の駆動介助とは

　車椅子の駆動介助は療法士にとって日常的なものである。車椅子の基本的な構造（図1）は単純であるが，患者にとって移動が快適・安全であるためには，療法士は車椅子の仕組みをよく理解したうえで適切に操作するべきである。ここでは，患者の移動環境を整備し，患者・療法士双方にとって心理的・身体的負担の少ない介助方法を紹介する。

2 車椅子の駆動介助時のリスク

1）ブレーキのかけ忘れ
　停車時に介助者がブレーキをかけ忘れたために，ほんのわずかな勾配で車椅子が動き出すことや，ブレーキをかけないままの移乗動作で，車椅子が動いて患者が転倒しそうになることがある。ブレーキをかける習慣を必ずつけておくようにする。

2）上肢の巻き込み（図2）
　特に脳卒中片麻痺患者の場合，感覚障害や失認の影響で麻痺側上肢をアームサポートの外に放り出した状態で自覚のないことがあるため，駆動輪に巻き込まれる可能性がある。

3）フットサポートからの足部ずり落ち（図2）
　下肢の拘縮や痙性によって，フットサポート上に足底接地ができずに患者の足部が脱落していることがあり，床とフットサポートの間に足が挟まれて負傷する可能性がある。患者が足部のずり落ちに気がつき自主的に知らせることは少ないため，療法士の注意が必要である。

4）フットサポートに足部を乗せたままの移乗（図3）
　注意機能が低下している患者では，「これから移乗する」ということに気を取られて，車椅子のフットサポートに足部を乗せたまま性急に立ち上がって，車椅子が前に傾き転倒しそうになることがある。

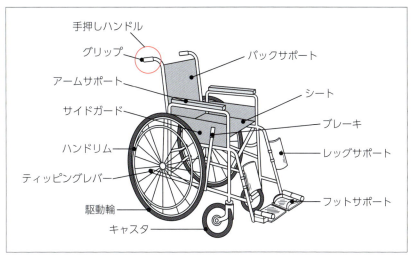

図1　車椅子の各部名称

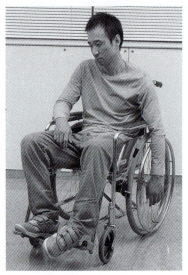

図2 不良姿勢
上肢の安全とフットサポート上の足底接地に留意する。

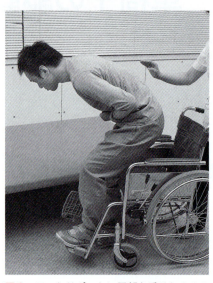

図3 フットサポートに足部を乗せたままの移乗

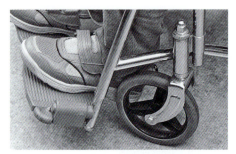

図4 キャスタの方向転換時の足部巻き込み

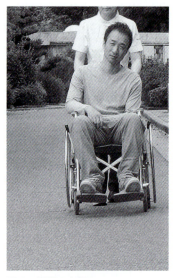

図6 傾斜の走行
介助者は傾斜の谷側（高さの低い側）のグリップに力を加えながら，方向を修正しつつ前進する。患者が山側（高さの高い側）へ身体を傾けると介助しやすい。

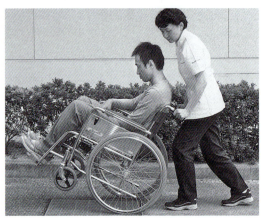

図5 溝などの乗り越え方
溝に対して直角に近づき，キャスタを上げて駆動輪のみで前進する。

5）キャスタの方向転換時の足部巻き込み（図4）

フットサポート上に乗せた足部が後方に位置していると，キャスタの回転に伴って足部が巻き込まれることがある。

6）段差や溝などの道路事情への対応（図5，6）

グレーチングや踏切の溝といった，路上のわずかな隙間にキャスタがはまり込んで車椅子が動かなくなることがある。キャスタは療法士から見えにくいものであるが，進行方向の状況をあらかじめ見越して，溝に対して直角に近づき，キャスタを上げて，駆動輪のみで前進するのがよい（図5）。

道路では，雨水を側溝に流すために道の中央から縁に向かって，路面がかまぼこ型に傾斜している。このことは，直進で車椅子を押すときに，傾斜の谷側（高さの低い側）へ車椅子が流れる原因になる。そのため，療法士は傾斜の谷側のグリップに力を加えながら方向を修正するよう心がける。このとき患者が身体を山側（高い側）に傾ければ，より介助しやすくなる（図6）。

3 手順のポイント

1）挨拶・自己紹介を行い，2つの識別子で患者の確認を行う

・患者とのラポール（信頼関係）形成のため，挨拶，自己紹介を行う。

・患者の取り違えを防止するため，氏名に加え生年月日もしくはIDなど，2つの識別子で確認する。

2）車椅子の駆動介助を行う旨を患者に伝え了承を得る

3）両側のブレーキが確実にかかっているかを確認する

4）患者の座位姿勢を確認・修正する

・標準型車椅子はサイズが大きい仕様になっていることが多いため，乗車中の座位姿勢が崩れやすくなる。上肢・足部・体幹の傾きなど，患者が不良姿勢になっていないかを確認する。

・座位姿勢が崩れている場合，患者自身で姿勢の修正が可能かを確認する。修正できないところは療法士が手伝う。その際，声をかけてから患者の身体を動かすようにする。深く座らせ，バックサポートにもたれさせる。

5）足部をフットサポートに乗せる

・足部の肢位を修正する際，足底を触れないように注意する（図7）。足部をフットサポート上のキャスターにぶつからない位置に，足底が接地した状態にする。

臨床のコツ

◆車椅子乗車中はできる限り不良姿勢を避けるようにする。姿勢を正すことにより，患者の視野が広がり，上肢のリーチ範囲も広がる。

◆車椅子上で，患者が不良姿勢のままでいるのを見かけた場合，動かすことのリスクがないことを確認できたならば，療法士はすぐに姿勢を修正するよう心がけるべきである。

◆姿勢を修正する際には，まず体幹を起こし，足部をフットサポートから下ろして足底を床につけ，座位を全体的に整えるのが望ましい。

◆下肢の筋緊張が高い患者でフットサポートから足部がずり落ちるのを修正する場合，療法士が麻痺側足部と下腿部を持ち，患者の膝を屈曲して下腿三頭筋の緊張を緩めるようにすると足関節の背屈位が得られやすくなり，フットサポートに足底接地した状態で足部を乗せやすくなる（図7）。その際，クローヌスを出現させないようにゆっくりと動かす。

◆全介助での移乗などで，身体の重心が大きく前方移動する際，車椅子の前方安定性を向上させるには，前トレール（図8）が有効である。車椅子を少し後退させることでキャスタが前向きになり，前トレールの状態にすることができる。

6）停車時の車椅子の状態を確認する

・**ブレーキ**：確実にタイヤの動きを止めることができるか確認する。ブレーキの効きが悪くなる原因には，駆動輪の空気圧不足や床ワックスのタイヤへの付着がある。床ワックスは，薬液で軽く拭くことで剥がすことができる。標準型車椅子でも機種によっては取り付けネジを緩めてブレーキを移動させることが可能なものがある。

・**駆動輪**：空気圧の確認の際は，衛生面を考慮してタイヤに直接触れることなく，ハンドリムの頂点から床に垂直に押すことで，タイヤのへこみ具合を観察する。空気圧が低いと，駆動効率が落ちて介助量が増大する。また，ブレーキの効きが悪くなるため，市販の空気入れで適宜，空気を入れる。

・**フットサポート**：フットサポートの位置が高過ぎると大腿部が座面から浮いて坐骨結節や仙骨に体重がかかり，疼痛の原因になる。患者の靴を履いた状態の下腿長とクッションの厚さを考慮して高さを

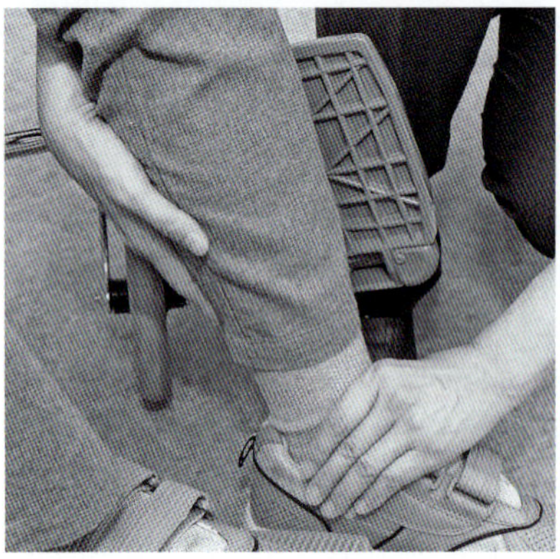

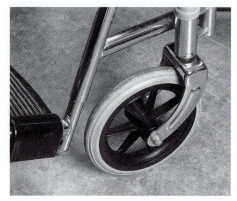

図7　フットサポートへの足部の乗せ方
衛生面を配慮して，足底は持たないようにする。

図8　前トレール
車椅子の前方安定性が向上する。全介助での移乗など，患者の身体の重心が大きく動揺する場合に用いるとよい。

図9　フットサポートの高さ調整（下からみた図）
フットサポート部の下端のネジを回転させることで調整可能。フットサポートが天井側にくるように車椅子を倒して調整する。

調整する。床からフットサポートの高さは5cm程度あることが望ましい。標準型車椅子でも付属の工具で調節が可能である（図9）。
- **レッグサポート**：フットサポート後方から足部が落ちる場合には，安全のためにレッグサポートは必要である。しかし，立ち上がり時に動作を阻害することもあるため，不要ならば取り外しておく。

> **臨床のコツ**
> ◆ 他に調整可能な部分を探す。近年，標準型車椅子のバリエーションも豊富になり，バックサポートの張りやアームサポートの高さ，フットサポートの脱着調整などが可能な機種もある。それらの機能を利用して，移動手段としてだけでなく，患者の潜在能力を引き出す道具として車椅子を進化させる視点をもつようにする。

7）直線・カーブでの車椅子操作を行う

- **直線**：駆動開始時に必ず患者に声かけを行う。患者は後方にいる療法士が見えず，全介助で動かされる立場では動作の予測がつかないため不安にもなる。車椅子を動かす（患者の身体を動かす）ときには，これから起きることをあらかじめ知らせるように声かけをすると患者の不安が軽減される。これは平地駆動時に限らない。療法士は不測の事態にすぐに対応できるように，車椅子にもたれたり，自分の体重をかけたりして押すことはしない。車椅子乗車中の体感速度は療法士が考えているよりも速く感じられるため，患者が怖がっていないか，駆動中もスピード調節に配慮する。
- **カーブ**（図10）：運動麻痺や感覚障害が重度で体幹のバランスが不良な患者は，カーブを曲がるとき

に遠心力で身体が傾くことがあるため，転倒しないよう注意する必要がある．カーブはゆっくり曲がるようにする．急な方向転換は患者の不安を増大させるため，曲がる直前に声かけを行う．失認や注意障害のある患者には，回転中心と反対側の肩周辺を手で軽く触れることで，患者に操作方向や操作意図を伝えることができるため不安の軽減につながる．

8) スロープでの車椅子操作を行う（図11）

- スロープの上りと下りとも，フットサポートが斜面にぶつからないように，あらかじめフットサポートの高さを調整しておく．操作のしやすい方法として，アームサポートを把持する操作方法（図11a, b）とグリップを握って操作する方法（図11c, d）を示す．アームサポートを把持する操作方法では車椅子の動揺が少ないが，操作のしやすさには個人差があるため，自身に合った方法を選択する．
- スロープの安全な場所を選んで走行し，縁に偏り過ぎないようにする．
- 上り：車椅子を前向きにして上る．手押しハンドルへ前上方に力を加え，下方には押さない．
- 下り：車椅子は基本的に後ろ向きで下りる．下りのスピードが上がらないように一定のスピードを保つ．療法士と患者の体格によって，操作しやすい方法は異なる．療法士は上肢の力だけでなく，身体全体を使用して車椅子を安定してコントロールできる方法を選択する．
- 駆動スピードが速くなり過ぎないよう注意する．

9) 段差での車椅子操作を行う（図12, 13）

- 上り：①車椅子を前向きにして段差に近づく．
  ②ゆっくりとキャスタを上げて駆動輪で最短の距離を前進させる．キャスタを上げる高さは必

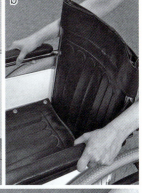
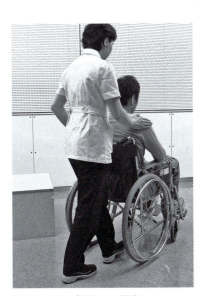
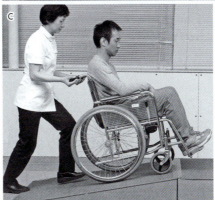

図10　カーブ走行での配慮
カーブを曲がる方向と反対側の患者の肩周辺に軽く手を当てると患者の安心感を得られやすい．

図11　スロープ昇降の方法
a, b：方法1，c, d：方法2
方法1（a：アームサポートを把持する操作方法，b：把持の位置）
　　　アームサポートを把持する操作方法は，全身で車椅子を支持することで力が伝達されやすく，車椅子の動揺が少なくなる．療法士の体格によらず操作できる利点がある．
方法2（c：グリップを握って操作する方法，d：把持の位置）
　　　グリップの握り方を工夫することや重心の位置を低くすることで，上肢の力だけで操作するよりも少ない労力で済む（c）．グリップの先端に手掌を当てて握ると，車椅子の重量を受け止めることができるために，上肢の負担が減少する（d）．

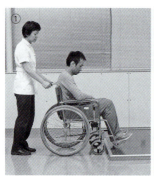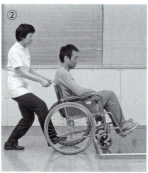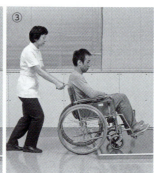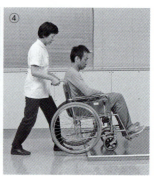

図12　段差の上り方
段差の手前でキャスタを上げて，段上に静かに乗せる。駆動輪が段に触れるところまで車椅子を前進させ，駆動輪を段差に沿わせたまま，身体全体を使用して前上方へ車椅子を押し上げる。車椅子を浮かせないようにする。

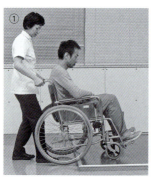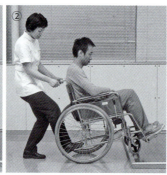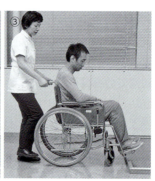

図13　段差の下り方
駆動輪を段差に沿って静かに下ろす。キャスタが段差の際に来るまで車椅子を引き，ティッピングレバーを踏み込んでキャスタを上げ，段差の下に下ろす。

　　要最小限にとどめ，タイミングよく上げ，段上に静かに下ろす。キャスタを上下させる操作では車椅子が傾くため患者を怖がらせないようあらかじめ声かけを行う。
　③駆動輪が段差に触れるところまで前進させる。
　④駆動輪は，グリップを前に押しつつ段差に沿って転がしながら上げる。
　　手押しハンドルを持ち上げ駆動輪を浮かせて持ち上げると，その間，キャスタだけで車椅子を支えることになるため車椅子が不安定になる。車椅子を持ち上げるのではなく，駆動輪は段差に沿わせ，身体全体を使用して前上方に押して介助する（図12）。
・下り：①基本的には車椅子を後ろ向きにして下りる。駆動輪を段差に沿って静かに下ろして後退させる。
　②キャスタを下ろす際にはティッピングレバーを操作してキャスタを上げ，車椅子を後退させる。
　③キャスタを静かに下ろす（図13）。その際，フットサポートを段に衝突させないようにする。キャスタを急に下ろすと患者の体幹が前方に動揺するため注意する。

> **臨床のコツ**
> ◆不整地（図14）ではキャスタの直径が走行のしやすさに影響する。キャスタの直径が小さいと地面の窪みにはまり込みやすいため，キャスタを大きく上げ抵抗を減らしてバランスを維持しながら駆動輪のみで通り抜ける。療法士はバランスをとりながら，患者が前方や後方に転倒しないように注意する。
> ◆キャスタを楽に上げるためには，手押しハンドルを後下方に引き下げながら片足でティッピングレバーを前方へ踏み込むようにする（図15）。

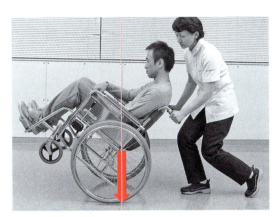

図14 不整地での走行
駆動輪のみで前後のバランスがとれる点までキャスタを大きく上げて，バランスを保ちながら前進する．矢印は，前後のバランスが最もとれている点で，療法士にとって操作時の負担が少ない．

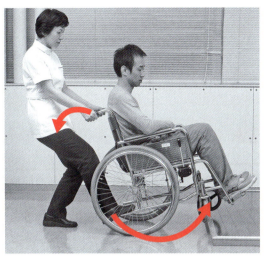

図15 キャスタの楽な上げ方
療法士は，手押しハンドルを後下方に引き下げながら，ティッピングレバーを踏み込んで車椅子を回転させるように操作する．

10）車椅子の駆動介助中，必要に応じて患者に明瞭な声で声かけを行う
・駆動開始・終了時や方向転換，スロープの上り下り，キャスタを上下させるときには，はっきりとした声で声かけを行い予告すると患者の不安を軽減させることができる．

11）駆動後，停車した際に両側のブレーキをかけるよう患者に指示し，ブレーキがかかっているかを確認する

12）患者の座位姿勢を確認し，患者に終了を伝える

OSCE課題　車椅子の駆動介助

設問

脳梗塞により左片麻痺を呈した患者です。車椅子駆動は自立していません。この患者の車椅子駆動を全介助で行い，表示ルートに従って目的地点まで移動してください。制限時間は5分です。では，始めてください。

準備するもの

標準型車椅子（レッグサポートは不要），スロープ，車椅子で昇降可能な2～5cmの高さのある台，障害物

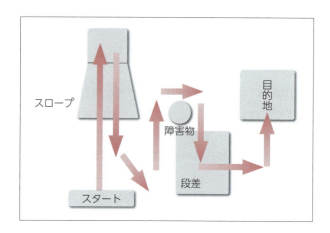

患者情報

疾患・障害	脳梗塞，片麻痺	表在覚	中等度鈍麻
年齢・性別	不問	深部覚	中等度鈍麻
障害側	左	ROM	制限なし
発症後期間	1カ月	座位	車椅子上安定
BRS	上肢：Ⅱ　手指：Ⅱ　下肢：Ⅲ	理解	良好
筋緊張	上腕二頭筋，手指屈筋，下肢伸筋軽度亢進	その他	麻痺側下肢に軽度の痙縮・内反尖足あり 車椅子駆動介助時にレッグサポートは不要
疼痛	左肩関節		

課題の目標

態度
1. 車椅子の駆動介助に備えた心がけができる（清潔かつ安全な身なり）。
2. 患者に車椅子の駆動介助を行う旨を説明し，了承を得ることができる。
3. 患者に不快な思いをさせない（話し方，表情，振る舞い）。

技能
1. 患者の安全に配慮しながら進めることができる。
2. 車椅子の駆動介助を適切な手順および方法で行うことができる。

7　車椅子の駆動介助　89

手　順

1. 挨拶・自己紹介を行い，2つの識別子で患者の確認を行う。
2. 車椅子の駆動介助を行う旨を患者に伝え了承を得る。
3. 両側のブレーキがかかっているか確認する。
4. 座位姿勢を確認・修正する。
   - 座位姿勢が崩れている場合，患者自身で姿勢の修正が可能か確認し，患者のできないところは受験者が手伝う。その際，声をかけてから患者の身体を動かすようにする。
   - 深く座らせ，バックサポートにもたれて安定した座位姿勢にする。
5. 足部をフットサポートに乗せる。
6. 停車時の車椅子の状態を確認する。
   - 駆動輪の空気圧，フットサポートの高さを確認する。
7. 直線・カーブで車椅子を適切に操作する。
   - 体幹の動揺や恐怖感を生じさせるため，急発進と急停車を行わない。
   - 不測の事態にすぐに対処できるよう，受験者は自身に適した姿勢で車椅子を押す。
   - 駆動のスピードは，患者に不安感を与えないよう意識して調節する。
   - カーブを曲がるときにはスピードを落とし，曲がる方向と反対側の患者の肩に手を当てて支持し患者の安心感を増すよう配慮する（図10）。
8. スロープで車椅子を適切に操作する（図11）。
   - 上りは前向き，下りは後ろ向きで移動する。
   - 受験者自身に適した操作方法で車椅子を操作する。
   - 受験者は上肢だけでなく，身体全体を使用して車椅子を押す。
   - スロープでは，転落しないように安全な場所を走行する。
   - 駆動スピードが速くなり過ぎないように注意する。
9. 段差で車椅子を適切に操作する（図12，13）。
   - 上り：①車椅子を前向きにして段差に近づく。
     - ②ティッピングレバーを使用してゆっくりとキャスタを上げ駆動輪で最短の距離を前進させる。キャスタを上げる高さは必要最小限にとどめ，タイミングよく上げ段上に静かに下ろす。キャスタを上下させる操作では車椅子が傾くため患者を怖がらせないようあらかじめ声かけを行う。
     - ③駆動輪が段差に触れるところまで前進させる。
     - ④駆動輪は，グリップを前に押しつつ段差に沿って転がしながら上げる。手押しハンドルを持ち上げ駆動輪を浮かせて持ち上げると，その間，キャスタだけで車椅子を支えることになるため車椅子が不安定になる。車椅子を持ち上げるのではなく，駆動輪は段差に沿わせ，身体全体を使用して前上方に押して介助する（図12）。
   - 下り：①基本的には車椅子を後ろ向きにして下りる。駆動輪を段差に沿って静かに下ろして後退させる。
     - ②キャスタを下ろす際にはティッピングレバーを操作してキャスタを上げ，車椅子を後退させる。
     - ③キャスタを静かに下ろす（図13）。その際，フットサポートを段に衝突させないようにする。キャスタを急に下ろすと患者の体幹が前方に動揺するため注意する。
10. 車椅子の駆動介助中，必要に応じて患者に明瞭な声で声かけを行う。
    - 駆動開始・終了時や方向転換，スロープの上り下り，キャスタを上下させるときには，はっきりとした声で声かけを行い予告すると患者の不安を軽減させることができる。
11. 駆動後，停車した際に両側のブレーキをかけるよう患者に指示し，ブレーキがかかっているかを確認する。
12. 患者の座位姿勢を確認し，患者に終了を伝える。

採点者は模擬患者に受験者の言動の適否を適宜確認して，以下の項目を採点してください。

1. 態度

①適切な身なりで明瞭な挨拶（開始時・終了時）・自己紹介ができる。	2点	適切な身なり，明瞭な挨拶（開始時・終了時）・自己紹介ができる
	1点	上記のうち1項目ができない
	0点	2項目以上できない
②2つの識別子で患者の確認ができる。	2点	2つの識別子で患者の確認ができる
	1点	1つの識別子で確認ができる
	0点	確認ができない
③車椅子駆動の介助を行う旨を患者に伝え，了承を得ることができる。	2点	車椅子駆動の介助を行う旨を正確に伝え，患者の了承を得ることができる
	1点	どちらか一方のみできる
	0点	どちらもできない
④課題全般を通して，患者の様子（表情・心情・姿勢・身体機能）や状況に応じた丁寧な対処（声かけ・触れ方・動かし方）ができる。	2点	課題全般を通して，患者の様子や状況に応じた丁寧な声かけ，触れ方，動かし方ができる
	1点	上記3項目のうち1項目ができない
	0点	2項目以上できない

2. 技能

①両側のブレーキが確実にかかっているかを確認できる。	2点	両側とも確実にかかっていることを確認できる
	1点	確認が遅れる
	0点	確認しない
②姿勢の自己修正が可能かを確認してから深く座らせ，バックサポートにもたれて安定した座位姿勢に修正できる。	2点	姿勢の自己修正が可能かを確認してから深く座らせ，バックサポートにもたれて安定した座位姿勢に修正できる
	1点	どちらか一方のみできる
	0点	どちらもできない
③足底に触れないように下腿部を持ち上げ，足部をフットサポートに乗せることができる。	2点	足底に触れないように下腿部を持ち上げ，足部をフットサポートに乗せることができる
	1点	足底に触れて，足部をフットサポートに乗せる
	0点	足部をフットサポートに乗せない
④足部がキャスタにぶつからない位置で，足底がフットサポートに接した状態で乗せることができる。	2点	キャスタにぶつからない位置で，足底がフットサポートに接した状態で乗せることができる
	1点	キャスタにぶつからない位置ではあるが，足底がフットサポート上で浮いている
	0点	キャスタにぶつかる危険性がある
⑤駆動輪の空気圧，フットサポートの高さを確認できる。	2点	駆動輪の空気圧とフットサポートの高さを確認できる
	1点	どちらか一方のみできる
	0点	どちらもできない
⑥直線，カーブともに駆動スピードが患者に不安感を与えないよう調節できる。	2点	直線，カーブともに患者に不安感を与えないよう調節できる
	1点	どちらか一方のみできる
	0点	どちらもできない
⑦スロープの上りが前向き，下りが後ろ向きで移動することができる。	2点	昇降ともに向きが適切である
	1点	どちらか一方のみできる
	0点	どちらもできない
⑧スロープ上の安全な場所を選択し，車椅子が動揺することなく操作できる。	2点	安全な場所を選択し，動揺することなく操作することができる
	1点	どちらか一方のみできる
	0点	どちらもできない

⑨スロープ昇降時のスピードが速くならないよう注意できる。	2点	昇降ともにスピードが速くならないよう注意できる
	1点	どちらか一方のみできる
	0点	どちらもできない
⑩スロープの昇降で，受験者自身に適した操作方法で車椅子を操作できる。	2点	スロープの昇降で，受験者自身に適した操作方法で車椅子を操作できる
	1点	一部が不適切である
	0点	終始，不適切である
⑪段差の上りが前向き，下りが後ろ向きで移動することができる。	2点	昇降ともに向きが適切である
	1点	どちらか一方のみできる
	0点	どちらもできない
⑫ティッピングレバーを正しく（高さ・速さ・タイミング）使用して，患者に恐怖感を与えることなくキャスタを台に乗せることができる。	2点	ティッピングレバーを正しく使用し，患者に恐怖感を与えることなくキャスタを台に乗せることができる
	1点	キャスタを上げる高さ・速さ・タイミングのいずれかが不適切である
	0点	ティッピングレバーを使用しない
	0点	キャスタを台に乗せることができない
⑬駆動輪を段差に沿わせ，患者に衝撃を与えずに昇降できる。	2点	患者の体幹動揺がなく，段差に駆動輪を沿わせ安定して昇降する
	1点	わずかに体幹動揺がある
	0点	駆動輪を持ち上げて段差の昇降を行う
	0点	患者に恐怖感を与えるほどに体幹が大きく動揺する
⑭両側のブレーキを患者自身でかけられるかを確認したうえで確実にかけることができる。	2点	両側のブレーキを患者自身でかけられるかを確認したうえで確実にかけることができる
	1点	患者自身でブレーキをかけられるかを確認しない
	0点	両側ともブレーキをかけない

OSCE 担当者確認事項

環境設定
- スロープ（幅105 cm，傾斜角10°程度のもの），段差，カーブの要素があるコースを作成する．
- 駆動輪の空気圧とフットサポートの高さを適切に調整しておく．
- 車椅子のブレーキはかけておく．

模擬患者
- 課題開始時はフットサポートから両下肢を下ろした車椅子座位で待機する．骨盤後傾位で麻痺側の股関節屈曲・外転・外旋位，足部内反の不良姿勢の設定とする（図16）．
- 座位姿勢の修正は促しがあれば自己にて可能であるが，麻痺側足部をフットサポートに乗せることは困難な設定とする．
- 車椅子のブレーキは受験者の促しがあれば自身でかけることが可能な設定とする．

採点者
- 目的地点までのルートを明確に呈示する．
- 受験者が模擬患者の足部をフットサポートに乗せることを忘れた場合，足部をフットサポートに乗せるよう促し，課題を再開する．

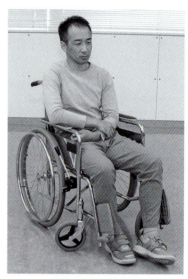

図16　模擬患者の開始時姿勢

引用文献
1) 才藤栄一 監：PT・OTのためのOSCE—臨床力が身につく実践テキスト．金原出版，2011．

参考文献
1) P. Axelson et al（日本リハビリテーション工学協会 車いすSIG 訳）：手動車いすトレーニングガイド．医学書院，2000．
2) 和田光一：介護現場で役立つ！ガイドラインにそった福祉用具の選択・活用法．東京都高齢者研究・福祉振興財団，2007．
3) 大田仁史，三好春樹：完全図解 新しい介護．講談社，2003．
4) 東昌弘子：福祉用具の安全活用法—「ひやりはっと」から学ぶ．中央法規，2002．
5) 和田 攻，武富由雄 編：高齢者介護実践ガイド．文光堂，2000．

8 移乗介助

1 移乗とは

　移乗とは，ベッド↔車椅子，車椅子↔トイレ，車椅子↔床などの乗り移る行為を指す。移乗は，排泄や食事，入浴などの日常生活動作を行う際に必要不可欠な行為である。急性期から回復期・生活期の患者を対象に，患者の状態に合わせた正常な運動パターンの誘導と，誰もが安全かつ簡単に移乗できる方法を確立する必要がある。

2 移乗介助とは

　移乗介助とは，自力で移乗ができない患者に，患者の協力を得て，介助をもって安全・安楽に移乗を行うことを指す。安定した適切な移乗の介助が可能となれば，患者と環境との相互関係が変化し，移乗以外の動作の自立支援にもつながるものと考える。そのため，療法士は，スタッフ，家族との連携を図り，患者の意見をよく聴き，統一した誘導方法で移乗介助を行うことが望ましい。

　移乗介助は，1人で行う場合，2人で行う場合，3人で行う場合などがある。どのような移乗方法が適切かを常に考えて実施すべきである。また，移乗介助には，療法士の腰や肩，膝などを痛める危険性があることから，必要に応じて適切に福祉機器，福祉用具などを使用することが望ましい。

A. 目　的

　自力で移乗ができない患者に，患者の協力を得て，介助をもって安全・安楽に移乗を行うことが第1の目的である。さらに，安定した適切な移乗の介助により患者が自身の力を発揮できるようになり，立ち上がり・歩行などの自立支援につなげていくことが第2の目的である。

B. 移乗介助の適応患者

　移乗介助の適応患者は，以下の者が考えられる。
- 意識障害や重度麻痺があり，自分自身の身体を支えられない患者。
- 体幹が不安定であり，両下肢の支持性がない患者。
- 足部の変形や拘縮，疼痛，下肢の荷重制限のため，適切に足底に体重をかけて身体を支持することができない患者。
- 四肢・体幹の筋緊張異常や失調などにより，端座位や立位がとれない患者。
- 恐怖心が強く，1人で移乗が困難である患者。

3 適切な介助を行うための留意点

　適切な介助を行うため，以下の点に留意する。
- **正確な身体機能の把握**：バイタルサインの確認，麻痺の状態，筋力，疼痛，バランス能力など，患者の身体機能を正確に把握する。
- **リスク管理**：患者の身体機能を正確に把握したうえで，患者と療法士双方にとって無理のない方法を選択する。
- **患者の能力を最大限に活かす**：患者へ移乗方法について理解してもらい，動作時に協力を得る。

 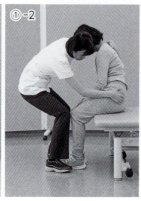 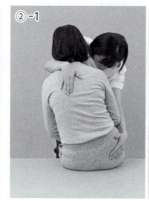 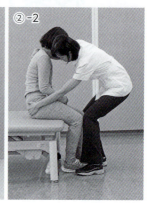

図1 殿部の前方移動
患者の体幹・骨盤はできるだけ直立位にしてから療法士の左手で患者の右肩を保持し，患者の右殿部に体重を乗せながら，立ち直り反応によりわずかに浮いた左殿部を前方へ移動する．左右交互に行う（①②）．

図2 殿部の前方移動（体幹が不安定な場合）
療法士は重心を低くし自分の肩から頸部を密着させ，患者の体幹・骨盤を直立位にして行う．

図3 殿部を車椅子側へ近づけ斜めに座る

- **正常な運動パターン**[1]**の利用**：多くの健常者が動作を行う際の重心移動や運動の軌跡を利用し，適切な支持性と安定性を確保する．
- **適切な支援**：患者ができない部分のみを補助し，動作を妨げない．患者が自身の能力を発揮できるようにする．
- **動作の速度**：誘導を素早く行おうとして急激に力を入れたり反動をつけて行うと，患者の皮膚や関節への負担，疼痛や異常な緊張が生じ，苦痛を与える．さらには療法士の身体にも負担がかかる原因にもなる．誘導を行う際は，一定の速度で，緩やかで滑らかな動きを保つ必要がある．
- **物体との位置関係**：身体と物体（ベッドや車椅子など）との位置関係を適切にし，視覚的に患者に確認を促す．
- **身体への触れ方**：患者の身体に触れる際は，できるだけ手掌全体で包み込むように触れる．手指のみを使用すると指先の狭い接触面に圧力が加わり，患者に不快感や不安感を与える．そのために身体機能が十分発揮されず，移乗動作の介助に支障をきたすことになる．また，衣類を把持し，引き上げる行為は患者の自尊心を傷つけるだけでなく，力が一点に集中し不快感を与えやすいため，極力，殿部など下方から身体を支えるようにする．
- **殿部の前方移動**：患者の体幹・骨盤はできるだけ直立位にしてから療法士の左手で患者の右肩を保持し，患者の右殿部に体重を乗せながら，立ち直り反応によりわずかに浮いた左殿部を前方へ移動する．左右交互に行う（図1）．体幹の支持が不安定な患者の場合，療法士は重心を低くし自分の肩から頸部を密着させ，患者の体幹・骨盤を直立位にして同様に行う（図2）．最終的に，殿部を車椅子側に近づけて，やや斜めに座る（図3）．患者自身で移動可能であれば自身で行う．
- **福祉用具・機器，ロボットなどの利用**：ベッドや車椅子については，移乗しやすい高さに調整できる

電動ベッドや，アームサポート，フットサポートが取り外せる車椅子が望ましい．患者の障害や身体機能に合わせて可動式手すりや移乗ボードなどを使用すると移乗の自立度が上がる．また，スライディングボードを利用すると療法士の負担が軽減する．さらに，電動リフターやロボットの利用は，療法士の身体面への負担を極力かけない利点がある．

4 手順のポイント

A. 座位姿勢からのリフティングによる移乗介助法（2人介助）

適応患者

- 意識障害や重度麻痺があり，自分自身の身体を支えられない患者．
- 体幹が不安定であり，両下肢の支持性がない患者．
- 四肢・体幹の筋緊張異常や失調などにより，端座位や立位がとれない患者．

手順のポイント

以下，頸髄損傷患者の車椅子からベッドへの移乗（上肢・下肢担当者2名）を例に解説する．

1) 挨拶・自己紹介を行い，2つの識別子で患者の確認を行う
- 患者とのラポール（信頼関係）形成のため，挨拶，自己紹介を行う．
- 患者の取り違いを防止するため，氏名に加え生年月日もしくはIDなど，2つの識別子で確認する．

2) 2人で移乗介助を行う旨を患者に伝え了承を得る

3) 移乗が適切にできる位置（ベッド脇）に車椅子を停車する
- 車椅子の位置は，ベッドの長辺に対し中央付近で駆動輪のグリップ側をベッドに接して車椅子を停車する．移乗後の身体の位置を考慮し，ベッドの長辺に対する車椅子の位置を決定する．
- フットサポートとベッドの間を30cm程度離して停車し，下肢担当者の片足が移乗介助の際に入る余地を作る（図4）．
- このような停車方法により，上肢担当者は，グリップを避けてスムーズに患者の移乗介助を行うことができる．

4) 移乗介助の協力者を呼んでくる旨を患者に伝え，協力者に移乗介助の協力を依頼する
- 移乗介助において，どちらが上肢または下肢を担当するかを決める．ただし，自身の担当患者の場合，担当療法士が主導する必要があるため基本的には上肢を担当する．
- 一般的には身長の高い療法士，筋力の強い療法士が上肢を担当すると療法士，患者ともに負担が軽減

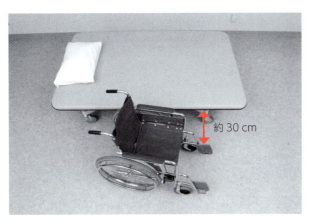

図4　2人介助の車椅子とベッドの位置（上からみた図）
車椅子のキャスタは前トレールとなっている．

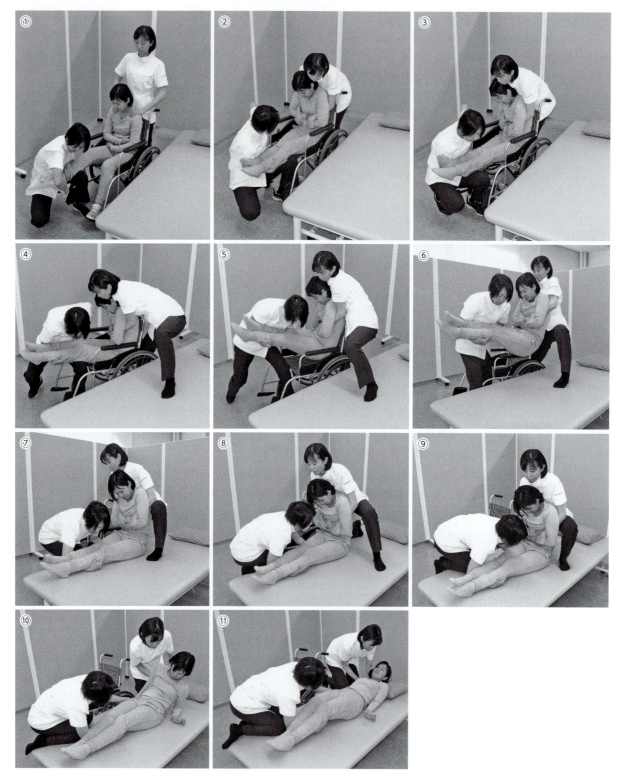

図5 2人介助でのリフティング（上肢・下肢分担方法）

されやすい。
5）患者に協力者を紹介し，移乗手順を説明する
- 上肢担当者と下肢担当者で分担して，車椅子内で殿部を移動し，ベッド端へ一旦移乗してからベッドの中央に移動し，臥床する流れを説明する。
- 上肢担当者が移乗介助を主導する旨を伝える。
- 患者に腕を組み腋を締め肩を下げる，移動する方向に視線を向けるなどの協力を依頼する。

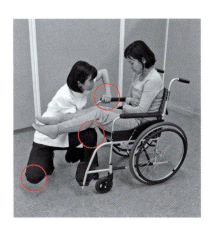

図6　下肢担当者の構え
車椅子側の手でアームサポートを把持し，反対側の上肢で患者の下腿部から両膝を抱え，自分の大腿部に肘を置いてその重さを支える。もう一方の膝を床に触れないよう片膝立ち様の姿勢をとる。

6）患者の靴を脱がせる

【上肢担当者】
・患者に了承を得たうえで，患者の両肩に手を置いて座位姿勢を安定させる。その際，わずかに座面からバックサポートに向かって圧を加えることにより，下肢担当者が靴を脱がせることで生じる座位の不安定化を防ぐことができる。

【下肢担当者】
・上肢担当者が患者の座位姿勢を安定させたことを確認したのち，片足ずつ靴を脱がせ，移乗の邪魔にならないよう車椅子の下やベッド脇などに揃えて置く。
・靴を脱がす際，手が靴底を触れないように注意しながら丁寧に脱がせる。
・患者の下肢を持ち上げる際は手掌面で下から支えて持ち上げるようにする。

7）適切な介助姿勢をとる

【下肢担当者（図6）】
・車椅子側の手でアームサポートを把持し，反対側の上肢で患者の下腿部から両膝を抱える。
・車椅子側の膝を立て，自身の大腿部に肘を置いて患者の下肢の重さを支える。もう一方の下肢は，膝を床に触れないように保ち，片膝立ち様の姿勢をとる（図6）。

> **臨床のコツ**
> ◆片膝を立てるのは，片手でアームサポートを押して立ち上がりやすくするためである。療法士の体格や車椅子の大きさなどに応じて，適宜，立ち上がりやすい構えを工夫する。

【上肢担当者】
・下肢担当者が適切な介助姿勢をとったことを確認した後，患者に腕を組むように指示し，患者の両腋から自身の上肢を差し入れることを説明する。
・両腋から上肢を差し入れて患者の前腕を手掌全体でしっかりと把持しつつ，自身の身体前面を患者の背中に密着させ，自身の腋を締める（図7a）。

> **臨床のコツ**
> ◆指先で引っ掛けるような把持ではなく，手掌全体を使って把持する（図7c）。

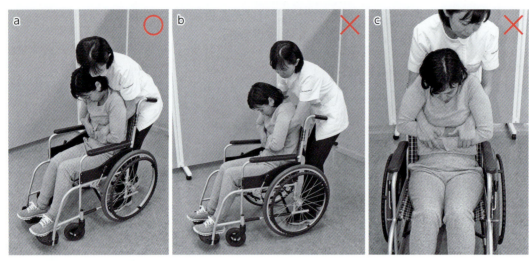

図7　上肢担当者の介助姿勢
a：正しい介助姿勢
患者の前腕を手掌全体でしっかりと把持しつつ，自身の身体前面を患者の背中に密着させ，自身の腋を締める。
b：誤った介助姿勢
患者と密着していないと上肢のみで引き上げてしまう。
c：誤った上肢の把持の仕方
指先で引っかけるような把持ではなく，手掌全体を使って把持する。

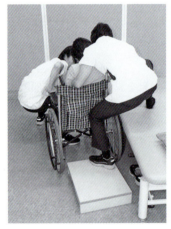

図8　小柄な上肢担当者の場合
高さ10 cm程度の踏み台など利用すると持ち上げやすくなる。

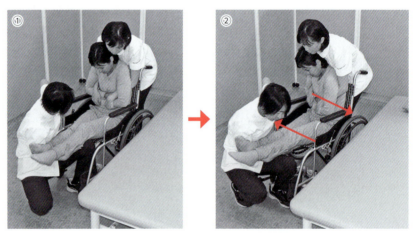

図9　車椅子の中で殿部をベッド寄りに近づける

8）患者に殿部をベッド寄りに近づけることを伝え，協力を得る

- 腋を締め，肩を下げるように患者に指示する。このようにすることで，患者の身体を安定させられるのと同時に，自身の上肢の力だけでなく下肢の力で患者の身体を持ち上げることができる。
- 視線を身体が回転する方向に向けるように指示する。これにより視覚情報と身体の動きが一致し，活動に参加しやすくなる。

9）患者の殿部をベッド寄りに近づける

【上肢担当者】
- 患者と下肢担当者に身体を持ち上げるタイミングを伝え，合図を出してわずかに身体を持ち上げ患者の殿部をベッド寄りに近づける。
- 小柄な上肢担当者の場合は高さ10 cm程度の踏み台を利用すると持ち上げやすくなる（図8）。

【下肢担当者】
- 上肢担当者の合図に合わせて患者の殿部と両膝を同時にわずかに持ち上げ（図9①），患者の殿部をベッド寄りに近づけるように回転させ，深く座らせるようにする（図9②）。この動作により，上肢

担当者はその後の移乗介助時にベッド側グリップの外側からの介助姿勢をとることが可能となる。

10) 患者にベッドの端に移乗する旨を伝え，準備を行う

【上肢担当者】
・患者にベッドの端に移乗する旨を伝える。
・自身のベッド側の下肢をベッド上に乗せ，グリップの外側に身体を構えた（図5④）後，再度，患者の背中に密着し，自身の腋を締める。
・患者に再度，腋を締め肩を下げ移動方向に視線を向けるように指示する。

【下肢担当者】
・抱えている患者の両下肢を再度しっかりと抱え，構え直す。

11) 合図に合わせて患者を上方に持ち上げる

【上肢担当者】
・移乗の準備が完了したことを確認のうえ，患者と下肢担当者に移乗のタイミングを合図し，2人で患者を上方に持ち上げる（図5⑤）。
・患者をほぼ垂直に持ち上げながら，下肢担当者が患者の殿部を支持するのを待つ。

> **臨床のコツ**
> ◆ 患者の身体に密着せず上肢の力のみで引っ張り上げないよう注意する（図7b）。また，ズボンを持って身体を持ち上げる方法は，殿裂付近の擦過傷などが生じる可能性がある。
> ◆ 患者を持ち上げる際，上肢担当者が自分の方へ引き寄せると，結果的に後方に引くことになり，下肢担当者は患者の頭側方向へ引っぱられる。その場合，真上に患者を持ち上げづらくなる（図10）ため，上肢担当者は患者を真上に持ち上げるようにする（図5④⑤）。
> ◆ 上部体幹や腹部の筋緊張が低い患者，体重が重い患者などを介助する際には，患者の体幹をより屈曲させ療法士ができるだけ密着して患者の上半身を固定し，介助するとよい（図11）。ただし，頸髄損傷高位の患者や頸部，肩関節に疼痛を有する患者では困難である。この場合は，あらかじめタオルを殿部の下に敷いておき，上肢担当者はそのタオルを持って殿部を持ち上げる方法がある。

【下肢担当者】
・上肢担当者の合図に合わせて，アームサポートを把持した自身の上肢を支えに立ち上がりながら患者の下肢と殿部を同じ高さにして垂直に上げる。アームサポートを把持した手でプッシュアップして立ち上がったら素早く患者の殿部に手を移すことで，殿部を支えアームサポートよりも高く持ち上げることができる（図5⑤⑥）。
・下肢担当者が患者の殿部より下肢を持ち上げ過ぎると，上肢担当者の負担が大きくなる（図12）た

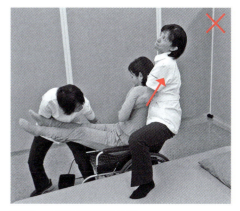

図10　上肢担当者の失敗例
患者を持ち上げる際，後方に引いてしまうと殿部が十分上がらず，下肢担当者はサポートが行いにくくなる。

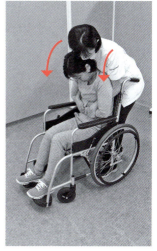

図11　上部体幹や腹部の筋緊張が低い患者の場合
患者の体幹をより屈曲させ療法士ができるだけ密着して患者の上半身を固定するとよい。

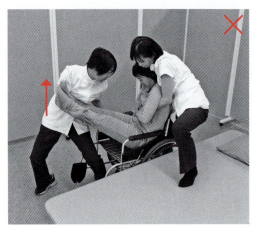

図12　下肢担当者の失敗例
下肢担当者が下肢を持ち上げ過ぎると，患者の重心は上肢担当者側へ偏り，上肢担当者の負担が大きくなる。

め，患者の殿部と下肢はできるだけ同じ高さとする。

> 臨床のコツ
> ◆ 常に患者と一体となって移乗介助を行うことを心掛ける。上肢の力だけで患者の下肢を持ち上げず，膝の伸展力を利用する（図5③〜⑤）。

12) 患者を安全にベッド端まで移動させ，患者の殿部をベッド上に下ろす

【上肢担当者】
・患者の殿部の位置がアームサポートより高く持ち上がったことを確認してから，下肢担当者と協調して，患者の身体をゆっくりとベッド端まで移動させ，殿部からベッド上に下ろす（図5⑤〜⑦）。

【下肢担当者】
・上肢担当者と同時にベッド方向に動き，ゆっくりと殿部・下肢の順でベッド上に患者を下ろす。

13) 患者にベッド中央に移動する旨を伝え，ベッド中央まで移動させる

【上肢担当者】
・靴を脱いでベッド上に上がり，再度，患者の背中に密着し，患者の前腕をしっかりと把持しつつ自身の腋を締める。
・患者に再度，腋を締め肩を下げ移動方向に視線を向けるように指示する。
・患者と下肢担当者に合図を出し，協調してベッド中央まで患者を移動させる。

【下肢担当者】
・患者の殿部と両下肢を支持した状態で，自身の片膝をベッドに乗せる（図5⑧）。
・上肢担当者の合図とともに，患者を軽く持ち上げ，ベッドに乗せた片膝を水平に滑らせながら患者をベッドの中央まで移動させる（図5⑨）。

14) 患者を長座位から背臥位まで適切に介助する

【上肢担当者】
・頸部や体幹を支えて，過度に頸部を伸展もしくは屈曲させないように注意し，ゆっくりと背臥位にする（図5⑩⑪）。

【下肢担当者】
・患者の殿部から手を抜き，患者の下肢を軽度屈曲位で保持し，下肢の痙性が出現した場合に対応できるよう備えておく（図5⑩⑪）。
・背臥位となったら患者の下肢の痙性が出現しないよう，ゆっくりと下肢を完全伸展位にする。

15）患者に不快な部位や移乗中に不快な思いをしていないかを確認する
・患者は感覚障害により不快感を自覚できない場合があるため，不快な部位がないかを口頭で確認するだけでなく，姿勢を観察して必要に応じて修正を行う。

16）患者に終了を伝える

　手順のポイント1），2），16）は介助方法の違いにかかわらず共通の手順のため，これ以降の移乗介助法の手順では記載を省略する。

B. クワド・ピボット（4点支持回転）を用いた移乗介助法（1人介助）

適応患者

・意識障害や重度麻痺があり，自分自身の身体を支えられない患者。
・体幹が不安定であり，両下肢の支持性がない患者。

膝を床につけない方法の手順のポイント

　介助量が3/4以上を要する患者を療法士が1人で介助する方法（膝を床につけない/膝を床につける）について，ベッドから車椅子への移乗を例に解説する。

1）車椅子を10〜15°の角度でベッドに接触させて停車する（図13）

2）立ち上がる際の支点を作る
・患者をベッドの端に浅く，少し斜めに座らせ，両坐骨結節間の距離と同程度の足幅または両足部を合わせた状態で踵が浮かない程度に足部を後方に引く。
・患者の両足部を療法士の両足部で，患者の両膝を療法士の膝関節周囲の柔らかい部位（両大腿から膝の内側）で固定する。患者の両膝関節の前外側をしっかりと挟み込み固定する（図14）。

3）患者の身体に近づき，患者の頸部〜上部体幹の位置を正中位に整え，自身の肩から頸部で保持する
・療法士の片手は患者の腰部，もう一方の手は殿部を支持し，できるだけ患者の体幹・骨盤は直立位に近づけて抱える（図15②）。療法士は両手でしっかりと患者の殿部を抱える。

4）後下方に腰を下ろしながら患者の殿部を持ち上げる（図15③）
・患者の足部に体重を乗せるため，両膝関節を固定したまま後下方へ自身の腰を下ろすことにより，患者の膝をわずかに前方へ移動させる。

5）患者の両足部を完全に足底接地させ両膝をしっかりと支持したまま，療法士の身体の動きに合わせて，患者の殿部が車椅子へ向くようゆっくりと方向転換する（図15④）

6）殿部が車椅子に近づいたら，患者を車椅子にゆっくりと座らせ，その後，深く座らせる

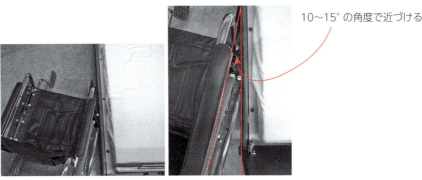

図13　車椅子をベッドにつける角度（上からみた図）

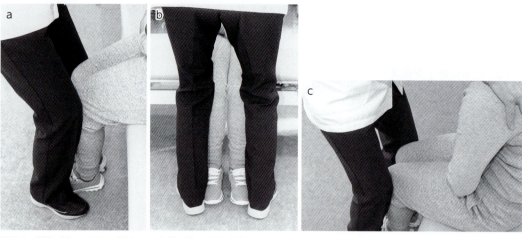

図14 膝を床につけない場合での患者の膝の固定方法
a：側面図，b：正面図，c：斜め後方図
療法士は自身の膝関節周囲の柔らかい部位を利用して，患者の両膝関節前外側より挟むようにして固定する。

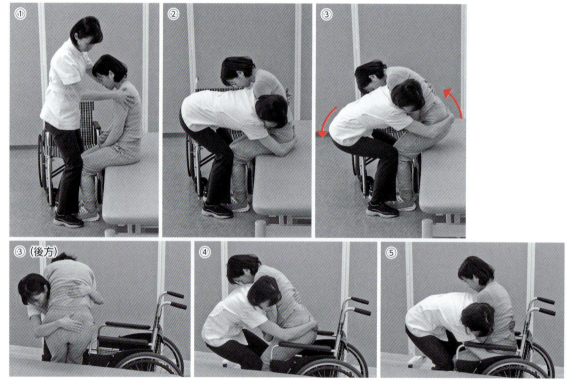

図15 膝を床につけないクワド・ピボット

> **臨床のコツ**
> ◆ 一般的に療法士は膝を床につけずに介助するが，患者が療法士よりも体格が大きい場合などは療法士が膝を床につける方法でもよい。

膝を床につける方法の手順のポイント

1）車椅子を10〜15°の角度でベッドに接触させて停車する（図13）

2）立ち上がる際の支点を作る

・患者をベッドの端に浅く，少し斜めに座らせ，両坐骨結節間の距離と同程度の足幅または両足部を合わせた状態で踵が浮かない程度に足部を後方に引く。

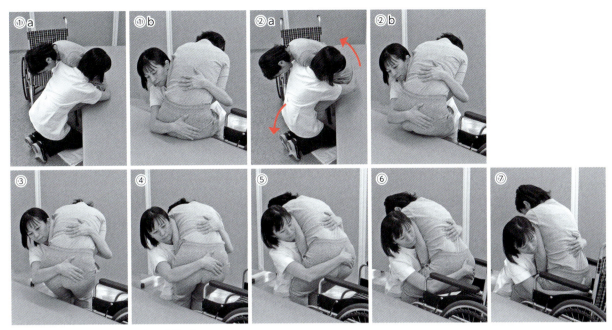

図16　膝を床につけるクワド・ピボット

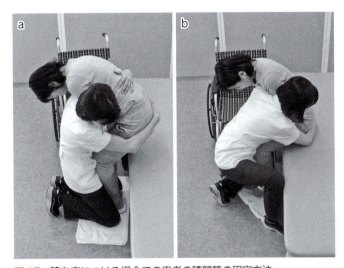

図17　膝を床につける場合での患者の膝関節の固定方法
a：両膝を床につける構え方
b：片膝のみ床につける構え方

- 患者の両膝関節を，前方から療法士の腹部で支え，立ち上がる際の支点を作る（図16①a，b）。
- 両膝を床につける方法と片膝のみ床につける方法があり（図17），片膝のみ床につける方法は，療法士自身で，後下方への移動が行いやすい。
- 感染予防のため，床に膝を直につけるのではなく，タオルなどを1枚敷いて膝をつくようにする。

3) **患者の身体に近づき，患者の頸部から上部体幹の位置を正中位に整え，自身の肩から頸部で保持する**
- 療法士の片手は患者の腰部，もう一方の手は殿部を支持し，できるだけ患者の体幹・骨盤は直立位に近づけて抱える（図16①a，b）。療法士は両手で患者の体幹と殿部をしっかりと支持する（図16①a，b）。

4) **後下方に腰を下ろすと同時に，患者の両膝関節を支点にして患者の殿部を持ち上げる**（図16②③）
5) **患者の両足部を完全に足底接地させ両膝関節をしっかりと支持したまま，療法士の身体の動きに合わせて，患者の殿部が車椅子へ向くようゆっくりと方向転換する**（図16③〜⑤）
6) **殿部が車椅子に近づいたら，患者を車椅子にゆっくりと座らせ，その後，深く座らせる**

C. 療法士の大腿部に乗せる移乗介助法（1人介助）

適応患者
・体幹が不安定であり，両下肢の支持性がない患者。
・足部の変形や拘縮，疼痛のため，適切に足底に体重をかけて身体を支持することができない患者。

手順のポイント

車椅子からベッドへの移乗を例に解説する。
1) 車椅子を10〜15°の角度でベッドに接触させて停車する（図13）
2) 患者の側に浅く座り，患者の両大腿を療法士の患者寄りの大腿部に乗せ，反対側大腿部を患者の両膝関節に当て前後から挟み込み固定する（図18①）
・一方の手は腋窩，もう一方の手は殿部を支え，患者の体幹を前傾させ，療法士の大腿部に患者を完全に乗せる（図18②）。
3) 患者の殿部がベッドへ向くよう方向転換し，ベッドに殿部を下ろす
・ベッド上で療法士の殿部を回転しながら後方に滑らせ，ベッドに患者の殿部を下ろす。
4) 患者の座位を安定させつつ，自身の足を患者の両大腿の下から抜く
5) 患者の体幹・骨盤を直立位にしてから，左右交互に重心を移動しベッドの奥に殿部を移動する

> **臨床のコツ**
> ◆体格差を考慮しなければならない。患者の体格が大きく，療法士が小柄な場合，大腿部に乗せるのが困難な場合，大腿部に乗せる方法は不適切となる。
> ◆スライディングシートを敷き，その上に療法士が座るとスムーズに殿部を滑らせることができる。
> ◆高いベッドから車椅子，車椅子から低いベッドへの移乗となるようにベッドの高さを調整することで移乗が楽に行える。

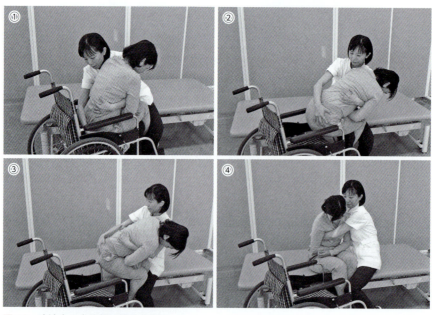

図18　療法士の大腿部に乗せる方法

D. スライディングボードを利用した移乗介助法（1人介助）

適応患者

- 手すりなどを把持すれば座位を保つことができるが，下肢の支持性がない患者。
- 療法士より体格が大きな患者。

手順のポイント

ベッドから車椅子への移乗を例に解説する。
1) 車椅子を10〜15°の角度でベッドに接触させて停車させ，車椅子の座面とベッドの高さを揃える
2) ベッドの端に浅く少し斜めに座った患者の殿部に，スライディングボードを挿し込む
- スライディングボードを挿し込む際には，挿し込む側とは反対方向へ患者の重心を移動し殿部を浮かせて座面との隙間を空ける（図19①）。
3) 患者の身体に近づき，患者の体幹の位置を正中位に整え，療法士は自身の肩から頸部で保持する
- 患者は両上肢を身体の横に手をつくか，療法士の背中に置く（図19②）。
4) 車椅子方向へ患者の殿部を滑らせる
- 患者の体幹を前傾させながら，療法士は患者の殿部を側方へ移動させる（図19③）。
5) スライディングボードとは反対方向に患者の重心を移動させ（図19④），スライディングボードを抜く（図19⑤）
6) 患者が車椅子に座ったら，患者を前傾させて殿部を奥まで移動させて深く座らせる

E. 臥位姿勢からリフティングによる移乗介助法（3人介助）

適応患者

- 意識障害や重度麻痺があり，自分自身の身体を支えられない患者。
- 四肢・体幹の筋緊張が強く，端座位がとれない患者。
- 恐怖心が強く，一人で移乗が困難である患者。

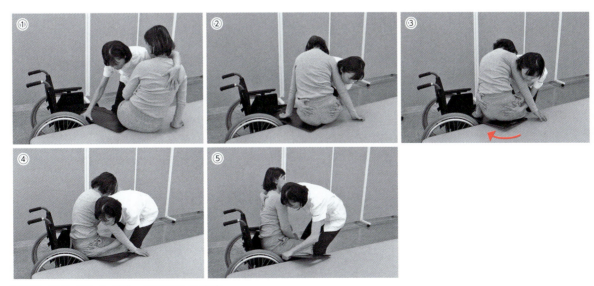

図19 スライディングボードを使用した方法

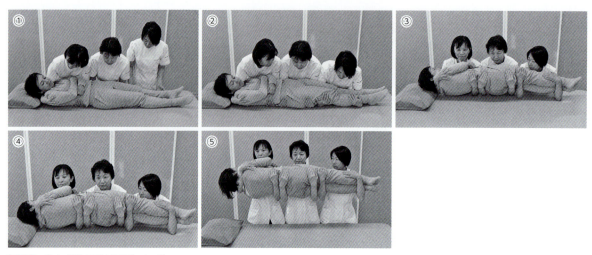

図20　3人介助でのリフティング

手順のポイント

　ベッドからリクライニング式車椅子への移乗（上半身担当者，殿部担当者，下肢担当者の3名）を例に解説する。

1) 上半身担当者は膝関節を曲げ腰を落とし，一側の手で患者の頸部を支え，わずかに患者の体幹を起こし反対の手で体幹を抱える（図20①）
2) 殿部担当者は膝関節を曲げ腰を落とし，患者の腰部と両大腿に手を差し込み，患者の殿部を抱える
3) 下肢担当者は膝関節を曲げ腰を落とし，患者の両大腿と下腿に手を差し込み，患者の下肢を抱える（図20②）
4) 上半身担当者の合図とともに3人で患者の身体を胸につけて抱きかかえ，（図20③④），立ち上がり，移動する（図20⑤）
5) 移動後，リクライニング式車椅子に患者の下肢・殿部から下ろし，ゆっくりと頸部をヘッドサポートに下ろす

> **臨床のコツ**
> ◆療法士の体格を揃えることで，患者が持ち上げられた際に患者の身体が斜めになることを防ぐ。
> ◆療法士の胸を患者の身体に合わせることで両者の重心を近づけることができ，療法士の腰にかかる負担を軽減できる。

OSCE課題　移乗介助（2人介助）：上肢担当者

設問

第7頸髄節まで機能が残存している頸髄損傷患者です。療法士に下肢介助の協力を依頼して，2人介助でこの患者を車椅子から治療用ベッドに移乗させてください。移乗後は背臥位にしてください。制限時間は5分です。では，始めてください。

準備するもの

標準型車椅子（アームサポートの取り外し不可），治療用ベッド（移乗後にベッド中央まで移動させられる幅が広いもの），踏み台（高さ10cm，20cm），枕

患者情報

疾患・障害	頸髄損傷	長座位	上肢支持で監視レベル
年齢・性別	不問	起居動作	中等度介助（練習中）
受傷後期間	3カ月	長座位→背臥位	肘を付く際に崩れ要介助
Frankel分類	A	移乗	全介助
疼痛	なし	車椅子駆動	全介助
表在覚	第7頸髄節残存	理解	良好
ROM	制限なし	表出	良好

課題の目標

態度
1. 移乗介助に備えた心がけができる（清潔かつ安全な身なり）。
2. 患者に2人での移乗介助を行う旨を説明し，了承を得ることができる。
3. 患者に不快な思いをさせない（話し方，表情，振る舞い）。

技能
1. 患者の安全に配慮しながら進めることができる。
2. 2人での移乗介助を適切な手順および方法で行うことができる。

手　順

1. 挨拶・自己紹介を行い，2つの識別子で患者の確認を行う。
2. 移乗介助を行う旨を患者に伝え了承を得る。
   ・受験者と協力者2名でベッドまでの移乗介助を行う旨を患者に伝え了承を得る。
3. 移乗が適切にできる位置に車椅子をつける。
   ・ベッドの中央辺りで，駆動輪をベッドに沿わせ，フットサポートとベッドの間を30cm程度離してブレーキをかける。
4. 移乗介助の協力者を呼んでくる旨を患者に伝え，協力者に下肢介助担当を依頼する。
5. 患者に協力者を紹介し，移乗手順を説明する。
   ・上肢担当者と下肢担当者で分担して，車椅子内で殿部を移動し，ベッド端へ一旦移乗してからベッドの中央に移動し，臥床する流れを説明する。
   ・上肢担当者が移乗介助を主導する旨を伝える。
   ・患者に腕を組み腋を締め肩を下げる，移動する方向に視線を向けるなどの協力を依頼する。
6. 患者の座位が安定するよう両肩を支え，下肢担当者が靴を脱がすことができるようにする。
   ・患者に了承を得たうえで患者の両肩に手を置いて座位を安定させ，その間に下肢担当者に靴を脱がせることを指示する。
   ・両肩に置いた手は，わずかに座面からバックサポートに向かって圧を加える。
7. 適切な介助姿勢をとる。
   ・下肢担当者が適切な介助姿勢をとったことを確認した後，患者に腕を組むように指示し，両腋から自身の上肢を差し入れることを説明する。
   ・両腋から上肢を差し込み，患者の前腕を手掌全体でしっかりと把持しつつ，患者の背中に密着し，自身の腋を締める。
8. 患者に殿部をベッド寄りに近づけることを伝え，協力を得る。
   ・患者に腋を締め肩を下げ，身体が回転する方向に視線を向けるように指示する。
9. 患者と下肢担当者に合図をして，患者をわずかに垂直に持ち上げ，殿部をベッド寄りに近づける。
10. 患者にベッドの端に移乗する旨を伝え，準備を行う。
    ・受験者はベッド寄りの下肢の足底もしくは膝をベッド上に乗せ，グリップの外側に身体を構えた後，再度，患者の背中に密着し，自身の腋を締める。
    ・患者に，腋を締め肩を下げ移動方向に視線を向けるように指示する。
11. 患者と下肢担当者に合図を出し，患者を上方に持ち上げる（踏み台の使用可）。
    ・移乗の準備が完了したことを確認のうえ，移乗のタイミングを合図する（例えば，「1，2，3，ハイ」）。
    ・患者の背部に身体を密着させたまま，患者を垂直に高く持ち上げ，下肢担当者が患者の殿部をアームサポートより高く持ち上げるのを待つ。
12. 患者を安全にベッド端まで移動させ，患者の殿部をベッド上に下ろす。
13. 患者にベッド中央に移動する旨を伝え，ベッド中央まで移動させる。
    ・患者に，腋を締め肩を下げ移動方向に視線を向けるように指示する。
    ・靴を脱いでベッド上に上がり，自身の身体を患者の背中に密着させ，患者の前腕を手掌全体でしっかりと把持しつつ自身の腋を締める。
    ・下肢担当者と協調してベッド中央まで患者を移動させる。
14. 患者を長座位から背臥位まで適切に介助する。
    ・頸部や体幹背部を支えて，過度に頸部を伸展もしくは屈曲させないよう注意する。
    ・患者にベッドに肘をつくよう指示し協力を得ながらゆっくりと背臥位にする。
15. 患者に不快な部位や移乗中に不快な思いをしていないかを確認する。
    ・不快な部位がないか，口頭で確認するだけでなく，姿勢を観察して必要に応じて姿勢の修正を行う。

16. 患者に終了を伝える。

110 レベル1

採点基準

採点者は模擬患者に受験者の言動の適否を適宜確認して，以下の項目を採点してください。

1. 態度

①適切な身なりで明瞭な挨拶（開始時・終了時）・自己紹介ができる。	2点	適切な身なり，明瞭な挨拶（開始時・終了時）・自己紹介ができる
	1点	上記のうち1項目ができない
	0点	2項目以上できない
②2つの識別子で患者の確認ができる。	2点	2つの識別子で患者の確認ができる
	1点	1つの識別子で確認ができる
	0点	確認ができない
③2人での移乗介助を行う旨を患者に伝え，了承を得ることができる。	2点	2人での移乗介助を行う旨を正確に伝え，患者の了承を得ることができる
	1点	どちらか一方のみできる
	0点	どちらもできない
④課題全般を通して，患者の様子（表情・心情・姿勢・身体機能）や状況に応じた丁寧な対処（声かけ・触れ方・動かし方）ができる。	2点	課題全般を通して，患者の様子や状況に応じた丁寧な声かけ，触れ方，動かし方ができる
	1点	上記3項目のうち1項目ができない
	0点	2項目以上できない

2. 技能

①車椅子をベッドの長辺に対し中央付近で駆動輪をベッドに沿わせ，フットサポートとベッドの間を30 cm程度離して，ブレーキをかけることができる。	2点	車椅子をベッドの長辺に対し中央付近で駆動輪をベッドに沿わせ，フットサポートとベッドの間を30 cm程度離して，ブレーキをかけることができる
	1点	上記のうち1項目ができない
	0点	2項目以上できない
②2人で分担すること，車椅子内で殿部を移動させること，ベッドの端に一旦移乗してからベッド中央に移動することを説明できる。	2点	2人で分担すること，車椅子内で殿部を移動させること，ベッドの端に一旦移乗してからベッド中央に移動することを説明できる
	1点	上記のうち1項目ができない
	0点	2項目以上できない
③腕を組むこと，腋を締め肩を下げること，視線の向きを変えることを患者に説明できる。	2点	腕を組むこと，腋を締め肩を下げること，視線の向きを変えることを患者に説明できる
	1点	上記のうち1項目ができない
	0点	2項目以上できない
④患者の両肩に手を置き，わずかに座面からバックサポート方向へ圧を加え座位を安定させることができる。	2点	患者の両肩に手を置いてわずかに座面からバックサポート方向へ圧を加えることができ，座位を安定させることができる
	1点	どちらか一方のみできる
	0点	どちらもできない
⑤患者に腕を組むように指示し，両腋から上肢を差し込んで前腕を把持することを説明し，患者の背中に密着し自身の腋を締めた介助姿勢をとることができる。	2点	腕を組むことの指示，前腕把持の説明，適切な介助姿勢をとることができる
	1点	指示，説明が不十分だが適切な介助姿勢をとることができる
	0点	適切な介助姿勢をとることができない

⑥殿部の向きを変えることを説明し，腋を締め肩を下げること，殿部の移動方向と反対に視線を向けることを指示できる。	2点 1点 0点	殿部の向きを変えることを説明し，腋を締め肩を下げること，殿部の移動方向と反対に視線を向けることを指示できる 上記のうち1項目ができない 2項目以上できない
⑦患者と下肢担当者に合図を出し，患者をわずかに垂直に持ち上げ殿部をベッド寄りに近づけることができる。	2点 1点 0点	合図を出し，患者をわずかに垂直に持ち上げ殿部をベッド寄りに近づけることができる 合図を出すが，殿部の回転が不十分もしくは回転させ過ぎる 2項目ともできない
⑧ベッド端に移乗するためベッド寄りの下肢をベッド上に乗せグリップの外側に構えた介助姿勢をとり，患者と密着し自身の腋を締めた状態で患者の身体を垂直に持ち上げ，下肢担当者がサポートするまで待つことができる。	2点 1点 0点	適切な介助姿勢をとり，密着した状態で垂直に患者を持ち上げ，下肢担当者のサポートを待つことができる 上記のうち1項目ができない 2項目以上できない
⑨下肢担当者と協調して患者の身体をアームサポートよりも高く上げベッド端まで移動させ，殿部からゆっくりと下ろすことができる。	2点 1点 0点	下肢担当者と協調すること，患者の身体をアームサポートよりも高く上げベッド端まで移動させること，患者を殿部からゆっくりと下ろすことができる 上記のうち1項目ができない 2項目以上できない
⑩患者にベッド中央に移動することを説明し，腋を締め肩を下げること，移動方向に視線を向けることを指示できる。	2点 1点 0点	患者にベッド中央に移動することを説明し，腋を締め肩を下げること，移動方向に視線を向けることを指示できる 上記のうち1項目ができない 2項目以上できない
⑪患者と下肢担当者に合図を出し，自身の腋を締めた姿勢で患者の殿部をベッド中央に移動させることができる。	2点 1点 0点 0点	合図を出し，患者と密着し自身の腋を締めた姿勢で患者の殿部をベッド中央まで移動させることができる 上記のうち1項目ができない 2項目以上できない 乱暴に移動する
⑫患者に肘をつくように指示し，協力を得ながら頸部と背部を支え，ゆっくりと寝かせることができる。	2点 1点 0点	患者に肘をつくように指示し，協力を得ながら頸部と背部を支え，ゆっくりと寝かせることができる 上記のうち1項目ができない 2項目以上できない
⑬移乗中および背臥位姿勢で不快な思いをしていないか，口頭および観察にて確認し，適切な姿勢にできる。	2点 1点 1点 0点	移乗中および背臥位姿勢で不快な思いをしていないか口頭および観察にて確認し，必要に応じて姿勢を修正できる 移乗中および背臥位姿勢の不快感を確認するが，姿勢の修正ができない いずれかの不快感を確認できない いずれかの不快感を確認できず，姿勢も修正できない

OSCE 担当者確認事項

模擬患者
- 課題開始時は治療用ベッドから離れた位置で車椅子に乗車し，ブレーキをかけた状態で待機する（図21）。
- 靴は脱がせやすいものを着用する。
- 長座位保持は可能だが，背臥位になるため肘をつく際，バランスを崩し動作スピードの調整ができない設定とする。
- 協力動作は具体的な指示があったもの以外は行わないようにする。
- 姿勢修正は自発的に行わないようにする。

下肢担当の協力者
- 実施方法については精通している設定とする。

採点者
- 圧の加え方や不快感など，採点者が判断できない採点項目は模擬患者に確認したうえで採点する。
- 事故を防ぐため，移乗介助時は受験者の近くで待機する。

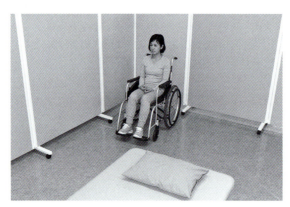

図21　課題開始時の環境

OSCE課題　移乗介助（2人介助）：下肢担当者

対応動画

設問
第7頸髄節まで機能が残存している頸髄損傷患者です。療法士に上肢介助の協力を依頼して，2人介助でこの患者を車椅子から治療用ベッドに移乗させてください。移乗後は背臥位にしてください。制限時間は5分です。では，始めてください。

準備するもの
標準型車椅子（アームサポートの取り外し不可），治療用ベッド（移乗後にベッド中央まで移動させられる幅が広いもの），踏み台（高さ10 cm，20 cm），枕

患者情報

疾患・障害	頸髄損傷	長座位	上肢支持で監視レベル
年齢・性別	不問	起居動作	中等度介助（練習中）
受傷後期間	3カ月	長座位→背臥位	肘を付く際に崩れ要介助
Frankel分類	A	移乗	全介助
疼痛	なし	車椅子駆動	全介助
表在覚	第7頸髄節残存	理解	良好
ROM	制限なし	表出	良好

課題の目標

態度
1. 移乗介助に備えた心がけができる（清潔かつ安全な身なり）。
2. 患者に2人での移乗介助を行う旨を説明し，了承を得ることができる。
3. 患者に不快な思いをさせない（話し方，表情，振る舞い）。

技能
1. 患者の安全に配慮しながら進めることができる。
2. 2人での移乗介助を適切な手順および方法で行うことができる。

114　レベル1

手　順

1. 挨拶・自己紹介を行い，2つの識別子で患者の確認を行う。
2. 移乗介助を行う旨を患者に伝え了承を得る。
   - 受験者と協力者2名でベッドまでの移乗介助を行う旨を患者に伝え了承を得る。
3. 車椅子を移乗が適切にできる位置につける。
   - ベッドの中央辺りで，駆動輪をベッドに沿わせ，フットサポートとベッドの間を30 cm程度離してブレーキをかける。
4. 移乗介助の協力者を呼んでくる旨を患者に伝え，協力者に上肢介助担当を依頼する。
5. 患者に協力者を紹介し，移乗手順を説明する。
   - 上肢担当者と下肢担当者で分担して，車椅子内で殿部を移動し，ベッド端へ一旦移乗してからベッドの中央に移動し，臥床する流れを説明する。
   - 上肢担当者が移乗介助を主導する旨を伝える。
   - 患者に腕を組み腋を締め肩を下げる，移動する方向に視線を向けるなどの協力を依頼する。
6. 上肢担当者に患者の両肩を支えるよう依頼し，靴を脱がせる。
   - 上肢担当者が患者の座位姿勢を安定させたことを確認した後，患者の靴を片足ずつ脱がせ，移乗の邪魔にならない車椅子の下やベッド脇などに揃えて置く。
   - 靴を脱がす際，乱暴に脱がさず，受験者の手が靴底を触れないように注意しながら丁寧に脱がせる。
   - 患者の下肢を持ち上げる際には手掌面で下から支えて持ち上げる。
7. 適切な介助姿勢をとる。
   - 車椅子側の手でアームサポートを把持し，反対側の上肢で患者の下腿部から両膝を抱えるように持つ。
   - 車椅子側の膝を立て，自身の大腿部に肘を置いて患者の下肢の重さを支える。もう一方の下肢は，膝を床に触れないように保ち，片膝立ち様の姿勢をとる。
   - 上肢担当者に適切な介助姿勢をとるように依頼する。
8. 患者に殿部をベッド寄りに近づけることを伝え，協力を得る。
   - 患者に腋を締め肩を下げ，身体が回転する方向に視線を向けるように指示する。
9. 上肢担当者に合図を依頼し，患者をわずかに上に持ち上げ，殿部をベッド寄りに近づける。
   - 上肢担当者の合図に合わせてとを回転させる。殿部の位置が浅い場合は，上肢担当者と協調して深く座らせるようにする。
10. 患者にベッドの端に移乗する旨を伝え，準備を行う。
    - 再度，上肢担当者に合図を出すよう依頼し，患者に腋を締め肩を下げ，移動方向に視線を向けるように指示する。
11. 上肢担当者の合図に従い，患者を上方に持ち上げる。
    - 合図とともに，アームサポートを把持した自身の上肢を支えに立ち上がる。
    - 素早くアームサポートを把持していた手で患者の殿部を支え，患者の殿部をアームサポートよりも高く持ち上げる。
    - 患者の殿部と下肢はできるだけ同じ高さとする。
12. 上肢担当者と協調して患者を安全にベッド端まで移動させ，患者の殿部をベッド上に下ろす。
    - 殿部，下肢の順でゆっくり下ろす。
13. 患者にベッド中央に移動する旨を伝え，ベッド中央まで移動させる。
    - 患者に，腋を締め肩を下げ移動方向に視線を向けるように指示し，上肢担当者に合図を依頼する。
    - 上肢担当者の合図とともに，上肢担当者と協調して患者を軽く持ち上げ，ベッドに乗せた片膝を水平に滑らせながら患者をベッドの中央まで移動させる（図5⑨）。
14. 患者を長座位から背臥位まで適切に介助する。
    - 患者の殿部から手を抜き，患者の下肢を軽度屈曲位で保持し，下肢の痙性が出現した場合に対応で

きるよう備えておく。

・背臥位となったら，患者の下肢をゆっくりと完全伸展位にする。

15. 患者に不快な部位や移乗中に不快な思いをしていないかを確認する。

・不快な部位がないか，口頭で確認するだけでなく，姿勢を観察して必要に応じて姿勢の修正を行う。

16. 患者に終了を伝える。

116　レベル1

採点基準

採点者は模擬患者に受験者の言動の適否を適宜確認して，以下の項目を採点してください。

1. 態度

①適切な身なりで明瞭な挨拶（開始時・終了時）・自己紹介ができる。	2点	適切な身なり，明瞭な挨拶（開始時・終了時）・自己紹介ができる
	1点	上記のうち1項目ができない
	0点	2項目以上できない
②2つの識別子で患者の確認ができる。	2点	2つの識別子で患者の確認ができる
	1点	1つの識別子で確認ができる
	0点	確認ができない
③2人での移乗介助を行う旨を患者に伝え，了承を得ることができる。	2点	2人での移乗介助を行う旨を正確に伝え，患者の了承を得ることができる
	1点	どちらか一方のみできる
	0点	どちらもできない
④課題全般を通して，患者の様子（表情・心情・姿勢・身体機能）や状況に応じた丁寧な対処（声かけ・触れ方・動かし方）ができる。	2点	課題全般を通して，患者の様子や状況に応じた丁寧な声かけ，触れ方，動かし方ができる
	1点	上記3項目のうち1項目ができない
	0点	2項目以上できない

2. 技能

①車椅子をベッドの長辺に対し中央付近で駆動輪をベッドに沿わせ，フットサポートとベッドの間を30cm程度離して，ブレーキをかけることができる。	2点	車椅子をベッドの長辺に対し中央付近で駆動輪をベッドに沿わせ，フットサポートとベッドの間を30cm程度離して，ブレーキをかけることができる
	1点	上記のうち1項目ができない
	0点	2項目以上できない
②2人で分担すること，車椅子内で殿部を移動させること，ベッドの端に一旦移乗してからベッド中央に移動することを説明できる。	2点	2人で分担すること，車椅子内で殿部を移動させること，ベッドの端に一旦移乗してからベッド中央に移動することを説明できる
	1点	上記のうち1項目ができない
	0点	2項目以上できない
③腕を組むこと，腋を締め肩を下げること，視線の向きを変えることを患者に説明できる。	2点	腕を組むこと，腋を締め肩を下げること，視線の向きを変えることを患者に説明できる
	1点	上記のうち1項目ができない
	0点	2項目以上できない
④上肢担当者が座位姿勢を安定させたことを確認し，片足ずつ靴底を触れないよう丁寧に患者の靴を脱がせ，移乗の邪魔にならない位置に置くことができる。	2点	上肢担当者が座位姿勢を安定させたことを確認する，片足ずつ靴底を触れないよう丁寧に靴を脱がせる，移乗の邪魔にならない位置に置くことができる
	1点	上記のうち1項目ができない
	0点	2項目以上できない
⑤車椅子側の手でアームサポートを把持し，反対側の上肢で患者の下腿部から両膝を抱え，車椅子側の自身の大腿部に肘を置いて患者の下肢の重さを支える，片膝立ち様の介助姿勢をとることができる。	2点	車椅子側の手でアームサポートを把持し，反対側の上肢で患者の両膝を抱え，患者の下肢の重さを支える，片膝立ち様の介助姿勢をとることができる
	1点	上記のうち1項目ができない
	0点	2項目以上できない

⑥殿部の向きを変えることを説明し，腋を締め肩を下げること，殿部の移動方向と反対に視線を向けることを指示できる。	2点	殿部の向きを変えることを説明し，腋を締め肩を下げること，殿部の移動方向と反対に視線を向けることを指示できる
	1点	上記のうち1項目ができない
	0点	2項目以上できない
⑦上肢担当者に合図を依頼し，殿部をベッド寄りに移動させ，深く座らせることができる。	2点	合図に合わせて，殿部をベッド寄りに移動させ，深く座らせることができる
	1点	上記のうち1項目ができない
	0点	2項目以上できない
⑧アームサポートを把持した上肢を支えにして立ち上がり，素早くアームサポートを把持していた手で患者の殿部を支えることができる。	2点	アームサポートを把持した上肢を支えにして立ち上がり，素早くアームサポートを把持していた手で患者の殿部を支えることができる
	1点	どちらか一方のみできる
	0点	どちらもできない
⑨上肢担当者と協調して患者の身体をアームサポートよりも高く上げベッド端まで移動させ，殿部からゆっくりと下ろすことができる。	2点	上肢担当者と協調すること，患者の身体をアームサポートよりも高く上げベッド端まで移動させること，患者を殿部からゆっくりと下ろすことができる
	1点	上記のうち1項目ができない
	0点	2項目以上できない
⑩患者にベッド中央に移動することを説明し，腋を締め肩を下げること，移動方向に視線を向けることを指示できる。	2点	患者にベッド中央に移動することを説明し，腋を締め肩を下げること，移動方向に視線を向けることを指示できる
	1点	上記のうち1項目ができない
	0点	2項目以上できない
⑪上肢担当者の合図に合わせて，患者の殿部と両下肢を把持した状態で，ベッドに乗せた自身の足を水平に滑らせながら患者の殿部をベッド中央に移動させることができる。	2点	合図に合わせて，患者の殿部と両下肢を把持した状態で，ベッドに乗せた自身の足を水平に滑らせながら患者の殿部をベッド中央に移動させることができる
	1点	上記のうち1項目ができない
	0点	2項目以上できない
⑫患者に肘をつくように指示し協力を得て，患者の両下肢を軽度屈曲位で保持し，背臥位となったらゆっくりと両下肢を完全伸展させることができる。	2点	患者に肘をつくように指示し協力を得て，患者の両下肢を軽度屈曲位で保持し，背臥位となったらゆっくりと両下肢を完全伸展させることができる
	1点	上記のうち1項目ができない
	0点	2項目以上できない
⑬移乗中および背臥位姿勢で不快な思いをしていないか，口頭および観察にて確認し，適切な姿勢にできる。	2点	移乗中および背臥位姿勢で不快な思いをしていないか口頭および観察にて確認し，必要に応じて姿勢を修正できる
	1点	移乗中および背臥位姿勢の不快感を確認するが，姿勢の修正ができない
	1点	いずれかの不快感を確認できない
	0点	いずれかの不快感を確認できず，姿勢も修正できない

OSCE 担当者確認事項

模擬患者

- 課題開始時は治療用ベッドから離れた位置で車椅子に乗車し，ブレーキをかけた状態で待機する（図21）。
- 靴は脱がせやすいものを装着する。
- 長座位保持は可能だが，背臥位になるため肘をつく際，バランスを崩し動作スピードの調整ができない設定とする。
- 協力動作は具体的な指示があったもの以外は行わないようにする。
- 姿勢修正は自発的に行わないようにする。

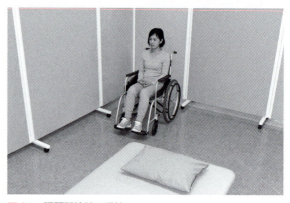

図21 課題開始時の環境

上肢担当の協力者

- 実施方法については精通している設定とする。

採点者

- 圧の加え方や不快感など，採点者が判断できない採点項目は模擬患者に確認したうえで採点する。
- 事故を防ぐため，移乗介助時は受験者の近くで待機する。

引用文献

1) 冨田昌夫，澤 俊二：トランスファー 環境との相互関係で自己組織化する方法．リハビリナース 1：6-7, 2008.
2) 阿部祐子：安全・安楽な移乗を助ける用具 スライディングシート・ボード．リハビリナース 6：83-86, 2016.

参考文献

1) 山本康稔，佐々木 良（中村惠子 監）：もっと！らくらく動作介助マニュアル．p1-9, 医学書院，2005.
2) 杉 優子，冨田昌夫，澤 俊二：介助・誘導のワザとコツ 移乗動作．リハビリナース 1：34-44, 2008.
3) 神奈川県総合リハビリテーションセンター：正しいリフティング 障害者の介助と介助者のセルフケア．ともしび双書，神奈川新聞社，1989.
4) 千野直一監修：図解トラスファーテクニック．p58-59, 医学書院，1990
5) 井口恭一：イラストわかりやすい移動の仕方 第3版．p59-60, 三輪書店，2006.

レベル 2

2- 1	療法士面接
2- 2	面接所見からの高次脳機能障害の推測
2- 3	脈拍と血圧の測定
2- 4	呼吸パターンと動脈血酸素飽和度の評価
2- 5	関節可動域測定
2- 6	筋力測定
2- 7	形態測定
2- 8	整形外科疾患別検査
2- 9	筋の触診
2-10	感覚検査
2-11	反射検査（腱反射・病的反射）
2-12	脳神経検査
2-13	脳卒中の麻痺側運動機能の評価
2-14	構音障害のスクリーニング
2-15	摂食嚥下障害のスクリーニング
2-16	運動失調検査
2-17	立位バランスの評価
2-18	下肢装具・歩行補助具の調整

1 療法士面接

1 療法士面接とは

面接（interview）とは，患者あるいは家族に直接話を聴くことである。療法士面接はリハビリテーションの実施中に頻回に行われるが，初回面接（インテーク面接，導入面接）は患者あるいは家族に与える心理的影響が大きいことから，非常に重要である。

2 療法士面接の目的・主訴・位置関係

A. 目　的

面接の目的は主に，①患者とのラポール（信頼関係）を築く，②リハビリテーションの目的について説明し理解を得る，③リハビリテーションのプロセスについて説明し理解を得る，④情報収集（他部門情報の補完・確認，個人情報）である。特に信頼関係を築くための第一歩として，十分な事前準備（一般情報，医学的情報の確認）をしてから面接に臨むことが重要である[1]。

本項での療法士面接は，患者との対話により，面接技法として適切な質問法やコミュニケーション技法，テクニックを使用し，主訴と要望を聴取することをいう。さらにそれらを詳しく聴取して，内容を要約できることを目的とする。

B. 主訴，要望，ニーズとは

主訴とは患者が最も苦痛に感じて訴える症状で，患者の言葉で一口に表現されたものをいう。例えば，腰が痛い，肩が動かない，手が痺れるなど，患者が訴える自覚症状である。主訴は1つのみのこともあるが，多くは2〜3あるいはそれ以上のこともある[2]ため，すべての主訴を明確にする必要がある。

要望とは患者本人が主観的に要求するものである。例えば「病前のように屋外を歩けるようになりたい」「早く仕事に復帰したい」「退院したい」などである[3]。

ニーズとは，療法士の評価によって患者に必要と客観的に判断されることであり，例えば，要望が「病前のように屋外を歩けるようになりたい」という上記の患者では，疾患や状態によっては，「自宅の周りを歩けるようになること」がニーズになることもある。これらは経過とともに変化することがあり，要望とニーズは区別する必要がある[3]。

C. 位置関係

療法士面接は臨床場面で用いることが多い90°の位置関係を基本とする[4]。他には相互に向かい合わせになる対面位，横並びになる並列位などがあり，必要に応じ使い分ける配慮をする。
①90°位：気を楽にして話しやすい（図1）。
②対面位：相手の表情や反応はよくわかるが，緊張は高まりやすい（図2）。
③並列位：視線は合いにくいが，場合によってはリラックスできることもある（図3）。

D. コミュニケーション技法

コミュニケーション技法（傾聴技法，共感的理解の態度）についてはレベル1「3 コミュニケーション技法」を参照のこと。

図1　90°位

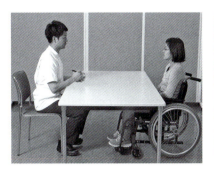
図2　対面位

図3　並列位

3 話の進め方[4]

A. 質問法の種類[5]

1) 中立的質問法（neutral question）

療法士の意見や考えを入れず，さらに答えが一つしかない質問法である。患者氏名や生年月日，職業，住所などを尋ねる質問法である。

例）「どこにお住まいですか」「もしよろしければ，どのような職業なのか伺いたいのですが」

2) 自由質問法：開かれた質問法［open (ended) question］

初対面の患者に対面したら，まず患者の話を傾聴する。患者の考えていることや，最も重要だと思っている点を明らかにできる。患者の答えを限定できないので，場合によっては欲しい情報が確実に手に入らない場合がある。

例）「どのような具合ですか。様子を詳しく何でも話してください」

3) 直接的質問法：閉じられた質問法（closed question）

「はい」か「いいえ」での答えを要求する質問法である。この質問法を多用した場合，面接のテンポが早くなる。患者側からすると質問されたことだけに答えればよいので楽であるが，逆の観点からは言いたいことが伝えられないという不満足感につながる可能性がある。こちらが欲しい情報は確実に得られるが，形式的な関係に陥りやすいため，多用には注意が必要である。

例）「痛みはありますか」

4) 重点的質問法（focused question）

曖昧な細部を明確化し，方向づける質問法である。直接的質問法よりは自由に，しかし自由質問法よりは具体的な答え方を要求する質問法である。臨床場面で用いられる頻度が高い。

例）「どのような痛みですか。もう少し詳しく説明してください」

5) 多項目質問法：選択肢型質問法（multiple choice question）

質問の中に選択肢をあらかじめ入れておき，選ばせる質問法である。これには二項目質問法や三項目質問法などがある。要領を得ない患者に有効であるが，内容を限定する側面がある。

例）「痛むのは膝の前ですか，後ろですか，それとも全体ですか」

B. 療法士面接で用いるテクニック

以下のテクニックを用いると患者との信頼関係を築きやすくなる。

1) 促し（facilitation）

不安や緊張でうまく話せない患者に，続きを促す言葉や表情を投げかける方法。

2) 繰り返し（repeat）

話の内容を繰り返して，次の話を促す方法。

3) 解釈（interpretation）

曖昧な患者の話を療法士がわかりやすく説明し，確認する方法。

4) 要約 (recapitulation)
患者の迂遠する話を手短に整理し，確認を求める方法。

5) 共感 (empathy)
患者の立場に自分を置いて，感情を共有していることを言葉で伝える方法。

6) 非言語的コミュニケーション (nonverbal communication)
表情や仕草，および言葉のうち，文字で表される内容以外の情報を伝える方法。

7) 直面化 (confrontation)
患者がはっきりと気づいていない感情の動きを，うまく気づかせるように指摘する方法。

8) 妥当化 (legitimization)
患者の感情の動きを受け入れて，その妥当性を認め，伝える方法。

9) 説明 (exposition)
患者の訴える症状や，それに対する患者自身の解釈について説明する方法。

10) 沈黙 (silence)
患者の精神世界，認知機能に配慮する方法。

11) 雑談 (free talking)
患者をリラックスさせる，主訴と直接関係のない会話を挟む方法。

臨床のコツ

◆ 療法士面接を実施する前には十分な事前準備が必要である。具体的にはカルテから基本的個人情報 (氏名，性別，年齢，職業など)，社会的情報 (家族構成，キーパーソン，経済状況など)，医学的情報 (診断名，障害名，処方内容，現病歴，経過，合併症など) について確認する。さらに他部門・他職種からの情報も参考にするとよい。

◆ 導入時においては中立的質問法を用いるとよい。患者が答えやすい質問を最初にすることで，お互いの緊張をほぐす効果が期待できる。

◆ 面接全般においては，患者の訴えを傾聴する態度が最も重要であり，全般的には自由質問法を用いる。

◆ 確実に欲しい情報を聞き出す必要のある場合は，直接的質問法を用いるとよい。

◆ 話の内容が曖昧になっている場合は重点的質問法，もしくは多項目質問法を用いるとよい。

◆ 患者の話が必要以上に長くなり他の質問ができない場合には，次の質問に切り替える。

◆ 次から次へと一方的に質問せず，状況に応じて内容を詳細に確認する。

◆ 一度に複数の質問をすると患者の理解が得られないことがあるため注意する。

---

4 手順のポイント

1) 挨拶・自己紹介を行い，2 つの識別子で患者の確認を行う
・患者とのラポール (信頼関係) 形成のため，挨拶，自己紹介を行う。
・患者の取り違えを防止するため，氏名に加え生年月日もしくは ID など，2 つの識別子で確認する。

2) 療法士面接を行う旨を患者に伝え了承を得る
・これから実施する療法士面接を患者に簡潔にわかりやすく説明し，療法士面接を行うことの了承を得る。

3) 適切な患者との距離・位置に誘導する
・患者との距離についてはレベル 1「3 コミュニケーション技法」を参照のこと。
・位置関係は 90°位になるよう，スムーズに所定の場所へ患者を誘導する。どこに移動するのかを明確に指示する。
・車椅子の操作が自己にて可能かを確認し，車椅子移動時には車椅子や足を机の脚などにぶつけないよう配慮する。

4）記録のためメモをとる旨を患者に伝え了承を得る

・記録のため，常時，メモ帳などは携帯しておく。
・メモをとることに集中し過ぎて患者の表情や態度の変化を見逃さないよう注意する。
・得られた情報は，外部に漏らさないことを約束する。

5）自由質問法を用いて主訴を確認する

・「現在，困っていることはありますか」などと自由質問法で確認する。
・まずはありのままの訴えを聴取する。
・主訴が複数の場合もあるため，聞き漏らさないよう注意する。

6）聴取した主訴についてより詳細に確認する

・聴取した症状により，日常生活上のどの場面で，どのように困っているのかを具体的に確認する。

7）自由質問法を用いて要望を確認する

・「これからリハビリを行ううえで，何かご希望やご要望はありますか」などと自由質問法で確認する。
・主訴と同様に，まずはありのままの訴えを聴取する。

8）回答に困る場面では多項目質問法を用いて確認する

・患者が回答に困っている場合は少し待ち，選択肢を与える多項目質問法を用いると答えやすくなる。
・選択肢の数は2つから3つ程度がよい。あまり多くの選択肢を与え過ぎても回答に困ることがある。

9）要望について，より詳細に確認する

・聴取した要望について，日常生活上のどの場面で，実現することを望んでいるのかを具体的に確認する。

10）主訴・要望を要約して確認する

・メモを確認して，主訴と要望を要約した内容を患者に伝え，誤りがないかを確認する。

11）伝え忘れや他に質問がないかを確認し，患者に終了を伝える

・面接を終えるにあたり，「伝え忘れていることや質問はありませんか」と確認し，終結の挨拶を行う。

12）面接で用いるテクニックを使用する

・面接中に適宜，促し，繰り返し，解釈，共感，非言語的コミュニケーションなどを用い，患者が話しやすい雰囲気を作りながら面接を進めることが信頼関係を築くうえでも重要である。

OSCE課題　療法士面接

対応動画

設問
脳梗塞により左片麻痺を呈した患者です。療法士面接でこの患者の「主訴」と「要望」を確認してください。制限時間は5分です。では，始めてください。

準備するもの
車椅子，机，椅子（4脚）

患者情報

疾患・障害	脳梗塞，片麻痺	深 部 覚	重度鈍麻
年齢・性別	不問	Ｒ Ｏ Ｍ	左肩関節屈曲90°，外転90°
障 害 側	左	座 位	安定
発症後期間	1カ月	歩 行	軽介助
Ｂ Ｒ Ｓ	上肢：Ⅲ　手指：Ⅳ　下肢：Ⅳ	車椅子駆動	自立
筋 緊 張	上腕二頭筋	理 解	良好
疼 痛	左肩関節	表 出	良好
表 在 覚	重度鈍麻		

課題の目標

態度
1. 療法士面接に備えた心がけができる（清潔かつ安全な身なり）。
2. 患者に療法士面接を行う旨を説明し，了承を得ることができる。
3. 患者に不快な思いをさせない（話し方，表情，振る舞い）。

技能
1. 患者とコミュニケーションがとれる。
2. 主訴と要望について聴取できる。
3. 聴取事項や場面に応じた質問法が使用できる。

手 順

1. **挨拶・自己紹介を行い，2つの識別子で患者の確認を行う。**
2. **療法士面接を行う旨を患者に伝え了承を得る。**
3. **適切な患者との距離・位置に誘導する。**
   - 患者との距離についてはレベル1「3 コミュニケーション技法」を参照のこと。
   - 位置関係は90°位になるよう，スムーズに所定の場所へ患者を誘導する。どこに移動するのかを明確に指示する。
   - 車椅子の操作が自己にて可能かを確認し，車椅子移動時には車椅子や足を机の脚などにぶつけないよう配慮する。
4. **記録のためメモをとる旨を患者に伝え了承を得る。**
   - 記録のため，常時，メモ帳などは携帯しておく。
   - メモをとることに集中し過ぎて患者の表情や態度の変化を見逃さないよう注意する。
5. **自由質問法を用いて主訴を確認する。**
   - 「現在，困っていることはありますか」などと自由質問法で面接を開始する。
   - まずは自由質問法にてありのままの訴えを聴取する。
   - 主訴が複数の場合もあるため，聞き漏らさないよう注意する。
6. **聴取した主訴について，より詳細に確認する。**
   - 聴取した症状によって，日常生活上のどの場面で，どのように困っているのかを具体的に確認する。
7. **自由質問法を用いて要望を確認する。**
   - 「これからリハビリを行ううえで，何かご希望やご要望はありますか」などと自由質問法で確認する。
   - 主訴と同様に，まずはありのままの訴えを聴取する。
8. **回答に困る場面では多項目質問法を用いて確認する。**
   - 患者が回答に困っている場合は少し待ち，選択肢を与える多項目質問法を用いると答えやすくなる。
   - 選択肢の数は2つから3つ程度がよい。あまり多くの選択肢を与え過ぎても回答に困ることがある。
9. **要望について，より詳細に確認する。**
   - 聴取した要望について，日常生活上のどの場面で，実現することを望んでいるのかを具体的に確認する。
10. **主訴・要望を要約して確認する。**
    - メモを確認して，主訴と要望を要約した内容を患者に伝え，誤りがないかを確認する。
11. **伝え忘れや他に質問がないかを確認し，患者に終了を伝える。**
    - 面接を終えるにあたり，「伝え忘れていることや質問はありませんか」と確認し，終結の挨拶を行う。
12. **面接で用いるテクニックを使用する。**
    - 面接中に適宜，促し，繰り返し，解釈，共感，非言語的コミュニケーションなどを用い，患者が話しやすい雰囲気を作りながら面接を進めることが信頼関係を築くうえでも重要である。

採 点 基 準

採点者は模擬患者に受験者の言動の適否を適宜確認して，以下の項目を採点してください。

1．態度

①適切な身なりで明瞭な挨拶（開始時・終了時）・自己紹介ができる。	2点　適切な身なり，明瞭な挨拶（開始時・終了時）・自己紹介ができる 1点　上記のうち1項目ができない 0点　2項目以上できない
②2つの識別子で患者の確認ができる。	2点　2つの識別子で患者の確認ができる 1点　1つの識別子で確認ができる 0点　確認ができない
③療法士面接を行う旨を患者に伝え，了承を得ることができる。	2点　療法士面接を行う旨を正確に伝え，患者の了承を得ることができる 1点　どちらか一方のみできる 0点　どちらもできない
④課題全般を通して，患者の様子（表情・心情・姿勢・身体機能）や状況に応じた丁寧な対処（声かけ・触れ方・動かし方）ができる。	2点　課題全般を通して，患者の様子や状況に応じた丁寧な声かけ，触れ方，動かし方ができる 1点　上記3項目のうち1項目ができない 0点　2項目以上できない

2．技能

①患者の快適な距離で，90°位となるよう，適切に所定の場所へ誘導することができる。	2点　患者の快適な距離で，90°位となるよう，適切に所定の場所へ誘導することができる 1点　上記のうち1項目ができない 0点　2項目以上できない
②記録のためメモをとる旨を患者に伝え，了承を得ることができる。	2点　記録のためメモをとる旨を正確に伝え，患者の了承を得ることができる 1点　どちらか一方のみできる 0点　どちらもできない
③自由質問法を用いて主訴を確認できる。	2点　自由質問法を用いて主訴を確認できる 1点　主訴を確認するが，自由質問法を用いていない 0点　確認しない
④聴取した主訴について，より詳細に（日常生活上のどの場面でどのように困っているのか）確認できる。	2点　日常生活上のどの場面でどのように困っているのか，詳細に確認できる 1点　質問するが，詳細に確認できない 0点　確認しない
⑤自由質問法を用いて要望を確認できる。	2点　自由質問法を用いて要望を確認できる 1点　要望を確認するが，自由質問法を用いていない 0点　確認しない
⑥回答に困る場面で，多項目質問法を用いて確認できる。	2点　回答に困る場面で，多項目質問法を用いて確認できる 1点　多項目質問法を用いるが，選択肢の与え方が不十分 0点　多項目質問法を用いて確認しない
⑦聴取した要望について，より詳細に（日常生活上のどの場面で要望を実現したいのか）確認できる。	2点　日常生活上のどの場面で要望を実現したいのか，詳細に確認できる 1点　質問するが，詳細に確認できない 0点　確認しない
⑧聴取した主訴を要約し，内容に誤りがないかを確認できる。	2点　主訴を要約し，内容に誤りがないかを確認できる 1点　どちらか一方のみできる 0点　どちらもできない

⑨聴取した要望を要約し，内容に誤りがないかを確認できる。	2点 1点 0点	要望を要約し，内容に誤りがないかを確認できる どちらか一方のみできる どちらもできない
⑩伝え忘れや他に質問がないかを確認できる。	2点 1点 0点	伝え忘れや他に質問がないかを確認できる どちらか一方のみできる どちらもできない
⑪面接で用いるテクニック（促し，繰り返し，解釈，共感，非言語的コミュニケーションなど）を使い分けることができる。	2点 1点 0点	促し，繰り返し，解釈，共感，非言語的コミュニケーションなどを使い分けることができる テクニックの使い分けが不十分 テクニックの使い分けができない

OSCE 担当者確認事項

採点者と模擬患者
・あらかじめ主訴，要望を決めておく。

模擬患者
・課題開始時は車椅子座位で待機する（図4）。
・車椅子駆動は自走可能な設定とする。
・受験者に主訴を確認された場合は漠然とした回答をする。
　例）「左の手と足が思うように動かすことができなくて，これが一番困っています」
・受験者に要望を確認された場合は，受験者が多項目質問法をしやすくなる返答をする。
　例）「うーん，現状では色々あり過ぎて…」
・受験者がより詳細に質問してきたら「左手が動かしにくいです」「いまは杖歩行なので，杖なしで歩きたいです」などと具体的に回答する。

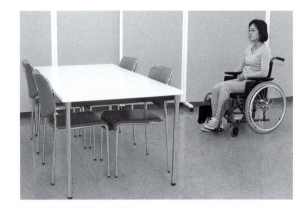

図4　課題開始時の環境

引用文献
1) 矢谷令子 監（岩崎テル子 他，編）：標準作業療法学　専門分野　作業療法評価学 第2版．p46-55，医学書院，2011.
2) 松澤 正：理学療法評価学 第2版．p16-17，金原出版，2004.
3) 潮見泰藏，下田信明 編：リハビリテーション基礎評価学．p36-38，羊土社，2014.
4) 澤 俊二：コミュニケーションスキルの磨き方．p32，医歯薬出版，2007.
5) 福井次矢 監：メディカル・インタビューマニュアル―医師の本領を生かすコミュニケーション技法．p22-49，インターメディカ，2002.

2 面接所見からの高次脳機能障害の推測

1 高次脳機能障害とは

　高次脳機能障害は，わが国の医学的リハビリテーション領域において脳損傷に起因するさまざまな精神機能障害の総称として用いられている。高次脳機能には階層構造があり，高次脳機能障害のリハビリテーションにおいて，まずは，より基盤にある覚醒レベルや注意機能の回復が必要である[1]（図1）。下方に位置する神経心理学的機能が十分に働かないと，それより上位の機能を十分に発揮させることができない[2]。

　高次脳機能障害は複雑で多彩な症状がみられるため，高次脳機能評価を実施し病態の把握を行い，日常生活の観察と合わせて障害が生活に及ぼす影響を考えることが大切である。

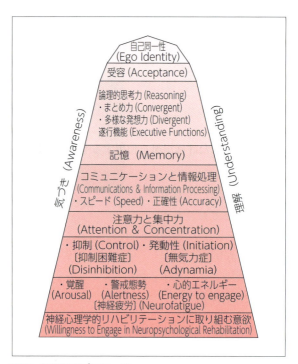

図1　神経心理ピラミッド
より下方に位置する神経心理学的機能が十分に働かないと，それより上方に位置する機能を十分に発揮できない。
(立神粧子：前頭葉機能不全その先の戦略　Rusk通院プログラムと神経心理ピラミッド. p59, 医学書院, 2010. より)

表1　片麻痺に対する病態失認のスコア

スコア0	自発的に，または「具合はいかがですか」のような一般的質問に対して，片麻痺に関する訴えがある。
スコア1	左上下肢の筋力に関する質問に対して，障害の訴えがある。
スコア2	神経学的診察で運動麻痺があることを示すとその存在を認める。
スコア3	運動麻痺を認めさせることができない。

(Bisiach E, Vallar G, Perani D, et al：Unawareness of disease following lesions of the right hemisphere：anosognosia for hemianopia. Neuropsychologia 24：471-472, 1986. より作成)

表 2　初回面接時に推測される高次脳機能障害

病態失認	片麻痺の存在を無視または否認する症状。片麻痺に対する病態失認は，自発的な訴えとしてではなく，主に検者の質問によって明らかにされる[3]。簡便な病態失認のスコアとしては，表 1 のように 4 段階に分ける方法がある。
見当識障害	自分が置かれている状況に混乱を生じており，自分自身の生年月日，年齢がわからないほか，現在の年月日，場所，自分がここにいる意味などがわからない状態である[4]。
注意障害	注意とはさまざまな外的，内的刺激や情報の中から，その時々の環境や状況において，一定の必要な刺激や情報を選択し，そして言動に持続性，一貫性，柔軟性をもたせる機能である[5]。注意には，覚醒水準，持続的注意，選択的注意，転換的注意，配分的注意があり，それらに問題が生じた状態を注意障害という。
半側空間無視	半側空間無視とは，病巣の反対側にある刺激に気づかない現象であり，運動や感覚の障害によらないものをいう[6]。
記憶障害	記憶とは，新しい経験が保存され，その経験が意識や行為の中に再生されることである[6]。記憶には登録（記銘），保持，再生の 3 過程があり，時間軸の過程から短期記憶と長期記憶，あるいは即時記憶，近時記憶，遠隔記憶に分類される。また内容の側面からは，言葉で表現できる陳述記憶と，身体で覚える技など言葉で表現できない記憶である非陳述記憶に分類される[4]。
失行	失行とは，指示された動作を誤ったり，物品の使用を誤ったりする行為の障害である。運動障害，失語症や失認，課題の意図の理解障害，意識や意欲の障害などでは十分に説明できない場合を指す[5]。

　高次脳機能評価は，スクリーニング評価を行った結果によって，さらに詳細な検査へ進むのが一般的である。行動観察は初対面時から始まる重要な評価方法である。本項では，初回面接時の会話のやりとりや観察から，病態失認[7]（表 1），見当識障害，注意障害，左半側空間無視，記憶障害や失行（表 2）を推測するポイントについて述べる。

② 初回面接時の高次脳機能評価とは

　高次脳機能評価とは，標準化された評価用紙を使用するものと思われがちであるが，評価は初回面接時から既に始まっている。挨拶や自己紹介，療法士の問いかけに対する患者の様子を観察することにより，言語機能だけでなくその他の高次脳機能に問題がないかを推測することができる。

　初回面接では，患者と会話のやりとりをしながら氏名や住所などを書字してもらう場面を設定することが多い。その時に，単に氏名を書字することの可否をみるのではなく，指示を正確に実行できるか，正しく物品を操作できるかなどを観察することで，高次脳機能障害の影響を考えることができる。

　一方で，人間が行う行為のすべては，意識レベルや注意機能の影響を受ける。そのため，意識障害や注意障害がみられる場合は，たとえ記憶障害や失語症などを疑うような言動がみられたとしても，観察だけで断定できないので注意しなければならない。

③ 評価時の環境

　面接は，干渉刺激の入らないプライバシーが保てる場所が最適なため，個室で行うことが望ましい。しかし，臨床場面では，専用の個室を確保できないことも多い。その場合，少なくともついたてやカーテンなどを用いて，患者の注意が逸れず面接に集中できる環境を整える。

　面接時の患者と療法士の位置関係は，対面位は緊張を高めるといわれており，90°位を選択するのがよい。患者と視線を合わせることが難しい場合，療法士は患者の視界に入る位置に座って会話する（図 2）。しかし，面接中に筆記用具などの物品を用いて高次脳機能を評価する場合は，患者の行動が十分に観察できるように，療法士は場所を移動して対面位に座るのが望ましい（図 3）。机の大きさや状況により配慮が必要である。

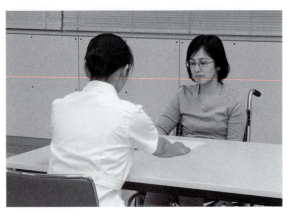

図2 面接時の位置　　　　　　　　　　　　　図3 高次脳機能評価時の位置

図4 左右非対称な姿勢

4 観察による高次脳機能評価の留意点

　初回面接での観察は，患者がリハビリテーション室に入ってくるところから始まる．面接中の座位姿勢，表情や視線，言葉のやりとり，物品を使用する様子などを観察し，どのような高次脳機能障害が生活に影響しているのか，おおまかな「あたり」をつける．

A. 入室時の様子

- 一人で来室したのか，監視下で来室したのか，介助にて来室したのかを確認し，移動時の様子を観察する．
- 車椅子自走時に，車椅子の左側をぶつける，左側に曲がり損なうなどがみられる場合は，左半側空間無視の影響を疑う．
- 歩行能力に問題はないが監視下で来室した場合は，リハビリテーション室を見つけることができない，道を覚えることができないなど，注意障害や記憶障害により監視が外せない可能性がある．

B. 姿　勢

- 身体軸が正中からずれている，姿勢が左右非対称である（図4），麻痺側のブレーキをかけ忘れている，麻痺側上肢が車椅子の外に垂れ下がっている，または大腿の下敷きになっている，麻痺側下肢がフットサポートから落ちているなど，麻痺側上下肢の管理が不十分である場合は，半側空間無視や病態失認の影響を疑う．
- 姿勢の著しい偏位は，運動麻痺や感覚障害の影響も考えられるため，鑑別が必要である．

C. 表情・視線

・目の輝きが鈍い，ぼんやりしている，目がきょろきょろとせわしなく動くなどがみられる場合は，注意障害の影響を疑う。
・療法士と目を合わせることができない，左への眼球運動が寡少で注視ができない，常に顔や視線が右側を向いているなどがみられる場合は左半側空間無視の影響を疑う。
・表情の変化が少ない，逆に喜怒哀楽の表現が極端で，感情のコントロールがきかないなどがみられる場合は情動面の障害を疑うが，個人差があるため，家族などから病前の情報を聴取し比較する必要がある。

D. 利き手の確認

・利き手が異なると脳の側性化が異なる可能性があるため，高次脳機能障害の評価を行う場合は，利き手について確認し，大脳半球損傷部位と症状との関連性について推測を行う。側性化とは，特定の高次脳機能の処理が，左または右大脳半球で重点的に行われていることを指す[3]。例えば，利き手が左側の右半球損傷者に失語症が認められる場合，言語性優位半球は右側の可能性がある。
・非利き手は利き手に比べて元来器用ではないため，利き手を確認する。

E. 言葉のやりとり

・まずは，療法士の話を理解しているのか，言葉による返答ができるのかといった聴覚的な理解力と発話状況を確認する。
・聴覚的理解に時間がかかるか，ポイントを強調した繰り返しの説明が必要であるかに注意する。
・聴覚的な理解が困難な場合は，視覚的な理解力の程度も確認する。
・発話状況は，療法士の問いかけに対する応答，話すスピード，声の大きさ，調子，抑揚，明瞭度，言葉遣い，話の表現力などを確認する。
・言葉での反応が遅い，会話に集中することができない場合は，注意障害の影響も疑う。

F. 物品の使用

・患者が書字を開始するには，まず物品の形態の正しい認知，また鉛筆と用紙が何であるのかといった物品に関する知識が必要である。
・使用する物品が何であるかを理解できても，その物品を正しく使用することができない，持つ場所を誤る，持ち方が誤っているといった失行症状がみられる場合もある。
・療法士が指示した内容をすぐに書字できない場合や，何度も指示内容を確認する時には，記憶障害や注意障害の影響を疑う。
・左半側空間無視の影響で，用紙の右端に著しく偏って必要事項を書字する場合もあるため，用紙のどこから書字を開始するのかを見ておく。
・書字の途中で手が止まる，書字スピードが遅いなどがみられる場合は注意障害を疑うが，疲労の影響や病前の書字習慣の有無も把握しておく必要がある。

5 会話による高次脳機能評価のポイント

初回面接では，患者に関する一般情報，現在の体調や生活，どんなことに困っているのか，病前の生活，今日の日付や現在いる場所などを確認し，得られた返答から病態失認，記憶障害，見当識障害がある可能性を推測できる。

6 手順のポイント

1) 挨拶・自己紹介を行い，2つの識別子で患者の確認を行う
- 患者とのラポール（信頼関係）形成のため，挨拶，自己紹介を行う。
- 患者の取り違いを防止するため，氏名に加え生年月日もしくはIDなど，2つの識別子で確認する。
- 患者の姿勢，表情・視線を観察する。
- 挨拶・自己紹介を行う際の患者の反応をみる。

2) 座位姿勢を確認し，必要に応じて座位姿勢を修正する
- 車椅子座位の場合，足部がフットサポートに乗った状態では体幹・骨盤が後傾しやすくなる。フットサポートから両下肢を下ろし，両足部を床に接地させると体幹が前傾しやすくなり，机上での作業が行いやすくなる。
- 座位姿勢が偏位している場合は，可能な範囲で体幹の偏りを修正する。

> **臨床のコツ**
> ◆ 机上で作業を行う場合，姿勢が上肢機能に影響する。体幹，骨盤，下肢の不良肢位により上肢機能が低下するため，可能な範囲で座位姿勢を整える。
> ◆ 高次脳機能障害の影響により身体軸が著しく偏位し，不良肢位になる場合がある。患者自身で姿勢の状態を認識できない場合もあるため，療法士は座位姿勢を確認後，必要に応じて座位姿勢を整える。
> ◆ 右方へ顔や目線が向いている，車椅子乗車中に左上肢がアームサポートから外側へ落ちている，左手が大腿の下敷きになっていても気がつかないなどがみられる場合は，半側空間無視の影響を疑う。

3) 患者との適切な位置関係をとる（図2）
- 原則，面接時の患者と療法士の位置関係は90°位が望ましい。書字評価時は対面位をとる。
- 挨拶と自己紹介をした際に患者と視線を合わせることができない場合は，患者の視界に入る位置に座り，面接を行う。

> **臨床のコツ**
> ◆ 半側空間無視を疑う患者の高次脳機能を評価する場合，療法士が患者の非麻痺側に座ると，そちらに注意を引きつけてしまうことがあるため，注意が必要である。
> ◆ 注意障害があり，周囲の刺激によって会話に集中できず，療法士の呼びかけのみでは注意を喚起できない場合，療法士は患者の身体に軽く触れて会話に集中するように促せる距離に座る。

4) 面接を行う旨を患者に伝え了承を得る

5) 患者に体調や上下肢の動きについて口頭で確認する
- 体調不良により普段と異なる反応がみられ，書字課題の結果に影響を及ぼす場合があるため，挨拶・自己紹介の後，すぐに書字課題を行うのではなく，まず現在の体調を確認する。

> **臨床のコツ**
> ◆ 「具合はいかがですか」のような一般的な質問や上下肢の動きに関する特異的な質問に対して，麻痺に言及する反応がみられない時は病態失認を疑う。
> ◆ 言葉での反応が遅い，会話に集中することができない場合は，注意障害を疑う。

6) 患者に書字してもらうことを説明する
- 用紙と鉛筆で書字することを患者にわかりやすく説明する。

7) 書字の評価は対面位で行い，用紙と鉛筆を患者に呈示する（図5）
- 患者の行動が十分に観察できるよう療法士は対面位に移動する。

図5　書字の評価

・用紙と鉛筆は患者の正面正中に呈示する．鉛筆の位置がわからない場合は患者の手元に置く．

> 臨床のコツ
> ◆患者の状態の変化を経時的に正しく評価するため，用紙は常に患者の正面正中に呈示する（図5）．
> ◆用紙を横向きに呈示すると，縦向きと比べて左右の幅が大きくなるため半側空間無視の程度を把握しやすい．
> ◆机上に使用しない物品が置かれていると，それに注意が向いてしまうため，必要な物品だけを置く．

8) 鉛筆を持つ手の対側手で用紙を固定するよう指示する
・書字の最中は用紙を動かさないよう注意する．
・手で用紙を押さえることができず用紙が動いてしまう場合は，両面テープなどを用紙の裏に貼り付けて用紙を固定する．

9) 3つの事項を書字することを，患者が理解できるように指示する
・本日の日付，氏名，住所を書字することを，患者が理解できるように指示する．
・用紙の中央に横書きに書字するように指示すると，左半側空間無視の影響で書字開始時の偏位が確認しやすくなる．
・縦書きの書字では，日本語の習慣で用紙の右端から書字を開始する傾向があるため，左半側空間無視の影響を確認するのが難しくなる．

> 臨床のコツ
> ◆複数の事柄を指示する場合は，患者が理解していることを確認しながら指示する．
> ◆患者が指示の繰り返しを求めてきた場合は注意障害や記憶障害を疑い，再度指示する．

10) 書字の様子を観察し，高次脳機能障害の可能性を確認する
・物品をどのように操作するのかを観察し，失行の有無を推測する．
・用紙のどの位置から書字を開始するのかを観察し，半側空間無視の有無を推測する．
・指示した3つの事項をすぐに書字できるかを観察し，記憶障害の有無を推測する．
・本日の日付を正しく書字できるかを観察し，日時の見当識障害の有無を推測する．
・集中して書字を行えるかを観察し，注意障害の有無を推測する．

> **臨床のコツ**
> ◆ 麻痺や感覚障害などがないにもかかわらず，鉛筆の持ち方や持つ位置，扱い方に誤りがある場合は，失行を疑う。
> ◆ 用紙の中央に書字するよう指示しても用紙の右端に偏って書字する場合は，左半側空間無視を疑う。
> ◆ 指示した3つの事項を書字できない，書字する事項を再度確認する場合は，注意障害や記憶障害の影響を疑う。
> ◆ 本日の日付を正しく書字できない場合は，日時の見当識障害を疑う。
> ◆ 注意が途中で逸れる，書字の途中で手が止まるなどの様子がみられたら，注意障害の影響を疑う。

11）全体を通して患者に適切な声かけを行う

・会話や書字に集中できず注意散漫となった場合は，注意が向くよう適切な声かけを行う。
・患者が療法士の質問に答えられない時には，落胆させず，安心感を与える声かけを行う。
・療法士は一方的に質問するのではなく，患者の応答に合わせて会話を行う。
・療法士の声かけに対する患者の反応が遅い場合，返事をせかすのではなく，患者がどのように反応するのかを待って観察する。

> **臨床のコツ**
> ◆ 初回評価をベッドサイドで行う場合，個室で面接するのと同様に，ベッド上での姿勢，視線や表情，会話のやりとりなどの観察から高次脳機能障害を推測することができる。

12）患者に終了を伝える
13）採点者に疑われる高次脳機能障害について報告する

・観察と会話から病態失認，見当識障害，注意障害，半側空間無視，記憶障害，失行の症状を確認し，高次脳機能障害の可能性と面接所見の解釈を簡潔にまとめて採点者に報告する。

OSCE課題　面接所見からの高次脳機能障害の推測

対応動画

設問

脳梗塞により左片麻痺を呈した患者です。意識は清明で失語症は認めません。この患者の初回面接時の会話と書字（本日の日付，氏名，住所）の様子から病態失認，日時の見当識障害，注意障害，半側空間無視，記憶障害，失行について4分以内で評価し，残りの時間で採点者に報告してください。書字は机上の用紙と鉛筆を使用してください。制限時間は5分です。4分の時点で合図します。では，始めてください。

準備するもの

車椅子，机，椅子（3脚），セロハンテープ（両面テープ），評価用紙，鉛筆

患者情報

疾患・障害	脳梗塞，片麻痺	疼　　痛	なし
年齢・性別	不問	表 在 覚	正常
障 害 側	左	深 部 覚	正常
利 き 手	右	R O M	制限なし
発症後期間	2週間	座　　位	安定
B R S	上肢：Ⅲ　手指：Ⅲ　下肢：Ⅲ	理　　解	良好
筋 緊 張	上腕二頭筋軽度亢進	表　　出	良好

課題の目標

態度
1. 高次脳機能評価に備えた心がけができる（清潔かつ安全な身なり）。
2. 患者に面接を行う旨を説明し，了承を得ることができる。
3. 患者に不快な思いをさせない（話し方，表情，振る舞い）。

技能
1. 患者の安全に配慮しながら進めることができる。
2. 高次脳機能障害の推測を適切な手順および方法で行うことができる。
3. わかりやすく簡潔な報告ができる。

手　順

1. **挨拶・自己紹介を行い，2つの識別子で患者の確認を行う。**
   - 患者の姿勢，表情・視線，会話のやりとりを観察する。
2. **座位姿勢を確認し，必要に応じて姿勢を修正する。**
   - 頭部，体幹，上下肢の位置を確認し，姿勢を修正する。
   - 両足部を床に接地させると体幹が前傾しやすくなり，書字が行いやすくなる。
3. **患者との適切な位置関係をとる。**
   - 原則，面接時の患者と受験者の位置関係は90°位で，患者の視野に入る位置に移動する。
4. **面接を行う旨を患者に伝え了承を得る。**
5. **患者に体調や上下肢の動きについて口頭で確認する。**
   - 自己紹介後，すぐに書字課題を行うのではなく，まず現在の体調を確認する。
6. **患者に書字してもらうことを説明する。**
   - 用紙と鉛筆で書字することを患者にわかりやすく説明する。
7. **書字の評価は対面位で行い，用紙と鉛筆を患者に呈示する。**
   - 対面位以外の位置で会話をしている場合，受験者は対面位に移動し，用紙と鉛筆を患者の正面正中に置く。
8. **片方の手で用紙を固定するよう指示する。**
   - 書字の最中は用紙を動かさないよう注意する。
   - 手で用紙を押さえることができない場合は，セロハンテープ（両面テープ）を用紙の裏に貼り付けて用紙を固定する。
9. **3つの事項（本日の日付，氏名，住所）を書字する，用紙の中央に横書きで書字するよう指示する。**
   - 患者が聞いている様子を確認しながら，上記2つの事柄を指示する。
10. **書字の様子を観察し，高次脳機能障害の可能性を確認する。**
    - 物品をどのように操作するのか，用紙のどの位置から書字を開始するのか，指示した3つの事項を書字できるのかを観察する。
11. **全体を通して患者に適切な声かけを行う。**
    - 患者の状態に合わせて声かけを行う。
    - 受験者は一方的に質問するのではなく，患者の応答に合わせて会話を行う。
    - 受験者の声かけに対する患者の反応が遅い場合，返事をせかすのではなく，患者がどのように反応するのかを観察し，対応する。
12. **患者に終了を伝える。**
13. **採点者に疑われる高次脳機能障害について報告する。**
    - 観察と会話から病態失認，見当識障害，注意障害，半側空間無視，記憶障害，失行の症状を確認し，高次脳機能障害の可能性と面接所見の解釈を簡潔にまとめて採点者に報告する。

2　面接所見からの高次脳機能障害の推測　　137

採点基準

採点者は模擬患者に受験者の言動の適否を適宜確認して，以下の項目を採点してください。

1．態度

①適切な身なりで明瞭な挨拶（開始時・終了時）・自己紹介ができる。	2点	適切な身なり，明瞭な挨拶（開始時・終了時）・自己紹介ができる
	1点	上記のうち1項目ができない
	0点	2項目以上できない
②2つの識別子で患者の確認ができる。	2点	2つの識別子で患者の確認ができる
	1点	1つの識別子で確認ができる
	0点	確認ができない
③面接を行う旨を患者に伝え，了承を得ることができる。	2点	面接を行う旨を正確に伝え，患者の了承を得ることができる
	1点	どちらか一方のみできる
	0点	どちらもできない
④課題全般を通して，患者の様子（表情・心情・姿勢・身体機能）や状況に応じた丁寧な対処（声かけ・触れ方・動かし方）ができる。	2点	課題全般を通して，患者の様子や状況に応じた丁寧な声かけ，触れ方，動かし方ができる
	1点	上記3項目のうち1項目ができない
	0点	2項目以上できない

2．技能

①座位姿勢（頭部・体幹・上下肢の位置）を確認し，姿勢を修正できる。	2点	座位姿勢（頭部・体幹・上下肢の位置）を確認し，姿勢を修正できる
	1点	座位姿勢を確認するが，書字に適した足底接地，体幹前傾しやすい姿勢に修正できない
	0点	座位姿勢を確認しない
②患者と適切な位置をとることができる。	2点	90°位の位置をとることができる
	1点	患者との位置関係を考慮するが，適切ではない
	0点	患者との位置関係を考慮できない
③患者に現在の体調や上下肢の動きを口頭で確認できる。	2点	現在の体調，上下肢の動きを口頭で確認できる
	1点	1項目のみできる
	0点	確認しない
④書字することを患者にわかりやすく説明できる。	2点	書字することを患者にわかりやすく説明できる
	1点	説明するがわかりにくい
	0点	説明しない
⑤書字の評価は対面位で行い，物品（用紙・鉛筆）を患者の正面正中に適切に呈示できる。	2点	書字の評価は対面位で行い，物品を患者の正面正中に呈示できる
	1点	どちらか一方のみできる
	0点	どちらもできない
⑥用紙を片方の手で固定するよう指示し，手による固定が難しい場合は用紙の裏にテープで固定できる。	2点	用紙を片方の手で固定するよう指示ができ，手による固定が難しい場合は用紙の裏にテープで固定できる
	1点	用紙を片方の手で固定するよう指示ができるが，手による固定が難しい場合に用紙の裏にテープで固定できない
	0点	用紙を片方の手で固定するよう指示ができない
⑦本日の日付，氏名，住所を書字することをわかりやすく指示できる。	2点	3つの事項を書字することをわかりやすく指示できる
	1点	指示がわかりにくい
	0点	指示しない
⑧用紙の中央に横書きで書字することをわかりやすく指示できる。	2点	用紙の中央に横書きで書字することをわかりやすく指示できる
	1点	指示がわかりにくい
	0点	指示しない

⑨病態失認の可能性を確認し、正しく理由を述べることができる。	2点 1点 0点	病態失認の可能性を確認し、正しく理由を述べることができる 病態失認の可能性を確認できるが、正しく理由を述べることができない 病態失認の可能性を確認できない
⑩日時の見当識障害の可能性を確認し、正しく理由を述べることができる。	2点 1点 0点	日時の見当識障害の可能性を確認し、正しく理由を述べることができる 日時の見当識障害の可能性を確認できるが、正しく理由を述べることができない 日時の見当識障害の可能性を確認できない
⑪注意障害の可能性を確認し、正しく理由を述べることができる。	2点 1点 0点	注意障害の可能性を確認し、正しく理由を述べることができる 注意障害の可能性を確認できるが、正しく理由を述べることができない 注意障害の可能性を確認できない
⑫半側空間無視の可能性を確認し、正しく理由を述べることができる。	2点 1点 0点	半側空間無視の可能性を確認し、正しく理由を述べることができる 半側空間無視の可能性を確認できるが、正しく理由を述べることができない 半側空間無視の可能性を確認できない
⑬記憶障害の可能性を確認し、正しく理由を述べることができる（書字について指示された3つの事項を記憶できていたか）。	2点 1点 0点	記憶障害の可能性を確認し、正しく理由を述べることができる 記憶障害の可能性を確認できるが、正しく理由を述べることができない 記憶障害の可能性を確認できない
⑭失行の可能性を確認し、正しく理由を述べることができる。	2点 1点 0点	失行の可能性を確認し、正しく理由を述べることができる 失行の可能性を確認できるが、正しく理由を述べることができない 失行の可能性を確認できない

OSCE 担当者確認事項

環境設定

・評価用紙、鉛筆、セロハンテープ（両面テープ）は、評価で使用する机と別の場所に置く。

採点者と模擬患者

・あらかじめ症例の設定を決めておく。
・病態失認、見当識障害、注意障害、半側空間無視、記憶障害、失行について、症状の有無、観察されるタイミング、現象について準備する。

模擬患者

・課題開始時は机の前に車椅子座位で待機する。体幹が回旋した姿勢の座位とする。回旋の程度は設定に合わせて変更させる（図6）。
・座位姿勢の修正は自己にて困難な設定とする。
・足底は接地し、上肢は安全な肢位にする。

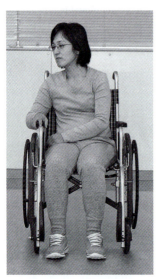

図6 模擬患者の開始姿勢

引用文献

1) 山鳥　重 他，編：高次脳機能障害マエストロシリーズ①基礎知識のエッセンス．p72-73，医歯薬出版，2007.
2) 立神粧子：前頭葉機能不全その先の戦略　Rusk 通院プログラムと神経心理ピラミッド．p59，医学書院，2010.
3) 石合純夫：高次脳機能障害　第2版．p174-178，医歯薬出版，2012.
4) 矢谷令子 監（岩崎テル子 他，編）：標準作業療法学 専門分野 作業療法評価学．p46-64，209-234，医学書院，2005.
5) 田川皓一 編：神経心理学評価ハンドブック．p19-27，89-110，129-140，西村書店，2004.
6) 鈴木孝治 編：作業療法学 ゴールド・マスター・テキスト 高次脳機能障害作業療法学　改訂第2版．p43-48，メジカルビュー社，2016.
7) Bisiach E, Vallar G, Perani D, et al：Unawareness of disease following lesions of the right hemisphere：anosognosia for hemianopia. Neuropsychologia 24：471-472, 1986.

参考文献

1) 鈴木孝治 他，編：高次脳機能障害マエストロシリーズ③リハビリテーション評価．p19-28，62-68，医歯薬出版，2006.
2) 澤　俊二，鈴木孝治 編：作業療法評価のエッセンス．p2-16，医歯薬出版，2010.
3) 社団法人日本作業療法士協会 監（渕　雅子 他，編）：作業療法学全書 第8巻 作業療法学5 高次脳機能障害．p53-75，協同医書出版社，2011.

3 脈拍と血圧の測定

1 脈拍と血圧の測定とは

　バイタルサインとは，脈拍，血圧，体温，呼吸など生命維持に関する身体の指標を指す。本項では，そのうち脈拍および血圧測定を取り上げる。

2 バイタルサインの測定

A. 目　的

　バイタルサインの測定は，リハビリテーションを開始する前に確認すべき事柄である。観察および測定の結果，体調不良である場合は，その日のリハビリテーションの実施は中止，もしくは慎重に行うことになる。

B. 原　則

　リハビリテーション開始前はバイタルサインの測定を行うことを原則とし，開始後も運動の負荷量に合わせ適宜測定する。

　脈拍と血圧の測定に先立ち問診を行うことが重要で，合わせて患者の体調を確認する。

C. 環境・肢位

　血圧測定は血管音聴取のため，できるだけ静かな場所で行い，肢位はマンシェットを巻く位置が心臓と同じ高さとなるようにする。

D. 判定基準

　脈拍と血圧の測定結果の判断は，以下に示す「リハビリテーションの中止基準（日本リハビリテーション医学会診療ガイドライン委員会による）」[1] に準拠し決定する。下記 1) および 2) の場合，必要に応じ速やかに医師に連絡する。

1) 積極的なリハビリテーションを実施しない場合
・安静時脈拍が 40 回/分以下または 120 回/分以上
・安静時収縮期血圧が 70 mmHg 以下または 200 mmHg 以上
・安静時拡張期血圧が 120 mmHg 以上
・労作時狭心症の患者
・心房細動のある方で著しい徐脈または頻脈がある場合
・心筋梗塞発症直後で循環動態が不良な場合
・著しい不整脈がある場合
・安静時胸痛がある場合
・リハビリテーション実施前にすでに動悸・息切れ・胸痛のある場合
・座位でめまい，冷や汗，嘔気などがある場合
・安静時体温が 38℃ 以上
・安静時酸素飽和度（SpO_2）が 90% 以下

2) 途中でリハビリテーションを中止する場合

- 中等度以上の呼吸困難，めまい，嘔気，狭心痛，頭痛，強い疲労感などが出現した場合
- 脈拍が 140 回/分を超えた場合
- 運動時収縮期血圧が 40 mmHg 以上，または拡張期血圧が 20 mmHg 以上上昇した場合
- 頻呼吸（30 回/分以上），息切れが出現した場合
- 運動により不整脈が増加した場合
- 徐脈が出現した場合
- 意識状態の悪化

3) いったんリハビリテーションを中止し，回復を待って再開する場合

- 脈拍数が運動前の 30% を超えた場合。ただし，2 分間の安静で 10% 以下に戻らないときは以後のリハビリテーションを中止するか，またはきわめて軽労作のものに切り替える。
- 脈拍が 120 回/分を超えた場合
- 1 分間に 10 回以上の期外収縮が出現した場合
- 軽い動悸，息切れが出現した場合

4) その他の注意が必要な場合

- 血尿の出現
- 喀痰量が増加している場合
- 体重が増加している場合
- 倦怠感がある場合
- 食欲不振時・空腹時
- 下肢の浮腫が増加している場合

3 脈拍測定

A. 脈拍とは

　脈拍は，心臓の収縮により血液が末梢血管に送り出されることによる血管の拡張と収縮が拍動として感じられるものである。脈拍測定は血管の状態や心臓機能を知るうえで簡単かつ重要なものである。

B. 測定部位

　触診部位は，動脈が皮膚の表面近くにあり，触知しやすい橈骨動脈が一般的であるが，触れにくい場合は，上腕動脈や総頸動脈など，触知しやすい場所で行う[2]。

C. 触診項目

1) 数[2]

　成人では 60～85 回/分，乳幼児では 120 回/分前後が正常値である。100 回/分以上を頻脈，60 回/分未満を徐脈という。

2) リズム[2,3]

　洞調律が不整になると，リズムが乱れる。不整脈が認められたら，他のバイタルサインも確認したうえで，必要に応じて医師に報告する。

　呼吸性不整脈とは，胸腔内圧の変化により吸気時に脈拍が増加し，呼気時に減少するもので，生理的現象であることが多い。

3) 脈拍の左右差，上下肢差[4]

　動脈硬化が強い場合や大動脈炎症候群などにより，病側の動脈に閉塞，狭窄があると脈が弱く，触れにくくなる。

4) 大きさ[2,3]

拍動の振幅の大きさで判断する。

大脈：大動脈弁閉鎖不全症，甲状腺機能亢進症など
小脈：大動脈弁狭窄症
交互脈：大脈と小脈が交互に出現する。高血圧性心疾患など
奇脈：吸気時に小脈となる。心タンポナーデなど

4 血圧測定

血圧測定は，観血的にカテーテルを挿入する直接法と上腕などの身体部位にカフを巻き，その加圧圧力の加減により測定する間接法があり，臨床では間接法が一般的である[5]。

A. 非観血的血圧測定装置の種類

間接法として用いる非観血的血圧測定装置のうち医療現場で使用機会の多いものを示す。ナイロン製の洗濯可能なマンシェット外布を選択すれば，消毒液での清拭も容易である。

1) 手動血圧計

手動血圧計の代表的なものには，水銀血圧計およびアネロイド型血圧計があり，聴診によりコロトコフ音を聴取する測定器である。従来，病院など医療機関では卓上型水銀血圧計（図1）が汎用されてきたが，2013年の「水銀に関する水俣条約」採択により2020年以降製造禁止予定であり，その使用は減少している[6]。水銀血圧計を使用する場合，水銀コックレバーの開閉を行うのが取り扱い時の注意となる。

アネロイド型血圧計（図2）は加圧変化を圧力計の針で示す構造で，精度調整のため適宜補正点検の必要がある[7,8]。その他，聴診法にて血圧を測定する手動式電子血圧計（図3）がある。

2) 自動血圧計

自動血圧計は，マンシェットにマイクロホンを内蔵し脈波の振動により自動的に血圧測定を行うオシロメトリック法による測定装置である。近年，家庭で用いやすいよう手首式，上腕式の自動血圧計（図4）が普及してきた。脈拍が微弱あるいは不整脈が頻発する場合には適さない[8]。

3) 医用電子血圧計

病院向けには医用電子血圧計（図5）がある。医用電子血圧計は脈拍が微弱あるいは不整脈が頻発する場合でも聴診モードなどにより血圧測定が可能である。原理はオシロメトリック法を採用しているが，聴診モードではコロトコフ法を採用している。特定保守管理医療機器であり，定期的な保守点検が必要である[9]。

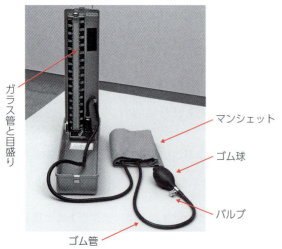
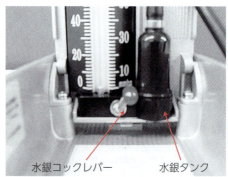

図1　卓上型水銀血圧計と各部の名称

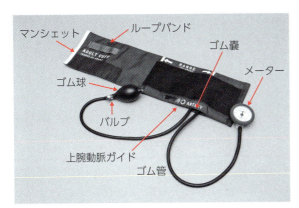

図2 アネロイド型血圧計と各部の名称

図3 手動式電子血圧計
加圧により聴診法にて血圧を測定でき，脈拍はオシロメトリック法にて算出する。

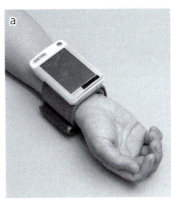
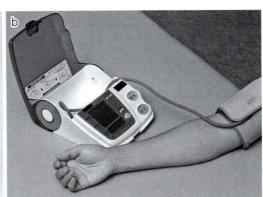

図4 自動血圧計
a：手首式，b：上腕式

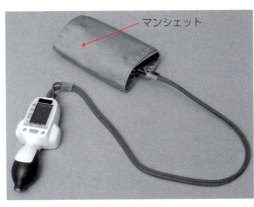
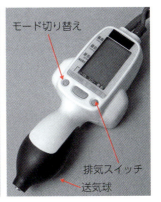

図5 医用電子血圧計と各部の名称

B. 血圧測定法

1) コロトコフ法（図1～3）

マンシェットで上腕部を圧迫し動脈を閉塞した後，カフを減圧していくと動脈がわずかに開いて血流が再開する。その時に発生する血管音をコロトコフ音といい，血管音の開始時を収縮期血圧，血管音が消えた時を拡張期血圧とする。

2) オシロメトリック法（図4，5）

マンシェットで上腕部を圧迫し動脈を閉塞した後，減圧する過程で血管壁に生じる振動（脈波）を用いて測定する。この振動を時相によるパターン解析から，収縮期血圧と拡張期血圧に近似した値を算出する[9]。

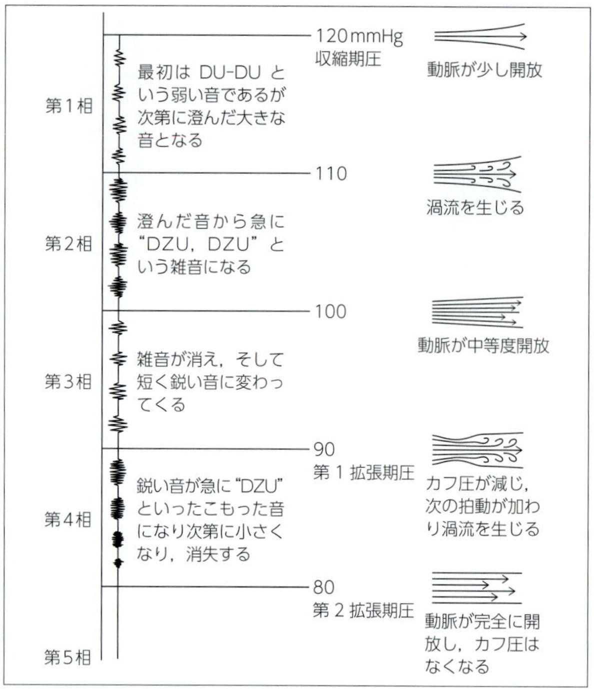

図6 血管内渦流とコロトコフ音の各相
(高階經和：血圧. 日野原重明 他：バイタルサイン そのとらえ方とケアへの生かし方, p55, 60, 医学書院, 1980. より改変)

C. コロトコフ法による血圧測定の原理[7] (図6)

　マンシェットを加圧し, ゴム嚢に空気が溜まり膨隆することにより血管が圧迫され, 血管内の血流が途絶する。マンシェットの減圧により血流が再開することで, 血管音が聴取できる。その際の血管音をコロトコフ音という。

　コロトコフ音が聞こえ始めた点（スワンの第1点）が収縮期血圧であり, コロトコフ音が消失する点（スワンの第5点）が拡張期血圧である。患者によって血圧が0mmHgになるまでコロトコフ音が聞こえることがあり, この場合はコロトコフ音が急に小さくなる点（スワンの第4点）を拡張期血圧とする。

【参照】コロトコフ音の各相における変化

第1相：スワンの第1点から第2点	スワンの第1点：最初に音が聞こえる
第2相：スワンの第2点から第3点	第2点：収縮期雑音様に変化する
第3相：スワンの第3点から第4点	第3点：高調なはっきりした音になる
第4相：スワンの第4点から第5点	第4点：音が急に小さくなる
第5相：スワンの第5点以降	第5点：音が消失する

D. 正常値[2]

　健常者の血圧は常に一定しているものではない。姿勢など条件により変動し, 加齢とともに上昇する。女性は男性より5〜10mmHg低い。日本高血圧学会による『高血圧治療ガイドライン2019』では, 成人健常者の正常値を, 収縮期120mmHg未満かつ拡張期80mmHg未満（診察室血圧）と定めている。

E. 聴診法および触診法

医療現場では医用電子血圧計を用いることが多く、血管音の聴取なく測定できる。しかし、コロトコフ法の原理を理解するためには、聴診法にて血管音を聴取するのが望ましい。

血管病変などを有する場合は、血管音を聴取しにくい。その場合、マンシェットより末梢部の血管を触診することで、収縮期血圧が測定できる[2]。触診法の場合の収縮期血圧は聴診法よりも7mmHg程度低い[10]。

5 手順のポイント

1）挨拶・自己紹介を行い、2つの識別子で患者の確認を行う
- 患者とのラポール（信頼関係）形成のため、挨拶、自己紹介を行う。
- 患者の取り違いを防止するため、氏名に加え生年月日もしくはIDなど、2つの識別子で確認する。

2）脈拍と血圧の測定を行う旨を患者に伝え了承を得る
- リハビリテーションの開始にあたり、脈拍および血圧測定の必要性を説明し、了承を得る。

3）体調を尋ね、脈拍と血圧の測定手順を説明する
- 問診によりその日の体調を聴取し、自覚症状の有無を確認する。
- 脈拍と血圧の測定手順を伝える。

4）座位姿勢を確認し、必要に応じて姿勢を修正する
- 安定し安楽な座位姿勢（図7）をとるように留意する。不良姿勢を呈している場合は、姿勢修正を行う。よくある不良姿勢には、仙骨座り、体幹の麻痺側への傾き（図8）、麻痺側体幹背部の後方への押しつけなどがある。

5）脈拍を測定する
- 非麻痺側の手首掌側面にて橈骨動脈を触診し、動脈の走行に沿って第2～4指のうち2あるいは3本の指腹を当てる（図9）。
- リズムが正常であれば、脈拍を30秒間測定し、その数を2倍することにより1分間あたりの脈拍数を算出する。リズムに注意し、不整があれば1分間測定する。
- 時間は秒針のある時計あるいはストップウォッチを用いて測定する。

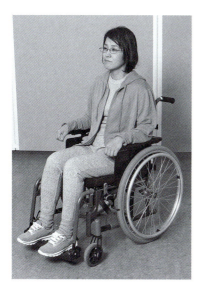

図7　安楽な車椅子座位姿勢

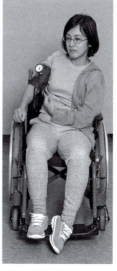

図8　不良な肢位
上体が麻痺側に傾き力が入っている。さらに上腕部のマンシェットを巻く位置が心臓よりも高い。

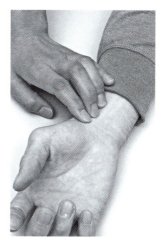

図9　橈骨動脈の触診

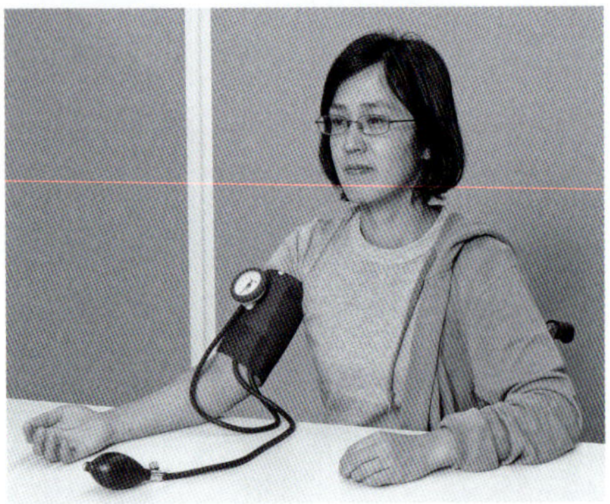

図10 血圧測定に適した部位と肢位の設定
姿勢を正して測定部位を心臓と同じ高さに挙上する。

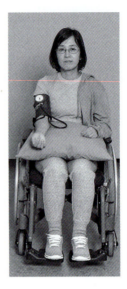
図11 上体の安定例
枕を用いて上体を安定させている。

- 橈骨動脈を触診しにくい場合，上腕動脈あるいは総頸動脈など，体表に触れやすい他の動脈で行ってもよい。

> **臨床のコツ**
> ◆ 動脈に指腹を当てる場合，IP関節を曲げると指尖が当たり触知しやすい。
> ◆ 意識レベルや認知機能が低下していると，自覚症状を把握することが難しく，疼痛の表出が困難な場合があるため，リハビリテーション実施中，適宜，脈拍を測定する。
> ◆ 患者にとって運動負荷量が大きい場合も，適宜，脈拍を測定する。
> ◆ 不整脈を触知した場合，呼吸運動を合わせて観察し，呼吸性不整脈の有無を確認する。

6）血圧測定のための準備を行う

- 着衣の布の厚みが2mmを超えると測定値に影響するといわれている。そのため厚手の長袖上衣を着用している場合，測定側のみ袖を外すか上衣を脱衣する。衣服の厚みが2mm以下の薄手であっても，測定部位より中枢部の締めつけは末梢血流を減弱させ測定値が不安定となりやすいため留意する[11]。

> **臨床のコツ**
> ◆ 長袖上衣を脱がせる場合，肩の疼痛に配慮し無理に引っ張らないようにする。

- 上腕動脈で測定する場合，位置が心臓と同じ高さになるようにマンシェットを巻く。机などに前腕を乗せて腕を挙上し，血管音を聴取しやすいよう肘関節を軽く伸展させ，前腕回外位とする（図10）。車椅子乗車時は，測定する前腕部をアームサポート上に乗せてもよい。
- 事前に，普段の血圧の値を聴取し，加圧の目安とする。

> **臨床のコツ**
> ◆ 座位が不安定な患者が車椅子に座る場合，大腿の上に枕を置き，その上に両上肢を乗せることで上肢と上体が安定する（図11）。
> ◆ リハビリテーション実施中に，座位から立位などの急な姿勢変換で起立性低血圧が予想される場合，血圧測定を実施する必要がある。また，患者にとって運動負荷量が大きい場合も，適宜，血圧を測定する。

図12 血圧計マンシェットのゴム嚢
ゴム嚢はゴム管の先の面ファスナー部分に内蔵されている。

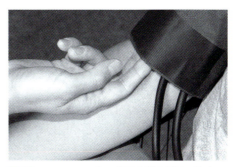
図13 マンシェットの位置と巻き付けの強さ
マンシェットの下端は肘窩の上2cmで，指が1～2本程度中に入る強さとする。

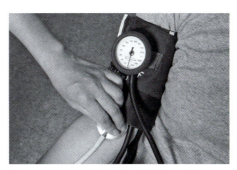
図14 マンシェットおよび聴診器の位置
マンシェットの下端は肘窩の上2cm，聴診器のチェストピースはマンシェットの下方で，上腕動脈に当てる。

7）血圧を測定する
a．アネロイド型血圧計（図2）を用いた聴診法
①マンシェットを巻く
- マンシェットは非麻痺側上腕に巻き，マンシェットの下端が肘窩の上2cmにくるようにし，内蔵されているゴム嚢（図12）が上腕動脈にかかるように巻きつける（図13）。上腕動脈は上腕二頭筋内側の深部を走行する。上腕動脈部に合わせるガイドがマンシェットにあれば参照する。
- マンシェットを巻く強さは，指が1～2本中に入る程度とする（図13）。
- ゴム管は上下どちらにきても構わないが，雑音を抑止するため，聴診器にかからないようにする（図14）。

> **臨床のコツ**
> ◆麻痺側は感覚障害を伴うことが多く，末梢循環動態が不良な場合も多いため，できるだけ非麻痺側で測定する。
> ◆人工透析患者で前腕部にシャント造設してある場合は，反対側の上肢で血圧測定を行う。
> ◆点滴挿入部位では，血管への侵襲を考慮し実施しない。
> ◆リンパ浮腫，血管炎がみられる部位では，局所循環不全への配慮より，できるだけ実施しない方が望ましい。
> ◆意識レベルや認知機能が低下していると，自覚症状を把握することが難しく，疼痛の表出が困難な場合があるため，血圧測定に際しては十分な配慮が必要である。
> ◆マンシェットは巻き方が緩いと必要以上に膨らみ，血圧値が不正確になりやすく，上腕を強く締めつけ疼痛の原因になるので注意する。
> ◆マンシェットを巻く際，面ファスナーで患者の衣類繊維を引っかけないよう留意する。
> ◆患者が小柄な場合は，できるだけマンシェットの幅を狭いものに変更する。

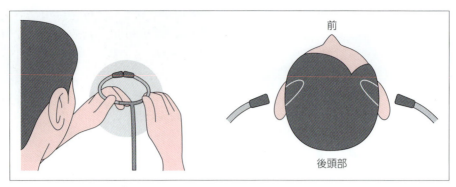

図15 聴診器のイヤーピースの向き
聴診器の耳管を持ちイヤーピースをハの字になるようにして耳孔に沿うように装着すると音を聴取できる。

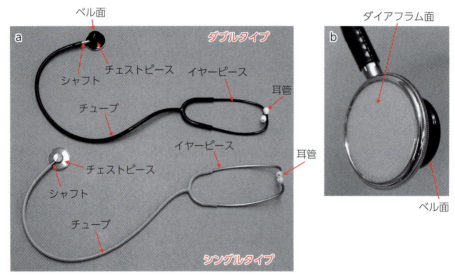

図16 聴診器の種類と各部の名称
a：ダブルチェストピース（上）とシングルチェストピース（下）
b：ダブルチェストピースにはダイアフラム面とベル面があり，前者は血管音や呼吸音など，後者は心音の聴取に優れている。

②アネロイド型血圧計のメーターを取り付ける
・メーターに目線が合わせやすいようメーター背面のクリップをマンシェットのループバンドあるいは上端に取り付ける。取り付けにくい場合は机の上に乗せてもよい。

③聴診器で血管音を聴取する
・聴診器は耳管がハの字になるように持ち，イヤーピースを耳孔に沿うように装着する（図15）。シャフト（図16a）の向きによっては音が聴取できないので確認しておく。チェストピースのダイアフラム面を上腕動脈に当て血管音を聴取する（図14）。体表の血管を触診しやすい箇所で聴取する。上腕動脈の場合，肘窩部の上方で上腕二頭筋内側にて触診しやすい。
・聴診器のチェストピースはダブル，シングルどちらでもよいが，チェストピースがマンシェットのゴム嚢にかかるほど中に入れるのは好ましくない。また，雑音を拾わないようゴム管が聴診器のチェストピースに当たらないよう注意する。

④血圧計を加圧・減圧する
・バルブが閉まっているのを確認し，ゴム球を押して加圧する（図2）。バルブの閉まりが硬い場合はあらかじめ両手で扱い，空気が漏れない程度に少し緩めておく。加圧の程度は普段の収縮期血圧値を参考にするが，不明の場合は聴診しながら聴診音が聞こえなくなったときの値に20～30 mmHgを加えた値まで，速やかに加圧する。

・その後はバルブを緩め少しずつ空気を抜き，1秒間に2〜4mmHg程度で減圧していく。コロトコフ音が聞こえ始めた点（スワンの第1点）が収縮期血圧であり，コロトコフ音が消失する点（スワンの第5点）が拡張期血圧である。この2点のあたりでは1秒間に2〜4mmHg程度でゆっくり減圧し値を収得する。患者により血圧が0mmHgになるまでコロトコフ音が聞こえることがあり，この場合はコロトコフ音が急に小さくなる点（スワンの第4点）を拡張期血圧とする（図6）。

・マンシェットの加圧と減圧はできるだけ速やかに行い，患者の上腕への圧迫が長時間に及ばないよう気をつける。

・減圧の際，スワンの第1点と第4点の周辺はゆっくりと行い，その途中はできるだけ速く行うとよい。

・測定がうまく実施できなかった場合，マンシェットを外し中の空気を抜き，少し時間を置いてから再測定を行う。

・減圧開始直後に加圧が十分でないと判断した場合，加圧を追加してもよいが，できるだけスムーズに行う。

臨床のコツ

◆必要以上の加圧を避けるため，普段の血圧値を聴取することは重要である。

◆上腕動脈が聴診しにくい場合，手首部で橈骨動脈あるいは尺骨動脈を触診し血圧測定を行う場合がある（触診法）。その場合，マンシェットをいったん加圧後に減圧し，初めて脈が確認できた点を収縮期血圧とする。

◆自動血圧計は脈波を感知して値を算出する特性から不整脈を捉えにくい。不整脈がある場合は，ノーマルモードで不整脈に対応できる医用電子血圧計（図5）を用いるか，聴診モードに切り替えてコロトコフ音を聴取し測定する。

◆医用電子血圧計で過度な加圧により患者が痛みを訴えた場合は，排気スイッチ（図5）を押し，速やかに減圧する。

⑤値を読み取る

・メーターは目盛りが読み取りやすい高さと向きにする。測定値の末尾の数字の読み方は，偶数値読み（2mmHg単位）とし，中間値を示す場合は低い値をとる[12]。

b. 医用電子血圧計（図5）を用いた聴診法

①マンシェットを巻く

・マンシェットは非麻痺側上腕に巻き，マンシェットの下端が肘窩の上2cmにくるようにし，内蔵されているゴム嚢（図12）が上腕動脈にかかるように巻きつける（図13）。上腕動脈は上腕二頭筋内側の深部を走行する。上腕動脈部に合わせるガイドがマンシェットにあれば参照する。

・マンシェットを巻く強さは，指が1〜2本中に入る程度とする（図13）。

・ゴム管は上下どちらにきても構わないが，雑音を抑止するため，聴診器にかからないようにする（図14）。

臨床のコツ

◆p147の「臨床のコツ」参照。

②医用電子血圧計の電源スイッチを入れる

・一般的にはノーマルモードを選択する。聴診器を用いなくても収縮期血圧および拡張期血圧の値はパネルに表示される。ノーマルモードの場合の加圧の目安は，橈骨動脈などを触診し脈が触れなくなったときの値から20〜30mmHg加えた値である。

・脈拍が微弱あるいは不整脈が頻発する場合，聴診モードを選択する。

③聴診器で血管音を聴取する

・聴診器は耳管がハの字になるように持ち，イヤーピースを耳孔に沿うように装着する（図15）。シャフト（図16a）の向きによっては音が聴取できないので確認しておく。チェストピースのダイアフラ

ム面を上腕動脈に当て血管音を聴取する（図14）。体表の血管を触診しやすい箇所で聴取しやすい。上腕動脈の場合，肘窩部の上方で上腕二頭筋内側にて触診しやすい。

・聴診器のチェストピースはダブル，シングルどちらでもよいが，チェストピースがマンシェットのゴム嚢にかかるほど中に入れるのは好ましくない。また，雑音を拾わないようゴム管が聴診器のチェストピースに当たらないよう注意する。

④血圧計を加圧・減圧する

・表示パネルを見ながら片手でゴム球を押す。普段の収縮期血圧値を参照するが，不明の場合は聴診音が聞こえなくなったときの値に20～30 mmHgを加えた値まで速やかに加圧する。万が一，加圧し過ぎた場合，排気スイッチを押して排気する。

・その後，加圧を止めれば，少しずつ空気が抜け自然に減圧していく。コロトコフ音が聞こえ始めた点（収縮期血圧）と，コロトコフ音が消失する点（拡張期血圧）を確認する。

・測定がうまく実施できない場合は，マンシェットを外し中の空気を抜き，少し時間を置いてから再度測定を行う。

・減圧開始直後に加圧が十分でないと判断した場合，加圧を追加してもよいが，できるだけスムーズに行う。

⑤値を読み取る

8）衣服を元に戻し，器具の片づけを行う

・衣服を元に戻し，使用した器具を片づける。

9）患者に測定結果を伝える

・日本リハビリテーション医学会診療ガイドライン委員会の定めた「リハビリテーションの中止基準」[1]を参考に，測定した脈拍数とリズム不整の有無，収縮期血圧値および拡張期血圧値からリハビリテーション実施の可否を判断する。

・患者に結果をわかりやすく説明する。

10）患者に終了を伝える

OSCE課題　脈拍と血圧の測定

対応動画

設問

脳梗塞により左片麻痺を呈した患者です。リハビリテーション開始前，患者に体調を尋ねたうえで，脈拍を測定し，結果を患者に報告してください。時間の都合上，測定時間は15秒間とします。続いて，血圧を聴診法にて測定し結果を患者に報告してください。今回は心疾患など重篤な既往歴がないことは確認済みとします。制限時間は5分です。では，始めてください。

準備するもの

患者の体型に合った車椅子，枕，アネロイド型血圧計（なければ医用電子血圧計），聴診器（可能であれば二股聴診器を使用）（図17），ストップウォッチ，パルスオキシメーター，治療用ベッド，セラピーチェア

患者情報

疾患・障害	脳梗塞，片麻痺	疼　　痛	左肩
年齢・性別	不問	R O M	制限なし
障　害　側	左	感　　覚	表在・深部とも軽度鈍麻
発症後期間	1カ月	車椅子座位	安定
B R S	上肢：Ⅱ　手指：Ⅱ　下肢：Ⅲ	更　　衣	中等度介助
筋　緊　張	上腕二頭筋，手指屈筋，下肢伸筋群軽度亢進	理　　解	良好
		表　　出	良好

課題の目標

態度
1. 脈拍および血圧測定に備えた心がけができる（清潔かつ安全な身なり）。
2. 患者に脈拍および血圧測定を行う旨を説明し，了承を得ることができる。
3. 患者に不快な思いをさせない（話し方，表情，振る舞い）。

技能
1. 患者の安全に配慮しながら進めることができる。
2. 脈拍と血圧測定を適切な手順および方法で行うことができる。
3. わかりやすく簡潔に結果を伝えることができる。

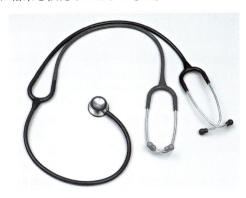

図17　二股聴診器

手　順

1. 挨拶・自己紹介を行い，2つの識別子で患者の確認を行う。
2. 脈拍と血圧の測定を行う旨を患者に伝え了承を得る。
3. 体調を尋ね，脈拍と血圧の測定手順を説明する。
4. 座位姿勢を確認し，必要に応じて姿勢を修正する。
   ・可能な限り体幹・骨盤直立位の安定した安楽姿勢とする。
5. 脈拍を測定する。
   ・非麻痺側の手首掌側面にて橈骨動脈を走行に沿って第2〜4指のうち2あるいは3本の指腹で触診し，脈拍を15秒間測定する。その数を4倍し，1分間あたりの脈拍数を算出する。リズムに注意し，不整があれば1分間測定する。
6. 血圧測定のための準備を行う。
   ・厚手の長袖上衣を着用している場合，袖を外すか上衣を脱衣する。
   ・上腕動脈で測定する場合，血管音を聴取しやすいように肘関節を軽く伸展させ，前腕回外位とする。
   ・マンシェットを巻く位置が心臓と同じ高さになるよう大腿の上に枕を置きその上に両上肢を乗せる。もしくは，車椅子のアームサポートに測定する上肢を乗せる。
   ・事前に普段の血圧の値を聴取し，加圧の目安とする。不明の場合は，収縮期血圧値に20〜30 mmHgを加えた値とする。
7. 血圧を測定する。
   ①マンシェットを巻く
   ・マンシェットは非麻痺側上腕に巻く。マンシェットの下端が肘窩の上2 cmにくるようにする。
   ・上腕動脈は上腕二頭筋内側を走行する。内蔵されているゴム囊が上腕動脈にかかり，かつ，ゴム管が聴診器にかからないように巻きつける。マンシェットに上腕動脈部に合わせるガイドがあれば参照する。
   ・マンシェットを巻く強さは，指が1〜2本中に入る程度とする。
   ②アネロイド型血圧計のメーター取り付け，あるいは医用電子血圧計のモードを調整する
   ・アネロイド型血圧計の場合，メーターに目線が合わせやすいようメーター背面のクリップをマンシェットのループバンドあるいはマンシェットの上端に取り付ける。
   ・医用電子血圧計で聴診モードがある場合は，聴診モードに設定しておく。
   ③聴診器（あれば二股聴診器）で血管音を聴取する
   ・聴診器は耳管がハの字になるように持ち，イヤーピースを耳孔に沿うように装着する。音が聞こえるかどうか，シャフトの向きを確認する。
   ・上腕動脈を触診し，聴診器のチェストピースのダイアフラム面を上腕動脈に当て血管音を聴取する。マンシェットのゴム囊が聴診器のチェストピースにかからないよう，ゴム管が聴診器のチェストピースに当たらないように注意する。
   ④血圧計を加圧・減圧する
   ・加圧は普段の収縮期血圧値を参考にし，聴診音が聞こえなくなったときの値に20〜30 mmHgを加えた値まで，速やかに加圧する。
   ・その後はバルブを緩め少しずつ空気を抜き，速やかに減圧していく。医用電子血圧計の場合，加圧を止めれば自然に減圧される。
   ・コロトコフ音が聞こえ始める点（スワンの第1点）が収縮期血圧であり，コロトコフ音が消失する点（スワンの第5点）が拡張期血圧である。この2点のあたりでは1秒間に2〜4 mmHg程度でゆっくり減圧する。
   ⑤値を読み取る
   ・アナログ表示の場合，測定値の末尾の数字の読み方は，偶数値読み（2 mmHg単位）とし，中間値を示す場合は低い値をとる。

8. 衣服を元に戻し，器具の片づけを行う。

・衣服を速やかに元に戻し，聴診器と血圧計などの使用器具を片づける。

9. 患者に測定結果を伝える。

・結果はわかりやすく説明し，リハビリテーション開始の可否を伝える。

・日本リハビリテーション医学会診療ガイドライン委員会の定めた「リハビリテーションの中止基準」[1]を参照し判断する。

10. 患者に終了を伝える。

採点基準

採点者は模擬患者に受験者の言動の適否を適宜確認して，以下の項目を採点してください。

1. 態度

①適切な身なりで明瞭な挨拶（開始時・終了時）・自己紹介ができる。	2点	適切な身なり，明瞭な挨拶（開始時・終了時）・自己紹介ができる
	1点	上記のうち1項目ができない
	0点	2項目以上できない
②2つの識別子で患者の確認ができる。	2点	2つの識別子で患者の確認ができる
	1点	1つの識別子で確認ができる
	0点	確認ができない
③脈拍および血圧の測定を行う旨を患者に伝え，了承を得ることができる。	2点	脈拍および血圧の測定を行う旨を正確に伝え，患者の了承を得ることができる
	1点	どちらか一方のみできる
	0点	どちらもできない
④課題全般を通して，患者の様子（表情・心情・姿勢・身体機能）や状況に応じた丁寧な対処（声かけ・触れ方・動かし方）ができる。	2点	課題全般を通して，患者の様子や状況に応じた丁寧な声かけ，触れ方，動かし方ができる
	1点	上記3項目のうち1項目ができない
	0点	2項目以上できない

2. 技能

①体調を尋ね，脈拍と血圧の測定の順番を伝えることができる。	2点	測定前にその日の体調を尋ね，測定の順番を正しく伝えることができる
	1点	どちらか一方のみできる
	0点	どちらも不十分
②第2～4指のうち2～3本の指腹で橈骨動脈を触診し，脈拍を測定できる。	2点	第2～4指のうち2～3本の指腹で橈骨動脈を触診し，脈拍を測定できる
	1点	どちらか一方のみできる
	0点	どちらもできない
③血圧測定に適した部位（非麻痺側上肢）を選択し，厚手の長袖上衣を脱衣あるいは測定側の袖を外すことができる。	2点	非麻痺側上肢を選択し，厚手の長袖上衣を脱がすか，測定側の袖のみ外すことができる（袖をまくり上げるが締めつけていない場合は可とする）
	1点	非麻痺側上肢を選択するが，厚手の長袖上衣の上から測定する
	0点	麻痺側上肢を選択する
	0点	袖を上にまくり上げ腕を強く締めつけてしまう
④肘関節を軽く伸展，前腕回外位にし，上腕部中央を心臓と同じ高さに設定できる。	2点	肘関節を軽く伸展，前腕回外位にし，上腕部中央を心臓と同じ高さに設定できる
	1点	どちらか一方のみできる
	0点	どちらもできない
⑤ゴム嚢が上腕動脈にかかり，肘窩の上2cmの場所にマンシェットの下端がくるように巻くことができる。	2点	ゴム嚢が上腕動脈にかかり，肘窩の上2cmの場所にマンシェットの下端がくるように巻くことができる
	1点	どちらか一方のみできる
	0点	どちらもできない
⑥マンシェットの巻く強さ（指が1～2本中に入る程度）が適切である。	2点	マンシェットを指が1～2本中に入る程度の強さに巻くことができる
	1点	測定中，マンシェットがずれることはないが緩い，あるいはきつい
	0点	測定中，マンシェットがずれるほどに巻き方が緩い
⑦上腕動脈を触診し，聴診器のチェストピースがマンシェットのゴム嚢にかからないよう上腕動脈上に置くことができる。	2点	上腕動脈を触診し，聴診器のチェストピースがマンシェットのゴム嚢にかからないよう上腕動脈上に置くことができる
	1点	どちらか一方のみできる
	0点	どちらもできない

⑧普段の値を参考にするか，収縮期血圧値あたりから20〜30 mmHg を加えた値まで速やかに加圧できる。	2点 1点 0点	普段の値を参考にするか，収縮期血圧値あたりから20〜30 mmHg を加えた値まで速やかに加圧する。 どちらか一方のみできる どちらもできない
⑨収縮期血圧，拡張期血圧のあたりではゆっくり，それ以外は速やかに減圧できる。	2点 1点 0点	収縮期血圧，拡張期血圧のあたりではゆっくり（1秒間に2〜4 mmHg 程度），それ以外は速やかに減圧できる 測定できるが，減圧の速度が不適切 減圧の速度が不適切で測定できない
⑩衣服を元に戻し，器具の片づけができる。	2点 1点 0点	衣服を元に戻し，すべての器具の片づけができる 一部行うことができない 何も行わない
⑪患者に測定結果およびリハビリテーション開始の可否を伝えることができる。	2点 1点 0点	患者に測定結果およびリハビリテーション開始の可否を伝えることができる どちらか一方のみできる どちらもできない
⑫測定した脈拍が正確である。	2点 1点 0点	脈拍が正確である 上下3〜5回/分程度の誤差がある 上下6回/分以上の誤差がある
⑬収縮期血圧，拡張期血圧が両方とも正確である（医用電子血圧計のノーマルモードの場合は除外）。	2点 1点 0点	収縮期血圧，拡張期血圧が両方とも正確である どちらか一方で上下6 mmHg 以上の誤差がある どちらも上下6 mmHg 以上の誤差がある

OSCE 担当者確認事項

環境設定 （図 18）

- 車椅子の右側に治療用ベッドがくるよう平行に配置する。
- 車椅子の前方にセラピーチェアを置く。
- 治療用ベッド上の患者近くに血圧計，二股聴診器，ストップウォッチ，枕を置いておく。
- 医用電子血圧計を用いる場合，聴診モードがあれば選択しておく。聴診モードがない場合は，ノーマルモードで実施する。

模擬患者

- 課題開始時は，両足をフットサポートから下ろして車椅子座位で待機する（図 18）。座位姿勢は踵を全面接地し，体幹・骨盤直立位の安定した安楽姿勢とする。
- 緩めの半袖上衣の上に，厚手（2 mm 以上）のゆったりした前開き長袖上衣を着用する。

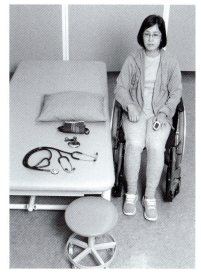

図18 模擬患者の開始姿勢と課題開始時の環境

> **採点者**

・患者の左手にパルスオキシメーターを装着し，数値が見えないようにしておく（図19）。脈拍測定後，採点者が外す。医用電子血圧計を用いノーマルモードで測定する場合は使用しない。
・血圧測定時に，採点者も二股聴診器のイヤーピースを装着し，聴診して受験者の測定結果の正確性を確認する。
・二股聴診器を用意できない場合は，開始前に模擬患者の血圧値を測定しておく。試験中も適宜測定し値を確認する。
・受験者が血圧測定を先に行おうとする場合，採点者は脈拍測定を先に行うよう促し，課題を再開する。

図19　パルスオキシメーターの加工

> **引用文献**

1) 日本リハビリテーション医学会診療ガイドライン委員会 編：リハビリテーション医療における安全管理・推進のためのガイドライン．p6，医歯薬出版，2006．
2) 松澤 正：理学療法評価学 第6版．p41-50，金原出版，2018．
3) 松岡 健 編：基本的臨床技能ヴィジュアルノート―OSCEなんてこわくない．p16-27，医学書院，2003．
4) 熊本大学医学部臨床実習入門コースワーキンググループ編集委員会 編：クリニカルクラークシップ・ナビゲータ　基本的臨床能力学習ガイド．p90-91，金原出版，2002．
5) 小泉俊三 編：レジデント臨床基本技能．p14-17，医学書院，1998．
6) 栃久保 修：血圧の測定法と臨床評価．p9-30，メディカルトリビューン，1990．
7) 高橋章子 編：エキスパートナースMOOK 17 最新・基本手技マニュアル．p104-108，照林社，2002．
8) 水銀血圧計の使用と水銀血圧計に代わる血圧計について
http://www.jpnsh.jp/topics/425.html　日本高血圧学会（2018.3.20 アクセス）
9) 高田正信，常田孝幸，島倉淳泰，他：オシロメトリック型自動血圧計の現状と課題．総合健診 42：36-44，2015．
10) 日本医学教育学会　臨床能力教育ワーキンググループ 編：基本的臨床技能の学び方・教え方．p52-54，南山堂，2002．
11) 水田文子：着衣や腕まくりがオシロメトリック式血圧計の測定値に与える影響．東北大歯誌 24：24-30，2005．
12) 日循協作成循環器疾患診断基準
http://www.jacd.info/method/index.html 社団法人日本循環器管理研究協議会（2014.6.25 アクセス）

4 呼吸パターンと動脈血酸素飽和度の評価

1 呼吸の評価とは

呼吸機能の評価には，フィジカルアセスメント（視診，触診，打診，聴診），呼吸機能評価（スパイロメトリー，フローボリューム曲線，呼吸筋力測定など），動脈血液ガス（動脈血液ガス分析，パルスオキシメーター），胸部X線評価，呼吸困難の評価（質問紙など），運動耐容能の評価（6分間歩行試験など），四肢筋力評価，ADL・QOLの評価，心理状態の評価など多数ある。療法士が実施できる評価と，各種検査結果を統合し評価を行うことが重要である。呼吸機能は肺疾患以外に，心疾患，中枢神経疾患などでも低下することも多い。本項では，療法士が行う基本的な評価の中でも，視診と触診による呼吸パターンの評価とパルスオキシメーターによる動脈血酸素飽和度の評価について解説する。

2 呼吸パターン

代表的な呼吸パターンを図1に[1]，異常呼吸の種類を表1に示す[1]。

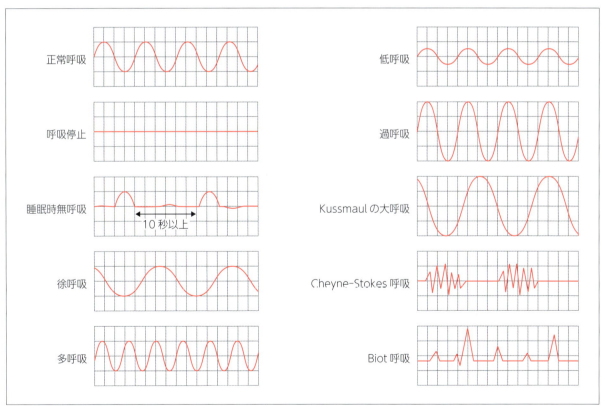

図1　代表的な異常呼吸のパターン
（日本臨床検査医学会ガイドライン作成委員会 編：臨床検査のガイドライン JSLM 2018．p170, 2018．より）

表1 異常呼吸の種類

分類	所見			主な原因
呼吸量の異常	呼吸回数の異常	減少	無呼吸	呼吸停止・睡眠時無呼吸症候群
			徐呼吸（9回/分以下）	
		増加	頻呼吸（25回/分以上）	
	一回換気量の異常	減少	低呼吸（低換気）	
		増加	過呼吸（過換気）	
呼吸リズムの異常	周期的な異常		Cheyne-Stokes呼吸	脳疾患・心不全・尿毒症・中毒・各疾患の末期
	不規則な異常		持続吸息性呼吸	中枢神経系の血管障害・腫瘍・炎症・損傷 （特に橋や延髄レベルの障害）
			群息呼吸	
			あえぎ呼吸（下顎呼吸）	
			失調性呼吸（Biot呼吸）	
その他	体位の異常		起坐呼吸	心不全・尿毒症

（日本臨床検査医学会ガイドライン作成委員会 編：臨床検査のガイドライン JSLM2018. p169, 2018. より）

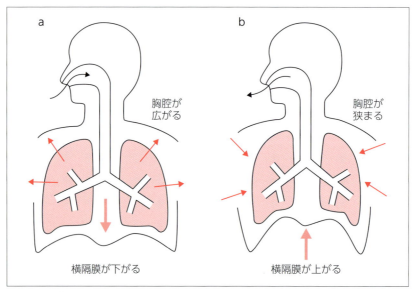

図2 横隔膜と胸腔の関係
a：吸気，b：呼気

3 呼吸運動（胸式呼吸・腹式呼吸）

　呼吸調節は，延髄を中心とする脳幹部で行われ，横隔膜や肋間筋に伝達し呼吸運動を引き起こす。呼吸中枢は2つの受容器からの入力情報を受け取る。ひとつは中枢と末梢の化学受容器であり，もうひとつは呼吸運動を感知する機械受容器である。さらに大脳皮質からの随意調節も加わり，調整されている。
　肺を取り囲む胸骨，肋骨，胸椎は胸郭を形成する。呼吸運動は胸郭の拡大・縮小と横隔膜の移動により行われる（図2）。この運動は主に肋間筋と横隔膜によって行われており，これらは呼吸筋と呼ばれ，吸気筋と呼気筋に分類される。吸気筋には，横隔膜，外肋間筋，内肋間筋前部がある。呼吸運動において最も重要な横隔膜は安静換気の70％を担う。横隔膜は胸腔に向かってドーム状に盛り上がり，その前部は第6肋骨の高さ，後部は第10肋骨の高さにある。吸気時はドームが平坦化し，腹腔方向にピストン運動することで胸腔内の陰圧を作る。その結果，肺の下縁は安静吸気時で約1〜2cm，深呼吸時には3〜5cm，上下に移動する。
　また，肋骨は胸椎を軸にして上下運動を行う。外肋間筋は下位の肋骨を引き上げるように働く。肋骨が外肋間筋により引き上げられると，左右の肋骨が広がりながら持ち上がり，胸郭の左右径と前後径が

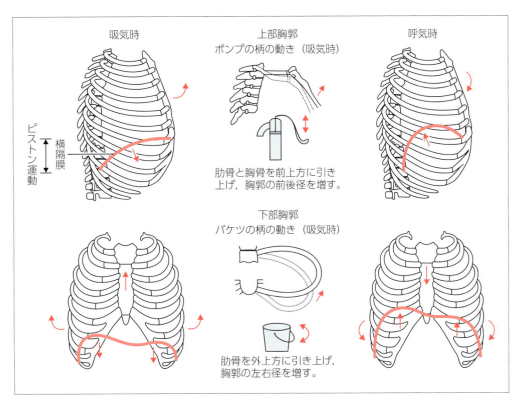

図3 胸郭の動き
(佐野正明，佐藤一洋：正常な呼吸のメカニズム．動画でわかる呼吸リハビリテーション第4版（高橋仁美，宮川哲夫，塩谷隆信 編）．p43，中山書店，2016．より）

大きくなる。それにより胸郭が広がり，吸気を行う。

　肋骨の移動による呼吸を胸式呼吸，横隔膜による呼吸を腹式（横隔膜）呼吸と呼ぶ。安静時は腹式呼吸が主体である。

　このほかに，深吸気時には吸気補助筋である胸鎖乳突筋，前・中・後斜角筋，大胸筋，前鋸筋などが収縮し，肋骨を挙上させ，僧帽筋，肩甲挙筋が鎖骨や肩甲骨を挙上させ胸郭の拡張を補助する。上部胸郭の動きはポンプの柄の動きに似ており，下部胸郭はバケツの柄の動きに似ている（図3）。

4 努力性呼吸

　安静時（図4）に働く主な呼吸筋（横隔膜，肋間筋）以外の，呼吸補助筋を総動員しなければならないような呼吸を「努力性呼吸」という。努力性の吸気時には，鼻翼の広がりや吸気補助筋（胸鎖乳突筋，斜角筋，僧帽筋など）の収縮が観察される（図5）。ときには僧帽筋の動きで肩が上下し，顎を突き出すような呼吸（下顎呼吸）も観察される。呼気努力時（図6）には，腹直筋や腹横筋が呼気時に収縮するため体幹前傾や骨盤後傾位となる。

5 口すぼめ呼吸

　口すぼめ呼吸では，吸気は鼻から吸い，呼気は口唇をすぼめて口腔内圧を高い状態にしたままゆっくりと持続的に行うことにより気道内圧を高め，中枢気道から末梢気道までを開存させる状態にすることで，気道虚脱を防ぎながら呼吸を行う（図7）。口すぼめ呼吸により気道の虚脱を防ぎ，呼気が十分に行えるようになると次の吸気は増え，換気量が増大する。特に口すぼめ呼吸は慢性閉塞性肺疾患（chronic obstructive pulmonary disease：COPD）など，気道虚脱を生じやすい閉塞性換気障害の患者に指導される。横隔膜の仕事量を軽減し，呼吸困難を軽減するほかにも多くの効果が認められている[2]。患者自

図4 通常の吸気　図5 努力性の吸気　図6 努力性の呼気

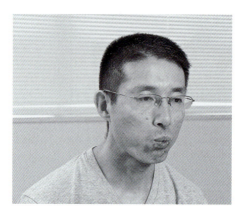
図7 口すぼめ呼吸による呼出

身が呼吸困難を解消する手段として自己流で自然に口すぼめ呼吸を体得し，実施していることもあるが，口すぼめ呼吸の原理とともに正しく指導することが大切である。拘束性換気障害で，浅く速い呼吸をしている患者などにも適応がある。

6 呼吸数

　　呼吸数とは単位時間あたりの呼吸の数であり，吸う息と吐く息を合わせて1回と数える。目視や聴診器，心電図で判断する方法もある。測定時の年齢・状態・姿勢・情動・疾患・薬物などの影響を受けるため安静時に事前に確認する。成人の正常の呼吸数は，10～20回/分である。平均的な1回換気量は成人で450～500 mLである。25回/分以上を頻呼吸，9回/分以下を徐呼吸と呼ぶ。深く大きい呼吸を深呼吸，浅い呼吸を浅呼吸と呼ぶ。

　　健常者の呼吸は，数・深さ・リズムを評価する。吸気と呼気の比は1：2で，吸気終末にポーズ（休止期）がある。呼気の延長は喘息やCOPDでみられ，吸気の延長は中枢側の気道狭窄で生じるため，鎖骨上や下部肋骨，剣状突起下方が陥凹するのを観察できる。

　　現在，呼吸数の数え方に関する国際基準や定義はなく，単位時間あたりの呼吸数の測定において，最初の1回と最後の1回を測定数に入れるか，もしくは切り捨てた回数を採用するかなど議論を残す。また1分間あたりの呼吸数において15秒間の呼吸数を4倍，30秒間の呼吸数を2倍するなどの方法も臨床でみかけることがあるが，正確性の検証も明確に行われていない。

　　本項における呼吸数の数え方は，以下の通りとする。
1：「吸気から開始して呼気まで」で，1回の呼吸とする。
2：「吸気と呼気の途中」などの呼吸の途中で測定開始や測定終了した場合，切り捨てとする。

例1）30秒経過時に10回目の吸気の途中であった場合は「9回」とカウントする。

例2）測定開始時に呼気の途中であった場合は，次の吸気の開始から1回目のカウント開始とする。

7 パルスオキシメーターの測定

A. パルスオキシメーターの原理

「経皮的動脈血酸素飽和度（oxygen saturation of arterial blood measured by pulse oximeter：SpO_2）は，「パルスオキシメーターによって測定した経皮的酸素飽和度」を指す。「パルスオキシメーター」の原理は，還元ヘモグロビンが赤色光を，酸化ヘモグロビンが赤外光を多く吸収することを利用して経皮的に動脈血酸素飽和度（saturation of arterial blood oxygen：SaO_2）を測定する。プローブを指先や耳たぶにつけ，2種類の光を当て透過した光の強度から酸化ヘモグロビンと還元ヘモグロビンの比率を求める。類似する呼吸機能検査用語に前述の動脈血酸素飽和度（以下SaO_2）があるが，これは「動脈血の酸素飽和度」を指し，血液ガス分析などで検査された結果を示す。経皮的ではない点はSpO_2と区別が必要である。

SpO_2は患者によっては年齢や循環動態，爪の着色や形などの諸条件によって低くなることもあるので，状態安定時の数値を知っておく。普段より低い数値の場合には指を変えて測定する。状態安定時よりも3〜5％以上低いか，または，90％を下回る場合は速やかにかかりつけ医に報告する。

測定精度は次の4項目，①体動によるプローブ装着部のずれ，②末梢循環不全，③不整脈，④パルスオキシメーターの発光ダイオード劣化や測定精度表示のない安価な機器などによって影響される。

B. プローブの選択

プローブは，患者の装着部位に合わせて，サイズや形状が設計されている。

患者の体重，装着部位，体動の有無・強弱，連続装着時間などに応じて，適切なプローブを選択する。

C. プローブの分類

1）リユーザブルタイプ

清掃，消毒時に便利な防滴構造となっているものが多いが，体動の影響を受けやすく，圧迫がやや強いため，スポット測定や短時間での使用に向いている。臨床場面での使用頻度が多い。

2）ディスポーザブルタイプ

半日以上の連続モニタリングをする場合や体動がある場合は，圧迫が少なく，体動の影響を受けにくいディスポーザブルタイプを使用する。

弱い装着圧や少ないLEDの発熱でも，長時間同じ状態が維持されると，皮膚障害を引き起こすことがある。皮膚障害を予防するためには，定期的なプローブ装着部の観察と，装着部位の変更が重要である。

また，下記のような患者の場合，特に皮膚がデリケートであったり，疼痛を訴えられない場合があるため，装着部位の観察，変更はより短時間で行うようにする。

・高熱を伴う患者

・新生児，（超）低出生体重児，高齢者

・意識のない患者（麻酔中含む）

・末梢循環不全を生じている患者

・測定部周辺に炎症や傷のある患者

D. 環境・肢位

測定部は最大限露出する。そのため，室温やプライバシーに十分配慮する必要がある。

詳細は「臨床のコツ」（p166）を参照。

E. 注意すべき点

姿勢を変化させた後などは，息切れを生じていないか，少し落ち着いてから呼吸の状態を評価する。患者に通常の安静呼吸を行わせ，落ち着いてから呼吸数，呼吸運動，努力性呼吸の有無を確認する。

F. 正確性に影響する因子

1）装着状態

光を用いて検出する信号レベルは非常に小さいため，装着部位の厚みや装着状態が非常に重要なポイントとなる。

図8のようにフィンガープローブ（クリップ式）が抜ける方向にずらすと，動脈血酸素飽和度（SpO_2）が低下する現象がみられる。このような状態では，一部，指を通らずに受光部に到達する光が生じる「光学的シャント」が起きている。プローブの大きさに比して指の小さい新生児や乳幼児でもよくみられる現象で，注意が必要である（図8）。

2）患者の状態

測定しにくい場合や測定困難が予測される場合（循環障害，片麻痺者，透析患者など）においては，測定された値の信頼性を疑うことは重要である。また脈拍も同時に測定できるが，不整脈などが原因で酸素飽和度を測定できないこともあるため，橈骨動脈触知による脈拍測定と，パルスオキシメーターの表示する脈拍数がおおよそ合っているかを判断したのちに評価するとよい。

循環障害などのほかに，血管障害，爪の変形，マニキュアなどの着色も正確性に影響を与える（図9）。パルスオキシメーターが正確に血流の有無や心拍を確認しているどうかは，画面に心拍の拍動状態がタイムリーに表示される。パルスオキシメーターの画面表示を確認し，数値変動が落ち着いた状態であればパルスオキシメーターが動脈血酸素飽和度と心拍を測定できる状態であると判断できる（図10）。

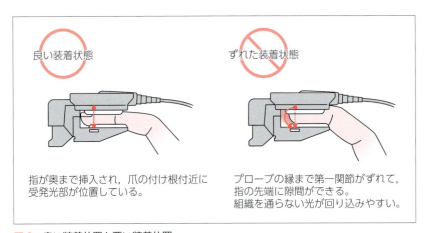

図8　良い装着位置と悪い装着位置
日本光電ホームページ（http://www.nihonkohden.co.jp/iryo/point/spo2point/point.html）より改変

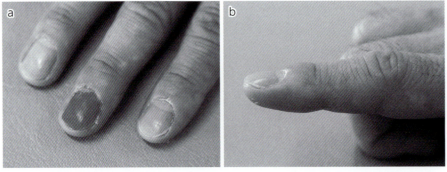

図9　爪の着色（a）や変形（b）

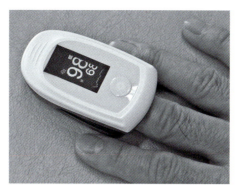

図10 パルスオキシメーターの画面表示例

3) パルスオキシメーターの測定結果の遅延

パルスオキシメーターは身体での装着位置により，酸素飽和度の測定結果に遅延が生じる。肺にて酸素を受け取ったヘモグロビンは，指先では装着して約30秒経過後に正確な測定が可能となる。つまり体内の酸素飽和度が低下し始めても，パルスオキシメーターが酸素飽和度の低下を感知できるのは，手指ではおおよそ15～20秒程度経過してからである。しかし，正確な遅延時間に関する定義はなく使用機器により時間差が生じると考えた方がよい。また，足先で測定する場合は，さらに遅延が生じる可能性がある。

機器や諸々の報告では時間差が異なるため，本項においては「パルスオキシメーターは約30秒前の患者の状態を示す」と考える。

G. SpO_2 の正常値

動脈血酸素飽和度（SaO_2）の正常値は，96～99％であり，これはパルスオキシメーターで経皮的に測定した SpO_2 の値とほぼ同一である。SpO_2 が90％未満は，「呼吸不全の定義」のひとつにあてはまる状態である。パルスオキシメーターの画面には SpO_2，脈拍数，さらに脈圧変化が表示される機器もある。

H. 記　録

記録方法の1例を以下に示す。

記録方法の例：
 1）測定肢位　　　：座位
 2）安静時呼吸数：26回/分
 3）呼吸パターン：頻呼吸
 4）呼吸運動　　　：胸式呼吸
 5）努力性吸気　：あり（肩の挙上，吸気補助筋の収縮あり）
 6）努力性呼気　：あり（体幹の前傾や腹部筋群の過剰な収縮）
 7）酸素飽和度　：安静時94％
　　脈拍　　　　　　：安静時60回/分

I. COPD 重症度分類

COPDは，慢性気管支炎，肺気腫，または両者の併発により引き起こされる閉塞性換気障害を特徴とする疾患である。

COPDの病期分類は，呼吸機能検査での1秒率（1秒率＝1秒量/努力性肺活量）が70％未満であることを条件とし，かつ％1秒量の程度によって分類している（表2）。

表2　COPD 重症度分類

0期(リスクを有する状態)	咳，喀痰などの慢性症状があるが，スパイロ検査の値は正常
Ⅰ期（軽症 COPD）	$FEV_1/FVC<70\%$ $FEV_1≧80\%$予測値 咳が多く，痰も出る。速足で歩くと，軽い息切れを起こす。
Ⅱ期（中等症 COPD）	$FEV_1/FVC<70\%$ $50\%≦FEV_1<80\%$予測値 咳や痰が多くなり，息切れがよく起こる。かぜが治りにくい。
Ⅲ期（重症 COPD）	$FEV_1/FVC<70\%$ $30\%≦FEV_1<50\%$予測値 咳や痰が多くなり，息切れがよく起こる。感染症が治りにくくなる。
Ⅳ期（最重症 COPD）	$FEV_1/FVC<70\%$ $FEV_1<30\%$予測値，または $FEV_1<50\%$予測値で慢性呼吸不全か右心不全を合併 咳，痰がたくさん出る。日常生活に大きな支障をきたすほどの息切れ，疲れやすさを感じる。

（日本呼吸器学会 編：COPD（慢性閉塞性肺疾患）診断と治療のためのガイドライン 第5版．p50，メディカルレビュー社，2018.を参考に作成）

8 手順のポイント

　本項では，胸式呼吸または腹式呼吸の判別，努力性呼吸の有無，呼吸数，SpO_2，脈拍数の測定について説明する。

1) 挨拶・自己紹介を行い，2つの識別子で患者の確認を行う

・患者とのラポール（信頼関係）形成のため，挨拶，自己紹介を行う。

・患者の取り違いを防止するため，氏名に加え生年月日もしくはID など，2つの識別子で確認する。

2) 呼吸の仕方，呼吸数と動脈血酸素飽和度を測定する旨を患者に伝え了承を得る

・評価では，視診や触診など，患者を観察し直接触れるため，患者に不快感を与えることもある。触診の際は患者の頸部や胸郭周辺に手掌を触れることから，しっかりと説明を行い，患者が理解したことを確認することと共に安心感を与える配慮が必要である。

3) 呼吸困難を生じさせないように安楽な座位を保持してもらう

・安楽であるが，崩れ過ぎず骨盤や体幹が過剰に前傾や後傾しないような座位姿勢を取ってもらう（図11）。

・呼吸困難がある患者では，その苦痛を軽減するための体動により，いつのまにか本人の姿勢が崩れて，体幹前傾や骨盤の後傾となりやすい（図12a）。崩れた姿勢は腹部臓器により横隔膜の下方移動を制限することもあり，かえって呼吸困難感を増悪させることもある。しかし，無理に「良姿勢」を指示すると，患者はそれに従うことに一生懸命になり，言われるがまま「無理な努力」をして，体幹筋などに過剰な収縮が入り，かえって努力性呼吸になりかねない（図12b, c）。

4) 座位での呼吸運動の評価について説明する

・座位で通常の安静呼吸をした時の呼吸運動を確認する際，療法士の手を胸部と腹部に軽く置くことを説明する。

5) 安静時呼吸を視診・触診で評価する

・一方の手掌を前胸部の胸骨周辺と第2〜4肋骨の高さに軽く置き，もう一方の手掌は胸骨剣状突起下端の横隔膜周囲に置き，呼吸の異常（呼吸の量，リズム，異常呼吸など）を視診・触診にて評価する。

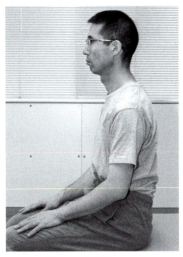

図11　適切な座位姿勢

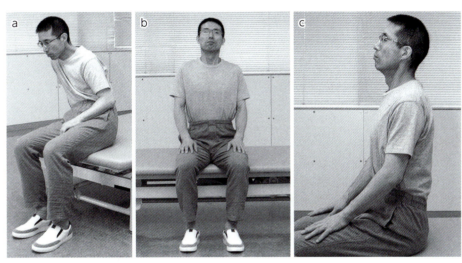

図12　不良な座位姿勢例
a：体幹前傾，骨盤後傾
b：体幹筋の過剰収縮（正面）
c：体幹筋の過剰収縮（側面）

臨床のコツ
- ◆呼吸困難を極力誘発しないようにする。精神的緊張や不安から急に呼吸困難となる場合もある。
- ◆胸式呼吸か腹式呼吸の判断は，吸気に合わせて胸骨周辺と横隔膜周囲のどちらが拡張しているかを視診・触診にて確認する。
- ◆呼吸数の確認などで，胸郭などに触れるときは指先は触れず，できるだけ手掌全体で胸郭に軽く触れる。
- ◆患者の口の前に立つと咳や痰の飛沫を浴びるため，斜め前などの立ち位置で評価する。
- ◆COPDでは，重度になると横隔膜の平坦化により腹式呼吸は困難となり，胸式呼吸となる。
- ◆努力性呼吸の動作を視診・触診から見分ける。

6）パルスオキシメーターを用いて，SpO$_2$，脈拍数を測定しながら，呼吸数を確認することについて説明する

・患者に安心感を与えられるように療法士の手でのデモンストレーションを交えて，パルスオキシメーターを手指に装着しSpO$_2$，脈拍数を測定することを説明する。

7）パルスオキシメーターを適切に装着する

・指の循環状態や爪の状態を確認したうえで，パルスオキシメーターを最も長い指先に挿入し，プロー

ブの縁と指尖との間に隙間ができないよう装着する。また，無理に押し込まない。
- ・パルスオキシメーターを手指に装着して表示画面を確認し，正しく血流や脈拍を検知できているか判断する。

8) 呼吸数を確認する

- ・ストップウォッチで時間測定をしながら，一方の手は胸郭に手を当てて，視診・触診にて1分間あたりの呼吸数を算出する。30秒間測定した数を2倍する。

    15秒間の呼吸数を4倍する方法もあるが，回数のズレが大きくなりやすいため，本項では30秒間測定し，呼吸数を算出するものとする。
- ・吸気と呼気の1セットで1回の呼吸とする。吸気と呼気の途中で測定時間が終了した場合は，切り捨てしてカウントする。

9) パルスオキシメーターを装着後，約30秒経過してからSpO$_2$，脈拍数を測定する

- ・パルスオキシメーターが酸素飽和度の低下を感知できるのは，手指ではおよそ15〜20秒程度経過してからであり，足指ではさらに遅延することから，本項では装着後約30秒後の測定とする。

10) パルスオキシメーターを外した後に，指の状態を確認する

- ・指の圧迫による痕や循環障害，爪の状態，疼痛の有無など，測定前と比較し確認する。

11) 患者に測定結果を伝える

- ・呼吸の仕方，呼気と吸気の特徴や姿勢，努力性呼吸の出現，呼吸数や酸素飽和度と脈拍数を患者に伝える。

12) 患者に終了を伝える

臨床のコツ

- ◆ 安静な姿勢を保っているか確認する。
- ◆ 呼吸困難が強く存在する場合は，正常な呼吸運動や回数を無理に強要しない。
- ◆ パルスオキシメーターが中指に装着困難な場合は，別の指，反対側の手指，場合によっては足指などに装着し，着脱後に皮膚状態を再度確認する。
- ◆ パルスオキシメーターを装着する前に，室温，血液循環，皮膚状態，爪の色などの状態を確認する。
- ◆ 治療につなげるためには姿勢変換による呼吸困難や，SpO$_2$の低下から，どの程度の休憩時間によって元に回復できるか確認することも重要である。

---

9 疾患に応じた測定の展開

本項での呼吸評価は一例であり，各種疾患などへ配慮した呼吸機能評価は，呼吸リハビリテーションに関するガイドラインをはじめ，各種疾患におけるガイドラインや文献などを参考のこと。

【肺疾患患者でのポイント】

酸素飽和度と息切れ・呼吸困難は一致しない（または自覚していない）こともある。

【心臓・血管疾患を伴う患者でのポイント】

呼吸困難は，循環動態の影響を受けやすい。酸素飽和度は末梢の循環障害による影響が大きい。また，心不全症例では座位や臥位よりも起坐呼吸の方が安楽となる場合もある。

【中枢神経疾患患者でのポイント】

呼吸は，姿勢，麻痺の重症度，緊張の程度などに影響を受ける。

【小児でのポイント】

年齢が低くなるに従い，正常の呼吸数や脈拍数が多くなるといわれている。また，指の小さな患者へのプローブ装着は，比較的脈動成分が大きくとれる足親指（第1趾）が推奨される。

【高齢者でのポイント】

高齢者ではSpO$_2$の正常値が低下するといわれている。しかし国際的なSpO$_2$の年齢別標準値はない。

OSCE課題　呼吸パターンと動脈血酸素飽和度の評価

対応動画

設問

軽度の慢性閉塞性肺疾患（COPD）患者です。この患者の呼吸運動（胸式・腹式呼吸の判別，努力性呼吸の有無，呼吸数）と動脈血酸素飽和度，脈拍数を座位にて測定してください。患者は「酸素飽和度」という用語は聞き慣れており，その意味は正確に理解しています。制限時間は5分です。では，始めてください。

準備するもの

治療用ベッド，パルスオキシメーター，ストップウォッチ

患者情報

疾患・障害	慢性閉塞性肺疾患	ROM	制限なし
年齢・性別	不問	座位	安定
発症後期間	1年	理解	良好
疼痛	なし	表出	良好
筋緊張	胸鎖乳突筋・肩甲挙筋・大胸筋軽度亢進	COPD重症度分類	ステージⅡ
表在覚	正常	その他	酸素療法検討中
深部覚	正常		

課題の目標

態度
1. 測定に備えた心がけができる（清潔かつ安全な身なり）。
2. 患者に呼吸運動と動脈血酸素飽和度，脈拍数の測定を行う旨を説明し，了承を得ることができる。
3. 患者に不快な思いをさせない（話し方，表情，振る舞い，触診時の手掌の当て方など）。

技能
1. 患者の安全に配慮しながら進めることができる。
2. 呼吸運動と動脈血酸素飽和度，脈拍数の測定を，適切な手順および方法で行うことができる。
3. わかりやすく簡潔に結果を伝えることができる。

手　順

1. 挨拶・自己紹介を行い，2つの識別子で患者の確認を行う。
2. 呼吸の仕方，呼吸数と動脈血酸素飽和度，脈拍数の測定を行う旨を患者に伝え了承を得る。
3. 呼吸困難を生じさせないよう安楽な座位を保持してもらう。
4. 座位での呼吸運動の評価について説明する。
5. 安静時呼吸を視診・触診で評価する。
   - 安静座位にて通常の呼吸を行ってもらい，呼吸運動を視診・触診にて確認する。
   - 努力性呼吸の有無を確認する。
6. パルスオキシメーターでSpO_2，脈拍数を測定しながら，呼吸数を確認することについて説明する。
   - 患者に安心感を与えられるように受験者の手でのデモンストレーションを交えて，パルスオキシメーターを手指に装着しSpO_2，脈拍数を測定することを説明する。
7. パルスオキシメーターを適切に装着する。
   - 指の循環状態や爪の状態を確認したうえで，パルスオキシメーターを最も長い指先に挿入し，プローブの縁と指尖との間に隙間ができないよう装着する。また，無理に押し込まない。
   - パルスオキシメーターを手指に装着して表示画面を確認し，正しく血流や脈拍を検知できているか判断する。
8. 呼吸数を確認する。
   - 30秒間の呼吸数を測定し，「1分間あたりの呼吸数」を算出する。
   - ストップウォッチで時間測定をしながら，一方の手は胸郭に手を当てて，視診・触診にて1分間あたりの呼吸数を算出する。30秒間測定した数を2倍する。
   - 吸気と呼気の1セットで1回の呼吸とする。吸気と呼気の途中で測定時間が終了した場合は，切り捨てしてカウントする。
9. SpO_2と脈拍数を確認する。
   - パルスオキシメーターを装着後，約30秒程度経過してからSpO_2，脈拍数を測定する。
10. パルスオキシメーターを外した後に，指の状態を確認する。
    - 指の圧迫による痕や循環障害，爪の状態，疼痛の有無など，測定前と比較し確認する。
11. 患者に測定結果を伝える。
    - 呼吸の仕方，呼気と吸気の特徴や姿勢，努力性呼吸の出現，呼吸数や酸素飽和度と脈拍数を患者に伝える。
12. 患者に終了を伝える。

採点基準

採点者は模擬患者に受験者の言動の適否を適宜確認して，以下の項目を採点してください。

1. 態度

①適切な身なりで明瞭な挨拶（開始時・終了時）・自己紹介ができる。	2点 1点 0点	適切な身なり，明瞭な挨拶（開始時・終了時）・自己紹介ができる 上記のうち1項目ができない 2項目以上できない
②2つの識別子で患者の確認ができる。	2点 1点 0点	2つの識別子で患者の確認ができる 1つの識別子で確認ができる 確認ができない
③呼吸運動と動脈血酸素飽和度の測定を行う旨を患者に伝え，了承を得ることができる。	2点 1点 0点	呼吸運動と動脈血酸素飽和度の測定を行う旨を正確に伝え，患者の了承を得ることができる どちらか一方のみできる どちらもできない
④課題全般を通して，患者の様子（表情・心情・姿勢・身体機能）や状況に応じた丁寧な対処（声かけ・触れ方・動かし方）ができる。	2点 1点 0点	課題全般を通して，患者の様子や状況に応じた丁寧な声かけ，触れ方，動かし方ができる 上記3項目のうち1項目ができない 2項目以上できない

2. 技能

①実施する呼吸運動の評価内容（呼吸の仕方，呼吸数，努力性呼吸，酸素飽和度）をわかりやすく説明できる。	2点 1点 0点	患者にわかりやすく説明できる わかりやすく説明できない 説明できない
②呼吸困難を生じさせない安楽な座位姿勢にすることができる。	2点 1点 0点	呼吸困難を生じさせない安楽な座位姿勢にすることができる 座位姿勢を確認するが修正が不十分 座位姿勢を確認しない
③座位での呼吸運動の評価をすること，患者の胸部と腹部に手を置くことを，デモンストレーションを交えて説明する。	2点 1点 0点	座位での呼吸運動の評価をすること，患者の胸部と腹部に手を置くことを，デモンストレーションを交えて説明できる どちらか一方のみできる どちらもできない
④安静呼吸にて手を胸部と腹部に置き，呼吸の仕方を確認できる。	2点 1点 0点	安静呼吸にて手を胸部と腹部に置き，呼吸の仕方を確認できる どちらか一方のみできる どちらもできない
⑤安静呼吸にて努力性吸気と努力性呼気の有無を確認できる。	2点 1点 0点	安静呼吸にて努力性吸気と努力性呼気の有無を確認できる どちらか一方のみできる どちらもできない
⑥デモンストレーションを交えてパルスオキシメーターを装着し，SpO_2・脈拍数を測定することを説明できる。	2点 1点 0点	デモンストレーションを交えてパルスオキシメーターを装着し，SpO_2・脈拍数を測定することを説明できる どちらか一方のみできる どちらもできない
⑦指の循環や皮膚・爪の状態を確認後，パルスオキシメーターを正しく装着できる。	2点 1点 0点	状態を確認し，正しく装着できる どちらか一方のみできる どちらもできない

⑧30秒間の呼吸数測定×2倍の方法にて，1分間あたりの呼吸数を確認できる。	2点 1点 1点 0点 0点	正確に呼吸数を確認できる 2回（1分間あたりの呼吸数）以内の誤差で確認できる 15秒間の測定×4倍の方法で正確に測定できる 3回（1分間あたりの呼吸数）以上の誤差がある 15秒間の測定×4倍の方法で正確に測定できない
⑨パルスオキシメーターによるSpO$_2$測定値と脈拍数を，装着開始から約30秒経過後に読み取ることができる。	2点 1点 0点	測定値を約30秒後に正確に読み取れる どちらか一方のみできる どちらもできない
⑩パルスオキシメーターを外した後に，指の状態を確認できる。	2点 1点 0点	確認が十分できる 確認が不十分 確認ができない
⑪患者に検査結果をわかりやすく伝えることができる。	2点 1点 0点 0点	患者に検査結果をわかりやすく伝えることができる 検査結果を伝えるがわかりにくい 検査結果を伝えることができない 誤った内容を伝える

OSCE担当者確認事項

採点者と模擬患者

・あらかじめ，おおよその呼吸数と呼吸運動，努力性呼吸の有無を決めておく。

模擬患者

・課題開始時は治療用ベッドに端座位で待機する（図13）。一側上肢をベッド上につき体幹前傾，骨盤後傾位の座位姿勢とする。

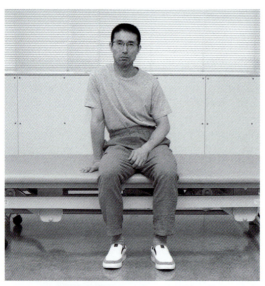

図13 模擬患者の開始姿勢

引用文献

1) 日本臨床検査医学会ガイドライン作成委員会 編：臨床検査のガイドライン JSLM2018. p169, 170, 2018.
2) 日本呼吸器学会 編：COPD（慢性閉塞性肺疾患）診断と治療のためのガイドライン 第5版. メディカルレビュー社, 2018.

参考文献

1) 日本臨床検査医学会ガイドライン作成委員会 編：臨床検査のガイドライン JSLM2012. 2012.
2) 宮川哲夫 編著：動画でわかるスクイージング 安全で効果的に行う排痰のテクニック. 中山書店, 2005.
3) 高橋仁美 他, 編：動画でわかる呼吸リハビリテーション第4版. 中山書店, 2016.
4) 病気からみた高齢者在宅ケアマニュアル. 金芳堂, 2012.
5) 日本呼吸器学会 編：Q & A パルスオキシメーター ハンドブック 第1版. 2016.

5 関節可動域測定

1 ROM とは

　関節可動域（range of motion：ROM）とは，関節を自動運動または他動運動したときに動きうる角度をいう。自動運動による ROM を測定することで，生活に影響を及ぼす身体状況の一側面を把握できるが，筋力や運動の協調性，拮抗筋の影響を受ける。他動運動による ROM を測定することにより，関節の構築学的異常や軟部組織伸張性についての情報を得ることができる。ROM 測定では原則として他動運動による測定値を表記するが，疾患，関節の運動特性や日常生活での問題を把握するためには自動運動による ROM との比較も重要である。

2 ROM の測定

A. 目　的

　ROM 測定の目的[1]は，①測定することによって関節の動きを阻害している因子を発見する，②障害の程度を判定する，③治療法への示唆を与える，④治療，練習の評価手段となる，などが挙げられる。

B. 原　則

　ROM の測定方法は，日本整形外科学会と日本リハビリテーション医学会が制定した「関節可動域表示ならびに測定法」（以下，日整会・リハ医学会法）が一般的である。

　なお，この測定法は実用的でわかりやすいことを重要視して作成されており，高い精度の計測データを用いる研究のためには，目的に応じた測定方法を検討する必要がある。

C. 環境・肢位

　測定部位は最大限露出し，骨指標を確認する。その際，室温やプライバシーに十分配慮する必要がある。体位の変換は最小限にし，事前に測定する部位やその際の肢位，患者の体力などを考えたうえで，測定する順番を計画しておき，1 つの肢位で測定できるものは連続して測定する。原則と異なる肢位・方法を用いた場合はその旨を明記する。

D. 判定基準

　日整会・リハ医学会法には関節の参考可動域が記載されているが，個人に問題があるかどうかを判定するには障害側と非障害側の比較，生活目標，年齢，性別，病歴などを十分考慮して判定する。

E. 正確性に影響する因子

1）療法士因子

　正確性は，療法士の触れ方，動かす速さ，適切な角度計の選定・当て方などに影響を受ける。経験が浅いうちは十分な長さの柄がついている角度計を使用し，基本軸・移動軸を平行移動させる場合は注意して行う。

2）患者因子

　疼痛や精神的緊張は筋の緊張を高め，ROM を制限する因子となる。生地の厚い衣服も動きを妨げる

ことがある。

　空間の認知やバランス能力に影響を与える脳血管障害などの疾患では，患者は臥位でも無意識的に不安定感が生じている。そのため，特に測定環境について十分配慮しなければ正確な可動域を測定できず，療法士の力量で測定結果が異なる事態となるため注意する。

　関節リウマチなどの疾患や手術後の影響がある場合などは，測定時間，服薬時間，気温，天候などによって可動域が変化することがある。

3）道具

　角度計はネジの緩み，変形，目盛りのかすれなどが起こるため，事前に確認する。

4）測定方法

　　①原則として他動運動による測定値を表記する。自動運動による測定値を用いる場合は，その旨を表記する

　　②基本軸・移動軸は運動学上のものとは必ずしも一致しない

　　③骨指標を確認し，基本軸・移動軸とともに関節の運動軸と角度計の軸を合わせる。必要に応じて基本軸・移動軸を平行移動させてもよい

　　④多関節筋が関与する場合，原則としてその影響を除いた肢位で測定する（例えば股関節屈曲の際，膝伸展位では二関節筋であるハムストリングスが伸張するため，膝屈曲位で測定する）

5）目盛りの読み方

　角度計の目盛りと療法士の目線は同じ高さにする。角度計は，通常5°刻みで読むが，手指用では2°刻みで読むことを基本とする。

F. 記　録

　一般的には開始肢位と最終肢位の値を記録する。問題のない関節は「問題なし（no problem：NP）」と記録してもよい。問題ないと判断しても，測定した関節の角度を記録しないと，測定していないと思われる危険があるので必ず記録する。測定部位が多い場合には，問題のない箇所を「NP」と記載すると，問題のある箇所が数値で表記され，見やすくなることもある。原則と異なる測定法を用いる場合は，方法，肢位を具体的に併記する。

　疼痛などが測定値に影響を与える場合，たとえば測定値の後ろに「P」などというように，影響を与える因子や注意事項の頭文字を付記する。

　【例】疼痛（pain）：P，　拘縮（contracture）：C，　禁忌：禁，など

　自動運動を測定する場合は，その測定値を（　）で表記するか，「自動」または「active」「a-ROM」などと明記する。

　多関節筋を緊張させた肢位を用いて測定する場合は，その測定値を〈　〉で表記するか，「膝伸展位」などと具体的に併記する。

　何らかの理由によって基本的な測定肢位以外の肢位で測定した場合は，その測定肢位を付記しておく。

　【記録方法の例】右肩関節屈曲の開始肢位が20°，最終肢位が150°，疼痛ありの場合

　①　肩 屈曲：右　20〜150°（P）

　②　肩 屈曲：右　150°（P），伸展：右　−20°

G. 最終域感（end feel）

1）正常な end feel

軟部組織性：膝関節を屈曲した時の大腿後面と下腿後面の軟部組織が接近するような柔らかい抵抗感。

筋性：膝伸展時に股関節を屈曲した時のような，ある程度硬く，弾性力のある抵抗感。筋の伸張で生じる。

関節包・靱帯性：肩関節を外旋，股関節を内旋した時のような，しっかりとした抵抗感。わずかなあそびがある。関節包・靱帯の伸張で生じる。

骨性：肘関節を伸展した時のような，突然生じる大きな抵抗感。骨と骨の接触で生じる。

2) 異常な end feel

軟部組織性：通常，制限されない角度で生じる。浮腫や滑膜炎などで生じる。

筋性：通常，制限されない角度で生じる。疼痛や筋硬結もありうる。筋の短縮，筋スパズム，筋緊張の増加などで生じる。

関節包・靱帯性：通常，制限されない角度で生じる。ゆっくりとした伸張で若干延長する。関節包，靱帯の短縮などで生じる。

骨性：通常，制限されない角度で生じる。一般に，手術以外では改善は見込めない。

虚性：通常，制限されない角度で疼痛や抵抗感が生じ，その後，最終抵抗までの開きを感じる。心理的防御反応，滑液包炎などで生じる。

バネ様遮断：最終域で跳ねるような終止感がある。

H. 疾患に応じた測定の展開

1) 整形外科疾患でのポイント

・術式の確認，可動可能な運動方向および角度，自動・自動介助・他動運動による ROM，禁忌の確認を行う。

・患部に対する負担を考慮する。

・炎症疾患，炎症部位の測定は特に愛護的に行う。

2) 中枢神経疾患でのポイント

・バランス能力障害への配慮，環境，姿勢，触れ方による筋緊張の変化に注意する。

・安全性を確保する。

・重度感覚障害に対する配慮を行う。

・運動麻痺による関節亜脱臼の有無を確認する。

・視床痛，肩手症候群など疾患特有の疼痛を分析する。

3) 高齢者でのポイント

・生活歴や加齢による ROM 制限か，疾病による制限かを判断する。

・体幹の ROM 制限（円背など）の影響を考慮する。

・将来的に ADL の阻害因子となる可能性があるかを検討する。

・介護を必要とする場合は，介護者の立場から ROM 制限が介護の阻害となるかを検討する。

3 手順のポイント

1) 挨拶・自己紹介を行い，2 つの識別子で患者の確認を行う

・患者とのラポール（信頼関係）形成のため，挨拶，自己紹介を行う。

・患者の取り違えを防止するため，氏名に加え生年月日もしくは ID など，2 つの識別子で確認する。

2) 関節可動域測定を行う旨を患者に伝え了承を得る

・これから測定する内容を患者に簡潔にわかりやすく説明する。

3) 測定する関節の基本軸・移動軸・参考可動域を確認する

・測定する前に基本軸・移動軸・参考可動域を確認しておく。

> **臨床のコツ**
> ◆正確に測定できるように，角度計は測定する関節の大きさ，軸の長さに合ったものを選択する。
> ◆小型の携帯型角度計は汎用性が高く持ち運びに便利であるため，大関節でも正確に測定できるよう習熟しておくべきである。

4) 患者を測定できる適切な姿勢にする

・肢位は日整会・リハ医学会法の「測定肢位および注意点」の記載に従うが，記載がない場合は肢位を

限定しない。
・拘縮や変形などで記載の肢位がとれない場合は異なる肢位を用いてよいが，その旨を記載する。
・測定中はリラックスするよう患者に伝え，クッションや枕などを用いるなどして，患者が安心感を得られるようにする。

> **臨床のコツ**
> ◆身体バランスが不良な場合は，幅の広いベッド上臥位などで実施する。
> ◆療法士は測定しやすい位置どりをすることが重要である。

5）測定する関節運動・測定方法を患者に説明し，理解と協力を得る
・関節可動域測定に角度計を用いることを伝え，測定する関節運動についてデモンストレーションを交えながら患者にわかりやすく説明する。

6）非障害側の測定部位の関節運動（自動・他動）を行い，運動時の姿勢，可動域，筋緊張，疼痛，代償運動を確認する
①非障害側の測定部位の関節運動を自動的に行わせ，運動時の姿勢，可動域，筋緊張，疼痛の有無，代償運動を確認し，代償運動が生じた場合には適切な運動方向に指示・誘導する
②測定する関節を他動的に動かし，運動時の姿勢，可動域，筋緊張，疼痛の有無，代償運動を確認する
　・他動的に動かす際は，中枢部を固定し末梢部をゆっくりと動かす。
　・評価として問題がない場合や，参考可動域と同等の可動域を確認できれば，角度計を当てて測定しない場合もある。

7）障害側の測定部位の関節運動（自動・他動）を行い，運動時の姿勢，可動域，筋緊張，疼痛，代償運動を確認し，おおよその最終可動域の角度に角度計を開いておく
①障害側の測定部位の関節運動を自動的に行わせ，運動時の姿勢，可動域，筋緊張，疼痛の有無，代償運動を確認する
　・麻痺がある場合は，肩関節の状態（亜脱臼の状態，疼痛の有無）を視診・触診で確認する。肩関節亜脱臼の確認方法はレベル1「5 上肢管理」を参照のこと。亜脱臼の状態により，測定時の姿勢および注意点を判断する。
②測定する関節を他動的に動かし運動時の姿勢，可動域，筋緊張，疼痛の有無，代償運動，end feel を確認する
　・他動的に動かす際は，動かす関節の中枢部を固定して末梢側をゆっくりと動かす。
　・関節は愛護的に動かし，疼痛や痙縮を増強しないようにする。
③測定を迅速に行うため，おおよその最終可動域の角度に角度計を開いておく

> **臨床のコツ**
> ◆身体に触れるときは指先で測定肢を握らず，なるべく下面から手掌や前腕を用いて面で支持する。
> ◆原則，多関節をまたがないよう測定する。
> ◆他動運動では，関節の転がり運動や滑り運動を考慮しながら行う。
> ◆end feel を確認し，関節可動域の制限因子を考え，治療につなげる。
> ◆逃避的な動きがある場合は，ROM 測定に加えて疼痛の評価も行う。

8）再度，測定部位の関節運動を他動的に行い，その可動域を測定する
・他動的に関節を動かし，最終可動域の位置に保持した状態で，あらかじめ準備しておいた角度計を基本軸・移動軸に合わせ測定する。この際，角度計を患者に押しつけないよう注意する。
・測定結果は手指が2°刻み，手指以外が5°刻みで，迅速に読み取る。
・測定し終えたら，測定肢をゆっくりと安全に下ろすよう配慮する。
・角度計の目盛りと療法士の目線は同じ高さにすると正確に読み取ることができる。

臨床のコツ

◆ 角度計を当てる前に，測定する関節をゆっくりと動かし，リラックスさせる。

◆ 角度計が皮膚に触れたり押しつけられたりすることで患者が不快に感じるため，原則として，患者の身体に接触しないよう角度計を当てる手指の測定では角度計を直接皮膚に当てて測定するため，圧迫し過ぎないように注意する。

◆ 片手で角度計を操作しにくい場合（例：肩関節外転の測定）は，運動開始位置で，角度計をあらかじめ基本軸・移動軸に合わせて測定肢に当て，他動的に肩関節を外転させる際に上腕骨と角度計を一緒に動かしながら最終可動域まで移動させ，測定するとよい。

◆ 関節のアライメントを無視した他動運動による ROM は関節を傷つけ，疼痛を助長する危険があり，療法士とのラポール（信頼関係）への影響もあり得る。特に療法士の経験・配慮不足により触れ方や四肢の支え方が不適切で，患者を緊張させてしまうことがあり（これは意識的のみならず無意識的にも生じ，声かけでは解決しないことが多い），正確な可動域を測定できなくなるため注意する。

◆ 疼痛を伴う疾患などは自動運動による ROM を先行して測定した方がよい場合も多い。

◆ 測定時の患者の姿勢保持や基本軸の固定などが困難な場合は，療法士 2 人で測定するとよい。

◆ 運動の開始肢位が 0°ではない場合，開始角度から最終可動域までの角度を記録する。

9）左右の関節可動域を比較し，患者に測定結果を伝える

・患者に簡潔にわかりやすく，左右の測定結果（実測値）を伝える。

10）患者に終了を伝える

OSCE課題　関節可動域測定（上肢：肩関節外転）

設問

脳梗塞により左片麻痺を呈した患者です。この患者の肩関節外転可動域を座位にて測定してください。測定する前に基本軸・移動軸・参考可動域を口頭で採点者に説明してから測定してください。なお，他動的な関節運動時の確認事項は運動時の姿勢，可動域，疼痛，代償運動のみとします。制限時間は5分です。では，始めてください。

準備するもの

治療用ベッド，適切な大きさの角度計（複数）

患者情報

疾患・障害	脳梗塞，片麻痺	表 在 覚	軽度鈍麻
年齢・性別	不問	深 部 覚	中等度鈍麻
障 害 側	左	座 位	安定
発症後期間	1カ月	立 位	安定
B R S	上肢：Ⅴ　手指：Ⅳ　下肢：Ⅴ	起居動作	自立
筋 緊 張	上腕二頭筋，手指屈筋，下肢伸筋群軽度亢進	理 解	良好
疼 痛	左肩関節	表 出	良好

課題の目標

態度

1. 関節可動域測定（肩関節外転）に備えた心がけができる（清潔かつ安全な身なり）。
2. 患者に関節可動域測定（肩関節外転）を行う旨を説明し，了承を得ることができる。
3. 患者に不快な思いをさせない（話し方，表情，振る舞い）。

技能

1. 患者の安全に配慮しながら進めることができる。
2. 関節可動域測定（肩関節外転）を適切な手順および方法で行うことができる。
3. わかりやすく簡潔に結果を伝えることができる。

手　順

1. **肩関節外転運動の基本軸・移動軸・参考可動域を採点者へ説明する．**
   基本軸：肩峰を通る床への垂直線
   移動軸：上腕骨
   参考可動域：180°
2. **挨拶・自己紹介を行い，2つの識別子で患者の確認を行う．**
3. **関節可動域測定（肩関節外転）を行う旨を患者に伝え了承を得る．**
4. **患者を測定できる適切な姿勢にする．**
   ・足底を全面接地させ，骨盤直立位での座位姿勢にする（図1）．
5. **肩関節外転の関節運動・測定方法を患者に説明する．**
   ・関節可動域測定に角度計を用いることを伝え，測定する関節運動についてデモンストレーションを交えながら患者にわかりやすく説明する．
6. **非麻痺側の肩関節外転運動（自動・他動）を行い，運動時の姿勢，可動域，筋緊張，疼痛，代償運動を確認する．**
   ①非麻痺側の肩関節外転運動を自動的に行わせ，運動時の姿勢，肩甲骨の動きや可動域，疼痛の有無，体幹側屈（図2）などの代償運動を確認し，代償運動が生じた場合には適切な運動方向に指示・誘導する
   ②肩甲骨を保持し肩甲骨の上方回旋を補助しながら，他動的にゆっくりと末梢部を動かす（図3）．その際，運動時の姿勢，可動域，疼痛の有無を確認する

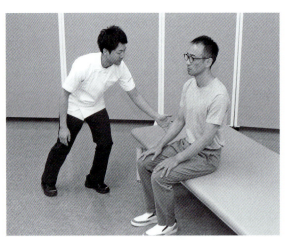

図1　患者の測定姿勢

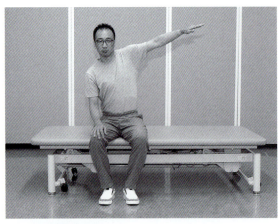

図2　代償運動（体幹側屈）

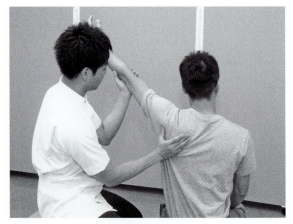

図3　他動運動での確認方法

 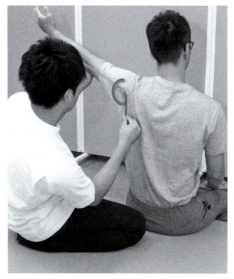

図4　測定の準備　　　　　　　　　図5　測定方法

- 参考可動域と同等の可動域を確認できれば，角度計を当てて測定しない場合もある。

7. **麻痺側の肩関節の状態を確認する。**
    - 肩関節の状態（亜脱臼の状態，疼痛の有無）を問診と触診で確認する。
    - 亜脱臼の確認方法はレベル1「5 上肢管理」を参照のこと。亜脱臼の状態により，測定時の姿勢および注意点を判断する。

8. **麻痺側の肩関節外転運動（自動・他動）を行い，運動時の姿勢，可動域，疼痛，代償運動を確認し，おおよその最終可動域の角度に角度計を開いておく。**
    ①麻痺側の肩関節外転運動を自動的に行わせ，運動時の姿勢，肩甲骨の動きや可動域，疼痛の有無，代償運動を確認する。体幹側屈の代償運動などがみられた場合は，運動時の姿勢や運動方向を修正する
    ②麻痺側の肩関節外転運動を他動的に行い，運動時の姿勢，可動域，疼痛の有無を確認する
    - 肩甲骨を保持し肩甲骨の上方回旋を補助しながら，肩関節をゆっくりと外転させ，運動時の姿勢，可動域，疼痛の有無を確認する。
    - 肩峰と上腕骨大結節が当たるのを防ぐため，肩関節の外転90°以上で外旋させるように誘導する。
    ③最終可動域を確認し，おおよその角度に角度計を開いておく（図4）

9. **再度，麻痺側の肩関節外転運動を他動的に行い，その可動域を測定する。**
    - 他動的に肩関節を外転させ，最終可動域の位置に保持した状態で，あらかじめ準備しておいた角度計で基本軸・移動軸に合わせ測定する（図5）。その際，採点者に確認を依頼し，測定結果を伝える。角度計を患者に押しつけないように注意する。
    - 測定結果は一般に5°刻みで，迅速に読み取る。
    - 測定肢は測定し終えたら，ゆっくりと安全に下ろすよう配慮する。

10. **左右の関節可動域を比較し，患者に測定結果を伝える。**
    - 左右の測定結果（実測値）を伝える。

11. **患者に終了を伝える。**

採 点 基 準

採点者は模擬患者に受験者の言動の適否を適宜確認して，以下の項目を採点してください。

1. 態度

①適切な身なりで明瞭な挨拶（開始時・終了時）・自己紹介ができる。	2点	適切な身なり，明瞭な挨拶（開始時・終了時）・自己紹介ができる
	1点	上記のうち1項目ができない
	0点	2項目以上できない
②2つの識別子で患者の確認ができる。	2点	2つの識別子で患者の確認ができる
	1点	1つの識別子で確認ができる
	0点	確認ができない
③関節可動域測定（肩関節外転）を行う旨を患者に伝え，了承を得ることができる。	2点	関節可動域測定（肩関節外転）を行う旨を正確に伝え，患者の了承を得ることができる
	1点	どちらか一方のみできる
	0点	どちらもできない
④課題全般を通して，患者の様子（表情・心情・姿勢・身体機能）や状況に応じた丁寧な対処（声かけ・触れ方・動かし方）ができる。	2点	課題全般を通して，患者の様子や状況に応じた丁寧な声かけ，触れ方，動かし方ができる
	1点	上記3項目のうち1項目ができない
	0点	2項目以上できない

2. 技能

①肩関節外転運動の基本軸・移動軸・参考可動域を採点者に正確に説明できる。	2点	肩関節外転運動の基本軸・移動軸・参考可動域をすべて正確に説明できる
	1点	上記のうち1項目が正確に説明できない
	0点	2項目以上正確に説明できない
②患者を足底全面接地，骨盤直立位の座位姿勢にすることができる。	2点	患者を足底全面接地，骨盤直立位の座位姿勢にすることができる
	1点	どちらか一方のみできる
	0点	どちらもできない
③角度計を用いることを伝え，肩関節外転運動についてデモンストレーションを交えてわかりやすく説明できる。	2点	角度計を用いることを伝え，肩関節外転運動についてデモンストレーションを交えてわかりやすく説明できる
	1点	どちらか一方のみできる
	0点	どちらもできない
④非麻痺側の自動運動での姿勢，可動域，疼痛，代償運動を確認できる。	2点	非麻痺側の自動運動での姿勢，可動域，疼痛，代償運動を確認できる
	1点	上記のうち1項目ができない
	0点	2項目以上できない
⑤非麻痺側の他動運動での姿勢，可動域，疼痛，代償運動を確認できる。	2点	非麻痺側の他動運動での姿勢，可動域，疼痛，代償運動を確認できる
	1点	上記のうち1項目ができない
	0点	2項目以上できない
⑥非麻痺側の肩甲骨の上方回旋を補助し，もう一方の手で上肢を把握しながら，ゆっくりと肩関節外転運動を他動的に行うことができる。	2点	肩甲骨の上方回旋を補助し，上肢を把持しながら，ゆっくりと動かすことができる
	1点	上記のうち1項目ができない
	0点	2項目以上できない
⑦麻痺側の肩関節の状態（亜脱臼，疼痛）を問診と触診ができる。	2点	麻痺側の肩関節の状態（亜脱臼，疼痛）を問診と触診ができる
	1点	亜脱臼を触診するが不十分
	0点	亜脱臼を触診しない

⑧麻痺側の自動運動での姿勢，可動域，疼痛，代償運動を確認し，代償運動が生じた場合は正しい運動方向に修正できる。	2点 1点 0点	麻痺側の自動運動で，運動時の姿勢，可動域，疼痛，代償運動を確認し，代償運動が生じた場合は正しい運動方向に修正できる 上記のうち1項目ができない 2項目以上できない
⑨麻痺側の他動運動での姿勢，可動域，疼痛の確認，角度計の準備ができる。	2点 1点 0点	麻痺側の他動運動で，運動時の姿勢，可動域，疼痛の確認，角度計の準備ができる 上記のうち1項目ができない 2項目以上できない
⑩麻痺側の他動運動で肩甲骨の上方回旋を補助し，上肢を把持しながら，ゆっくりと動かすことができる。	2点 1点 0点	麻痺側の他動運動で肩甲骨の上方回旋を補助し，上肢を把持しながら，ゆっくりと動かすことができる 上記のうち1項目ができない 2項目以上できない
⑪麻痺側の他動的な肩関節外転運動の最終可動域で，基本軸・移動軸に角度計を合わせることができる。	2点 1点 0点	最終可動域の位置で，基本軸・移動軸に角度計を合わせることができる 上記のうち1項目ができない 2項目以上できない
⑫角度計を押し付けずに当て，適切な位置から目盛りを読み，測定後ゆっくりと上肢を下ろすことができる。	2点 1点 0点	角度計を押し付けずに当て，適切な位置から目盛りを読み，測定後ゆっくりと上肢を下ろすことができる 上記のうち1項目ができない 2項目以上できない
⑬左右の可動域を比較し，両側とも5°刻みで実測値を患者に伝えることができる。	2点 1点 0点	両側とも5°刻みで実測値を患者に伝えることができる 一側のみ5°刻みで実測値を患者に伝えることができる 両側とも5°刻みで実測値を患者に伝えることができない

OSCE担当者確認事項

環境設定

・角度計は適切な大きさのものを複数用意し，受験者に使いやすいものを選ばせる。

模擬患者

・課題開始時は治療用ベッド上に座位で待機する（図6）。座位姿勢は骨盤後傾位，左股関節外旋，足部内反位とする。
・麻痺側の肩関節屈曲120°程度で疼痛が出現する設定とする。
・麻痺側の肩関節外転時には，右体幹側屈による代償運動を出現させる。
・非麻痺側の肩関節外転可動域は正常可動域の設定とする。

採点者

・基本軸・移動軸・参考可動域の説明がない場合は説明させる。説明内容が誤っていた場合は誤りを修正し，課題を継続させる。
・可動域の測定で角度計の基本軸・移動軸が可動域とずれていないかを確認する。

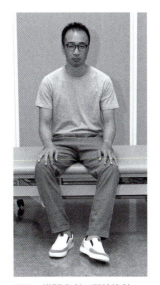

図6 模擬患者の開始姿勢

OSCE課題　関節可動域測定（手指：示指 PIP 関節屈曲）

設問

　左示指中節骨骨折の患者です。この患者の示指の PIP 関節屈曲可動域を測定してください。測定する前に基本軸・移動軸・参考可動域を口頭で採点者に説明してから測定してください。なお，他動的な関節運動時の確認事項は，可動域，疼痛のみとします。制限時間は 5 分です。では，始めてください。

準備するもの

　机，椅子（2 脚），タオル，角度計（手指用）

患者情報

疾患・障害	示指中節骨骨折	表 在 覚	正常
年齢・性別	不問	深 部 覚	正常
障 害 側	左	座 位	安定
受傷後期間	1 カ月	歩 行	自立
疼　　痛	示指屈曲時に左 PIP 関節	理 解	良好
		表 出	良好

課題の目標

態度
1. 関節可動域測定（示指 PIP 関節屈曲）に備えた心がけができる（清潔かつ安全な身なり）。
2. 患者に関節可動域測定（示指 PIP 関節屈曲）を行う旨を説明し，了承を得ることができる。
3. 患者に不快な思いをさせない（話し方，表情，振る舞い）。

技能
1. 患者の安全に配慮しながら進めることができる。
2. 関節可動域測定（示指 PIP 関節屈曲）を適切な手順および方法で行うことができる。
3. わかりやすく簡潔に結果を伝えることができる。

手　順

1. 示指 PIP 関節屈曲の基本軸・移動軸・参考可動域を採点者へ説明する。
   基本軸：第 2 基節骨
   移動軸：第 2 中節骨
   参考可動域：100°
2. 挨拶・自己紹介を行い，2 つの識別子で患者の確認を行う。
3. 関節可動域測定（示指 PIP 関節屈曲）を行う旨を患者に伝え了承を得る。
4. 患者を測定できる適切な姿勢にする。
   ・机の前に座り，前腕中間位，手関節機能的肢位で，測定肢を机の上に乗せる。
   ・受験者は患者の前方に位置して測定を行う（図 7）。
   ・測定する前腕の下にタオルを入れるなどリラックスした状態で測定できるように配慮する（図 8）。
   ・測定中はリラックスするよう患者に伝える。
5. 示指 PIP 関節屈曲の関節運動・測定方法を患者に説明する。
   ・関節可動域測定に角度計を用いることを伝え，測定する関節運動についてデモンストレーションを交えながら患者にわかりやすく説明する。
6. 非障害側の MP 関節・PIP 関節・DIP 関節屈曲の関節運動（自動・他動）を行い，可動域，疼痛を確認する。
   ①非障害側の全指屈曲，伸展の関節運動を自動的に行い，可動域，疼痛の有無を確認する
   ②非障害側の示指 MP 関節・PIP 関節・DIP 関節屈曲の関節運動をそれぞれ他動的に行い，可動域，疼痛の有無を確認する（図 9）
   ・参考可動域（MP 関節 90°，PIP 関節 100°，DIP 関節 80°）と同等の可動域を確認できれば，角度計

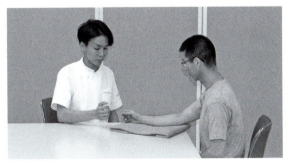

図 7　療法士の位置

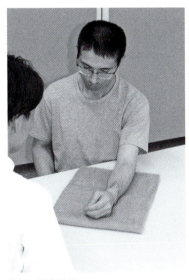

図 8　測定肢位

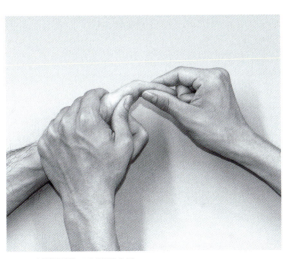

図 9　他動運動での確認方法

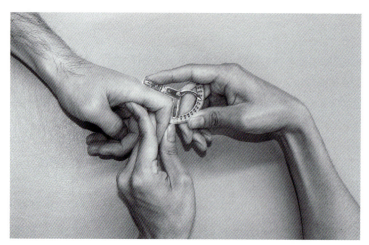
図10 PIP関節の測定方法

　を当てて測定しない場合もある。
7. **障害側のMP関節・PIP関節・DIP関節屈曲の関節運動（自動・他動）を行い，可動域，疼痛の有無を確認し，おおよその最終可動域の角度に角度計を開いておく。**
　　①障害側の全指屈曲，伸展の運動を自動的に行わせ，可動域，疼痛の有無を確認する
　　②示指のMP関節・PIP関節・DIP関節をそれぞれゆっくりと他動的に屈曲して，可動域，疼痛の有無を確認する
　　・他動運動の際は，障害側示指の関節の中枢側を固定し，末梢側をゆっくりと動かす。
　　③最終可動域を確認し，おおよその角度に角度計を開いておく
8. **再度，障害側示指のPIP関節の運動を他動的に行い，その可動域を測定する。**
　　・他動運動で最終可動域まで屈曲させPIP関節の手背に角度計を当て測定する（図10）。その際，採点者に確認を依頼し，測定結果を伝える。角度計を患者の指に押しつけないよう注意する。
　　・測定結果は一般に2°刻みで，迅速に読み取る。
9. **左右の関節可動域を比較し，患者に測定結果を伝える。**
　　・左右の測定結果（実測値）を伝える。
10. **患者に終了を伝える。**

採点基準

採点者は模擬患者に受験者の言動の適否を適宜確認して，以下の項目を採点してください。

1. 態度

①適切な身なりで明瞭な挨拶（開始時・終了時）・自己紹介ができる。	2点 1点 0点	適切な身なり，明瞭な挨拶（開始時・終了時）・自己紹介ができる 上記のうち1項目ができない 2項目以上できない
②2つの識別子で患者の確認ができる。	2点 1点 0点	2つの識別子で患者の確認ができる 1つの識別子で確認ができる 確認ができない
③関節可動域測定（示指PIP関節屈曲）を行う旨を患者に伝え，了承を得ることができる。	2点 1点 0点	関節可動域測定（示指PIP関節屈曲）を行う旨を正確に伝え，患者の了承を得ることができる どちらか一方のみできる どちらもできない
④課題全般を通して，患者の様子（表情・心情・姿勢・身体機能）や状況に応じた丁寧な対処（声かけ・触れ方・動かし方）ができる。	2点 1点 0点	課題全般を通して，患者の様子や状況に応じた丁寧な声かけ，触れ方，動かし方ができる 上記3項目のうち1項目ができない 2項目以上できない

2. 技能

①PIP関節の基本軸・移動軸・参考可動域を採点者に正確に説明できる。	2点 1点 0点	PIP関節の基本軸・移動軸・参考可動域をすべて正確に説明できる 上記のうち1項目が正確に説明できる 2項目以上正確に説明できない
②患者を前腕中間位，手関節機能的肢位にすることができる。	2点 1点 0点	患者を前腕中間位，手関節機能的肢位にすることができる どちらか一方のみできる どちらもできない
③角度計を用いることを伝え，MP屈曲・PIP屈曲・DIP屈曲運動についてデモンストレーションを交えてわかりやすく説明できる。	2点 1点 0点	角度計を用いることを伝え，MP屈曲・PIP屈曲・DIP屈曲運動についてデモンストレーションを交えてわかりやすく説明できる どちらか一方のみできる どちらもできない
④非障害側の全指屈曲運動を自動運動で行わせ，可動域と疼痛の有無を確認できる。	2点 1点 0点	非障害側の全指屈曲運動を自動運動で行わせ，可動域と疼痛の有無を確認できる どちらか一方のみできる どちらもできない
⑤非障害側示指を正しく保持し，MP関節・PIP関節・DIP関節を他動運動で動かし，可動域と疼痛の有無を確認できる。	2点 1点 0点	非障害側示指を正しく保持し，MP関節・PIP関節・DIP関節を他動運動で動かし，可動域と疼痛の有無を確認できる どちらか一方のみできる どちらもできない
⑥障害側の全指屈曲運動を自動運動で行わせ，可動域と疼痛の有無を確認できる。	2点 1点 0点	障害側の全指屈曲運動を自動運動で行わせ，可動域と疼痛の有無を確認できる 上記のうち1項目ができない 2項目以上できない
⑦障害側示指のMP関節・PIP関節・DIP関節屈曲運動を他動運動で，可動域と疼痛の有無を確認できる。	2点 1点 0点	障害側示指を正しく保持しMP関節・PIP関節・DIP関節を動かし，可動域と疼痛の有無を確認できる 上記のうち1項目ができない 2項目以上できない

⑧障害側示指のPIP関節屈曲角度を測定できるようにMP関節・DIP関節を固定できる。	2点 1点 0点	障害側示指のMP関節・DIP関節を適切に固定できる どちらか一方のみできる どちらもできない
⑨障害側の他動的なPIP関節の最終可動域で，基本軸・移動軸に角度計を合わせることができる。	2点 1点 0点	最終可動域の位置で，基本軸・移動軸に角度計を合わせることができる 上記のうち1項目ができない 2項目以上できない
⑩角度計を押し付けずに当て，適切な位置から目盛りを読むことができる。	2点 1点 0点	角度計を押し付けずに当て，適切な位置から目盛りを読むことができる どちらか一方のみできる どちらもできない
⑪左右の可動域を比較し，両側とも2°刻みで実測値を患者に伝えることができる。	2点 1点 0点	両側とも2°刻みで実測値を患者に伝えることができる 一側のみ2°刻みで実測値を患者に伝えることができる 両側とも2°刻みで実測値を患者に伝えることができない

OSCE担当者確認事項

環境設定
・角度計は手指用を用意する。

模擬患者
・課題開始時は机の前に椅子座位で待機する（図11）。
・障害側のPIP関節屈曲70°程度で疼痛が出現する設定とする。
・非障害側の全指屈曲可動域は正常可動域の設定とする。

採点者
・基本軸・移動軸・参考可動域の説明がない場合は説明させる。説明内容が誤っていた場合は誤りを修正し，課題を継続させる。
・可動域の測定で角度計の基本軸・移動軸が可動域とずれていないかを確認する。

図11　模擬患者の開始姿勢

OSCE課題　関節可動域測定（下肢：股関節屈曲）

対応動画

設問

左変形性股関節症の患者です。この患者の股関節屈曲可動域を測定してください。測定する前に基本軸・移動軸・参考可動域を口頭で採点者に説明してから測定してください。なお、他動的な関節運動時の確認事項は運動時の姿勢、可動域、疼痛、代償運動のみとします。制限時間は5分です。では、始めてください。

準備するもの

治療用ベッド、枕、適切な大きさの角度計（複数）

患者設定

疾患・障害	変形性股関節症	筋力低下	左股関節 MMT4
年齢・性別	不問	起居動作	自立
障害側	左	歩行	自立
発症後期間	1年	理解	良好
疼痛	左股関節，荷重時および屈曲時	表出	良好

課題の目標

態度
1. 関節可動域測定（股関節屈曲）に備えた心がけができる（清潔かつ安全な身なり）。
2. 患者に関節可動域測定（股関節屈曲）を行う旨を説明し，了承を得ることができる。
3. 患者に不快な思いをさせない（話し方，表情，振る舞い）。

技能
1. 患者の安全に配慮しながら進めることができる。
2. 関節可動域測定（股関節屈曲）を適切な手順および方法で行うことができる。
3. わかりやすく簡潔に結果を伝えることができる。

手　順

1. 股関節屈曲運動の基本軸・移動軸・参考可動域を確認し採点者へ説明する。
   - 基本軸：体幹と平行な線
   - 移動軸：大腿骨（大転子と大腿骨外顆の中心を結ぶ線）
   - 参考可動域：125°
2. 挨拶・自己紹介を行い，2つの識別子で患者の確認を行う。
3. 関節可動域測定（股関節屈曲）を行う旨を患者に伝え了承を得る。
4. 患者を測定できる適切な姿勢にする（図12）。
   - 測定姿勢は背臥位で，代償運動（対側股関節屈曲）に注意するため，両股関節をできる限り0°屈曲位にする。
   - 0°屈曲位にできない場合は，疼痛のない範囲で最大伸展位にする。
   - 基本軸である体幹の状態を確認しやすいよう，上肢を胸部の上に置く。
   - 測定中はリラックスするよう患者に伝える。
5. 股関節屈曲の運動・測定方法を患者に説明する。
   - 関節可動域測定に角度計を用いることを伝え，測定する関節運動についてデモンストレーションを交えながら患者にわかりやすく説明する。
6. 非障害側の股関節屈曲運動（自動・他動）を行い，運動時の姿勢，可動域，疼痛の有無，代償運動を確認する。

   ①非障害側の股関節を自動的に行わせ，運動時の姿勢，可動域，疼痛の有無，対側股関節の屈曲（図13）などの代償運動を確認する。代償運動が生じた場合には適切な運動方向に指示・誘導する

   ②骨盤を固定し，下腿を保持しながら大腿を屈曲方向へ他動的にゆっくりと動かす（図14）。その際，運動時の姿勢，可動域，疼痛の有無，代償運動を確認する
   - 参考可動域と同等の可動域を確認できれば，角度計を当てて測定しない場合もある。

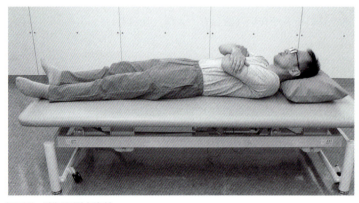

図12　適切な測定姿勢
リラックスした背臥位で股関節0°屈曲位，上肢は基本軸である体幹が測定できるよう腹部の上に置く。

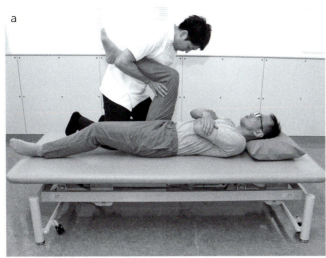
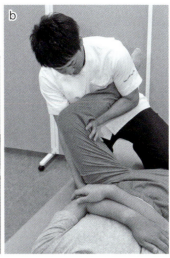

図13　代償運動
a：対側股関節（骨盤の後傾），b：股関節外旋

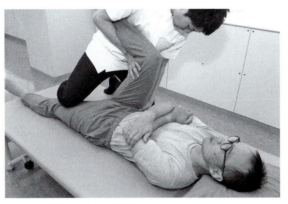

図14　股関節屈曲の他動運動
骨盤を固定し下腿を保持しながら大腿を屈曲方向へ動かす。また，骨盤後傾による下肢の挙上を確認するため，対側大腿に療法士の下肢を軽く置いておく。

7. 障害側の股関節屈曲運動（自動・他動）を行い，運動時の姿勢，可動域，疼痛の有無，代償運動を確認し，おおよその角度に角度計を開いておく。

①障害側の股関節屈曲運動を自動的に行わせ，運動時の姿勢，可動域，疼痛の有無，代償運動を確認する。代償運動である股関節外転や股関節外旋などがみられた場合は，運動時の姿勢や運動方向を修正する。

②障害側の股関節屈曲運動を他動的に行い，運動時の姿勢，可動域，疼痛の有無，代償運動を確認する

・骨盤を固定し，大腿部を把持しながらゆっくりと股・膝関節を屈曲させ，運動時の姿勢，可動域，疼痛の有無，代償運動を確認する。

③最終可動域を確認し，おおよその角度に角度計を開いておく（図15）

8. 再度，障害側の股関節屈曲運動を他動的に行い，その可動域を測定する。

・他動的に股関節を屈曲させ，最終可動域の位置に保持した状態で，あらかじめ準備しておいた角度計で基本軸・移動軸に合わせ測定する（図16）。その際，採点者に確認を依頼し，測定結果を伝える。角度計を患者に押しつけないように注意する。

・測定結果は一般に5°刻みで，迅速に読み取る。

・測定肢は測定し終えたら，ゆっくりと安全に下ろすように配慮する。

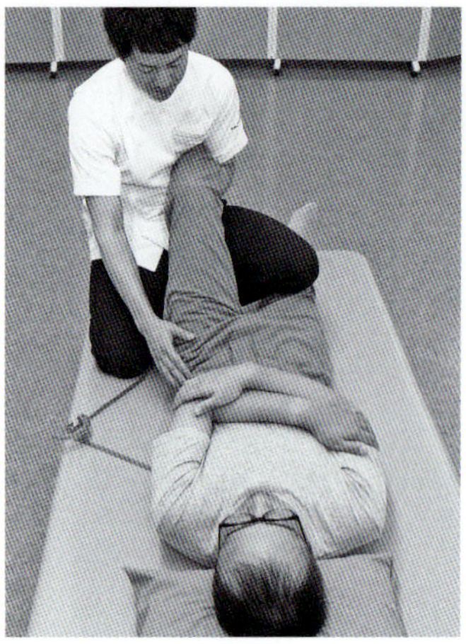

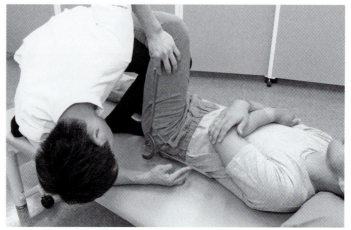

図15 関節可動域測定の準備
目視で関節可動域を確認し，角度計をおおよその角度に開いておく。

図16 股関節の関節可動域測定
関節可動域を保持しながら目盛りに視線を合わせ，正確に角度を読む。

9. 左右の関節可動域を比較し，患者に測定結果を伝える。
 ・左右の測定結果（実測値）を伝える。
10. 患者に終了を伝える。

5 関節可動域測定　191

採点基準

採点者は模擬患者に受験者の言動の適否を適宜確認して，以下の項目を採点してください。

1．態度

①適切な身なりで明瞭な挨拶（開始時・終了時）・自己紹介ができる。	2点	適切な身なり，明瞭な挨拶（開始時・終了時）・自己紹介ができる
	1点	上記のうち1項目ができない
	0点	2項目以上できない
②2つの識別子で患者の確認ができる。	2点	2つの識別子で患者の確認ができる
	1点	1つの識別子で確認ができる
	0点	確認ができない
③関節可動域測定（股関節屈曲）を行う旨を患者に伝え，了承を得ることができる。	2点	関節可動域測定（股関節屈曲）を行う旨を正確に伝え，患者の了承を得ることができる
	1点	どちらか一方のみできる
	0点	どちらもできない
④課題全般を通して，患者の様子（表情・心情・姿勢・身体機能）や状況に応じた丁寧な対処（声かけ・触れ方・動かし方）ができる。	2点	課題全般を通して，患者の様子や状況に応じた丁寧な声かけ，触れ方，動かし方ができる
	1点	上記3項目のうち1項目ができない
	0点	2項目以上できない

2．技能

①股関節屈曲運動の基本軸・移動軸・参考可動域を採点者へ正確に説明できる。	2点	股関節屈曲運動の基本軸・移動軸・参考可動域をすべて正確に説明できる
	1点	上記のうち1項目が正確に説明できない
	0点	2項目以上正確に説明できない
②両股関節0°屈曲位，測定側上肢を胸部の上に置いた背臥位にすることができる。	2点	両股関節0°屈曲位，測定側上肢を胸部の上に置いた背臥位にすることができる
	1点	どちらか一方のみできる
	0点	どちらもできない
③角度計を用いることを伝え，股関節屈曲運動についてデモンストレーションを交えてわかりやすく説明できる。	2点	角度計を用いることを伝え，股関節屈曲運動についてデモンストレーションを交えてわかりやすく説明できる
	1点	どちらか一方のみできる
	0点	どちらもできない
④非障害側の自動運動での姿勢，可動域，疼痛，代償運動を確認できる。	2点	非障害側の自動運動での姿勢，可動域，疼痛，代償運動を確認できる
	1点	上記のうち1項目ができない
	0点	2項目以上できない
⑤非障害側の他動運動での姿勢，可動域，疼痛，代償運動を確認し，代償運動が生じた場合は正しい運動方向に修正できる。	2点	非障害側の他動運動での姿勢，可動域，疼痛，代償運動を確認し，代償運動が生じた場合は正しい運動方向に修正できる
	1点	上記のうち1項目ができない
	0点	2項目以上できない
⑥骨盤を固定し，大腿部を把持しながら，ゆっくりと非障害側の股関節屈曲運動を他動的に行うことができる。	2点	骨盤を固定し，大腿部を把持しながら，ゆっくりと動かすことができる
	1点	上記のうち1項目ができない
	0点	2項目以上できない
⑦障害側の自動運動での姿勢，可動域，疼痛，代償運動を確認し，代償運動が生じた場合は正しい運動方向に修正できる。	2点	障害側の自動運動，運動時の姿勢，可動域，疼痛，代償運動を確認し，代償運動が生じた場合は正しい運動方向に修正できる
	1点	上記のうち1項目ができない
	0点	2項目以上できない

⑧障害側の他動運動での姿勢，可動域，疼痛の有無，代償運動の確認と運動方向の修正，角度計の準備ができる。	2点 1点 0点	障害側の他動運動で，運動時の姿勢，可動域，疼痛の有無，代償運動の確認と運動方向の修正，角度計の準備ができる 上記のうち1項目ができない 2項目以上できない
⑨障害側の他動運動で骨盤を固定し，大腿部を把持しながら，ゆっくりと動かすことができる。	2点 1点 0点	障害側の他動運動で骨盤を固定し，大腿部を把持しながら，ゆっくりと動かすことができる 上記のうち1項目ができない 2項目以上できない
⑩障害側の他動的な股関節屈曲運動の最終可動域で，基本軸・移動軸に角度計を合わせることができる。	2点 1点 0点	最終可動域の位置で，基本軸・移動軸に角度計を合わせることができる 上記のうち1項目ができない 2項目以上できない
⑪角度計を押し付けずに当て，適切な位置から目盛りを読み，測定後ゆっくりと下肢を下ろすことができる。	2点 1点 0点	角度計を押し付けずに当て，適切な位置から目盛りを読み，測定後ゆっくりと下肢を下ろすことができる 上記のうち1項目ができない 2項目以上できない
⑫左右の可動域を比較し，両側とも5°刻みで実測値を患者に伝えることができる。	2点 1点 0点	両側とも5°刻みで実測値を患者に伝えることができる 一側のみ5°刻みで実測値を患者に伝えることができる 両側とも5°刻みで実測値を患者に伝えることができない

OSCE担当者確認事項

環境設定

・角度計は適切な大きさのものを複数用意し，受験者に使いやすいものを選ばせる。

模擬患者

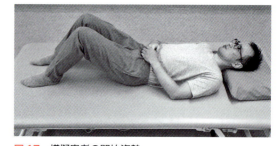

図17 模擬患者の開始姿勢

・課題開始時は治療用ベッド上に背臥位で待機する。背臥位姿勢では膝を立て，両上肢を体側に置いておく（図17）。
・障害側の股関節屈曲90°程度で疼痛が出現する設定とする。
・非障害側の他動的な股関節屈曲時に反対側大腿の固定が不十分な場合は，反対側の股関節が屈曲する代償運動を出現させる。
・非障害側の股関節屈曲可動域は正常可動域の設定とする。
・障害側の自動的な股関節屈曲時には，同側の股関節外転もしくは外旋いずれかの代償運動を出現させる。

採点者

・基本軸・移動軸・参考可動域の説明がない場合は説明させる。説明内容が誤っていた場合は誤りを修正し，課題を継続させる。
・可動域の測定で角度計の基本軸・移動軸が可動域とずれていないかを確認する。

引用文献

1) 日本整形外科学会身体障害委員会，日本リハビリテーション医学会評価基準委員会：関節可動域表示ならびに測定法．リハビリテーション医学 11：127-132, 1974.

参考文献

1) 日本整形外科学会身体障害委員会，日本リハビリテーション医学会評価基準委員会：関節可動域表示ならびに測定法．リハビリテーション医学 32：207-221, 1995.
2) 奈良 勲，内山 靖 編：図解 理学療法検査・測定ガイド 第2版．p155-199，文光堂，2009.
3) 和才嘉昭，嶋田智明：リハビリテーション医学全書5 測定と評価 第2版．p223，医歯薬出版，1987.
4) 赤居正美 編著：リハビリテーションにおける評価法ハンドブック．p151-156，医歯薬出版，2009.
5) 福田 修 監：PT・OT のための測定評価 DVD Series1 ROM 測定法 第2版．三輪書店，2010.

6 筋力測定

1 筋力測定について

　筋力測定はリハビリテーション医療に携わる臨床家が行う種々の測定のなかでも頻度が高く，かつ専門職として高度な知識・技術が必要とされる代表的な測定である。現在最も普及している筋力測定法は徒手筋力検査（manual muscle test：MMT）であり，患者が重力や療法士の徒手抵抗に抗して発揮しうる筋力を療法士の主観によって順序づけする方法である。MMTの利点は器具を必要としないため，測定場面を選ばないことと，グレードが定義づけされており筋力の大きさを具体的にイメージしやすいことである。欠点は，順序尺度であるためグレード間の間隔が一定ではなく，4（Good）以上のグレードに相当する筋力の幅がそれ未満のグレードに比して非常に広いこと，そしてグレード判定の正確性と客観性に欠けることである。そのため実際には筋力が増加しているにもかかわらず，MMTではその変化を捉えられないという現象が生じたり，療法士によって判定結果が異なってしまうなどの不具合が生じる。

　現在，筋力測定法の世界標準は筋力評価訓練機器（トルクマシン）を用いる方法である。関節を運動中心とした肢節の角運動の強さを機械的に測定し，それを物理量で表示するため，測定値は連続尺度であり，かつ療法士の主観的な判定によらないという利点をもつ。しかし，これらの機器は高価であり，多くの施設で利用されているとはいい難い。また測定する関節運動ごとに機器の設定を変更する必要があること，そして大きく重いために，機器が設置されている場所でのみ測定が可能であり，ベッドサイドや在宅で使用することは不可能であることが欠点として挙げられる。本項で推奨する徒手筋力計（hand-held dynamometer：HHD）は操作の簡便さに加えて，トルクマシンに比べ安価で可搬性に優れ，測定値が力の大きさという物理量で示されるなど，MMTとトルクマシンの欠点を補いうる測定器具である。しかし，療法士が手に持って測定する機器であるため，療法士の技術に測定値の信頼性が左右されてしまう可能性がある。

2 MMT

A. 意　義

　MMTは，各関節の筋または筋群の筋力を量的に測定する方法である。MMTは末梢性の弛緩性麻痺，廃用性筋萎縮による筋力低下や軽度の中枢性麻痺などの筋の評価として用いられ，診断や治療プログラムの立案と効果判定に利用される。

B. 目　的

　MMTを行う目的は下記のようになる。
- 診断の補助：末梢神経損傷や脊髄損傷の損傷部位の決定。
- 運動機能の判定：関節，筋，神経系の障害による筋のバランスや関節変形の予想を立てる。
- 治療方法，治療効果の決定：侵された筋または筋群を知り，筋再教育や整形外科的手術の方法の決定やその効果判定に役立てる。
- 治療の一手段：MMTはそれ自身各関節運動になるので，筋力増強練習として役立つ。

C. 本項での取り扱い

　MMT の測定方法は，Daniels Worthingham's Muscle Testing に則るのが一般的であり，広く使用されている。本項では，現段階の最新版である『新・徒手筋力検査法 原著第9版』[1] に準じて解説する。

D. 環境・肢位

　測定部位は最大限露出し，筋を確認する。その際，室温やプライバシーに十分配慮する必要がある。体位の変換は最小限にし，事前に測定する部位やその時の肢位，体力などを考えたうえで，測定する順番を計画しておき，1つの肢位で行えるものは連続して測定する。患者の状態に合わせて変則的に別の肢位・方法を用いる場合は，原則に近い肢位を選択する。

E. 判定基準

　現在，わが国で一般的に用いられているものは Daniels らの段階0～5の6段階評価法である[1,2]。MMT 3以上の場合，HHD を活用して客観的に筋力の経過をみることが望ましい。

1) 筋力検査の段階を定める基準

　MMT における段階づけには，主観的要素と客観的要素がある。主観的要素は，療法士が抵抗を加える時の強さなどである。客観的要素は，患者が可動域を完全に動かしうる能力か，あるいはまったく動かすことができない能力かの判定などである。

　このような判定基準の要素に基づいて，段階づけは0～5の6段階で判定する。

・段階5 (Normal)：療法士が最大抵抗を加えても，患者がそれに抗して最終可動域を保ち続けるか，ほとんど常に療法士が患者の肢位持続力に対抗して，その状態に打ち勝つことのできない状態の筋力である。

・段階4 (Good)：正常よりも筋力弱化がある状態である。重力に抗して可動域全体にわたり運動を完全に行うことができると同時に，測定肢位を崩すことなく強度ないし中等度の抵抗に打ち勝つことができる筋力である。

・段階3 (Fair)：重力の抵抗だけに抗して完全に最終可動域まで運動できる筋力である。

・段階2 (Poor)：重力の影響を最小にした肢位であれば完全に最終可動域まで運動できる筋力である。

・段階1 (Trace)：運動に関与する1つまたはそれ以上の筋群に，ある程度の筋収縮が目に見えるか，触知できる状態である。

・段階0 (Zero)：視診によっても触知によっても，まったく筋活動がみられない状態である。

F. プラス（＋）とマイナス（－）の段階づけ

　原則として，MMT ではプラス（＋）やマイナス（－）の段階づけはしない。例外として，「2 (Poor) ＋」と「2 (Poor) －」の段階づけは認められる。

1) 段階2＋（Poor＋）の筋

　足関節底屈筋の筋力を段階づける際に，以下の2つの状態のいずれかが存在する場合に用いる。

　一つ目は，患者が体重を支えながら正しい形の踵持ち上げを部分的に行える場合である。二つ目は，腹臥位のテストで患者が最大の抵抗に抗しながら完全に可動域全域にわたる動作が行える場合である。

2) 段階2－（Poor－）の筋

　「段階2－」の筋は，重力の影響を最小にした水平面内での運動であれば，可動域の一部を動かせるものをいう。「段階2」と「段階1」の筋の機能的な差は非常に大きいため，機能回復を評価するうえで重要な意味がある。

G. 抵抗のかけ方

1) 抑止テスト

　抑止テストは，動かしうる可動域の最終点，あるいは筋が最も働かなければならない可動域の一点で，

患者が行う運動を療法士が徒手で「抑止」し，その運動を頑張り続けて，筋力を判定する方法であり，一般的に多く用いられる。

2) 抗抵抗自動運動テスト

抗抵抗自動運動テストは，抑止テストに代わる方法で，療法士は，患者が収縮させる筋，あるいは筋群に徐々に徒手抵抗を強め，患者が耐えられる最大の抵抗に達し，運動が生じなくなるまで抵抗を加え続けて測定する方法である。このテストは，抵抗の加え方に熟練を要し，結果が曖昧になりやすいので，使用は勧められない。

H. 測定上の注意

1) 患者の協力とオリエンテーション

療法士は測定を行う前に，これから行う測定の方法を十分に説明し，患者の不安を取り除き，正しい運動ができるようにする。

2) 患者の肢位

測定にあたって患者の体位変換は最小限度にし，患者を疲労させないようにする。できるだけ一つの肢位でできる測定は連続して行い，次の肢位に移る。患者が規定の肢位をとることができないときは変法として，その測定肢位を記載する。

3) 測定部位の露出

可能な範囲で測定部位は最大限露出して，主動作筋や代償筋の筋収縮の状態を見やすくする。

4) 両側の測定

測定は障害側のみでなく非障害側も行い，非障害側を基準に判定する。両側障害の場合は，より筋力の強い側から測定する。

5) 代償運動 (trick motion) の防止

測定を行っても代償運動によるものであれば，正確な判定とはいえない。代償運動は避けなければならない。そのためには十分な固定が必要である。測定を行う筋または筋群の関節以外の中枢側を固定することが大切である。

6) 抵抗を加える部位と方向

抵抗は測定筋，または筋群の運動方向と正反対の方向で，関節の遠位端に加える。骨折などで遠位端に抵抗を加えることができないときは，近位端に加えることもある。

7) 筋力低下に影響する因子

MMT は，関節運動の全可動域にわたって行うが，関節の拘縮や疼痛があると筋力の程度に影響を及ぼす。関節拘縮や疼痛のある時は，「C＋ (contracture：拘縮)」「P＋ (pain：疼痛)」を付記する。

8) 患者の疲労を考慮

同じ測定を繰り返し行うと筋疲労を生じるので，手際よく行うことが望ましい。

9) 適切な声かけ

最大筋力を発揮させるための適切な声かけを行う。併せて筋力を発揮するタイミングも伝えるとよい。

I. 正確性に影響する因子

1) 療法士の技術

測定の姿勢，触診，固定，抵抗などによって結果に影響を受ける。

2) 時間，気温，天候など

関節リウマチなどの疾患や術後の影響がある場合などは，測定時間，服薬時間，気温，天候などによって結果が変化することがある。

3) 測定方法

測定肢位を変更すると結果が変化する可能性がある。なぜ変化するのか，変化に対する考察ももちろん必要だが，効果判定には同一の測定方法での筋力を比較する。

J. 記　録

MMT では段階を記録する。原則と異なる測定法を用いる場合は方法，肢位を具体的に併記する。

【記録例】

①通常例

股関節外転筋力を測定するために，背臥位にて「段階2」のテスト，その後側臥位にて「段階4/5」のテストを実施し，中等度の抵抗に抗することができた。

股関節外転：4

②股関節の術後側臥位が禁忌の症例

股関節外転筋力を測定するために，背臥位にて自動運動が全可動域可能であった。その後抵抗をかけてのテストを実施し，中等度の抵抗に抗することができた。

股関節外転：2以上（背臥位）

3　トルクマシン

わが国では種々の製品が市販されているものとして Cybex Medical 社製 CYBEX 770 NORM（以下，サイベックス）と Biodex Medical Systems 社製 BIODEX SYSTEM 3（以下，バイオデックス）などがある。

A. 機器の原理

レバーアームの回転中心を該当関節の運動中心に合わせ，体節をレバーアームに固定することで，体節運動をレバーアームの運動に置き換えて，当該関節の角度，角速度，角加速度，および当該関節中心の関節トルクを測定するものである。任意の角速度を設定すると，サーボモータはそれ以上の角速度でのレバーアーム運動を抑制する。つまりレバーアームは設定された角速度運動を続けることになる。そのときレバーアームの角度変化と，レバーアームの回転中心にかかる力の大きさ，いい換えるならば，設定角速度以上の運動を行わせようとする力の大きさを測定する。臨床場面で測定対象となるのは，開放運動連鎖（open kinetic chain：OKC）の関節運動が多いが，上下肢の屈曲・伸展時の足底面あるいは手掌面にかかる荷重力を測定することで閉鎖運動連鎖（closed kinetic chain：CKC）による運動の大きさも測定できる。ただし，体幹部を固定しているため厳密には CKC とはいえない。

トルクマシンによる筋力測定の測定姿勢は基本的に重力を除した運動ができるような設定になっていない。そのため求心性収縮を用いた筋力測定では，少なくとも対象とする体節と使用するアタッチメントの重量を重力に逆らって運動させることができる筋力，すなわち MMT で4（Good）以上の筋力が必要とされる場合がある。

4　HHD（図1）

わが国で市販されている HHD は，オージー技研社製 GT-10，Hoggan Health Industries 製 MICRO-FET2，JTech Medical 製 Power Track Ⅱ（いずれも日本での販売は日本メディックス社），アニマ社製 μTas MT-1，酒井医療社製 EG-230 などがある。

A. 機器の原理

HHD は，トルクマシンに比べて非常に単純な筋力測定機器である。

筋の張力が骨に伝達されることにより，関節を運動中心とした体節の角運動が生じるが，これをてこに当てはめてみると，筋の張力はてこの力点にかかる力の大きさであり，それが関節を支点としてレバーを介して作用点に伝達され，その作用点で発揮された力の大きさを HHD への荷重力の大きさとして測定する。運動・動作時の筋収縮様式は等張性であったり，等尺性であったりするが，HHD で測定でき

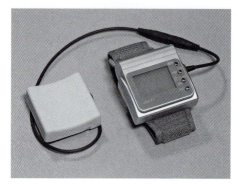

図1　徒手筋力計（hand-held dynamometer：HHD）

る筋力は基本的に等尺性収縮である。

B. 測定方法

1）測定姿勢，固定部位，抵抗方法

HHDによる筋力測定の方法は種々行われているが，中でも肢節の重量による影響を最小限にするための測定姿勢と運動方向が考慮されたBohannonらの方法が提唱されている[3]。単関節運動の場合，随意的最大筋力を等尺性収縮にて測定するため，肢節の固定を確実に行うと同時に，当該関節に運動が起こらないように，抵抗の与え方などに十分配慮する必要がある。

2）測定時間と休憩時間，測定回数

1回の測定は4～5秒以内とし，患者の状態によって測定間に10～30秒の休息を入れる。開始から2～3秒後に最大筋力に達し，そのまま最大筋力を維持するように，あらかじめ指導・練習するとよい。患者の負担を考慮すれば，測定回数は1回が理想である。しかし，療法士あるいは患者がHHDの測定の経験に乏しい場合は2～3回繰り返し，測定を行うことが望ましい。その中で正しい運動で測定された数値の最大値を代表値にする。

C. 抵抗のかけ方

等尺性収縮を用いた筋力測定にはmake testとbreak testの2種類がある。make testは療法士が固定しているHHDに対して，患者が積極的にそれを押すことによって生じるHHDへの圧を測定する。患者に指示する場合の例えは「押して！　もっと押して！　強く押して！」となる。対してbreak testは，患者が一定の構えをとり，療法士がその構えを崩すようにHHDを介して力を加え，構えが崩れる瞬間のHHDへの圧を測定する。患者に指示する場合の例えは「動かさないで！　止めて！　そのまま止めて！」となる。どちらの場合も，患者の運動方向に対して垂直に抵抗を加える。体表と測定センサとの接触面は，測定センサの全面とする。測定センサは握り込まないように注意する。計測中は測定センサの位置ずれにも注意する。

一般的にmake testは求心性収縮の要素をもち，break testでの等尺性筋力は等張性収縮で行われる遠心性収縮の要素をもつといわれている。実際，make testよりもbreak testでの随意的最大筋力は1.3倍ほど大きくなることが報告されている。臨床場面でどちらの手技を用いるかについて定説はなく，障害像によって使い分ける。ただし，break testは遠心性収縮の要素をもつことから，筋への負荷がmake testよりも大きく，また筋力が大きい場合は療法士への負担が大きくなり測定信頼性に影響を与えるため，あらかじめ大きな筋力を測定することが明らかならば，make testを選択した方がよい。

D. 記　録

HHDではトルクなど，客観的数値を記録する。測定単位には，Kgf，N，lbfなどが用いられている。

対象者の治療前後や左右差など個人内で比較する時は，得られた数値を記録する。一方，異なる治療効果の比較など個人間で比較する時は，得られた値を体重比で記録する。

5 疾患に応じた測定の展開

【整形外科疾患でのポイント】

・術式の確認，運動方向および可動域の可否，MMT の禁忌，測定肢位の禁忌の確認を行う。

・患部に対する負担を考慮する。

・炎症疾患，炎症部位の測定は特に愛護的に行う。

【中枢神経疾患でのポイント】

・麻痺側の測定は，分離運動が可能なレベルより測定する。

・バランス能力の障害への配慮，環境，姿勢，触診による筋緊張の変化に注意する。

・安全性を確保する。

・重度感覚障害に対する配慮を行う。

・脱臼・亜脱臼の有無を確認する。

【高齢者でのポイント】

・生活歴・加齢による筋力低下か，疾病による筋力低下かを判断する。

・体幹筋力の影響を考慮する。

6 MMT の手順のポイント

1) 挨拶・自己紹介を行い，2 つの識別子で患者の確認を行う

・患者とのラポール（信頼関係）形成のため，挨拶，自己紹介を行う。

・患者の取り違えを防止するため，氏名に加え生年月日もしくは ID など，2 つの識別子で確認する。

2) 筋力測定（MMT）を行う旨を患者に伝え了承を得る

・これから測定する内容を患者に簡潔にわかりやすく説明し，了承を得る。

3) 患者を適切な測定姿勢にする

・測定時，最大筋力を発揮させるため，可能な限り安定した姿勢にする。

> **臨床のコツ**
>
> ◆整形外科疾患の術後など禁忌肢位がある場合は，禁忌肢位を避けて測定する。本項が参考にする『新・徒手筋力検査法 原著第 9 版』[2] に記載されている肢位と異なった肢位で測定した場合は，その旨を記載することが望ましい。

4) 測定部位の動き（自動・他動）と疼痛，筋緊張を確認する

・患者に口頭で動きについて確認し，動かしやすい側から自動運動とその際の疼痛の有無を確認する。

・患者の自動的な動きを確認後，ゆっくりと他動的に患者の上肢，手指，下肢を動かし，測定に必要な関節可動域，筋緊張，疼痛の有無をあらかじめ把握する。

5) 運動・測定方法・代償運動を患者に説明し，理解と協力を得る

・口頭による説明のみではなく，測定する運動の内容や注意すべき代償運動をジェスチャーや他動運動を交えたデモンストレーションで患者に説明し，理解と協力を得る。

6)「段階 3（Fair）」のテストを実施する

・代償運動を防止するよう測定を行う筋または筋群の関節以外の中枢側を固定し，最終可動域（または，指定された位置）で保持するように指示する。この時，保持できれば，「段階 3」と判定する。一部可能な場合は，「段階 2」と判断する。部位によっては，除動位にて「段階 2（Poor）」のテストを実施する。

・測定終了後に測定肢位に戻す時は，安全にゆっくりと下ろすように説明する。疼痛の出現，疼痛により急に脱力する場合に備え，必要に応じて測定肢を軽く持ち補助して下ろす。

7)「段階4/5（Good/Normal）」のテストを実施し，レベルを判定する

・療法士は患者に最終可動域（または，指定位置）で保持するように指示をし，代償運動を防止するよう測定を行う筋または筋群の関節以外の中枢側を固定し，他方の手で抵抗を加える。抵抗は，弱い抵抗から2〜3秒程度で最大抵抗へと変化させ抵抗をかけていく。抵抗は，運動方向に対し垂直に加える。最大抵抗で保持できれば「段階5」とする。その際，疼痛の出現，疼痛により急に脱力する場合に備えておく。

・最大抵抗に負けてしまう場合，もしくは注意を促しても代償運動が生じてしまう場合は，強度ないし中等度の抵抗をかけ，保持できていれば「段階4」とする。

・代償運動が生じた場合は，適切な運動方向となるよう指示・誘導した後，再測定を行う。それでも代償運動が生じてしまう場合は，筋力が低下していると判断する。

・測定終了後に測定肢位に戻す時は，安全にゆっくりと下ろすように説明する。疼痛の出現，疼痛により急に脱力する場合に備え，必要に応じて測定肢を軽く持ち補助して下ろす。

> **臨床のコツ**
> ◆療法士の身長が低く患者の身長が高い場合など，垂直方向に抵抗をかけにくい際は，療法士が踏み台に乗って抵抗をかけると，垂直方向に抵抗をかけやすい。

8) 測定時に，最大筋力を発揮しやすいよう，抵抗をかけるタイミングに合わせて適切な声かけを行う

9) 筋力の強い側の筋力を目安に筋力の弱い側の測定を行う

10) 患者に測定結果を伝える

・患者に簡潔にわかりやすく，左右の測定結果を説明する。

　例）この検査は，0から5の6段階で5が筋力が強いことを示しますが，右側が5で左側が3でした。

11) 患者に終了を伝える

7　HHDを用いた筋力測定の手順のポイント

1) 挨拶・自己紹介を行い，2つの識別子で患者の確認を行う

・患者とのラポール（信頼関係）形成のため，挨拶，自己紹介を行う。

・患者の取り違えを防止するため，氏名に加え生年月日もしくはIDなど，2つの識別子で確認する。

2) HHDを用いて筋力測定を行う旨を患者に伝え了承を得る

・これから測定する内容を患者に簡潔にわかりやすく説明し，了承を得る。

3) 患者を適切な測定姿勢にする

・最大筋力が発揮できる肢位をとらせる。

4) 測定部位の動き（自動・他動）と疼痛，筋緊張を確認する

・療法士は，患者の自動的な動きを確認後，ゆっくりと他動的に患者の上肢，下肢を動かし，測定に必要な関節可動域，筋緊張，疼痛の有無をあらかじめ把握する。

5) 運動・測定方法・代償運動を患者に説明し，理解と協力を求める

・口頭による説明のみではなく，測定する運動の内容や注意すべき代償運動をジェスチャーや他動運動を交えたデモンストレーションにて患者に説明し，理解と協力を得る。

・測定方法について，患者の理解度を確認するために練習を行ってもよい。ただし，測定結果に疲労の影響を含まないように注意が必要である。代償運動が生じた場合は適切な運動方向となるよう修正する。

6) キャリブレーション設定（ゼロ補正）を行う

・測定前，測定センサ面上に何も触れていないことを確認し，キャリブレーション設定（ゼロ補正）を行う。

7）HHD を用いて最大筋力の測定を行う

・療法士は測定しやすい場所で抵抗に抗することができる姿勢をとる。

・療法士は一方の手で固定し，他方の手で抵抗を加える。

例（股関節外転）

　　測定肢位：背臥位，両側股関節中間位，膝関節伸展位

　　固　　定：対側下肢

　　抵　　抗：大腿骨外側上顆近位部の大腿外側面

・関節の動きが生じないよう，患者の運動方向に対して垂直に抵抗を加える。抵抗は，弱い抵抗から 2 〜3 秒で最大抵抗へと変化させ，そのまま 2 秒程度最大抵抗をかける[4]。その際，疼痛の出現，疼痛による急な脱力などに注意する。

・療法士が測定センサを固定する手は握り込まないようにしながら，固定位置がずれないように留意する。

・実施が困難な場合は，測定可能な肢位で測定を実施して，記録にその旨を記載しておく。

・代償運動が生じた場合は，適切な運動方向となるよう指示・誘導した後，再測定を行う。

8）測定時に，患者が最大筋力を発揮しやすいよう，抵抗をかけるタイミングに合わせて適切な声かけを行う

9）筋力の強い側の筋力を目安に筋力の弱い側を測定する

・両側性の場合は，この限りではない。

10）患者に測定結果を伝える

・得られた測定結果は，非障害側や過去の測定結果と比較して，練習効果の確認や治療方針の立案に用いる。

例）前回の測定結果と比べて 10 N 強くなりました。これまでの筋力増強練習の効果を認めます。

11）患者に終了を伝える

臨床のコツ

◆ 禁忌肢位，変形部位や骨折部位にストレスをかけない，などに留意する。

◆ 一つの肢位で複数の筋の測定が可能な場合は，その肢位でできる限りの測定を実施して，患者の負担を軽くする。

◆ バランス不良の場合は，幅の広いベッド上背臥位で実施する。

◆ 空間の認知やバランス能力に影響を及ぼす脳血管障害などの疾患では，背臥位でも無意識に不安定感が生じているため十分配慮する。

◆ HHD は，測定者が患者の筋力に抗することができないほど強い場合は，通常一人で測定することが難しい。その場合，片手で抵抗に抗せない時は両手で抵抗を加える，固定用のベルトを使用する，他者の協力を得て複数人で測定する，などで正確性を高める。

OSCE課題　MMT（上肢）

対応動画

設問
中心性脊髄損傷の患者です。この患者の両側肩関節屈曲運動の筋力（MMT）を測定してください。なお，筋緊張は自動・他動運動時正常と確認されています。制限時間は5分です。では，始めてください。

準備するもの
背もたれ付き椅子，台（患者用，もしくは受験者用）

患者情報

疾患・障害	中心性脊髄損傷，四肢麻痺	深部覚	正常
年齢・性別	不問	ROM	両肩関節屈曲150°
受傷後期間	3カ月	筋緊張	自動・他動時正常
Frankel分類	D	座位	安定
疼痛	なし	理解	良好
表在覚	軽度鈍麻	表出	良好

課題の目標

態度
1. 筋力測定（MMT）に備えた心がけができる（清潔かつ安全な身なり）。
2. 患者に筋力測定（上肢MMT）を行う旨を説明し，了承を得ることができる。
3. 患者に不快な思いをさせない（話し方，表情，振る舞い）。

技能
1. 患者の安全に配慮しながら進めることができる。
2. 筋力測定（上肢MMT）を適切な手順および方法で行うことができる。
3. わかりやすく簡潔に結果を伝えることができる。

手　順

1. 挨拶・自己紹介を行い，2つの識別子で患者の確認を行う。
2. 肩関節屈曲運動の筋力測定（MMT）を行う旨を患者に伝え了承を得る。
3. 患者を適切な測定姿勢にする。
    - 椅子座位の安定を確認し，背もたれを使用し安定した姿勢を保つようにする（図2）。最大筋力を発揮させるため，可能な限り骨盤直立位とし，床に足底接地するようにする。
    - 小柄な患者で十分足底接地できない患者は，床に台を設置し，その上に足底を接地させるようにする（図3）。
4. 測定部位の動き（自動・他動）と疼痛を確認する。
    ①患者に口頭で左右の上肢の動きについて確認し動かしやすい側から，自動運動とその際の疼痛の有無を確認する
    ②自動運動の確認後，ゆっくりと他動的に肩関節を屈曲し，関節可動域，疼痛の有無を把握する。他動運動の確認時は，患者の両腕は身体の両側に垂らし，前腕を回内位に置く。受験者は測定側の真横に立ち，上肢全体の重みを支えるようにして持ち，一方の手を後方から患者の肩甲骨に当て，体幹を固定するように支持する（図4）。その際，疼痛に注意しながらゆっくりと行う
5. 運動・測定方法・代償運動をデモンストレーションを交えて患者に説明し，理解と協力を得る。
    - 肩関節屈曲運動における代償運動は三角筋前部線維，棘上筋，烏口腕筋が作用しない場合，体幹伸展・対側への側屈，肩甲骨挙上，肩関節水平屈曲，肘関節屈曲などが出現する（図5）。
6. 「段階3（Fair）」のテストを実施する（図6）。
    - 受験者は，患者の体幹を後方から固定し，患者に「手のひらを下にして，腕を前方から肩の高さまで上げて保つこと」を指示する。固定は，受験者の手だけでなく体幹を患者に密着させるようにして固定する（図7c参照）。抗重力位を保持できれば「段階3」とし，一部可能な場合は「段階2」と判定する。
    - 終了後，最初の測定肢位に上肢を戻す時は，安全にゆっくりと下ろすように説明する。
7. 「段階4/5（Good/Normal）」のテストを実施し，レベルを判定する。
    - 患者に肩関節屈曲の自動運動を行わせ，肩関節90°屈曲の高さまで挙上させる（図7a）。その高さまで挙上できたら，受験者が患者の肘関節直上の上腕骨遠位端で垂直方向に抵抗を加える旨を説明する（図7b）。
    - 抵抗を加える際は，患者の体幹を後方から固定する。固定は，受験者の手を使用するだけでなく体

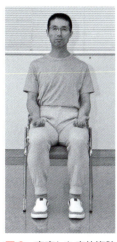
図2　安定した座位姿勢

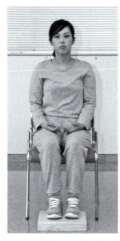
図3　小柄な患者の安定した座位姿勢（台の利用）

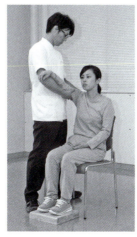
図4　他動的な関節可動域の確認

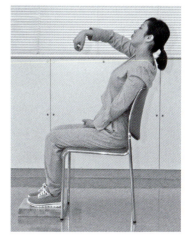
図5　代償運動（対側への体幹側屈・肩甲骨挙上）

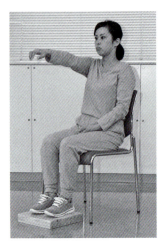
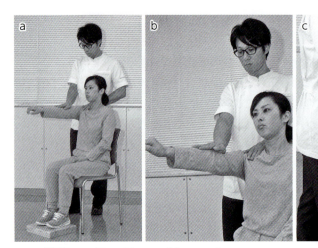

図6　「段階3（Fair）」のテスト

図7　「段階4/5（Good/Normal）」のテスト
a：肩関節90°屈曲，b：上腕骨遠位端への垂直方向の抵抗，c：抵抗を加える際の体幹の固定方法

幹を患者に密着させるようにして固定する（図7c）。
- 抵抗は，弱い抵抗から2～3秒程度で最大抵抗へと変化させていく。最大抵抗をかけた状態で保持できれば「段階5」とする。
- 代償運動が生じた場合は，適切な運動方向に指示・誘導した後，再測定を行う。それでも代償運動が生じてしまう場合は，筋力が低下していると判断する。
- 終了後，最初の測定肢位に上肢を戻す時は，安全にゆっくりと下ろすように説明する。

8. 測定時に最大筋力を発揮しやすいよう，抵抗をかけるタイミングに合わせて適切な声かけを行う。
9. 筋力の強い側の筋力を目安に筋力の弱い側の測定を行う。
10. 患者に測定結果を伝える。
    - 患者に簡潔にわかりやすく，左右の測定結果を説明する。
11. 患者に終了を伝える。

6　筋力測定　205

採点基準

採点者は模擬患者に受験者の言動の適否を適宜確認して，以下の項目を採点してください。

1. 態度

①適切な身なりで明瞭な挨拶（開始時・終了時）・自己紹介ができる。	2点　適切な身なり，明瞭な挨拶（開始時・終了時）・自己紹介ができる 1点　上記のうち1項目ができない 0点　2項目以上できない
②2つの識別子で患者の確認ができる。	2点　2つの識別子で患者の確認ができる 1点　1つの識別子で確認ができる 0点　確認ができない
③MMT（上肢）を行う旨を患者に伝え，了承を得ることができる。	2点　MMT（上肢）を行う旨を正確に伝え，患者の了承を得ることができる 1点　どちらか一方のみできる 0点　どちらもできない
④課題全般を通して，患者の様子（表情・心情・姿勢・身体機能）や状況に応じた丁寧な対処（声かけ・触れ方・動かし方）ができる。	2点　課題全般を通して，患者の様子や状況に応じた丁寧な声かけ，触れ方，動かし方ができる 1点　上記3項目のうち1項目ができない 0点　2項目以上できない

2. 技能

①患者を可能な限り骨盤直立位，床に足底接地した座位姿勢にさせることができる。	2点　患者を可能な限り骨盤直立位，床に足底接地した座位姿勢にさせることができる 1点　どちらか一方のみできる 0点　どちらもできない
②口頭で測定肢の左右差を確認し，適切な順序で測定できる。	2点　口頭で測定肢の左右差を確認し，筋力の強い側から測定できる 1点　口頭で測定肢の左右差を確認するが，筋力の弱い側から測定する 0点　口頭で測定肢の左右差を確認しない
③両側とも自動的な上肢の動きと疼痛を確認できる。	2点　両側とも自動的な上肢の動きと疼痛を確認できる 1点　一側のみできる 0点　両側ともできない
④両側とも他動的な上肢の動きと疼痛を確認できる。	2点　両側とも他動的な上肢の動きと疼痛を確認できる 1点　一側のみできる 0点　両側ともできない
⑤運動・測定方法，代償運動についてデモンストレーションを交えて患者に説明できる。	2点　運動・測定方法，代償運動についてデモンストレーションを交えて説明できる 1点　上記のうち1項目ができない 1点　口頭のみで説明する 0点　2項目以上できない
⑥両側とも「段階3」のテストで代償運動が出現しないよう体幹を固定できる。	2点　両側とも「段階3」のテストで代償運動が出現しないよう体幹を固定できる 1点　一側のみできる 0点　両側ともできない
⑦両側とも「段階4/5」のテストで代償運動が出現しないよう体幹を固定できる。	2点　両側とも「段階4/5」のテストで代償運動が出現しないよう体幹を固定できる 1点　一側のみできる 0点　両側ともできない
⑧両側とも「段階4/5」のテストで肘関節直上の上腕遠位端に抵抗をかけることができる。	2点　両側とも「段階4/5」のテストで肘関節直上の上腕遠位端に抵抗をかけることができる 1点　一側のみできる 0点　両側ともできない

⑨両側とも「段階4/5」のテストで垂直方向に抵抗をかけることができる。	2点 1点 0点	両側とも「段階4/5」のテストで垂直方向に抵抗をかけることができる 一側のみできる 両側ともできない
⑩両側とも「段階4/5」のテストで弱い抵抗から最大抵抗へと変化させて抵抗をかけることができる。	2点 1点 0点	両側とも「段階4/5」のテストで弱い抵抗から最大抵抗へと変化させて抵抗をかけることができる 一側のみできる 両側ともできない
⑪両側とも「段階4/5」のテストで2～3秒程度かけて抵抗をかけることができる。	2点 1点 0点	両側とも「段階4/5」のテストで2～3秒程度かけて抵抗をかけることができる 一側のみできる 両側ともできない
⑫全施行で両側とも，代償運動が生じた場合は再測定できる。	2点 1点 0点	全施行で両側とも，代償運動が生じた場合は再測定できる 一側のみできる 両側ともできない
⑬全施行で両側の測定時に最大筋力を発揮させるための適切な声かけができる。	2点 1点 1点 0点	全施行で適切な声かけを行うことができる 声かけはできるが，最大筋力を発揮できる適切な声かけではない 一部の施行でのみ適切な声かけを行うことができる 声かけをしない
⑭両側の測定結果から，適切にレベルを判定できる。	2点 1点 0点	両側とも適切に判定することができる 一側のみ判定できる 両側とも判定に誤りがある
⑮患者に測定結果をわかりやすく伝えることができる。	2点 1点 0点 0点	患者に測定結果をわかりやすく伝えることができる 測定結果を伝えるがわかりにくい 測定結果を伝えることができない 誤った内容を伝える

OSCE担当者確認事項

採点者と模擬患者

・あらかじめ左右の筋力の段階を決めておく。左右は問わないが，一側が「段階4」もしくは「段階5」，他側は「段階3」の設定とする。
・受験者が測定姿勢を誤って測定しようとした場合，口頭修正のうえ課題を再開する。

模擬患者

・課題開始時は背もたれ付き椅子に座位で待機する（図8）。骨盤後傾位，足底接地不良の姿勢をとっている。
・座位姿勢の修正は，自己にて可能な設定とする。
・「段階4/5」のテストの際，代償運動（どれか1つ）を出現させる。
・受験者が運動方向の修正を促しても受験者による固定が不十分，抵抗のかけ方が悪ければ，代償運動を出現させる。

採点者

・抵抗の強度については，模擬患者に確認したうえで採点する。

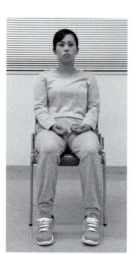

図8　模擬患者の開始姿勢

OSCE課題　MMT（手指）

対応動画

設問
左正中神経麻痺の患者です。この患者の両側の母指掌側外転運動の筋力（MMT）を測定してください。なお，筋緊張は自動・他動運動時正常と確認されています。制限時間は5分です。では，始めてください。

準備するもの
机，背もたれ付き椅子，タオル

患者情報

疾患・障害	正中神経麻痺	深部覚	正常
年齢・性別	不問	ROM	制限なし
障害側	左	筋緊張	自動・他動運動時正常
発症後期間	1カ月	座位	安定
疼痛	安静時に手指に痺れあり	理解	良好
表在覚	中等度鈍麻	表出	良好

課題の目標

態度
1. 筋力測定（MMT）に備えた心がけができる（清潔かつ安全な身なり）。
2. 患者に筋力測定（手指MMT）を行う旨を説明し，了承を得ることができる。
3. 患者に不快な思いをさせない（話し方，表情，振る舞い）。

技能
1. 患者の安全に配慮しながら進めることができる。
2. 筋力測定（手指MMT）を適切な手順および方法で行うことができる。
3. わかりやすく簡潔に結果を伝えることができる。

手順

1. 挨拶・自己紹介を行い，2つの識別子で患者の確認を行う。
2. 母指掌側外転運動の筋力測定（MMT）を行う旨を患者に伝え了承を得る。
3. 患者を適切な測定姿勢にする（図12）。
   - 測定時の疼痛や違和感を避けるために机の上にタオルなどを敷き，その上に前腕，手部を置く。その際，前腕近位が浮いてしまう場合は，机を高くしたり，タオルなどを厚くしたりするなどして浮かないように調整する。肩甲骨が挙上してしまう場合は，机を低くするなどして調整する。
   - 受験者は，測定肢に正対する場所に位置する。
4. 測定部位の動き（自動・他動）と疼痛を確認する。
   ①患者に口頭で左右の母指の動きについても確認し，動かしやすい側から自動運動（図13）とその際の疼痛の有無を確認する
   ②受験者は，ゆっくりと他動的に母指を掌側外転させ，関節可動域，疼痛の有無をあらかじめ把握する
5. 運動・測定方法・代償運動をデモンストレーションを交えて患者に説明し，理解と協力を得る（図14）。
   - 母指掌側外転運動における代償運動は短母指外転筋が作用しない場合，母指MP伸展や母指IP伸展，母指橈側外転が出現する。
6. 「段階3（Fair）」のテストを実施する。
   - 前腕を回外し，手関節を中間位にする。母指は力を抜いて内転位にする。
   - 受験者は，患者の第2〜4中手骨を固定し，患者に「親指を天井へ向けて上げ，保つ」ことを指示する。抗重力位を保持できれば「段階3」とし，一部可能な場合は「段階2」と判定する。

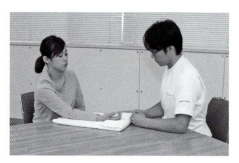

図12 安定した測定姿勢

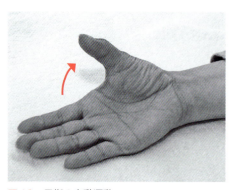

図13 母指の自動運動

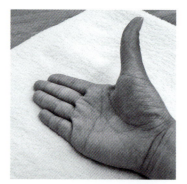

図14 代償運動（母指MP伸展・母指IP伸展）

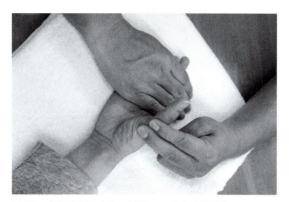
図15 「段階4/5（Good/Normal）」のテスト

7. 「段階4/5（Good/Normal）」のテストを実施し，レベルを判定する。
   ・第2〜4中手骨を固定し，第1中手骨頭上面に掌側内転させる方向に抵抗を加える（図15）。抵抗は受験者の手指1,2本を用いて弱い抵抗から2〜3秒程度で最大抵抗へと変化させ抵抗をかけていく。最大抵抗をかけた状態で保持できれば「段階5」とする。
   ・代償運動が生じた場合は，適切な運動方向に指示・誘導した後，再測定を行う。それでも代償運動が生じてしまう場合は，筋力が低下していると判断する。
8. 測定時に患者が最大筋力を発揮しやすいよう，抵抗をかけるタイミングに合わせて適切な声かけを行う。
9. 非障害側の筋力を目安に障害側の測定を行う。
10. 患者に測定結果を伝える。
    ・患者に簡潔にわかりやすく，左右の測定結果を説明する。
11. 患者に終了を伝える。

採点基準

採点者は模擬患者に受験者の言動の適否を適宜確認して，以下の項目を採点してください。

1. 態度

①適切な身なりで明瞭な挨拶（開始時・終了時）・自己紹介ができる。	2点	適切な身なり，明瞭な挨拶（開始時・終了時）・自己紹介ができる
	1点	上記のうち1項目ができない
	0点	2項目以上できない
②2つの識別子で患者の確認ができる。	2点	2つの識別子で患者の確認ができる
	1点	1つの識別子で確認ができる
	0点	確認ができない
③MMT（手指）を行う旨を患者に伝え，了承を得ることができる。	2点	MMT（手指）を行う旨を正確に伝え，患者の了承を得ることができる
	1点	どちらか一方のみできる
	0点	どちらもできない
④課題全般を通して，患者の様子（表情・心情・姿勢・身体機能）や状況に応じた丁寧な対処（声かけ・触れ方・動かし方）ができる。	2点	課題全般を通して，患者の様子や状況に応じた丁寧な声かけ，触れ方，動かし方ができる
	1点	上記3項目のうち1項目ができない
	0点	2項目以上できない

2. 技能

①机上にタオルなどを設置し，その上に前腕・手部を置き，前腕回外，手関節中間位とすることができる。	2点	机上にタオルなどを設置し，その上に前腕・手部を置き，前腕回外，手関節中間位とすることができる
	1点	上記のうち1項目ができない
	0点	2項目以上できない
②口頭で測定肢の左右差を確認し，適切な順序で測定できる。	2点	口頭で測定肢の左右差を確認し，非障害側から測定できる
	1点	口頭で測定肢の左右差を確認するが，障害側から測定する
	0点	口頭で測定肢の左右差を確認しない
③両側とも自動的な上肢の動きと疼痛，筋緊張を確認できる。	2点	両側とも自動的な上肢の動きと疼痛，筋緊張を確認できる
	1点	一側のみできる
	0点	両側ともできない
④両側とも他動的な上肢の動きと疼痛，筋緊張を確認できる。	2点	両側とも他動的な上肢の動きと疼痛，筋緊張を確認できる
	1点	一側のみできる
	0点	両側ともできない
⑤運動・測定方法，代償運動についてデモンストレーションを交えて患者に説明できる。	2点	運動・測定方法，代償運動についてデモンストレーションを交えて説明できる
	1点	上記のうち1項目ができない
	1点	口頭のみで説明する
	0点	2項目以上できない
⑥両側とも「段階3」のテストで代償運動が出現しないよう中手骨を固定できる。	2点	両側とも「段階3」のテストで代償運動が出現しないよう中手骨を固定できる
	1点	一側のみできる
	0点	両側ともできない
⑦両側とも「段階4/5」のテストで代償運動が出現しないよう中手骨を固定できる。	2点	両側とも「段階4/5」のテストで代償運動が出現しないよう中手骨を固定できる
	1点	一側のみできる
	0点	両側ともできない
⑧両側とも「段階4/5」のテストで第1中手骨頭上面に抵抗をかけることができる。	2点	両側とも「段階4/5」のテストで第1中手骨頭上面に抵抗をかけることができる
	1点	一側のみできる
	0点	両側ともできない

⑨両側とも「段階4/5」のテストで掌側内転方向に抵抗をかけることができる。	2点 1点 0点	両側とも「段階4/5」のテストで掌側内転方向に抵抗をかけることができる 一側のみできる 両側ともできない
⑩両側とも「段階4/5」のテストで弱い抵抗から最大抵抗へと変化させて抵抗をかけることができる。	2点 1点 0点	両側とも「段階4/5」のテストで弱い抵抗から最大抵抗へと変化させて抵抗をかけることができる 一側のみできる 両側ともできない
⑪両側とも「段階4/5」のテストで2〜3秒程度かけて抵抗をかけることができる。	2点 1点 0点	両側とも「段階4/5」のテストで2〜3秒程度かけて抵抗をかけることができる 一側のみできる 両側ともできない
⑫全施行で両側とも，代償運動が生じた場合は再測定できる。	2点 1点 0点	全施行で両側とも，代償運動が生じた場合は再測定できる 一側のみできる 両側ともできない
⑬全施行で両側の測定時に最大筋力を発揮させるための適切な声かけができる。	2点 1点 1点 0点	全施行で適切な声かけを行うことができる 声かけはできるが，最大筋力を発揮できる適切な声かけではない 一部の施行でのみ適切な声かけを行うことができる 声かけをしない
⑭両側の測定結果から，適切にレベルを判定できる。	2点 1点 0点	両側とも適切に判定することができる 一側のみ判定できる 両側とも判定に誤りがある
⑮患者に測定結果をわかりやすく伝えることができる。	2点 1点 0点 0点	患者に測定結果をわかりやすく伝えることができる 両側とも測定結果を伝えるがわかりにくい 測定結果を伝えることができない 誤った内容を伝える

OSCE担当者確認事項

採点者と模擬患者

- あらかじめ左右の筋力の段階を決めておく。左右は問わないが，一側が「段階4」もしくは「段階5」，他側は「段階3」の設定とする。
- 受験者が測定肢位を誤って測定しようとした場合，口頭修正のうえ課題を再開する。

模擬患者

- 課題開始時は机の近くの椅子に座位で待機し，手部は膝の上に置く（図16）。
- 机の高さは，あらかじめ適切な高さより高くもしくは低く設定しておく。
- 「段階4/5」のテストの際，代償運動（どれか1つ）を出現させる。
- 受験者が運動方向の修正を促しても受験者による固定が不十分，抵抗のかけ方が悪ければ，代償運動を出現させる。

図16 模擬患者の開始姿勢

採点者

- 抵抗の強度については，模擬患者に確認したうえで採点する。

OSCE課題　MMT（下肢）

対応動画

設問
両側変形性股関節症の患者です。この患者の両側股関節外転運動の筋力（MMT）を測定してください。なお，筋緊張は自動・他動運動時正常と確認されています。制限時間は5分です。では，始めてください。

準備するもの
治療用ベッド，枕

患者情報

疾患・障害	変形性股関節症	Ｒ Ｏ Ｍ	両側股関節外転 25°
年齢・性別	不問	筋 緊 張	自動・他動時正常
障 害 側	両側	座 位	安定
発症後期間	1 年	起 居 動 作	自立
疼 痛	両側股関節，運動時	理 解	良好
表 在 覚	正常	表 出	良好
深 部 覚	正常		

課題の目標

態度
1. 筋力測定（MMT）に備えた心がけができる（清潔かつ安全な身なり）。
2. 患者に筋力測定（下肢 MMT）を行う旨を説明し，了承を得ることができる。
3. 患者に不快な思いをさせない（話し方，表情，振る舞い）。

技能
1. 患者の安全に配慮しながら進めることができる。
2. 筋力測定（下肢 MMT）を適切な手順および方法で行うことができる。
3. わかりやすく簡潔に結果を伝えることができる。

手 順

1. 挨拶・自己紹介を行い，2つの識別子で患者の確認を行う。
2. 股関節外転運動の筋力測定（MMT）を行う旨を患者に伝え了承を得る。
3. 患者を適切な測定姿勢にする。
   - 動きと疼痛の確認，「段階2（Poor）」のテストは背臥位とし，「段階3（Fair），4（Good），5（Normal）」は側臥位とする。
4. 測定部位の動き（自動・他動）と疼痛を確認する。
   - 患者に口頭で左右の下肢の動きについて確認し，動かしやすい側から自動運動とその際の疼痛の有無を確認する。
   - 患者の自動的な動きの確認時は，背臥位にて一方の手で骨盤を腸骨稜に沿わせて固定し，他方の手でベッドと下肢との間で生じる摩擦をなくすよう下腿遠位に添える（図17）。同時に，「段階2（Poor）」のテストを行う。代償運動（股関節外旋，膝関節屈曲）に注意する（図18）。
   - ゆっくりと他動的に股関節を外転し，関節可動域・疼痛の有無を把握する。
5. 運動・測定方法・代償運動をデモンストレーションを交えて患者に説明し，理解と協力を得る。
   - 股関節外転運動における代償運動は中殿筋，小殿筋が作用しない場合，骨盤の引き上げ，左股関節屈曲・内外旋，体幹の回旋が出現する（図19）。
6. 「段階3（Fair）」のテストを実施する。
   - 患者に測定する側の下肢を上にした側臥位をとらせ，受験者は患者の後方に位置する。
   - 患者の下側にくる下肢（支持肢）は股・膝関節屈曲位とし，測定する側の膝関節下に支持肢の内果が位置することで，支持基底面が広がり安定する。測定肢は股関節を中間位より軽度伸展し，骨盤を軽度前方に回旋した位置で行う。
   - 受験者は患者の骨盤を後方から固定し，患者に自分の力で足をできるだけ大きく上に挙げることを指示する。受験者の手（骨盤を腸骨稜に沿わせて固定）だけでなく受験者の身体を患者に密着させるようにして固定する（図20）。抗重力位を保持できれば「段階3」とし，一部可能な場合は「段階2」と判定する。

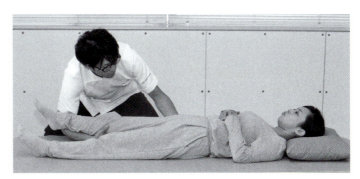

図17　患者の自動的な動きの確認

図18　「段階2（Poor）」での代償運動（股関節外旋，膝関節屈曲）

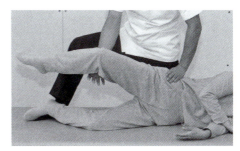

図19　「段階3（Fair）」での代償運動（股関節屈曲，外旋，膝関節屈曲）

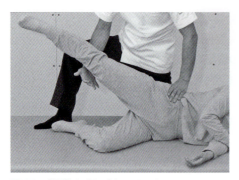 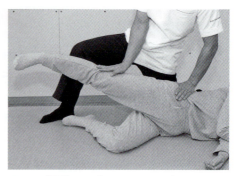

図20　「段階3（Fair）」のテスト　　　　　　図21　「段階4/5（Good/Normal）」のテスト
　　　　　　　　　　　　　　　　　　　　　　　　　（固定と抵抗方法）

・終了後，最初の測定肢位に戻す時は，安全にゆっくりと下ろす。疼痛の出現により急に脱力する場合に備え，必要に応じて測定肢を軽く持ち補助して下ろす。

7. 「段階4/5（Good/Normal）」のテストを実施し，レベルを判定する。
　・患者に股関節外転の自動運動を行わせ，最終肢位のところで保持させる。保持ができたら，患者に膝関節外側面で下肢に対して垂直方向に抵抗を加える旨を説明する。
　・抵抗を加える際は，患者の骨盤を後方から固定する。固定は，受験者の手（骨盤を腸骨稜に沿わせて固定）だけでなく受験者の身体を患者に密着させるようにする（図21）。
　・抵抗は，弱い抵抗から2〜3秒程度で最大抵抗へと変化させ抵抗をかけていく。最大抵抗をかけた状態で保持できれば「段階5」とする。
　・代償運動が生じた場合は，適切な運動方向に指示・誘導した後，再測定を行う。それでも代償運動が生じてしまう場合は，筋力が低下していると判断する。
　・終了後，最初の測定肢位に上肢を戻す時は，安全にゆっくりと下ろす。
8. 測定時に患者が最大筋力を発揮しやすいよう，抵抗をかけるタイミングと合わせて適切な声かけを行う。
9. 筋力の強い側を目安に筋力の弱い側の測定を行う。
10. 患者に測定結果を伝える。
　・患者に簡潔にわかりやすく，左右の測定結果を説明する。
11. 患者に終了を伝える。

6 筋力測定 215

採 点 基 準

採点者は模擬患者に受験者の言動の適否を適宜確認して，以下の項目を採点してください。

1. 態度

①適切な身なりで明瞭な挨拶（開始時・終了時）・自己紹介ができる。	2点	適切な身なり，明瞭な挨拶（開始時・終了時）・自己紹介ができる
	1点	上記のうち1項目ができない
	0点	2項目以上できない
②2つの識別子で患者の確認ができる。	2点	2つの識別子で患者の確認ができる
	1点	1つの識別子で確認ができる
	0点	確認ができない
③MMT（下肢）を行う旨を患者に伝え，了承を得ることができる。	2点	MMT（下肢）を行う旨を正確に伝え，患者の了承を得ることができる
	1点	どちらか一方のみできる
	0点	どちらもできない
④課題全般を通して，患者の様子（表情・心情・姿勢・身体機能）や状況に応じた丁寧な対処（声かけ・触れ方・動かし方）ができる。	2点	課題全般を通して，患者の様子や状況に応じた丁寧な声かけ，触れ方，動かし方ができる
	1点	上記3項目のうち1項目ができない
	0点	2項目以上できない

2. 技能

①患者を適切な測定姿勢（背臥位および側臥位）にすることができる。	2点	患者を適切な測定姿勢（背臥位および側臥位）にすることができる
	1点	どちらか一方のみできる
	0点	どちらもできない
②口頭で測定肢の左右差を確認し，適切な順序で測定できる。	2点	口頭で測定肢の左右差を確認し，筋力の強い側から測定できる
	1点	口頭で測定肢の左右差を確認するが，筋力の弱い側から測定する
	0点	口頭で測定肢の左右差を確認しない
③両側とも自動的な下肢の動きと疼痛を確認できる。	2点	両側とも自動的な下肢の動きと疼痛を確認できる
	1点	一側のみできる
	0点	両側ともできない
④両側とも他動的な下肢の動きと疼痛を確認できる。	2点	両側とも他動的な下肢の動きと疼痛を確認できる
	1点	一側のみできる
	0点	両側ともできない
⑤運動・測定方法，代償運動についてデモンストレーションを交えて患者に説明できる。	2点	運動・測定方法，代償運動についてデモンストレーションを交えて説明できる
	1点	上記のうち1項目ができない
	1点	口頭のみで説明する
	0点	2項目以上できない
⑥両側とも「段階3」のテストで代償運動が出現しないよう骨盤を固定できる。	2点	両側とも「段階3」のテストで代償運動が出現しないよう骨盤を固定できる
	1点	一側のみできる
	0点	両側ともできない
⑦両側とも「段階4/5」のテストで代償運動が出現しないよう骨盤を固定できる。	2点	両側とも「段階4/5」のテストで代償運動が出現しないよう骨盤を固定できる
	1点	一側のみできる
	0点	両側ともできない
⑧両側とも「段階4/5」のテストで膝関節外側面に抵抗をかけることができる。	2点	両側とも「段階4/5」のテストで膝関節外側面に抵抗をかけることができる
	1点	一側のみできる
	0点	両側ともできない
⑨両側とも「段階4/5」のテストで垂直方向に抵抗をかけることができる。	2点	両側とも「段階4/5」のテストで垂直方向に抵抗をかけることができる
	1点	一側のみできる
	0点	両側ともできない

⑩両側とも「段階4/5」のテストで弱い抵抗から最大抵抗へと変化させて抵抗をかけることができる。	2点 1点 0点	両側とも「段階4/5」のテストで弱い抵抗から最大抵抗へと変化させて抵抗をかけることができる 一側のみできる 両側ともできない
⑪両側とも「段階4/5」のテストで2～3秒程度かけて抵抗をかけることができる。	2点 1点 0点	両側とも「段階4/5」のテストで2～3秒程度かけて抵抗をかけることができる 一側のみできる 両側ともできない
⑫全施行で両側とも，代償運動が生じた場合は再測定できる。	2点 1点 0点	全施行で両側とも，代償運動が生じた場合は再測定できる 一側のみできる 両側ともできない
⑬全施行で両側の測定時に最大筋力を発揮させるための適切な声かけができる。	2点 1点 1点 0点	全施行で適切な声かけを行うことができる 声かけはできるが，最大筋力を発揮できる適切な声かけではない 一部の施行でのみ適切な声かけを行うことができる 声かけをしない
⑭両側の測定結果から，適切にレベルを判定できる。	2点 1点 0点	両側とも適切に判定することができる 一側のみ判定できる 両側とも判定に誤りがある
⑮患者に測定結果をわかりやすく伝えることができる。	2点 1点 0点 0点	患者に測定結果をわかりやすく伝えることができる 測定結果を伝えるがわかりにくい 測定結果を伝えることができない 誤った内容を伝える

OSCE担当者確認事項

採点者と模擬患者

- あらかじめ左右の筋力の段階を決めておく。左右は問わないが，一側が「段階4」もしくは「段階5」，他側は「段階3」の設定とする。
- 受験者が測定姿勢を誤って測定しようとした場合，口頭修正のうえ再開する。

模擬患者

- 課題開始時は治療用ベッドに端座位で待機する（図22）。
- 「段階4/5」のテストの際，代償運動（どれか1つ）を出現させる。
- 受験者が運動方向の修正を促しても受験者による固定が不十分，抵抗のかけ方が悪ければ，代償運動を出現させる。

採点者

- 抵抗の強度については，模擬患者に確認したうえで採点する。

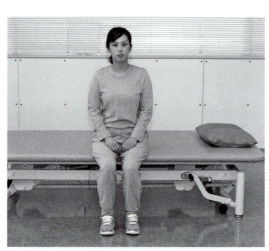

図22　模擬患者の開始姿勢

OSCE課題　HHDを用いた測定（上肢）

対応動画

設問

　中心性脊髄損傷の患者です。この患者の両側肩関節屈曲運動の筋力をHHDで測定してください。測定姿勢は，重力除去かつ代償運動を軽減させる目的で背臥位とします。また，試験時間の都合上，測定回数は1回としますが，必要に応じて複数回測定してもかまいません。複数回測定する際には，模擬患者の疲労を考慮して測定間に休憩時間を設けてください。なお，筋緊張は自動・他動運動時正常と確認されています。

　制限時間は5分です。では，始めてください。

準備するもの

　治療用ベッド，HHD（測定単位をNに設定しておく）

患者情報

疾患・障害	中心性脊髄損傷，四肢麻痺	ROM	肩関節屈曲150°
年齢・性別	不問	筋緊張	自動・他動時正常
受傷後期間	1年	座位	安定
Frankel分類	D	起居動作	監視
疼痛	なし	理解	良好
表在覚	軽度鈍麻	表出	良好
深部覚	正常		

課題の目標

態度
1. HHDを用いた筋力測定に備えた心がけができる（清潔かつ安全な身なり）。
2. 患者にHHDを用いた筋力測定（上肢）を行う旨を説明し，了承を得ることができる。
3. 患者に不快な思いをさせない（話し方，表情，振る舞い）。

技能
1. 患者の安全に配慮しながら進めることができる。
2. HHDを用いた筋力測定（上肢）を適切な手順および方法で行うことができる。
3. わかりやすく簡潔に結果を伝えることができる。

手　順

1. 挨拶・自己紹介を行い，2つの識別子で患者の確認を行う。
2. HHDを用いて肩関節屈曲運動の筋力測定を行う旨を患者に伝え了承を得る。
3. 患者を適切な測定姿勢にする。
   ・背臥位とし，最大筋力が発揮できる肢位をとらせる。
4. 測定部位の動き（自動・他動）と疼痛を確認する。
   ・患者に口頭で左右の上肢の動きについて確認し，動かしやすい側から自動運動とその際の疼痛の有無を確認する。
   ・自動的な動きを確認後，ゆっくりと他動的に患者の肩関節を屈曲し，関節可動域，疼痛の有無を把握する。
5. 運動・測定方法・代償運動をデモンストレーションを交えて患者に説明し，理解と協力を得る。
6. キャリブレーション設定（ゼロ補正）を行う。
7. HHDを用いて最大筋力の測定を行う。
   ・必要に応じて測定前に練習する。
   ・受験者は，患者の強い筋力にも耐えられるように，片膝立ち位とする（図9）。
   ・患者を背臥位にて肩関節90°屈曲・内旋位，肘関節伸展位とし，受験者は両手で抵抗を加える。抵抗は，弱い抵抗から2〜3秒で最大抵抗へと変化させ，そのまま2秒程度最大抵抗をかける。抵抗部位は上腕骨顆部近位とする。
   ・関節の動きが生じないよう，患者の運動方向に対して垂直に抵抗を加える。抵抗は弱い抵抗から2〜3秒で最大抵抗へと変化させ，そのまま2秒程度最大抵抗をかける。その際，疼痛の出現による急な脱力などに注意する。
   ・受験者が測定センサを固定する手は握り込まないようにしながら，固定位置がずれないように留意する。
   ・実施が困難な場合は，測定可能な肢位で測定を実施して，記録にその旨を記載しておく。
   ・体幹の側屈，肩甲骨の挙上，肘関節の屈曲などの代償運動が生じないように注意する（図10）。
   ・体幹伸展・対側への側屈，肩甲帯挙上，肩関節水平屈曲，肘関節屈曲などの代償運動が生じた場合は，適切な方向に指示・誘導した後，再測定を行う。
8. 測定時に，患者が最大筋力を発揮しやすいよう，抵抗をかけるタイミングに合わせて適切な声かけを行う。
9. 筋力の強い側を目安として，筋力の弱い側の測定を行う。
10. 患者に測定結果を伝える。
11. 患者に終了を伝える。

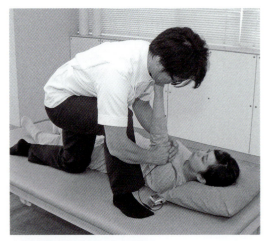

図9　療法士の適切な測定姿勢

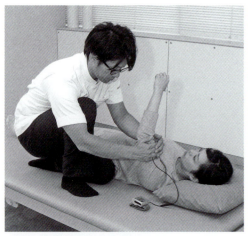

図10　代償運動（肘関節屈曲）

6　筋力測定　　219

採 点 基 準

採点者は模擬患者に受験者の言動の適否を適宜確認して，以下の項目を採点してください。

1. 態度

①適切な身なりで明瞭な挨拶（開始時・終了時）・自己紹介ができる。	2点	適切な身なり，明瞭な挨拶（開始時・終了時）・自己紹介ができる
	1点	上記のうち1項目ができない
	0点	2項目以上できない
②2つの識別子で患者の確認ができる。	2点	2つの識別子で患者の確認ができる
	1点	1つの識別子で確認ができる
	0点	確認ができない
③HHDでの測定（上肢）を行う旨を患者に伝え，了承を得ることができる。	2点	HHDでの測定（上肢）を行う旨を正確に伝え，患者の了承を得ることができる
	1点	どちらか一方のみできる
	0点	どちらもできない
④課題全般を通して，患者の様子（表情・心情・姿勢・身体機能）や状況に応じた丁寧な対処（声かけ・触れ方・動かし方）ができる。	2点	課題全般を通して，患者の様子や状況に応じた丁寧な声かけ，触れ方，動かし方ができる
	1点	上記3項目のうち1項目ができない
	0点	2項目以上できない

2. 技能

①口頭で測定肢の左右差を確認し，適切な順序で測定できる。	2点	口頭で測定肢の左右差を確認し，筋力の強い側から測定できる
	1点	口頭で測定肢の左右差を確認するが，筋力の弱い側から測定する
	0点	口頭で測定肢の左右差を確認しない
②両側とも自動的な上肢の動きと疼痛を確認できる。	2点	両側とも自動的な上肢の動きと疼痛を確認できる
	1点	一側のみできる
	0点	両側ともできない
③両側とも他動的な上肢の動きと疼痛を確認できる。	2点	両側とも他動的な上肢の動きと疼痛を確認できる
	1点	一側のみできる
	0点	両側ともできない
④運動・測定方法，代償運動についてデモンストレーションを交えて患者に説明できる。	2点	運動・測定方法，代償運動についてデモンストレーションを交えて説明できる
	1点	上記のうち1項目ができない
	1点	口頭のみで説明する
	0点	2項目以上できない
⑤キャリブレーション設定を行い，測定機器を適切に扱い測定できる。	2点	ゼロ補正の方法，測定機器の持ち方，測定機器の当て方が適切である
	1点	上記のうち1項目が不十分
	0点	2項目以上が不十分
	0点	すべてができない
⑥両側とも肩関節屈曲運動時に生じやすい代償運動を抑制できる。	2点	両側とも代償運動を抑制できる
	1点	一側のみできる
	0点	両側ともできない
⑦両側ともHHDで上腕骨顆部近位に抵抗をかけることができる。	2点	両側とも上腕骨顆部近位に抵抗をかけることができる
	1点	一側のみできる
	0点	両側ともできない
⑧両側ともHHDで垂直方向に抵抗をかけることができる。	2点	両側とも垂直方向に抵抗をかけることができる
	1点	一側のみできる
	0点	両側ともできない

⑨両側とも HHD で弱い抵抗から最大抵抗へと変化させて抵抗をかけることができる。	2点 1点 0点	両側とも弱い抵抗から最大抵抗へと変化させて抵抗をかけることができる 一側のみできる 両側ともできない
⑩両側とも HHD で4〜5秒程度かけて抵抗をかけることができる。	2点 1点 0点	両側とも4〜5秒程度かけて抵抗をかけることができる 一側のみできる 両側ともできない
⑪全施行で最大筋力を発揮するための適切な声かけができる。	2点 1点 1点 0点	適切な声かけができる 声かけはできるが，最大筋力を発揮できる適切な声かけではない 一部の施行でのみ適切な声かけができる 声かけをしない
⑫患者に測定結果をわかりやすく伝えることができる。	2点 1点 0点 0点	患者に測定結果をわかりやすく伝えることができる 測定結果を伝えるがわかりにくい 測定結果を伝えることができない 誤った内容を伝える

OSCE 担当者確認事項

環境設定
・HHD は患者の横に置く。

採点者と模擬患者
・あらかじめ筋力の左右差やおおよその測定値を決めておく。
・受験者が測定姿勢を誤って測定しようとした場合，口頭修正のうえ課題を再開する。

模擬患者
・課題開始時は，治療用ベッドに背臥位で待機する（図11）。
・代償運動（どれか1つ）を出現させる。
・受験者が運動方向の修正を促しても受験者による固定が不十分，抵抗のかけ方が悪ければ，代償運動を出現させる。
・両側とも筋力が低下している設定とする。

採点者
・抵抗の強度については，模擬患者に確認したうえで採点する。

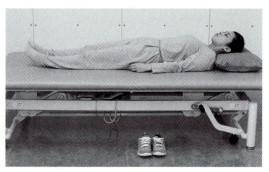

図11　模擬患者の開始姿勢

OSCE課題　HHDを用いた測定（下肢）

対応動画

設問

　両側変形性股関節症の患者です。この患者の両側股関節外転運動の筋力をHHDで測定してください。測定姿勢は，重力除去かつ代償運動を軽減させる目的で背臥位とします。また，試験時間の都合上，測定回数は1回としますが，必要に応じて複数回測定してもかまいません。複数回測定する際には，模擬患者の疲労を考慮して測定間に休憩時間を設けてください。なお，筋緊張は自動・他動運動時正常と確認されています。

　制限時間は5分です。では，始めてください。

準備するもの

治療用ベッド，枕，HHD（測定単位をNに設定しておく）

患者情報

疾患・障害	変形性股関節症	Ｒ　Ｏ　Ｍ	両側股関節外転35°
年齢・性別	不問	筋　緊　張	自動・他動時正常
障　害　側	両側（右：末期，左：初期）	座　　　位	安定
発症後期間	1年	起 居 動 作	自立
疼　　　痛	両側股関節，運動時	理　　　解	良好
表　在　覚	正常	表　　　出	良好
深　部　覚	正常		

課題の目標

態度

1. HHDを用いた筋力測定に備えた心がけができる（清潔かつ安全な身なり）。
2. 患者にHHDを用いた筋力測定（下肢）を行う旨を説明し，了承を得ることができる。
3. 患者に不快な思いをさせない（話し方，表情，振る舞い）。

技能

1. 患者の安全に配慮しながら進めることができる。
2. HHDを用いた筋力測定（下肢）を適切な手順および方法で行うことができる。
3. わかりやすく簡潔に結果を伝えることができる。

手　順

1. 挨拶・自己紹介を行い，2つの識別子で患者の確認を行う。
2. HHDを用いて股関節外転運動の筋力測定を行う旨を患者に伝え了承を得る。
3. 患者を適切な測定姿勢にする。
   - 背臥位とし，最大筋力が発揮できる偏りのない姿勢で手を腹部に乗せる。
4. 測定部位の動き（自動・他動）と疼痛を確認する。
   - 患者に口頭で左右の下肢の動きについて確認し，動かしやすい側から自動運動とその際の疼痛の有無を確認する。
   - 自動的な動きを確認後，ゆっくりと他動的に患者の股関節を外転し，関節可動域・疼痛の有無をあらかじめ把握する。
5. 運動・測定方法・代償運動をデモンストレーションを交えて患者に説明し，理解と協力を得る。
6. キャリブレーション設定（ゼロ補正）を行う。
7. HHDを用いて最大筋力の測定を行う。
   - 必要に応じて測定前に練習する。
   - 受験者は，患者の強い筋力にも耐えられるように，片膝立ち位とする（図23）。
   - 患者を背臥位にて股関節内外転中間位，膝関節伸展位とし，受験者は一方の手で対側下肢を固定し，他方の手で抵抗を加える。抵抗部位は大腿骨外側上顆近位部の大腿外側面とする。
   - 関節の動きが生じないよう，患者の運動方向に対して垂直に抵抗を加える。抵抗は，弱い抵抗から2〜3秒で最大抵抗へと変化させ，そのまま2秒程度最大抵抗をかける。その際，疼痛の出現による急な脱力などに注意する。

> **臨床のコツ**
> ◆ 療法士の股関節の可動域が低下しているなど，図23の姿勢がとれない場合は，正座して行うこともある。しかし，正座では強い筋力に抗することが難しいため，療法士は適切な姿勢をとれるような身体機能を有することが望ましい。

   - 受験者が測定センサを固定する手は握り込まないようにしながら，固定位置がずれないように留意する。
   - 実施が困難な場合は，測定可能な肢位で測定を実施して，記録にその旨を記載しておく。
   - 骨盤の引き上げ，股関節屈曲，内外旋，膝関節屈曲，体幹の回旋などを伴った代償運動（図24）が生じた場合は，適切な方向に指示・誘導した後，再測定を行う。
8. 測定時に患者が最大筋力を発揮しやすいよう，抵抗をかけるタイミングに合わせて適切な声かけを行う。

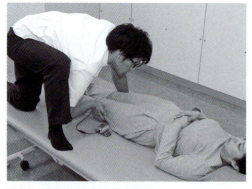

図23　療法士の適切な測定姿勢

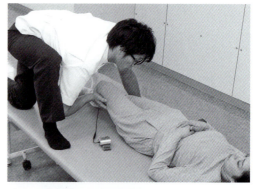

図24　代償運動（膝関節屈曲）

9．筋力の強い側を目安として，筋力の弱い側の測定を行う。

10．患者に測定結果を伝える。

11．患者に終了を伝える。

採点基準

採点者は模擬患者に受験者の言動の適否を適宜確認して，以下の項目を採点してください。

1. 態度

①適切な身なりで明瞭な挨拶（開始時・終了時）・自己紹介ができる。	2点	適切な身なり，明瞭な挨拶（開始時・終了時）・自己紹介ができる
	1点	上記のうち1項ができない
	0点	2項目以上できない
②2つの識別子で患者の確認ができる。	2点	2つの識別子で患者の確認ができる
	1点	1つの識別子で確認ができる
	0点	確認ができない
③HHDでの測定（下肢）を行う旨を患者に伝え，了承を得ることができる。	2点	HHDでの測定（下肢）を行う旨を正確に伝え，患者の了承を得ることができる
	1点	どちらか一方のみできる
	0点	どちらもできない
④課題全般を通して，患者の様子（表情・心情・姿勢・身体機能）や状況に応じた丁寧な対処（声かけ・触れ方・動かし方）ができる。	2点	課題全般を通して，患者の様子や状況に応じた丁寧な声かけ，触れ方，動かし方ができる
	1点	上記3項目のうち1項目ができない
	0点	2項目以上できない

2. 技能

①患者を背臥位にし，偏りのない姿勢で手を腹部に乗せることができる。	2点	患者を背臥位にし，偏りのない姿勢で手を腹部に乗せることができる
	1点	上記のうち1項目ができない
	0点	2項目以上できない
②口頭で測定肢の左右差を確認し，適切な順序で測定できる。	2点	口頭で測定肢の左右差を確認し，筋力の強い側から測定できる
	1点	口頭で測定肢の左右差を確認するが，筋力の弱い側から測定する
	0点	口頭で測定肢の左右差を確認しない
③両側とも自動的な下肢の動きと疼痛を確認できる。	2点	両側とも自動的な下肢の動きと疼痛を確認できる
	1点	一側のみできる
	0点	両側ともできない
④両側とも他動的な下肢の動きと疼痛を確認できる。	2点	両側とも他動的な下肢の動きと疼痛を確認できる
	1点	一側のみできる
	0点	両側ともできない
⑤運動・測定方法，代償運動についてデモンストレーションを交えて患者に説明できる。	2点	運動・測定方法，代償運動についてデモンストレーションを交えて説明できる
	1点	上記のうち1項目ができない
	1点	口頭のみで説明する
	0点	2項目以上できない
⑥キャリブレーション設定を行い，測定機器を適切に扱い測定できる。	2点	ゼロ補正の方法，測定機器の持ち方，測定機器の当て方が適切である
	1点	上記のうち1項目が不十分
	0点	2項目以上が不十分
	0点	すべてができない
⑦両側とも股関節外転運動時に生じやすい代償運動を抑制できる。	2点	両側とも代償運動を抑制できる
	1点	一側のみできる
	0点	両側ともできない
⑧両側ともHHDで大腿骨外側上顆近位部の大腿外側面に抵抗をかけることができる。	2点	両側とも大腿骨外側上顆近位部の大腿外側面に抵抗をかけることができる
	1点	一側のみできる
	0点	両側ともできない

⑨両側ともHHDで垂直方向に抵抗をかけることができる。	2点 1点 0点	両側とも垂直方向に抵抗をかけることができる 一側のみできる 両側ともできない
⑩両側ともHHDで弱い抵抗から最大抵抗へと変化させて抵抗をかけることができる。	2点 1点 0点	両側とも弱い抵抗から最大抵抗へと変化させて抵抗をかけることができる 一側のみできる 両側ともできない
⑪両側ともHHDで4〜5秒程度かけて抵抗をかけることができる。	2点 1点 0点	両側とも4〜5秒程度かけて抵抗をかけることができる 一側のみできる 両側ともできない
⑫全施行で最大筋力を発揮するための適切な声かけができる。	2点 1点 1点 0点	適切な声かけができる 声かけはできるが，最大筋力を発揮できる適切な声かけではない 一部の施行でのみ適切な声かけができる 声かけをしない
⑬患者に測定結果をわかりやすく伝えることができる。	2点 1点 0点 0点	患者に測定結果をわかりやすく伝えることができる 測定結果を伝えるがわかりにくい 測定結果を伝えることができない 誤った内容を伝える

OSCE 担当者確認事項

環境設定

・HHDは患者の横に置く。

採点者と模擬患者

・あらかじめ筋力の左右差やおおよその測定値を決めておく。
・受験者が測定姿勢を誤って測定しようとした場合，口頭修正のうえ課題を再開する。

模擬患者

・課題開始時は，治療用ベッドに端座位で待機する（図22）。
・代償運動（どれか1つ）を出現させる。
・受験者が運動方向の修正を促しても受験者による固定が不十分，抵抗のかけ方が悪ければ，代償運動を出現させる。
・両側とも筋力が低下している設定とする。

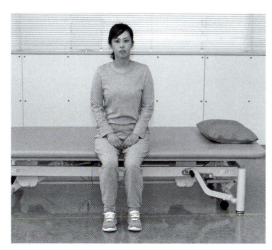

図22 模擬患者の開始姿勢

採点者

・抵抗の強度については，模擬患者に確認したうえで採点する。

引用文献

1) Helen J. Hislop, Dale Avers, Marybeth Brown（津山直一 他, 訳）：新・徒手筋力検査法 原著第 9 版. p200-203, 協同医書出版社, 2014.
2) 松澤 正, 江口勝彦：理学療法評価学 改訂第 4 版. p61-62, p66-67, 金原出版, 2012.
3) Bohannon RW：Reference values for extremity muscle strength obtained by hand-held dynamometry from adults aged 20 to 79 years. Arch Phys Med Rehabil 78：26-32, 1997.
4) 内山 靖, 小林 武, 間瀬教史 編：計測法入門─計り方・計る意味. p106-143, 協同医書出版社, 2001.

7 形態測定

1 形態測定とは

　形態測定とは，身体各部の大きさ（太さ，長さ，重さ，形など）を計測器で測るものであり，身長，体重，座高，四肢長，四肢周径，頭囲，体幹周径（胸囲，腹囲），皮下脂肪厚，体格指数（Body Mass Index：BMI）などが含まれる。形態は，発育・発達の基礎として重要であると共に，障害（変形・短縮・萎縮・腫脹など）を把握する客観的指標となる。

2 形態測定

A. 目　的

　形態測定によって発育，発達，栄養状態（肥満や痩せ），変形や短縮，筋萎縮や肥大，腫脹や浮腫の存在部位とその程度を知ることができる。

　また，測定結果は，目標決定や治療方法，効果判定，患者へのフィードバックや動機づけにも役立つ。

B. 原　則

　形態測定は，マルチン式人体計測器一式と体重計で可能であるが，一般にメジャーと体重計，専用の身長計，皮脂厚計などを用いて測定する。また，形態測定には 7 mm 幅の繊維製メジャーを使用することが望ましい。

C. 環境・肢位

　四肢長および周径の測定では，測定部は最大限露出し，必要であれば骨指標を確認する。その際，患者に不快感を与えないよう室温やプライバシーに十分に配慮する必要がある。また，経時測定では再現性を高めるため同一の肢位で実施する必要がある。障害側と非障害側がある場合には，左右差が重要な指標となり，日内変動がある場合には，測定時間にも配慮する必要がある。

D. 形態測定に使用される主な骨指標点（以下，ランドマーク）

　肩峰，上腕骨大結節，上腕骨内側上顆，上腕骨外側上顆，肘頭，橈骨茎状突起，尺骨茎状突起，上前腸骨棘，坐骨結節，大転子，膝蓋骨底，大腿骨外側上顆，外側膝裂隙，足関節内果，足関節外果はランドマークとなるため，正確に位置を同定できる必要がある。

【主なランドマークと触診部位】（図 1）

肩峰：肩峰最外側部で，その中でも前後中央下端部

上腕骨大結節：肩関節前方外側を触診しながら上腕骨を内外旋した時に，指腹下を通過する最膨隆部

上腕骨内側上顆：肘関節軽度屈曲位で，上腕骨内側遠位端に突出する膨隆の最外側部

上腕骨外側上顆：肘関節軽度屈曲位で，上腕骨外側遠位端に突出する膨隆の最内側部

肘頭：肘関節伸展位で，背側に最突出する尺骨近位端

橈骨茎状突起：橈骨遠位端で橈側・外側に最も突出する膨隆部もしくは解剖学的嗅ぎタバコ窩で触れる骨端とする。

尺骨茎状突起：尺骨遠位端

上前腸骨棘：背臥位で骨盤を前面から触れ，最も腹側に突出している点
坐骨結節：殿皺を示指または中指で腹側に押した後，頭側に圧迫を加えると触れる膨隆部
大転子：大腿外側を末梢から中枢方向に触れられる最初の膨隆部で最も外側に突出している点
大腿骨外側上顆：大腿骨下端外側の膨隆部位で顆部上方の膨隆部
膝蓋骨底：膝蓋骨の近位端
外側膝裂隙：膝関節を軽度屈曲位にして大腿骨外側顆と脛骨上関節面の間を前方から触れ膝裂隙を確認し，膝関節伸展位に戻した後の前後の中点
足関節外果：腓骨下端部の膨隆部で最も外側に突起した点
足関節内果：脛骨下端部の膨隆部で最も内側に突起した点

E. 四肢周径と四肢長の測定部位

上腕周径：肘関節伸展位上腕周径は，上腕二頭筋最大膨隆部を上腕長軸に直角にメジャーを当て測定する。肘関節屈曲位上腕周径は，上腕部に力瘤が出るように肘関節を力強く屈曲して，最大膨隆部を測定する。
前腕周径：前腕最大周径は，前腕近位部の最大膨隆部を，前腕軸に直角にメジャーを当て測定する。前腕最小周径は，前腕遠位部の最も細い部位を，前腕軸に直角にメジャーを当て測定する。
大腿周径：膝関節外側裂隙または膝蓋骨上縁（膝蓋底）を基点とし，大腿骨長軸上で何cmと記載し，大腿長軸に直角にメジャーを当て測定する。
下腿周径：下腿最大周径は，下腿の最大膨隆部を，下腿長軸に直角にメジャーを当て測定する。下腿最小周径は，内果，外果の直上で下腿の最も細い部位を，下腿長軸に直角にメジャーを当て測定する。
四肢長：四肢長の測定部位を図1に示す。

F. 正確性に影響する因子

1) 測定位置の同定
本来，測定は経時的に行われるものである。軽症の筋萎縮や浮腫の場合，測定時の最大周径を追えば問題ないが，高度なリンパ浮腫や筋萎縮のある患者では難しい。この場合，周径の測定位置を肘頭や橈骨茎状突起部などの骨指標点（ランドマーク）からの距離を基準に1cm間隔で周径を測定する。

2) 肢位の違いによる変化
周径は，肢位の影響を受けるため，経時測定では同一の肢位で行う。

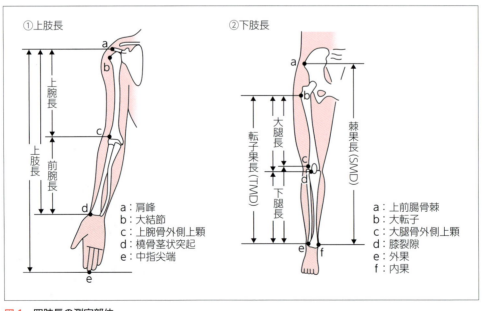

図1　四肢長の測定部位

3）日内変動

身長，体重，浮腫などは，日内変動があるので時間を決めて測定する。身長では午前10時頃が中央値となり，体重は，食後に摂取物の重さの影響を受ける。

G. 記　録

体重はkg単位で小数点以下第一位まで記載する。長さの指標はcm単位で小数点以下第一位まで記載する。経時変化を記録する場合，日内変動があるため時刻の記載を行い，同一時刻に測定することが望ましい。

3 症状に応じた測定の展開

【体重・身長測定のポイント】

体重の測定は，食事後1時間は避ける。排尿・排便後に行う。一般には午前10時から11時の間に測定する。

身長の測定は，日内変動（朝に比べ夕方は短縮する）を考慮し，午前10時から11時の間に測定する。

【四肢長および四肢周径測定のポイント】

四肢長測定時に一側または両側に拘縮のある場合は，例えば，大腿長と下腿長に分けて測定するか，同一の肢位にして測定し，左右差を比較する。

下肢長差の歩行への影響を知りたい場合は，立位で床面から坐骨結節までの距離（実用長）や，立位時の上前腸骨棘の床面からの高さの左右差を用いる。

四肢周径の測定は，大腿では膝蓋骨上縁（膝蓋底）上5cmまでは膝の腫脹，5〜10cmは内外側広筋の大きさ，15〜20cmは大腿全体の筋の大きさを表す。

四肢周径で浮腫の経時変化を評価する場合は，測定点を同一にするために，周径とともにランドマークからの距離も同時に記録する。

4 手順のポイント

本項では四肢長，四肢周径の測定について解説する。

1）挨拶・自己紹介を行い，2つの識別子で患者の確認を行う

・患者とのラポール（信頼関係）形成のため，挨拶，自己紹介を行う。

・患者の取り違えを防止するため，氏名に加え生年月日もしくはIDなど，2つの識別子で確認する。

2）四肢長または四肢周径の測定を行う旨を患者に伝え了承を得る

・これから測定する内容をデモンストレーションを交え，意義も含めて患者にわかりやすく説明する。

3）測定に適したメジャーを準備する

・柔軟で正確な測定が可能な，7mm幅の繊維製メジャーを準備する。

4）患者を測定に適した姿勢にする

・下肢の測定では背臥位で左右対称な安楽な姿勢とする。両側の腸骨稜の高さは水平，股関節は内外旋中間位とし，膝蓋骨が上方を向くようにする。

・上肢の測定では背臥位または座位とし，上肢の筋が収縮しないように力を抜き体側に置く。経時測定を行う場合は，同じ肢位をとるようにする。

5）測定部位を露出させる

・測定部の着衣は可能な限り脱がせ，ランドマーク部を露出する。

・他者の視線を遮蔽できる環境かどうか，脱衣後の着衣（下着姿になってしまうなど）などを考慮して判断する。露出できない場合はズボンの緩みや皺などをあらかじめ伸ばし，測定値への影響を排除するよう努める。

6）視診や触診で測定部位を確認し，両側を比較する

・測定部位の浮腫や傷，疼痛の有無を確認し，左右比較をする。

> **臨床のコツ**
> ◆下肢の測定で一側の股関節や膝関節に屈曲拘縮がみられる場合には，膝下に枕を置き，疼痛や不快感がないようにして，対側も同一様の対称姿勢にして測定する。
> ◆下肢の変形が強い場合の立位，歩行への影響を調べたいのであれば，下肢実用長などを評価する。下肢実用長とは，床面から坐骨結節までの高さを表す。
> ◆拘縮が強い患者の四肢長を測りたい場合は，関節をまたがないように大腿長と下腿長などに分けて測定する。

7）ランドマークの触診を行い，同定する

・上前腸骨棘は，背臥位で骨盤を腹側から触れ，最も腹側に突出している点とする。同定しにくい場合は，縫工筋の付着部であるため，筋を収縮・弛緩をさせることで同定する。
・内果は脛骨下端の膨隆部で最も内側に突起した点とする。
・大転子は大腿外側を末梢から中枢方向に触れられる最初の膨隆部の最外側点とする。
・外果は腓骨下端部の膨隆部で最も外側に突起した点とする。
・橈骨茎状突起は橈骨遠位端で橈側・外側に最も突出する膨隆部もしくは解剖学的嗅ぎタバコ窩で触れる骨端とする。

> **臨床のコツ**
> ◆大転子などランドマークが厚い軟部組織下にある場合は，股関節内外旋など骨を動かすことで同定が容易になる。
> ◆橈骨茎状突起は，厳密には解剖学的嗅ぎタバコ窩で触れることのできる橈骨の骨端を指す。測定時にランドマークとして採用した場合，経時的測定を行う際には同じ部位を測定するよう留意する。

8）測定を行う

・非障害側と障害側がある場合は非障害側を先に，両側障害の場合は，より非障害側と思われる側を先に測定することで，患者の基準値が明確になる。
・メジャーは，あらかじめケースから十分な長さを引き出しておく。
・メジャーの捻れが生じないように注意して，ランドマーク間の最短距離を測定する。
・ランドマークが厚い軟部組織下にある場合は，強く押さえ過ぎると軟部組織へメジャー先端部が嵌入して，測定値が正しい値より長くなるため，注意する。
・四肢周径では最初に強めに巻き，徐々に適正な強度に調整し皮膚に密着するように測定する。
・高度なリンパ浮腫や筋萎縮のある患者の四肢周径の測定では，最大周径，最小周径部位の位置を肘頭や橈骨茎状突起部などのランドマークからの距離と合わせて測定すると再現性が高まる。
・四肢周径は測定周辺部位を数カ所測定し，最大または最小を確定する。
・目盛りを読むときは，目線を目盛りに対して垂直の位置にして正確な値を読む。
・測定値は cm 単位で小数点以下第一位まで記録する。

> **臨床のコツ**
> ◆ランドマークに筋が付着している場合は，測定時には筋をリラックスさせる必要がある。

9）患者に測定結果を伝える

・左右差がある場合は，左右差が生じている要因について考察し，その内容を患者に伝え，ADL に与える影響について説明する。

10）患者に終了を伝える

OSCE課題　前腕周径

対応動画

設問
軽度の浮腫がある右乳癌術後の患者です。この患者の両側の最大前腕周径を橈骨茎状突起から測定点までの距離も含めて測定し，対側と比較してください。制限時間は5分です。では，始めてください。

準備するもの
メジャー（繊維製7mm幅のものと20mm幅程度のものを用意），スキンマーカー，メモ用紙，筆記用具，ウェットティッシュ，治療用ベッド，枕，ゴミ箱

患者情報

疾患・障害	乳癌（乳房切断術後），リンパ浮腫	深部覚	正常
年齢・性別	不問・女性	ROM	制限なし
障害側	右	座位	安定
発症後期間	1年	起居動作	自立
疼痛	なし	理解	良好
表在覚	正常	表出	良好

課題の目標

態度
1. 前腕最大周径の測定に備えた心がけができる（清潔かつ安全な身なり）。
2. 患者に前腕最大周径の測定を行う旨を説明し，了承を得ることができる。
3. 患者に不快な思いをさせない（話し方，表情，振る舞い）。

技能
1. 患者の安全に配慮しながら進めることができる。
2. 前腕最大周径測定を適切な手順および方法で行うことができる。
3. わかりやすく簡潔に結果を伝えることができる。

手順

1. 挨拶・自己紹介を行い，2つの識別子で患者の確認を行う。
2. 前腕最大周径の測定を行う旨を患者に伝え了承を得る。
3. 測定部位を露出させる。
   - 測定部位は可能な限り露出させる。
4. 視診や触診で測定部位を確認し，両側を比較する。
   - 視診，触診にて障害側，非障害側を比較する。
   - 測定部位の浮腫や傷，疼痛の有無を確認する。
5. 患者を測定に適した姿勢にする。
   - 測定肢位は背臥位または座位とし，前腕の筋が収縮しないように力を抜き，前腕回外位で体側に置く。
6. 測定に適したメジャーを準備する。
   - 柔軟性があり，身体にフィットする7 mm幅の繊維製メジャーを選択する（図2）。
7. ランドマークの触診を行い，同定する。
   - 触診にて橈骨茎状突起を同定する。
8. 非障害側，障害側の順に両側の測定を行う。
   - 非障害側，障害側の順に測定することで，患者の基準値が明確になる。その後，障害側の数値と比較することで，左右差の程度が把握できる。
9. 前腕の最大周径部を探す。
   - 前腕の近位部にて最大周径部を探す。探す際は周辺部位で数カ所測定し，測定部位を確定する。
   - メジャーを当てる際は，前腕の長軸に対し直角に当てるように留意する（図3，4a）。
10. メジャーを巻き，目盛りを読む。
    - 測定する際には，メジャーに捻れがないように丁寧に巻き（図4b），皮膚に密着するように，かつ強く締め過ぎないように巻く（図4c）。緩く巻き過ぎることにも注意する（図4d）。最初に強めに巻きつけ，徐々に適正な張度に調節するとよい。
11. 前腕橈側の測定部位に印をつける。
    - 前腕橈側の測定部位にスキンマーカーで印をつけ，橈骨茎状突起からの距離を測定する。
    - 目盛りを読む際は，目線を目盛りに対して垂直に合わせ，測定結果はcm単位で小数点以下第一位まで記載する。
12. 患者に測定結果を伝える。
    - 患者に簡潔にわかりやすく，左右の測定結果を説明する。

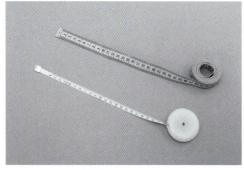

図2 メジャーの選択
測定には7 mm幅繊維製メジャー（下）を用いる。

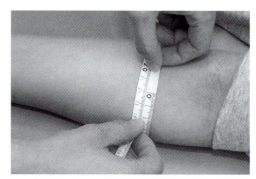

図3 正しい当て方
最大周径

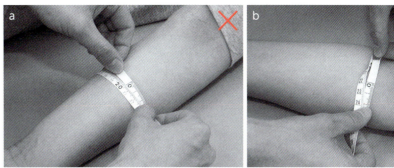

a：最大周径の測定部位がずれている。　　b：メジャーが捻れている。

c：強く締め過ぎている。　　d：緩く巻き過ぎている。

図4　誤ったメジャーの当て方

13. 患者に終了を伝える。
14. 採点者に測定値を報告する。

採点基準

採点者は模擬患者に受験者の言動の適否を適宜確認して，以下の項目を採点してください。

1．態度

①適切な身なりで明瞭な挨拶（開始時・終了時）・自己紹介ができる。	2点	適切な身なり，明瞭な挨拶（開始時・終了時）・自己紹介ができる
	1点	上記のうち1項目ができない
	0点	2項目以上できない
②2つの識別子で患者の確認ができる。	2点	2つの識別子で患者の確認ができる
	1点	1つの識別子で確認ができる
	0点	確認ができない
③前腕最大周径の測定を行う旨を患者に伝え，了承を得ることができる。	2点	前腕最大周径の測定を行う旨を正確に伝え，患者の了承を得ることができる
	1点	どちらか一方のみできる
	0点	どちらもできない
④課題全般を通して，患者の様子（表情・心情・姿勢・身体機能）や状況に応じた丁寧な対処（声かけ・触れ方・動かし方）ができる。	2点	課題全般を通して，患者の様子や状況に応じた丁寧な声かけ，触れ方，動かし方ができる
	1点	上記3項目のうち1項目ができない
	0点	2項目以上できない

2．技能

①前腕最大周径の測定部位と意義をわかりやすく説明できる。	2点	測定部位と意義をわかりやすく説明できる
	1点	どちらか一方のみできる
	0点	どちらもできない
②両側とも測定部位を露出できる。	2点	両側とも測定部位を露出できる
	1点	一側のみできる
	0点	両側ともできない
③視診・触診で測定部位の浮腫や傷および疼痛の有無を確認し両側を比較することができる。	2点	両側とも確認し比較することができる
	1点	一側のみできる
	0点	両側ともできない
④患者を背臥位または座位とし，前腕を回外位にできる。	2点	背臥位または座位とし，前腕を回外位にできる
	1点	背臥位または座位にしたが，不十分である（左右非対称など）
	0点	測定肢位が誤っている（前腕回内外の程度が左右で明らかに異なるなど）
⑤メジャーを正しく準備できる。	2点	正しく準備できる
	1点	正しくないものを選択したが，途中で誤りに気づく
	1点	準備が遅れる
	0点	正しく選択できない
注）正しいメジャーを選択できなかった場合，この時点で指摘し，以降の課題を行う。		
⑥両側のランドマーク（橈骨茎状突起）を正確に触診できる。	2点	両側ともランドマーク（橈骨茎状突起）を正確に触診できる
	1点	一側のみできる
	0点	両側ともできない
⑦非障害側，障害側の順に両側の測定を行うことができる。	2点	非障害側，障害側の順に両側の測定を行うことができる
	1点	障害側，非障害側の順に測定する
	0点	一側のみ測定する
⑧両側とも周辺部位を数力所測定し，最大周径部を正しく探すことができる。	2点	両側とも周辺部位を数力所測定し，最大周径部を正しく探すことができる
	1点	一側のみできる
	0点	両側ともできない

⑨両側とも前腕長軸に対し直角に当て，適切な強さで，捻れなくメジャーを巻くことができる。	2点 1点 0点	両側とも前腕長軸に対し直角に当て，皮膚に密着するような強さで，捻れなくメジャーを巻くことができる 一側のみできる 両側ともできない
⑩両側とも測定部位にスキンマーカーで橈側に正確に印をつけることができる。	2点 1点 0点	両側とも橈側に正確に印をつけることができる 一側のみできる 両側ともできない
⑪両側ともすべての測定で目盛りに対して垂直な位置で読むことができる。	2点 1点 0点	両側ともすべての測定で目盛りに対して垂直な位置で読むことができる 一側のみできる 両側ともできない
⑫患者，採点者に測定結果をわかりやすく説明できる。	2点 1点 0点	患者，採点者に測定結果をわかりやすく説明できる どちらか一方のみできる どちらもできない
⑬両側の最大周径の測定値が正しい値（正解と比較して5 mm以下の誤差）を示している。	2点 1点 0点	両側とも5 mm以下の誤差である 1 cm以下の誤差である 1 cmより大きい誤差がある
⑭両側のランドマーク（橈骨茎状突起）からの距離を測定することができる。	2点 1点 0点	両側とも5 mm以下の誤差である 1 cm以下の誤差である 1 cmより大きい誤差がある

OSCE担当者確認事項

環境設定

・治療用ベッドの横に7 mm幅繊維製メジャーと20 mm幅程度のメジャーを置いておく。

模擬患者

・課題開始時は治療用ベッドに端座位で待機する（図5）。
・腕まくりをしやすい長袖シャツを着用する。

採点者

・あらかじめ前腕最大周径および橈骨茎状突起から測定点までの距離を測定しておく。
・橈骨茎状突起をランドマークとするとき，橈側・外側に最も突出した膨張部もしくは解剖学的嗅ぎタバコ窩で触れる骨端のどちらを学生が選んでもよしとする。左右同部位を触診しているかを確認する。

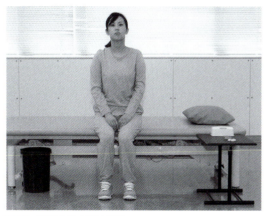

図5 模擬患者の開始姿勢

OSCE課題　下肢長

対応動画

設問

両側変形性股関節症，右変形性膝関節症の患者です。この患者の両側の下肢長［棘果長（spina malleolar distance：SMD），転子果長（trochaanter malleolar distance：TMD）］を測定してください。制限時間は5分です。では，始めてください。

準備するもの

メジャー（繊維性7 mm幅のものと20 mm幅程度のものを用意），メモ用紙，筆記用具，治療用ベッド，枕，タオル（必要に応じて）

患者情報

疾患・障害	変形性股・膝関節症	深部覚	正常
年齢・性別	不問	ROM	制限なし
障害側	両側股関節，右膝関節	筋力	軽度低下あり（詳細不明）
発症後期間	1年	座位	安定
疼痛	右股関節，荷重時	理解	良好
表在覚	正常	表出	良好

課題の目標

態度
1. 下肢長の測定に備えた心がけができる（清潔かつ安全な身なり）。
2. 患者に下肢長の測定を行う旨を説明し，了承を得ることができる。
3. 患者に不快な思いをさせない（話し方，表情，振る舞い）。

技能
1. 患者の安全に配慮しながら進めることができる。
2. 下肢長測定を適切な手順および方法で行うことができる。
3. わかりやすく簡潔に結果を伝えることができる。

7 形態測定   237

手　順

1. 挨拶・自己紹介を行い，2つの識別子で患者の確認を行う。
2. 下肢長（SMD，TMD）の測定を行う旨を患者に伝え了承を得る。
3. 患者を測定できる適切な姿勢にする。
   - 背臥位の状態で左右対称とする。両側の腸骨稜の高さは水平，股関節は内外旋中間位とし，膝蓋骨が上方を向くようにする。疼痛や不快感がないように留意する。
4. 測定部位を露出させる。
   - ズボンや靴下などは可能な限り脱がせ，ランドマーク部を露出させることが望ましい。ただし，他者の視線を遮蔽できる環境かどうか，脱衣後の着衣（下着姿になってしまうなど）などを考慮して判断する。露出できない場合は，ズボンの緩みや皺などはあらかじめ伸ばしておく（図7）。
5. メジャーを正しく準備する。
   - 柔軟性があり，身体にフィットする7mm幅の繊維製メジャーを選択する（図6）。
6. 非障害側，障害側の順に両側の測定を行う。
   - 両側障害の場合は，障害がより軽度と思われる側から重度と思われる側の順に測定することで，患者の基準値が明確になる。
7. 下肢長の測定をする。
   - メジャーの捻れが生じないように注意して，ランドマーク間の最短距離を測定する。
   - 目盛りを読む際は，目線を目盛りに対して垂直に合わせ，測定結果はcm単位で小数点以下第一位まで記載する。

【SMD】

①上前腸骨棘と脛骨内果を触診する
   - 上前腸骨棘は腸骨稜ではなく，棘部を触診する（図8）。脛骨内果は内側への骨最突出部とする（図9）。

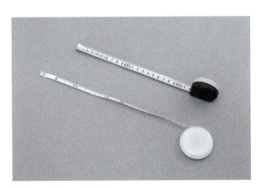

図6　メジャーの選択
測定には下方の7mm幅繊維製メジャーを用いる。

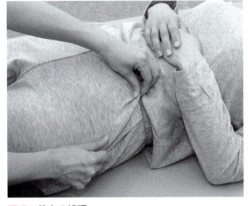

図7　着衣の処理
患者のズボンの緩みなどはあらかじめ伸ばしておく。

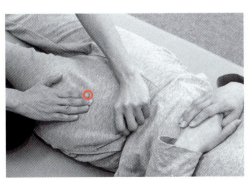

図8　上前腸骨棘部（図中丸印）

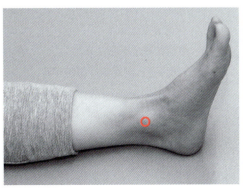

図9　脛骨内果の骨最突出部（図中丸印）

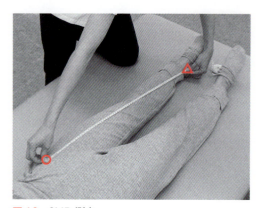

図10 SMD測定
上前腸骨棘（図中丸印）から脛骨内果（図中三角印）までの最短距離

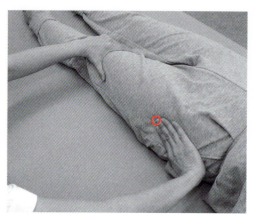

図11 大腿骨大転子部（図中丸印）

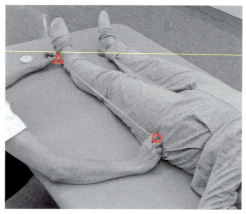

図12 TMD測定
大腿骨大転子（図中丸印）から腓骨外果（図中三角印）までの最短距離

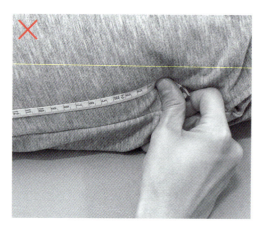

図13 大転子部を強く押さえ過ぎている例
メジャー先端部が嵌入している。

②メジャーを正しく当て，上前腸骨棘から脛骨内果までの2点間の最短距離を測定する（図10）

【TMD】

①大転子と腓骨外果を触診する
- 大転子は大腿骨骨幹部から中枢方向に辿った最初の膨隆部とし（図11），わかりにくい場合は，股関節を内外旋させるとわかりやすくなる。腓骨外果は外側への骨最突出部とする（図12）。

②メジャーを正しく当て，大腿骨大転子から腓骨外果までの2点間の最短距離を測定する（図12）
- 大転子部を強く押さえ過ぎると，メジャー先端部が嵌入し（図13），測定誤差につながる。

8. **患者に測定結果を伝える。**
   - 患者に簡潔にわかりやすく，左右の測定結果を説明する。
   - SMDに左右差があり，TMDには左右差がない場合には，短い側に股関節の脱臼や大腿骨頭の変形などが疑われる。
9. **患者に終了を伝える。**
10. **採点者に測定値を報告する。**

7　形態測定　239

採点基準

採点者は模擬患者に受験者の言動の適否を適宜確認して，以下の項目を採点してください。

1．態度

①適切な身なりで明瞭な挨拶（開始・終了時）・自己紹介ができる。	2点 1点 0点	適切な身なり，明瞭な挨拶（開始・終了時）・自己紹介ができる 上記のうち1項目ができない 2項目以上できない
②2つの識別子で患者の確認ができる。	2点 1点 0点	2つの識別子で患者の確認ができる 1つの識別子で確認ができる 確認ができない
③下肢長の測定を行う旨を患者に伝え，了承を得ることができる。	2点 1点 0点	下肢長の測定を行う旨を正確に伝え，患者の了承を得ることができる どちらか一方のみできる どちらもできない
④課題全般を通して，患者の様子（表情・心情・姿勢・身体機能）や状況に応じた丁寧な対処（声かけ・触れ方・動かし方）ができる。	2点 1点 0点	課題全般を通して，患者の様子や状況に応じた丁寧な声かけ，触れ方，動かし方ができる 上記3項目のうち1項目ができない 2項目以上できない

2．技能

①下肢長の測定部位と意義をわかりやすく説明できる。	2点 1点 0点	測定部位と意義をわかりやすく説明できる どちらか一方のみできる どちらもできない
②患者を背臥位で左右対称な姿勢にできる。	2点 1点 0点	背臥位で左右対称な姿勢にできる 背臥位にしたが，不十分である（左右非対称など） 背臥位にしない
③疼痛の有無を確認し両側を比較することができる。	2点 1点 0点	両側とも確認し比較することができる 一側のみできる 両側ともできない
④両側とも測定部位を露出できる。	2点 1点 0点	両側とも測定部位を露出できる 一側のみできる 両側ともできない
⑤メジャーを正しく準備できる。	2点 1点 1点 0点	正しく準備できる 正しくないものを選択したが，途中で誤りに気づく 準備が遅れる 正しく選択できない
注）正しいメジャーを選択できなかった場合，この時点で指摘し，以降の課題を行う。		
⑥非障害側，障害側の順に両側の測定を行うことができる。	2点 1点 0点	非障害側，障害側の順に両側の測定を行うことができる 障害側，非障害側の順に測定する 一側のみ測定する
⑦両側のランドマーク（上前腸骨棘）に正しくメジャーを当てることができる。	2点 1点 0点	両側ともランドマーク（上前腸骨棘）に正しくメジャーを当てることができる 一側のみできる 両側ともできない
⑧両側のランドマーク（脛骨内果）に正しくメジャーを当てることができる。	2点 1点 0点	両側ともランドマーク（脛骨内果）に正しくメジャーを当てることができる 一側のみできる 両側ともできない

⑨棘果長（SMD）の測定で，メジャーの捻れ，緩みまたは押し込みなく，上前腸骨棘から脛骨内果の最短距離で測定できる。	2点 1点 0点	棘果長（SMD）の測定で，メジャーの捻れ，緩みまたは押し込みなく，上前腸骨棘から脛骨内果の最短距離で測定できる 上記のうち1項目ができない 2項目以上できない
⑩両側のランドマーク（大転子）に正しくメジャーを当てることができる。	2点 1点 0点	両側ともランドマーク（大転子）に正しくメジャーを当てることができる 一側のみできる 両側ともできない
⑪両側のランドマーク（腓骨外果）に正しくメジャーを当てることができる。	2点 1点 0点	両側ともランドマーク（腓骨外果）に正しくメジャーを当てることができる 一側のみできる 両側ともできない
⑫転子果長（TMD）の測定で，メジャーの捻れ，緩みまたは押し込みなく，大転子から腓骨外果の最短距離で測定できる。	2点 1点 0点	転子果長（TMD）の測定で，メジャーの捻れ，緩みまたは押し込みなく，大転子から腓骨外果の最短距離で測定できる 上記のうち1項目ができない 2項目以上できない
⑬両側ともすべての測定で目盛りに対して垂直な位置で読むことができる。	2点 1点 0点	両側ともすべての測定で目盛りに対して垂直な位置で読むことができる 一側のみできる 両側ともできない
⑭患者，採点者に測定結果をわかりやすく説明できる。	2点 1点 0点	患者，採点者に測定結果をわかりやすく説明できる どちらか一方のみできる どちらもできない
⑮測定値が正しい値（1 cm以下の誤差）を示している。	2点 1点 0点	すべての測定値で1 cm以下の誤差である 1 cmより大きい誤差が1カ所でもある 1 cmより大きい誤差が2カ所以上ある

OSCE担当者確認事項

環境設定

- 治療用ベッドの横に7 mm幅繊維製メジャーと20 mm幅程度のメジャーを置いておく。

模擬患者

- 課題開始時は治療用ベッドに端座位で待機する（図14）。

採点者

- あらかじめ棘果長（SMD）および転子果長（TMD）を測定しておく。

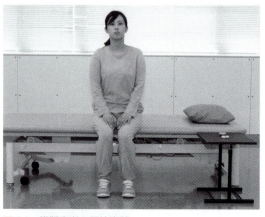

図14　模擬患者の開始姿勢

参考文献

1) 松澤 正：理学療法評価学. 金原出版, p18-26, 2001.
2) 石川 齊 他, 編：理学療法技術ガイド 第2版. 文光堂, p1003-1007, 2001.
3) 千住秀明 監：理学療法評価法 第2版. 神陵文庫, p33-44, 2005.
4) 岩倉博光 監：理学療法評価学 新版. 金原出版, p18-25, 2001.

8 整形外科疾患別検査

1 整形外科疾患別検査とは

　整形外科疾患別検査は，疾患別に医師が診断を行うための検査である。これらの検査と画像診断などから総合的に判断して確定診断を行う。療法士としての整形外科的検査の意義は，検査所見がどの程度，運動や機能障害に関与しているかを判断することにある。また，医師との共通言語をもつ意味においても必要な検査である。
　表1に部位別の整形外科疾患別検査の一部を示す（検査の詳細および他の検査については成書を参照）。
　表1に示す整形外科疾患別検査の中から，本項では肩腱板断裂の検査（drop arm test），下位腰椎椎間板ヘルニアの検査（下肢伸展挙上テスト）の2つの検査を取り上げて解説する。
　住民検診による疫学調査では，50歳代では10人に1人，80歳代では3人に1人の割合で腱板断裂が存在することが明らかになった[1]。下位腰椎椎間板ヘルニアは人口の約1%が罹患し，手術患者は人口10万人当たり年間46.3人という報告がある[2]。このように，肩腱板断裂，下位腰椎椎間板ヘルニアは罹患率の高い疾患であるとともに，好発年齢も青壮年期から高齢期まで幅広い年齢層で発症する疾患といえるため[1]，その検査方法を習得しておくことは重要である。

2 肩腱板断裂の検査：drop arm test（腕落下検査）

A. 腱板の機能解剖

　腱板（rotator cuff）は肩関節回旋筋群である4つの筋（棘上筋，棘下筋，小円筋，肩甲下筋）の腱が互いに連続し，板状に肩甲骨から起始して上腕骨大結節・小結節に付着する部分である（図1）。腱板には肩関節内旋・外旋の主動作筋としての作用だけでなく，関節窩に対して骨頭を下方へ滑らせ，骨頭と肩峰間のimpingementを防ぐ，関節包を補強する，肩関節屈曲時に上腕骨頭を関節窩に引き寄せ三角筋の効率を高めるなど重要な作用がある。

B. 肩腱板断裂の病態について

　肩腱板断裂とは，腱板の腱性部分が断裂し，連続性が断たれた状態を指す。腱板構成筋のうち棘上筋腱が最も断裂しやすい。若年者では投球などのスポーツ活動で繰り返し外力が加わることによって発生するとされる。高齢者では加齢による腱の変性，血行不良，肩峰との機械的な衝突などの内的因子に急性または慢性の外力が加わって発症すると考えられている。臨床症状は，動作時痛とともに安静時痛，夜間痛を認めることが多い。動作時痛は特に肩関節自動外転60〜120°の範囲で挙上・下降時に疼痛を生じる。疼痛や筋力低下により自動挙上が制限され，ADLでは肩より上に物を持ち上げることや更衣

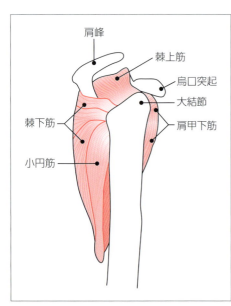

図1　腱板の機能解剖

表1　部位別整形外科疾患別検査

部位	検査名		臨床的意義
頸部	スパーリングテスト	Spurling's Test	神経根症状の誘発
	椎間孔圧迫テスト	Foraminal Compression Test	
	ジャクソンテスト	Jackson Compression Test	
	肩押し下げテスト	Shoulder Depression Test	
	イートンテスト	Eaton Test	
肩上部 胸郭出口部	アドソンテスト	Adoson's Test	胸郭出口症候群
	エデンテスト	Eden Test	
	ライトテスト	Wright Test	
肩関節	棘上筋腱炎テスト	Supraspinatus Tendinitis Test	棘上筋腱の変性腱炎
	アプレー・スクラッチテスト	Apley Scratch Test	
	ドロップアームテスト	Drop Arm Test	棘上筋の断裂
	ニアー・インピンジメントテスト	Neer Impingement Test	
	ホーキンス・ケネディテスト	Hawkins-Kennedy Test	
	有痛弧症状	Painful Arc Sign	
	ヤーガソンテスト	Yergason Tast	上腕二頭筋腱炎
	前方不安定テスト	Anterior Apprehension Test	肩関節習慣性亜脱臼
肘関節	ゴルフ肘テスト	Golfer's Elbow Test	上腕骨内側上顆炎
	チェアーテスト	Chair Test	上腕骨外側上顆炎
	外反ストレステスト	Valgus Test	内側側副靱帯損傷
	内反ストレステスト	Varus Test	外側側副靱帯損傷
手関節	ファレンテスト	Phalen Test	手根管症候群，正中神経圧迫
	フィンケルスタインテスト	FinKelstein Test	長母指外転筋と短母指伸筋の狭窄性腱鞘炎
	フローマンテスト	Froment Test	尺骨神経麻痺，母指内転筋麻痺
腰部	ラセーグ徴候	Lasègue Sign	下位腰椎椎間板ヘルニア
	ブラガード徴候	Bragard Sign	
	大腿神経伸張テスト	Femoral Nerve Stretch Test	上位腰椎椎間板ヘルニア
	ケンプテスト	Kemp Test	腰椎椎間板ヘルニア
股関節	アリス徴候	Allis Sign	股関節脱臼，大腿骨頸部骨折
	トーマステスト	Thomas Test	股関節屈曲拘縮
	パトリックテスト	Patrick Test	股関節変形性疾患，炎症反応
	オーバーテスト	Ober Test	大腿筋膜張筋，腸脛靱帯の短縮
	エリーテスト	Elley Test	大腿直筋の短縮
膝関節	マックマレーテスト	McMurray Test	半月板損傷
	アプレー圧迫テスト	Apley Compression Test	
	アプレー牽引テスト	Apley Distraction Test	内側・外側側副靱帯損傷
	前方引き出しテスト	Anterior Drawer Test	前十字靱帯損傷
	ラックマンテスト	Lachman Test	
	後方引き出しテスト	Posterior Drawer Test	後十字靱帯損傷
足関節	トンプソンテスト	Thompson Test	アキレス腱断裂
	アキレス腱叩打テスト	Achilles Tap Test	
	引き出し徴候	Anterior Drawer Sign	足部靱帯損傷

動作などが制限される。腱板断裂が長期にわたると拘縮や筋萎縮も認められる[3]。

C. drop arm test について

1) drop arm test とは
　　drop arm test は肩腱板断裂を評価する検査手法である。手掌面が床に向いた状態で可能な範囲（肩関節外転100°程度）まで外転し，外転位からゆっくりと上肢を下ろすように指示した際，腱板に断裂があると肩関節90°外転位より急速に上肢が落下するというものである（図2）。また，肩関節90°外転位で保持できるとき，上肢遠位部を軽く叩くと落下する現象も，drop arm test 陽性となる[4]。

2) drop arm test のメカニズムについて
　　drop arm test が陽性となるメカニズムは，肩関節外転時の三角筋と棘上筋のフォースカップル（図3）に基づいている。肩関節外転の際に上腕骨頭を上方へ転がす三角筋の強力な回転モーメントに対し，棘上筋が上腕骨頭を関節窩に向けて求心位に引き寄せることで安定性を付加するために，肩峰と上腕骨頭の衝突を防いでいる[5]。棘上筋は，肩関節外転0～90°の範囲で働くため，棘上筋断裂が生じている場合にdrop arm test が陽性となる。

D. drop arm test の手順のポイント

1) 挨拶・自己紹介を行い，2つの識別子で患者の確認を行う
・患者とのラポール（信頼関係）形成のため，挨拶，自己紹介を行う。
・患者の取り違えを防止するため，氏名に加え生年月日もしくはIDなど，2つの識別子で確認する。

2) drop arm test を行う旨を患者に伝え了承を得る
・疼痛を誘発する可能性のある検査であることを患者に説明し，理解と了承を得る。

3) 患者を検査できる適切な姿勢にする
・検査姿勢は座位または立位とするが，患者の状態に合わせて選択する[4]。

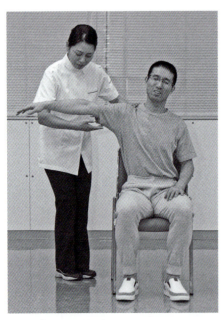

図2　drop arm test
手掌面が床に向いた状態で肩関節外転100°程度まで外転し，外転位からゆっくりと上肢を下ろすように指示する。腱板損傷がある場合，肩関節90°外転位より急速に上肢が落下する。そのため，療法士は落下した上肢を支えられる位置を常にとる必要がある。

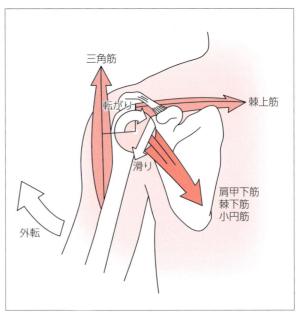

図3　肩関節外転時の三角筋と腱板のフォースカップル（右肩前面像）
(Donald A Neumann : Kinesiorogy of the Musculoskeletal System Foundations for Rehabilitation Second Edition. p158-159, MOSBY ELSEVIER, 2009. より)

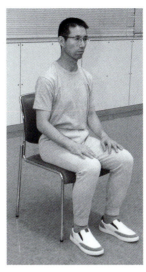

図4 適切な検査姿勢

・椅子の背にはもたれないよう指示する（図4）。
・足底がしっかりと床面に接地し，体幹・骨盤直立位の安定した姿勢をとる。

4）疼痛の有無と部位について確認する
・検査の前に左右肩関節の安静時痛・運動時痛の有無，疼痛部位について確認する。

5）drop arm testの検査方法を患者に説明する
・療法士によるデモンストレーションを交えながら，手掌面が床に向いた状態で肩関節を100°程度で外転保持させ，ゆっくりと上肢を下ろすよう説明する。

6）非障害側肩関節の自動外転運動をさせ，可動域や疼痛の有無を確認する
・座位姿勢が崩れないよう後方から支持し，肩甲帯の動きも確認する。

> **臨床のコツ**
> ◆非障害側は自動運動を確認し，代償運動なく肩関節外転100°以上の運動が可能であり，かつ上肢をゆっくりと下ろすことが可能であればdrop arm testは陰性と判断する。

7）障害側肩関節を自動的・他動的に外転させdrop arm testを実施する（図5）
・本検査は肩関節外転100°以上の可動域が確保されていることが望ましい。
・外転運動の可動域を確認する際は，impingementを考慮し90°以上の外転で肩関節を外旋させるが，本検査では手掌面を下に向けて肩関節内外旋中間位で実施する。
・自動運動，他動運動の順に可動域を確認する。
・自動運動では肩甲骨挙上や体幹側屈といった代償運動が出現する可能性がある（図6）。
・他動的に外転する場合は疼痛に十分配慮し，上腕部を下方からしっかりと把持し，患者が力を抜いていることを確認したうえで体幹の側屈や肩甲帯挙上の代償運動を抑制しながらゆっくりと外転させる（図7）。
・可動域が確認できたら手掌面が床に向いた状態で保持させ，療法士の合図でゆっくりと上肢を下ろすよう指示する。
・棘上筋腱に断裂がある場合，肩関節90°外転位で急速に上肢が落下するため，それに備えてあらかじめ療法士の手は患者の上肢の下で構えて患者の上肢を保持できるようにしておく。
・検査中の疼痛の有無を確認する。

8）誘発された疼痛を検査後に確認する
・drop arm testで疼痛が誘発された際は，検査後に疼痛が軽減したかを確認する。

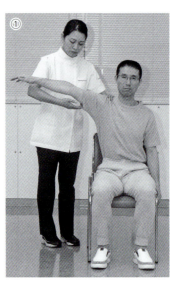 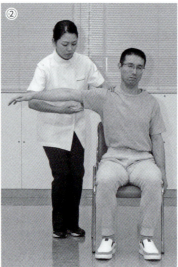 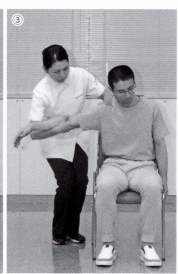

図5 drop arm test の実施
①肩関節を 100°程度まで外転。
②患者にゆっくりと下ろすように指示，落下に備える。
③上肢が落下したら保持する。

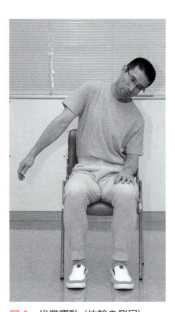 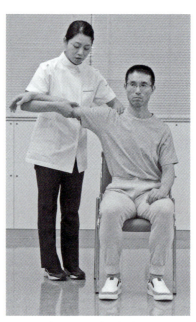

図6 代償運動（体幹の側屈）　　図7 下方からの上腕の把持

9) **患者に検査結果を伝える**
・上肢が肩関節外転 90°の位置で落下する場合は drop arm test 陽性と考えられ，棘上筋腱損傷の疑いがあることを伝える。
・本検査のみで確定診断はつけられないため，療法士は他の検査と総合して検討する旨も伝える。

10) **患者に終了を伝える**

E. 判定基準

　一般的には，「陽性」か「陰性」で判定する。肩関節 90°外転位で上肢が落下する，肩関節外転位から内転位方向へゆっくりと上肢を下ろすことができない場合，「陽性」と判断する。

表2 日本整形外科学会肩関節疾患治療成績判定基準（JOA score）
（日本肩関節学会ホームページ：http://www.j-shoulder-s.jp/downroad/pdf/005.pdf より）

日本整形外科学会肩関節疾患治療成績判定基準（JOA score）

番　号：		患者名：		♂・♀		才
記載日：　　年　　月　　日		疾患名：				
左右別：		術　名：				
手術日：　　年　　月　　日		署　名：				

Ⅰ．疼　痛　（30点）

なし‥‥‥‥‥‥‥‥‥‥‥‥‥‥‥‥‥‥‥‥‥‥‥‥‥‥‥‥‥‥‥30
スポーツ，重労働時の僅かな痛み‥‥‥‥‥‥‥‥‥‥‥‥‥‥‥25
作業時の軽い痛み‥‥‥‥‥‥‥‥‥‥‥‥‥‥‥‥‥‥‥‥‥‥‥20
日常生活時の軽い痛み‥‥‥‥‥‥‥‥‥‥‥‥‥‥‥‥‥‥‥‥‥15
中程度の耐えられる痛み(鎮痛剤使用，時々夜間痛)‥‥‥‥‥‥‥10
強度な痛み(夜間痛頻回)‥‥‥‥‥‥‥‥‥‥‥‥‥‥‥‥‥‥‥‥5
痛みのために全く活動できない‥‥‥‥‥‥‥‥‥‥‥‥‥‥‥‥‥0

Ⅱ．機　能　（20点）

総　合　機　能　（10点）

外転筋力の強さ（5点）	正常‥‥‥‥‥‥5	耐　久　力（5点）	10秒以上‥‥‥‥5
※90度外転位にて測定	優‥‥‥‥‥‥4	※1kgの鉄アレイを	
同肢位のとれないときは	良‥‥‥‥‥‥3	水平保持できる時間	3秒以上‥‥‥‥3
可能な外転位にて測定	可‥‥‥‥‥‥2	肘伸展位・回内位にて	
（可能外転位角度）	不可‥‥‥‥‥1	測定(成人2kg)	2秒以下‥‥‥‥1
	ゼロ‥‥‥‥‥0		不　可‥‥‥‥0

日常生活動作群　（患側の動作）（10点）

結髪動作‥‥‥‥‥‥‥‥‥‥‥(1, 0.5, 0)	反対側の腋窩に手が届く‥‥‥‥‥‥‥‥(1, 0.5, 0)
結帯動作‥‥‥‥‥‥‥‥‥‥‥(1, 0.5, 0)	引戸の開閉ができる‥‥‥‥‥‥‥‥‥‥(1, 0.5, 0)
口に手が届く‥‥‥‥‥‥‥‥‥(1, 0.5, 0)	頭上の棚の物に手が届く‥‥‥‥‥‥‥‥(1, 0.5, 0)
患側を下に寝る‥‥‥‥‥‥‥‥(1, 0.5, 0)	用便の始末ができる‥‥‥‥‥‥‥‥‥‥(1, 0.5, 0)
上着のサイドポケットのものを取る‥‥‥(1, 0.5, 0)	上着を着る‥‥‥‥‥‥‥‥‥‥‥‥‥‥(1, 0.5, 0)

他に不能の動作あれば各1点減点する
1.　　　　　　　　　　　2.　　　　　　　　　　　3.

Ⅲ．可動域(自動運動)　（30点）　　坐位にて施行

a. 挙　上(15点)	b. 外　旋（9点）	c. 内　旋（6点）
150度以上 ‥‥‥‥‥‥15	60度以上 ‥‥‥‥‥‥9	Th12以上 ‥‥‥‥‥‥6
120度以上 ‥‥‥‥‥‥12	30度以上 ‥‥‥‥‥‥6	L5　以上 ‥‥‥‥‥‥4
90度以上 ‥‥‥‥‥‥9	0度以上 ‥‥‥‥‥‥3	臀　部‥‥‥‥‥‥‥‥2
60度以上 ‥‥‥‥‥‥6	−20度以上 ‥‥‥‥‥‥1	それ以下 ‥‥‥‥‥‥0
30度以上 ‥‥‥‥‥‥3	−20度以下 ‥‥‥‥‥‥0	
0度 ‥‥‥‥‥‥0		

Ⅳ．X線所見評価　（5点）

正　常‥‥‥‥‥‥‥‥‥‥‥‥‥‥‥‥‥‥‥‥‥‥‥‥‥‥‥‥‥5
中程度の変化または亜脱臼‥‥‥‥‥‥‥‥‥‥‥‥‥‥‥‥‥‥‥3
高度の変化または脱臼‥‥‥‥‥‥‥‥‥‥‥‥‥‥‥‥‥‥‥‥‥1

Ⅴ．関節安定性　（15点）

正　常‥‥‥‥‥‥‥‥‥‥‥‥‥‥‥‥‥‥‥‥‥‥‥‥‥‥‥‥15
軽度のinstabilityまたは脱臼不安感‥‥‥‥‥‥‥‥‥‥‥‥‥‥10
重度のinstabilityまたは亜脱臼の既往，状態‥‥‥‥‥‥‥‥‥‥5
脱臼の既往または状態‥‥‥‥‥‥‥‥‥‥‥‥‥‥‥‥‥‥‥‥0

備考：肘関節，手に障害がある場合は，可動域，痛みについて記載する．

総合評価：　　　計（　　　　）点
疼痛（　　　）　　機能（　　　　）　　可動域（　　　　）
X線所見（　　　）　　関節安定性（　　　）

治療後評価
　医　師　　+，　0，　−
　患　者　　+，　0，　−

臨床のコツ

◆ drop arm test の結果には肩関節の疼痛，関節可動域，筋力など，さまざまな身体機能が関わりADL への影響（日本整形外科学会肩関節疾患治療成績判定基準（JOA score）（表2）の日常生活動作群を参照）もあるため，治療前に評価しておくことが望ましい。

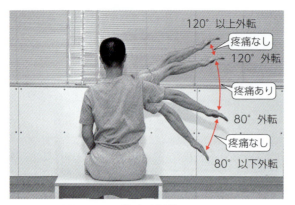

図8 painful arc test（有痛弧症状）
肩外転60〜120°で疼痛を生じると陽性である。

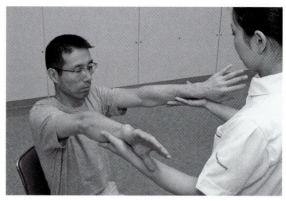

図9 Jobe test（棘上筋テスト）

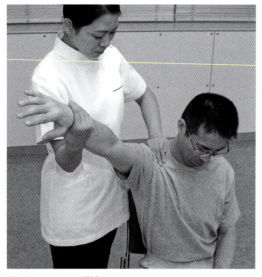

図10 Neerの手技

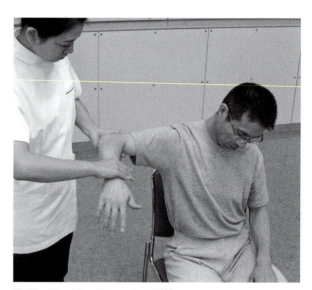

図11 Hawkins-Kennedyの手技

F. drop arm testと合わせて行うことが望ましい検査

drop arm testと合わせて行うことが望ましい検査を一部紹介する。

1） painful arc test（有痛弧症状）（図8）

肩関節外転方向に自動運動を行った際に，60〜120°の範囲で疼痛を生じると陽性と判断する。そのメカニズムは，肩関節外転に際して腱板機能障害による上腕骨頭の押し上げによって発生するといわれている。

2） Jobe test（棘上筋テスト）（図9）

肩関節を肩甲骨面挙上約90°での内旋位（母指が下に向く）で前腕遠位部を押し下げて抵抗を加えた際に疼痛を生じると，陽性と判断する。

3） impingement test

・Neerの手技（図10）：肩甲骨を固定し，肩関節内旋強制位で屈曲した際，疼痛，礫音が出現するとインピンジメント徴候陽性と判断する。

・Hawkins-Kennedyの手技（図11）：肩関節外転外旋位から内旋強制した際，疼痛，礫音が出現するとインピンジメント徴候陽性と判断する。

3 腰椎椎間板ヘルニアの検査（下肢伸展挙上テスト）

A. 腰椎の機能解剖（図12）

　腰椎椎間板ヘルニアの原因とされている神経根の障害メカニズムを理解するためには，解剖学の基礎知識が不可欠である。

　各脊髄神経は椎間孔を通って脊柱管の外へ出る。椎間孔の前壁は椎間板の後縁と上下椎体の隣接部分，下壁は隣接下位椎体の椎弓根，上壁は隣接上位椎体の椎弓根，後壁は関節突起間関節で境界されている。脊髄は断面像でみられるように，中央が灰白質，周辺が白質で，硬膜嚢に取り囲まれて脊柱管の中に納まっており，前方は後縦靱帯，後方は黄色靱帯に覆われている。関節突起間関節の前面は関節靱帯で補強された関節包によって覆われ，さらに黄色靱帯の延長によって被覆されている。下位椎弓根の上を通る脊髄神経は，前方は後縦靱帯に覆われた椎間板，後方は黄色靱帯の延長に覆われた関節突起間関節で囲まれた狭い隘路の中を通過している。

　脊髄神経が椎間板ヘルニアによって圧迫されるのは，硬い組織で構成された椎間孔のこの部分である。

B. 腰椎椎間板ヘルニアの病態について[1]

　腰椎椎間板ヘルニアとは，脱出した椎間板組織が神経根を圧迫して腰・下肢痛を引き起こす病態をいい，退行性疾患の代表的なものである。局所病理は髄核が線維輪を横切って後側方向へ拡散し，椎間板の圧迫により後縦靱帯の下へと突出する（図13a）。椎間板変性が著しい場合は後方線維輪自体が椎体から剥がれて脱出することがある。脱出の程度には，突出（髄核が後方線維輪を完全に破っていない）と脱出（線維輪または後縦靱帯を破って脊柱管内へ出ている）がある（図13b, c）。ときには，脱出した髄核組織が脊柱管内で遊離し，頭側または尾側へ移動してしまうこともある（遊離脱出ヘルニア）。神経圧迫の機序は，ヘルニア腫瘤が神経根あるいは馬尾を圧迫すると広義の炎症が発生し，その際に神経

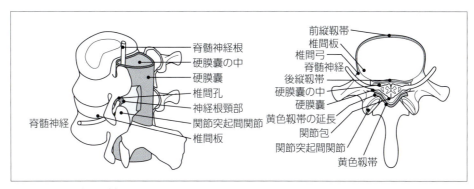

図12　腰椎の機能解剖

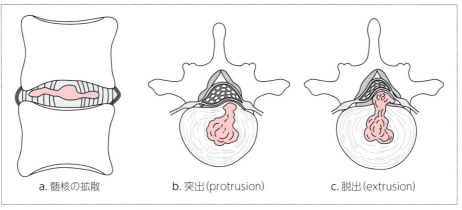

図13　椎間板ヘルニアの局所変性

根や馬尾は機械的刺激と炎症生産物による化学的侵害刺激を受け，疼痛を引き起こす。

腰椎椎間板ヘルニアは，腰痛と片側の下肢痛が主症状であり，運動や労働によって増悪し，安静で軽快する傾向にある。症状が急激に生じる急性発症と慢性緩徐に生じる場合がある。

- **急性発症**：重量物挙上などが誘因となり，腰痛がひどく体動もままならない場合がある。数日で腰痛は軽快し，それに代わり，圧迫された神経根の支配領域に放散する下肢痛と痺れの出現が症状の主体となる。下肢痛は咳やくしゃみで増悪する。
- **慢性緩徐**：疼痛は放散性の下肢痛というより，同一姿勢の保持（座位，立位，あるいは屈曲位の保持）での腰殿部，下肢の重苦しい疼痛という傾向がある。下肢筋力が低下すると，スリッパが脱げやすくなる，低い段差にもつまずきやすくなるなどの症状がみられる。

C. 下肢伸展挙上テストについて

1）下肢伸展挙上テストとは

下肢伸展挙上テストは下位腰椎椎間板ヘルニアに対する最も重要な疼痛誘発テストである。膝関節を伸展位に保ったまま下肢を挙上させることで，坐骨神経またはその神経根の一つに緊張が加わり疼痛が誘発される。つまり，障害神経根の領域で坐骨神経痛を再現させる検査である。

2）下肢伸展挙上テストと疼痛誘発のメカニズム

背臥位で下肢が支持面で休息している時，坐骨神経とその神経根は完全に弛緩している（図14①）。

膝屈曲位で下肢を挙上する時，坐骨神経とその神経根はまだ弛緩している（図14②）。

膝を伸展させるか，または膝伸展位で下肢を徐々に挙上する際，坐骨神経は椎間孔の外で牽引され緊張が増加する（図14③）。L5神経根レベルの伸張幅は正常で12 mm程度とされている（図15）。

下位腰椎椎間板ヘルニア患者では，椎間孔の中で椎間板ヘルニアの膨隆によって図14①〜③の過程で神経根が圧迫されるため坐骨神経の自由な走行が阻害されてしまう。そのため，下肢伸展挙上によって坐骨神経は過度に伸張されて疼痛が発生する。下肢伸展挙上70°未満で疼痛が発生する場合を，下肢伸展挙上テスト「陽性」という。

健常者では，図14①〜③の過程で神経根は椎間孔の内部を自由に走行できるため，全く疼痛が誘発されない。これは下肢伸展挙上テスト「陰性」である。ただし，下肢がほぼ垂直になる挙上で，ハムストリングスの緊張による伸張痛が発生する場合もある。

3）下肢伸展挙上テストによる疼痛の種類

下肢伸展挙上テストによって誘発される疼痛は，坐骨神経根の緊張に由来するため，坐骨神経領域に沿って生じる。殿部周辺の放散痛や，坐骨神経領域に沿った痺れや疼痛が特徴的である（図16）。ハムストリングスの短縮による伸張痛との判別が重要である。

4）下肢伸展挙上テストを両側下肢で行う意味

下位腰椎椎間板ヘルニアは，脱出した椎間板組織が神経根を圧迫することにより生じるため，椎間板の脱出部位・程度によって神経根の圧迫状態は変化する。そのため，自覚症状がない場合でも椎間板ヘルニアが発症していることはありうる。また，無症候性ヘルニアも高齢者には多くみられることから，

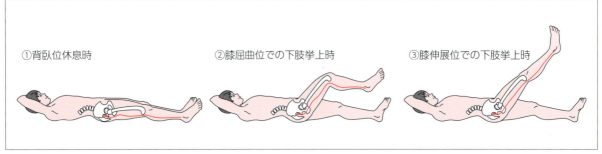

図14 下肢伸展挙上テストと疼痛誘発のメカニズム

図15 下肢伸展挙上テストによる神経の伸張幅

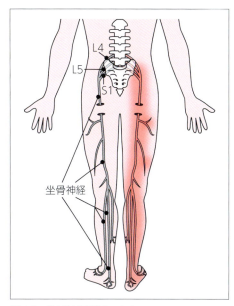

図16 坐骨神経領域の疼痛

一側下肢のみでなく両側下肢の検査を行って比較することで正確な診断が可能になる。

D. 下肢伸展挙上テストの手順のポイント

1) 挨拶・自己紹介を行い，2つの識別子で患者の確認を行う
- 患者とのラポール（信頼関係）形成のため，挨拶，自己紹介を行う。
- 患者の取り違いを防止するため，氏名に加え生年月日もしくはIDなど，2つの識別子で確認する。

2) 下肢伸展挙上テストを行う旨を患者に伝え了承を得る
- 疼痛を誘発する可能性がある検査であることを患者に説明し，理解と了承を得る。

3) 疼痛の有無と部位について確認する
- 検査の前に腰部や下肢の安静時痛・運動時痛の有無，疼痛部位について確認する。

4) 患者を検査できる適切な姿勢にする
- 両下肢を伸展した状態での背臥位にて検査を行う。
- 座位から背臥位になる際は，患者に疼痛が少ない側を確認し，疼痛の少ない側から背臥位になるよう促す。
- 腰痛患者は座位から背臥位になる際に疼痛を誘発する場合があるので配慮する。

5) 検査の方法，検査時の疼痛の出現について患者に説明する
- 検査の際にはリラックスして下肢に力を入れないよう指示する。
- 陽性であった場合，殿部周辺の放散痛や，坐骨神経領域沿いに痺れるような疼痛が出現する可能性があることを伝えておく。
- その際の疼痛の出現部位と性状を検査後に確認することを伝える。

6) 下肢を膝関節伸展位で保持し，ゆっくりと挙上させ，下肢挙上テストを実施する
- 最初に疼痛が弱い側から検査を行い，次いで疼痛が強い側の検査を実施する。
- 疼痛の訴えが一側のみの場合でも症状を比較するために両側とも実施する。
- 療法士は検査する側の下肢側に位置する。
① 療法士の前腕で患者の下肢を後面から支え，手で膝関節上縁をしっかりと保持する。もう一方の手で検査側の骨盤を固定し，骨盤回旋などの代償運動を抑制する（図17）。対側の下肢の動きにも注意し，疼痛回避の動きを確認できるよう，療法士の下肢で触れておく。疼痛回避の動きは，殿部の防御性収縮や，下肢を下ろそうとする反応として出現する。もし，対側の下肢に股関節屈曲の代償運動が出現した場合は，それを抑制する。

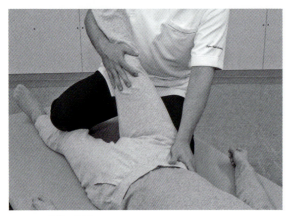

図17 骨盤の固定

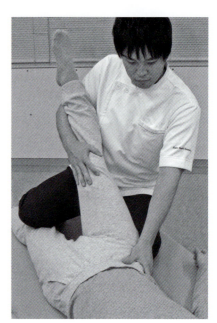

図18 膝関節を伸展させ下肢を挙上

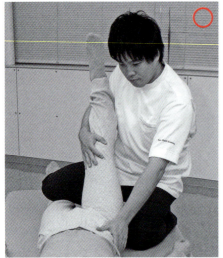

① 正しい方向

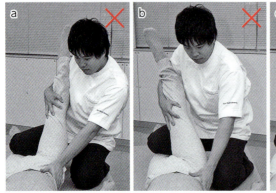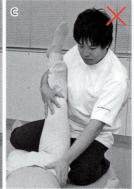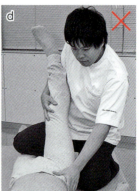

② 誤った方向
a：股関節外転位，b：股関節内転位，c：股関節外旋位，d：股関節内旋位

図19 挙上時の下肢の方向

②膝関節を完全伸展位にしてゆっくりと股関節屈曲（下肢伸展挙上）させる（図18）
・股関節内外転・内外旋中間位で挙上する（図19）。
・挙上する際には一気に挙上せず，何度も疼痛の有無を確認しながらゆっくりと行う。

7）疼痛の性状を確認する
・下肢伸展挙上テスト陽性の場合は股関節屈曲70°未満で殿部から坐骨神経の走行に沿った疼痛が誘発される。

・坐骨神経根の緊張によるものか，大腿後面の筋の伸張によるものかを区別する。
・坐骨神経根の緊張による疼痛では，殿部から坐骨神経領域に沿って疼痛が生じる。主に，殿部周辺の放散痛や坐骨神経領域沿いに痺れるような疼痛が出現する。
・ハムストリングスの伸張による疼痛では，大腿後面が全体に突っ張るような疼痛が出現する。
・両方の疼痛の性状を患者に説明し，疼痛の性状を問診しながら原因を判別する。

8) 誘発された疼痛に対し，配慮する
・検査の実施で疼痛が誘発された場合には，検査後に疼痛が軽減したかを確認する。
・疼痛の誘発は患者にとって不安なものなので，十分に説明して不安を取り除くようにする。

9) 患者に検査結果を伝える
・下肢伸展挙上テスト陽性の場合（坐骨神経の走行に沿った疼痛が誘発された場合）には，腰椎椎間板ヘルニアの疑いがあることを伝える。
・下肢伸展挙上テストが陰性でハムストリングスの伸張痛が認められた場合には，腰痛改善の方法としてハムストリングスの伸張が挙げられることを伝え，ストレッチングなどの方法を指導する。

10) 患者に終了を伝える

E. 判定基準

　一般的には，「陽性」か「陰性」で判定する。下肢伸展挙上70°未満で坐骨神経に沿って疼痛が出現すれば「陽性」であり，疼痛が出現しないか，もしくは大腿後面の伸張痛が出現する場合は「陰性」と判定する。

　判定に量的概念を与える方法としては，誘発される疼痛が出現する下肢伸展挙上角度を測定する方法もある。例えば，下肢挙上10°，15°，20°，30°など疼痛の出現する角度を記録することで，経過や治療効果の判断に使用できる。

> **臨床のコツ**
> ◆下肢伸展挙上テストを実施する際にはきわめて緩徐に注意深く行い，疼痛の出現を認めたらすぐに下肢の挙上を停止する。粗暴・拙劣な手技は神経根内部の軸索の断裂を生じ，麻痺をきたすこともある。
> ◆本検査を下位腰椎椎間板ヘルニアの治療手技として用いることは禁忌である。
> ◆疼痛を誘発する検査であるため，患者への説明はしっかりと行い同意を得るべきである。腰椎椎間板ヘルニアなど有痛性疾患の患者は疼痛に対して非常に神経質になっている。説明もなくこの検査を実施することで信頼関係を損なう可能性があるため，注意が必要である。

F. 補助的テスト

　補助的テストとして，Bragard sign（ブラガード徴候）（図 20a），Bowstring sign（バウストリング徴候）などがある（図 20b）。下肢伸展挙上テストが軽度陽性で判定に疑問がある場合は，Bragard sign，Bowstring sign を追加し鑑別する。

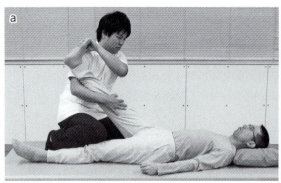 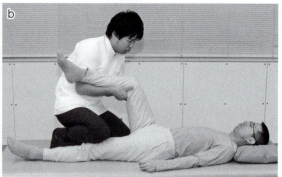

図20　下肢伸展挙上テストの補助的テスト
a：Bragard sign（ブラガード徴候）
下肢伸展挙上テストが出現した角度より5°下げて，足関節を背屈させる。
b：Bowstring sign（バウストリング徴候）
下肢伸展挙上テストが出現した角度で膝を屈曲させて，膝窩を圧迫する。

OSCE課題　drop arm test

対応動画

設問
右肩腱板断裂の患者です．この患者に対し，drop arm test を行ってください．制限時間は5分です．では，始めてください．

準備するもの
背もたれ付き椅子

患者情報

疾患・障害	肩腱板断裂	ROM	右肩関節 他動　外転 150° 自動　外転 40°（代償運動あり）
年齢・性別	不問		
障害側	右		
受傷後期間	1年	筋力低下	右肩（測定困難）
疼痛	右肩関節（運動時）	理解	良好
表在覚	正常	表出	良好
深部覚	正常		

課題の目標

態度
1. 検査に備えた心がけができる（清潔かつ安全な身なり）．
2. 患者に drop arm test を行う旨を説明し，了承を得ることができる．
3. 患者に不快な思いをさせない（話し方，表情，振る舞い）．

技能
1. 患者の安全に配慮しながら進めることができる．
2. drop arm test を適切な手順および方法で行うことができる．
3. わかりやすく簡潔に結果を伝えることができる．

手　順

1. 挨拶・自己紹介を行い，2つの識別子で患者の確認を行う。
2. drop arm test を行う旨を患者に伝え了承を得る。
   - 疼痛を誘発する可能性がある検査であることを説明する。
3. 患者を検査できる適切な姿勢にする。
   - 患者には椅子の背にもたれないよう指示する。
   - 足底がしっかりと床面に接地し，体幹・骨盤直立位の安定した姿勢をとる。
4. 疼痛の有無と部位を確認する。
   - 安静時痛・運動時痛の有無，疼痛部位を確認する。
5. drop arm test の検査方法を患者に説明する。
   - デモンストレーションを交えながら手掌面が床に向いた状態で肩関節を100°程度で外転保持させ，ゆっくりと上肢を下ろすよう説明する。
6. 非障害側肩関節の自動外転運動をさせ，可動域や疼痛の有無を確認する。
   - 非障害側，障害側の順で検査を行う。
   - 座位姿勢が崩れないよう後方から支持し，肩甲帯の動きも確認する。
   - 非障害側は自動運動を確認する。代償運動なく肩関節外転100°以上の運動が可能であり，かつ上肢をゆっくりと下ろすことが可能であれば drop arm test は陰性と判断する。
7. 障害側肩関節を自動・他動的に外転させ drop arm test を実施する。
   - 本検査は肩関節外転100°以上の可動域が必要であり，自動運動，他動運動の順に可動域を確認する。
   - 本検査では，手掌面を下に向けて，肩関節内外旋中間位で実施する。
   - 自動運動では可動域や代償運動の出現を確認する。棘上筋の断裂がある場合，肩関節外転運動時に患者は対側への体幹側屈や肩甲骨挙上で代償することがあるため，代償運動が出現した時は適切な運動方向に指示・誘導する。
   - 他動運動を行い，検査可能な可動域があるかを確認する。受験者は上腕部を下方から支え，患者が力を抜いていることを確認したうえで，代償運動を抑制しながらゆっくり外転させる。
   - 外転100°で自立して保持可能であれば，そこから上肢をゆっくりと下ろすことができるかを確認する。
   - 棘上筋腱に断裂がある場合，肩関節90°外転位で急速に上肢が落下するため，それに備えてあらかじめ受験者の手は患者の上肢の下で構えて，患者の上肢を保持できるようにしておくとよい。それにより検査時の疼痛を最小限にすることができる。
   - 併せて検査中の疼痛の有無も確認する。
8. 誘発された疼痛を検査後に確認する。
   - drop arm test で疼痛が誘発された際は，検査後に疼痛の状態を確認する。
9. 患者に検査結果を伝える。
   - 患者の上肢が落下する場合は drop arm test 陽性と考えられ，棘上筋腱の損傷が疑われる。
10. 患者に終了を伝える。

8 整形外科疾患別検査　257

採点基準

採点者は模擬患者に受験者の言動の適否を適宜確認して，以下の項目を採点してください。

1．態度

①適切な身なりで明瞭な挨拶（開始時・終了時）・自己紹介ができる。	2点	適切な身なり，明瞭な挨拶（開始時・終了時）・自己紹介ができる
	1点	上記のうち1項目ができない
	0点	2項目以上できない
②2つの識別子で患者の確認ができる。	2点	2つの識別子で患者の確認ができる
	1点	1つの識別子で確認ができる
	0点	確認ができない
③drop arm test を行う旨を患者に伝え，了承を得ることができる。	2点	drop arm test を行う旨を正確に伝え，患者の了承を得ることができる
	1点	どちらか一方のみできる
	0点	どちらもできない
④課題全般を通して，患者の様子（表情・心情・姿勢・身体機能）や状況に応じた丁寧な対処（声かけ・触れ方・動かし方）ができる。	2点	課題全般を通して，患者の様子や状況に応じた丁寧な声かけ，触れ方，動かし方ができる
	1点	上記3項目のうち1項目ができない
	0点	2項目以上できない

2．技能

①椅子の背にもたれないよう指示し，足底接地，体幹・骨盤直立位の安定した座位姿勢にできる。	2点	椅子の背にもたれないよう指示し，足底接地，体幹・骨盤直立位の安定した座位姿勢にできる
	1点	どちらか一方のみできる
	0点	どちらもできない
②問診にて安静時痛，運動時痛の有無，部位について確認できる。	2点	安静時痛，運動時痛の有無，部位について確認できる
	1点	上記のうち1項目が確認できない
	0点	2項目以上確認できない
③患者に drop arm test の方法をわかりやすく説明できる。	2点	患者にわかりやすく説明できる
	1点	説明できるが不十分
	0点	説明できない
④非障害側，障害側の順で検査を行うことができる。	2点	非障害側，障害側の順に両側の検査を行うことができる
	1点	両側検査するが，障害側から検査を行う
	0点	一側しか検査できない
⑤肩関節外転の可動域（100°以上），疼痛の有無を確認できる。	2点	両側とも肩関節外転の可動域，疼痛の有無を確認できる
	1点	一側のみ確認できる
	0点	両側とも確認できない
⑥障害側の他動運動で疼痛に配慮し，腕を下方から支え，患者の力が抜けていることを確認したうえでゆっくりと外転させることができる。	2点	疼痛に配慮し，腕を下方から支え，患者の力が抜けた状態でゆっくりと動かすことができる
	1点	上記のうち1項目ができない
	0点	2項目以上できない
⑦手掌面が床に向いた状態で肩関節を100°程度で外転保持させ，ゆっくりと上肢を下ろさせることができる。	2点	手掌面を床に向けたまま肩関節を100°外転位で保持させ，ゆっくりと上肢を下ろさせることができる
	1点	どちらか一方のみできる
	0点	どちらもできない

⑧障害側の上肢の急速な落下を確認し，素早く保持できる。	2点 1点 0点 0点	上肢の落下を確認し，完全に落下させることなく保持できる 上肢の落下を確認するが，上肢の保持が遅れてしまう 上肢の落下を確認する前に上肢を保持してしまう 上肢を完全に落下させてしまう
⑨疼痛の状態を確認し，疼痛を誘発したことに対する配慮ができる。	2点 1点 0点	疼痛の状態を確認し，疼痛を誘発したことに対する配慮ができる 疼痛の状態に配慮するが不十分 疼痛の状態に配慮しない
⑩患者に検査結果をわかりやすく伝えることができる。	2点 1点 0点 0点	患者に検査結果をわかりやすく伝えることができる 検査結果を伝えるがわかりにくい 検査結果を伝えることができない 誤った内容を伝える

OSCE 担当者確認事項

模擬患者

- 課題開始時は椅子に座り，椅子の背にもたれかかり待機する（図21）。
- 障害側肩関節は自動可動域以上の運動時は体幹側屈，肩甲帯挙上の代償運動を出現させる。
- 障害側肩関節は他動運動80～120°での範囲で疼痛が出現する設定とする。
- 障害側肩関節外転100°位で保持することは可能とする。
- 検査手順において受験者が肩関節を他動的に外転させる際，その上肢の保持が不十分，または肩関節周囲が緊張した状態であった場合，肩関節に疼痛を出現させる。その際は疼痛回避の動きを見せる。

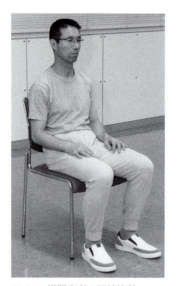

図21　模擬患者の開始姿勢

OSCE課題　下肢伸展挙上テスト

設問
腰椎椎間板ヘルニアの患者です。この患者に対し，下肢伸展挙上テストを行ってください。制限時間は5分です。では，始めてください。

準備するもの
治療用ベッド，枕

患者情報

疾患・障害	腰椎椎間板ヘルニア（L4/5）	表在覚	右下肢に軽度痺れ
年齢・性別	不問	深部覚	正常
障害側	右	ROM	制限なし
発症後期間	1年	筋力低下	あり
疼痛	安静時：右腰部から殿部，大腿部に放散痛 動作時：床上動作時，体幹後屈位で右腰部痛	理解	良好
		表出	良好

課題の目標

態度
1. 検査に備えた心がけができる（清潔かつ安全な身なり）。
2. 患者に下肢伸展挙上テストを行う旨を説明し，了承を得ることができる。
3. 患者に不快な思いをさせない（話し方，表情，振る舞い）。

技能
1. 患者の安全に配慮しながら進めることができる。
2. 下肢伸展挙上テストを適切な手順および方法で行うことができる。
3. わかりやすく簡潔に結果を伝えることができる。

手　順

1. 挨拶・自己紹介を行い，2つの識別子で患者の確認を行う。
2. 下肢伸展挙上テストを行う旨を患者に伝え了承を得る。
   ・疼痛を誘発する可能性がある検査であることを説明する。
3. 疼痛の有無と部位を確認する。
   ・安静時痛・運動時痛の有無，疼痛部位を確認する。
4. 患者を検査できる適切な姿勢にする。
   ・患者を両下肢伸展位の背臥位にする。
   ・座位から背臥位になる際は，患者に疼痛が少ない側を確認し，疼痛の少ない側から背臥位になるよう促す。
   ・腰痛患者は座位から背臥位になる際に疼痛を誘発する場合があるので配慮する。
5. 下肢伸展挙上テストの方法を患者に説明する。
6. 検査時の疼痛の出現について患者に説明する。
   ・検査中に生じた疼痛の出現部位と性状を検査後に確認することを伝える。
7. 下肢を膝関節伸展位で保持し，ゆっくりと挙上させ下肢挙上テストを実施する。
   ・最初に疼痛が弱い側から検査を行い，次いで疼痛が強い側の検査を実施する。
   ・疼痛の訴えが一側のみの場合でも症状の比較を行うために両側とも実施する。
   ・受験者は検査する側の下肢側に位置する。前腕で患者の下肢を後面から支え，手で膝関節上縁をしっかりと保持する。もう一方の手で検査側の骨盤を固定し，骨盤回旋などの代償運動を抑制する。対側の下肢の動きにも注意し，疼痛回避の動きを確認できるよう，受験者の下肢で触れておく（図17）。もし，対側の下肢に股関節屈曲の代償運動が出現した場合は，それを抑制する。
   ・膝関節完全伸展位，股関節内外転・内外旋中間位でゆっくりと下肢伸展挙上する。
   ・挙上する際には一気に挙上せず，何度も疼痛の有無を確認しながらゆっくりと行う。
8. 疼痛の性状を確認する。
   ・坐骨神経根の緊張によるものか，大腿後面の伸張によるものかを判別する。
   ・股関節屈曲70°未満の角度で殿部から坐骨神経に沿った疼痛が誘発された場合を下肢伸展挙上テスト陽性とする。
   ・ハムストリングの伸展による疼痛では，大腿後面が全体に突っ張るような疼痛が出現する。
9. 誘発された疼痛に対し，配慮する。
   ・検査実施で疼痛が誘発された場合には，検査後に疼痛が軽減したかどうかを確認する。
10. 患者に検査結果を伝える。
   ・下肢伸展挙上テスト陽性の場合には腰椎椎間板ヘルニアの疑いがあることを伝える。
11. 患者に終了を伝える。

採点基準

採点者は模擬患者に受験者の言動の適否を適宜確認して，以下の項目を採点してください。

1. 態度

①適切な身なりで明瞭な挨拶（開始時・終了時）・自己紹介ができる。	2点	適切な身なり，明瞭な挨拶（開始時・終了時）・自己紹介ができる
	1点	上記のうち1項目ができない
	0点	2項目以上できない
②2つの識別子で患者の確認ができる。	2点	2つの識別子で患者の確認ができる
	1点	1つの識別子で確認ができる
	0点	確認ができない
③下肢伸展挙上テストを行う旨を患者に伝え，了承を得ることができる。	2点	下肢伸展挙上テストを行う旨を正確に伝え，患者の了承を得ることができる
	1点	どちらか一方のみできる
	0点	どちらもできない
④課題全般を通して，患者の様子（表情・心情・姿勢・身体機能）や状況に応じた丁寧な対処（声かけ・触れ方・動かし方）ができる。	2点	課題全般を通して，患者の様子や状況に応じた丁寧な声かけ，触れ方，動かし方ができる
	1点	上記3項目のうち1項目ができない
	0点	2項目以上できない

2. 技能

①問診にて安静時痛，運動時痛の有無・部位について確認できる。	2点	安静時痛，運動時痛の有無・部位について確認できる
	1点	上記のうち1項目が確認できない
	0点	2項目以上確認できない
②疼痛の少ない側から背臥位にできる。	2点	疼痛の少ない側から背臥位にできる
	1点	どちらか一方のみできる
	0点	どちらもできない
③下肢伸展挙上テストの方法について説明できる。	2点	患者にわかりやすく説明できる
	1点	説明できるが不十分
	0点	説明できない
④検査中に生じた疼痛（出現部位と性状）について，検査後に確認することを説明できる。	2点	検査後に疼痛の出現部位と性状を確認することを説明できる
	1点	説明できるが不十分
	0点	説明できない
⑤疼痛の弱い側から，両側の検査を行うことができる。	2点	疼痛の弱い側から，両側の検査を行うことができる
	1点	両側を検査するが，疼痛の強い側から行う
	0点	一側しか検査できない
⑥両側とも検査する下肢を正しく保持できる。	2点	両側とも下肢を後面より支えることができ，手で膝関節上縁を保持することができる
	1点	一側のみできる
	0点	両側ともできない
⑦両側とも下肢を膝関節完全伸展位で挙上できる。	2点	両側とも膝関節完全伸展位で挙上できる
	1点	一側のみできる
	0点	両側ともできない
⑧両側とも股関節内外転・内外旋中間位で挙上できる。	2点	両側とも股関節内外転・内外旋中間位で挙上できる
	1点	一側のみできる
	0点	両側ともできない

⑨両側とも骨盤の回旋（代償運動）と対側の股関節屈曲の動きを抑制できる。	2点 両側とも骨盤回旋の代償運動および対側の股関節屈曲の動きを抑制できる 1点 一側のみできる 0点 両側ともできない
⑩両側とも疼痛の有無を確認しながら，ゆっくりと下肢を挙上できる。	2点 両側とも疼痛の有無を確認しながら，ゆっくりと下肢を挙上できる 1点 一側のみできる 0点 両側ともできない
⑪両側とも疼痛の出現部位と性状を確認できる。	2点 両側とも疼痛の出現部位と性状を確認できる 1点 一側のみできる 0点 両側ともできない
⑫疼痛の軽減を確認し，疼痛を誘発したことに対する配慮ができる。	2点 疼痛の軽減を確認し，疼痛を誘発したことに対する配慮ができる 1点 どちらか一方のみできる 0点 どちらもできない
⑬患者に検査結果をわかりやすく伝えることができる。	2点 患者に検査結果をわかりやすく伝えることができる 1点 検査結果を伝えるがわかりにくい 0点 検査結果を伝えることができない 0点 誤った内容を伝える

OSCE 担当者確認事項

環境設定
・ベッドの高さは，端座位で足底接地できる程度とする。

模擬患者
・課題開始時は治療用ベッドに端座位で待機する（図22）。
・障害側股関節屈曲 40°まで挙上すると疼痛が出現する（下肢伸展挙上テスト陽性）の設定とする。
・疼痛は障害側殿部から大腿後面にかけて痺れを伴う放散痛とし，疼痛回避の動きを出現させる。
・非障害側下肢は模擬患者自身の最大可動域でハムストリングの伸張痛を訴える。
・検査手順において受験者が下肢を挙上させる際，下肢の保持が不十分，または下肢が緊張した状態であった場合，下肢後面に疼痛を出現させる。その際は疼痛回避の動きを見せる。

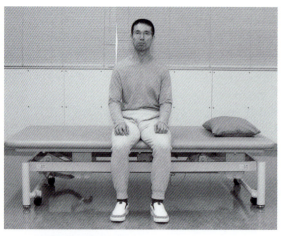

図22 模擬患者の開始姿勢

引用文献

1) 国分正一 他，監：標準整形外科学 第10版．医学書院，2008.
2) 日本整形外科学会診療ガイドライン委員会，腰椎椎間板ヘルニアガイドライン策定委員会 他，編：腰椎椎間板ヘルニア診療ガイドライン．南江堂，2005.
3) 信原克哉：肩 その機能と臨床 第4版．p54，医学書院，2012.
4) T.S.エレンベッカー（高岸憲二 他，監訳）：肩関節検査法．p95，西村書店，2008.
5) Donald A Neumann：Kinesiology of the Musculoskeletal System Foundations for Rehabilitation Second Edition. p158-159, Mosby Elsevier, 2009.

参考文献

1) 高岸憲二 編：図説 新 肩の臨床．p194-197，メジカルビュー社，2006.
2) 信原克哉：肩 第4版 その機能と臨床．p116，医学書院，2012.
3) 日本肩関節学会ホームページ
   http://www.j-shoulder-s.jp
4) A.I. Kapandji（塩田悦仁 訳）：カパンジー機能解剖学Ⅲ脊椎・体幹・頭部 原著第6版．医歯薬出版，2008.
5) 糸満盛憲，佐藤啓二，高橋和久 他，編：TEXT 整形外科学 改訂4版．p103，南山堂，2012.
6) 冨士武史 監：ここがポイント！整形外科疾患の理学療法 改訂第2版．p54，金原出版，2006.

9 筋の触診

1 触診とは

触診とは，手掌や手指で局所を触りながら所見をとる診察法である。筋の触診以外にも，皮膚温の触知，圧痛・叩打痛の触知，骨の触診などがある。

2 筋の触診とは

A. 目　的

筋の触診は，疼痛や筋スパズム，筋萎縮，筋骨格系の機能障害などの原因を推察するうえで重要である。筋を正確に触診できれば，軟部組織の機能的変化に対する治療部位の特定に役立つ。また，筋の触診は，徒手筋力検査法や麻痺側運動機能の評価の中で，筋収縮の有無を判定する際に必要となる。さらに，運動に伴う主動作筋の筋収縮を触診することで，筋力増強運動や麻痺肢促通手技などの練習において，目的とした筋が正しく活動しているか確認することができる。

B. 原　則

非障害側から触診し，疼痛がない部分から疼痛がある部分へ触診を進める。触診する手指が対象筋の筋線維を感知できる深さまで圧迫し，その深さを維持しながら触診する手指を筋線維の横断方向に動かすのが原則である。

C. 環境・肢位

触診部は最大限露出し，ランドマーク（指標となる解剖学的構造）を確認する。その際，室温やプライバシーに十分配慮する。冬場などは冷たい手で触れることは避け，療法士の手を少し温めるなどの心配りも必要である。体位の変換は最小限にし，事前に触診する部位やその時の肢位，患者の体力などを考えたうえで，触診する順番を計画しておき，1つの肢位で行えるものは連続して触診する。原則と別の肢位・方法を用いた場合は，触診肢位を明記する。

D. 判定基準

筋の硬さや疼痛などの機能障害部位を特定する場合は，手掌で広範囲の触診をした後に，徐々に局所に狭めていき，最後に手指を用いて細部の部位を確定するとよい。この際，左右差の確認や他の筋との比較が重要である。

筋収縮の触診では，療法士の手指で主動作筋の筋腹を圧迫した状態で筋収縮を感知する。拮抗筋の触診では主動作筋の収縮に合わせて弛緩されているかを確認する。四肢においては左右の筋収縮の強さを比較する。

E. 正確性に影響する因子

1）解剖学的知識

生体の内部は触診で直接触れることはできない。筋も同様で，皮下に存在している筋や骨などをイメージして触診を行う必要がある。そのために解剖学的知識を有することが重要である。

2）運動学的知識

筋収縮を触診する場合は，対象となる主動作筋による運動が正確に行われているのかを確認しながら触診を進める。そのために運動学的知識も大切である。

3）手指を押し込む方向

皮下の表層に存在する筋は皮膚越しに容易に触診が可能だが，深層筋は表層の筋を介して触診しなければならない。触診は療法士の手指を押し込んでいく方向が重要となる。対象筋の深部に存在する骨に対して押し込むことで，筋に十分な圧が加わり，深層筋の確認ができる。

4）手指を動かす方向

療法士の手指を動かす方向は対象筋の走行に対して横断方向が基本となる。横断方向に動かすことにより皮下を走行する筋線維が明確となり，正確な状態の把握が可能となる。

F. 疾患や症状に応じた注意点

特に，療法士の手指が患者の筋を圧迫する時に細心の注意を払う。例えば，感覚障害を有する場合は患者の疼痛の訴えを過小評価する恐れがあることや，皮膚の弱い患者には筋への圧迫を最小限にすることなどが挙げられる。

3 手順のポイント

1）挨拶・自己紹介を行い，2つの識別子で患者の確認を行う

・患者とのラポール（信頼関係）形成のため，挨拶，自己紹介を行う。
・患者の取り違えを防止するため，氏名に加え生年月日もしくは ID など，2つの識別子で確認する。

2）筋の触診を行う旨を患者に伝え了承を得る

・触診の目的を十分に説明する。
・これから触診する内容を患者へ簡潔にわかりやすく説明する。
・筋の触診部位を説明する際には，対象となる筋の運動を行ってみせてもよい。
・露出が必要な場合は患者の承諾を得る。

3）患者を触診できる適切な姿勢にする

・患者が不安定となる姿勢や対象筋が過度に伸張位となる肢位での触診は避ける。
・患者が緊張して過剰に筋を硬くしないよう触診前にリラックスしてもらう。
・療法士が触診時に無理のない姿勢をとることも，正確な触診を行うために重要である。

臨床のコツ

◆療法士が立位で触診する際に自身の腰部を保護するには，一方の下肢を踏み出し，腰部に過度の負荷がかからないように留意する。また，立位での触診では肘関節をほぼ伸展位とし，体重を利用しながら行うことが重要である（図 1）。
◆患者のポジショニングに注意する。図 2 に，中殿筋の触診を例示する。側臥位でベッドと下肢との間に枕を入れ，股関節が過度の内転位にならず，かつ安定した側臥位を保持できるように工夫するとよい。

4）触診する筋および腱を観察し，筋萎縮や浮腫の有無を確認する

・処方で，禁忌部位や炎症の有無などを確認しておく。
・可能な限り，患者には触診部位を露出してもらい，筋萎縮や浮腫の有無，皮膚の状態などを視診する。必要に応じて患者の皮膚に直接手を触れて確認する。左右差も確認する。

5）ランドマークに沿った筋の触診を行う

・触診の対象となる筋を同定し，位置を確認するためにはランドマークが必要である。
・このランドマークには，骨の隆起，筋の隆起，腱の隆起および陥凹などを用いる。
骨の隆起：骨の隆起は，視診および触診による確認が容易であり，最も確実な指標となる。骨の隆起は，

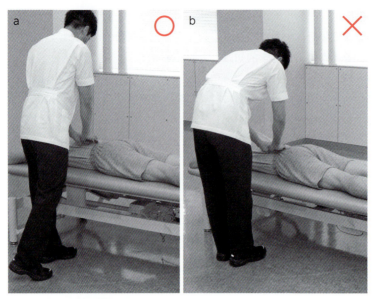

図1 立位での触診時の姿勢
a：良い例，b：悪い例

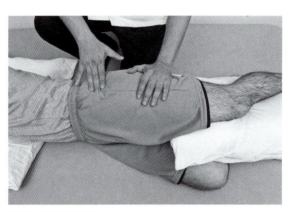

図2 中殿筋の触診

　　突起，上顆，顆，果，結節，粗面，棘，稜，頭および角などが含まれる．骨の隆起は筋の付着部となることが多い（図3）．

筋の隆起：皮下に位置する筋は，収縮することにより体表上に膨隆を形成することが多い．収縮を意図的に行わせることで，筋の同定や位置の確認が可能となる（図4）．

腱の隆起：腱は関節付近で容易に視診および触診できる場合が多い．目標とする腱に沿って筋腹方向にたどることにより，当該筋の触診が可能となる．長掌筋や橈側手根屈筋などの腱は代表的な例である（図5）．

陥凹：体表には，容易に視診および触診できるいくつかの陥凹が存在する．多くの陥凹は，筋と骨または靱帯によって形成されている．よって，窩や溝などの陥凹を形成する筋を知ることで，筋の同定が可能となる（図6）．

その他：四肢の筋，特に体表からの触知が困難な深部の筋は骨に密着していることが多いため，骨幹部の位置が重要な指標となる．筋の硬さ，太さおよび厚さなどの特徴は，個々の筋により異なるため，筋の同定の指標となる．

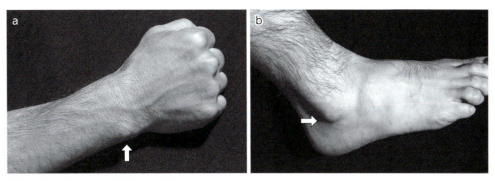
図3 骨の隆起　a：尺骨頭，b：外果

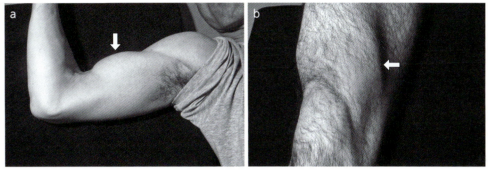
図4 筋の隆起　a：上腕二頭筋，b：大腿四頭筋（内側広筋）

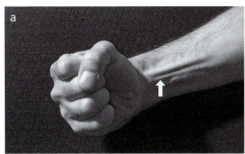
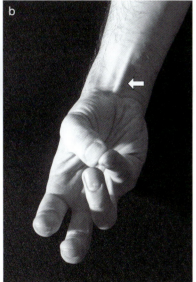
図5 腱の隆起　a：橈側手根屈筋腱，b：長掌筋腱

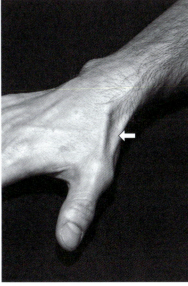
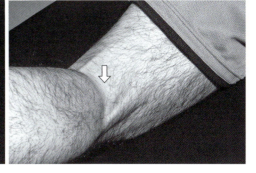
図6 陥凹　a：嗅ぎタバコ窩，b：膝窩

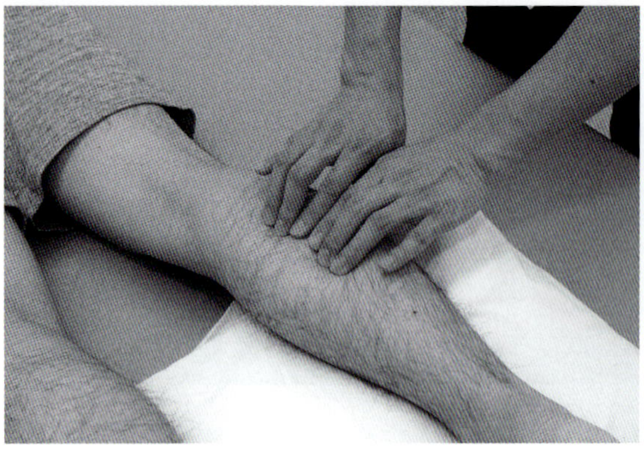

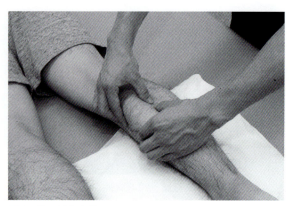

図7 筋の触れ方①

図8 筋の触れ方②

> **臨床のコツ**
> ◆ 筋の触れ方に細心の注意を払う。患者へ不快感を与えないように手掌や手指で丁寧に圧迫する。触診に用いる指は，主に示指，中指，環指である。指先が一直線状になるように揃え，触診対象の大きさにより，示指と中指，もしくは示指から環指までを使い分けるとよい（図7）。一方で，筋の厚みを評価する場合は，母指も用いてつまむように触診する（図8）。

6）筋収縮時の触診を行う

- 筋の触診では，可能な限り対象とする筋固有の運動を出現させることが大切である。
- 触診では，収縮に伴い硬くなる変化を常に触れるとよい。
- 代償運動が出現しないように事前に運動方向を正確に伝える。必要に応じて固定を行う。

> **臨床のコツ**
> ◆ 持続的な筋収縮よりも，収縮と弛緩のメリハリをつけるとわかりやすい。
> ◆ 深層筋を触れる際には，どうしても浅層筋を介して触診することになる。そのため，浅層筋を触れたときのような明確な硬さの変化を感じることは難しい。このような場合は，手指をやや強めに当て，収縮に伴い深部から指を押し上げてくる感覚を頼りにするとわかりやすい。

7）患者に触診結果を伝える

- 触診した筋の状態について考察し，その内容を患者に説明する。疼痛や筋スパズムなどの正確な出現部位を伝える。筋萎縮や筋収縮の強さから麻痺や筋力の状態を推察する。また，筋収縮の触診では，目的とした運動の筋活動が最大限に発揮されているのかを確認できるとよい。

8）患者に終了を伝える

OSCE課題　筋の触診

対応動画

設問

　左脛骨神経麻痺の患者で，発症直後は下腿三頭筋の筋収縮を確認できませんでした。この患者の下腿三頭筋の触診を行ってください。触診の目的は末梢神経麻痺の回復程度を評価することです。ランドマークに沿って筋の部位を同定した後，筋収縮を確認してください。触診および収縮の確認の際は腓腹筋（内側頭，外側頭）とヒラメ筋を分け，採点者へ口頭で説明しながら進めてください。制限時間の都合上，麻痺側のみの触診とし，腓腹筋の筋収縮確認は内側頭もしくは外側頭のいずれか一方とします。

　制限時間は5分です。では，始めてください。

準備するもの

　治療用ベッド，枕，足下用マット

患者設定

疾患・障害	脛骨神経麻痺	深 部 覚	正常
年齢・性別	不問	R O M	制限なし
障 害 側	左	座　　位	安定
発症後期間	1カ月	起居動作	自立
疼　　痛	左足部	理　　解	良好
表 在 覚	左足底部，軽度あり	表　　出	良好

課題の目標

態度
1. 触診に備えた心がけができる（清潔かつ安全な身なり）。
2. 患者に下腿三頭筋の触診を行う旨を説明し，了承を得ることができる。
3. 患者に不快な思いをさせない（話し方，表情，振る舞い）。

技能
1. 患者の安全に配慮しながら進めることができる。
2. 触診を適切な手順および方法で行うことができる。
3. わかりやすく簡潔に結果を伝えることができる。

手順

1. 挨拶・自己紹介を行い，2つの識別子で患者の確認を行う。
2. 下腿三頭筋の触診を行う旨を患者に伝え了承を得る。
3. 患者を触診できる適切な姿勢にする。
   - 肢位は腹臥位とする。
   - 下腿三頭筋をリラックスさせるよう，下腿とベッドの間に枕を置く（図9）。

> **臨床のコツ**
> ◆ 足関節底屈の関節可動域制限や，足背がベッドに圧迫されて疼痛が生じる場合は，足関節とベッドとの間に枕やタオルを置くとよい。

4. 下腿三頭筋およびアキレス腱を観察し，筋萎縮や浮腫の有無を確認する。
   - 可能な限り，患者には触診部位を露出してもらい，筋萎縮や浮腫の有無，皮膚の状態などを視診する。必要に応じて患者の皮膚に直接手を触れて確認する。左右差も確認する。
5. 採点者に説明しながらランドマークに沿った筋の触診を行う。
   ① 腓腹筋外側頭（ランドマーク：大腿骨外側上顆，踵骨隆起）
   - 大腿骨外側上顆を確認し，大腿二頭筋のすぐ内側部から下腿後面外側を踵骨隆起に向かって末梢方向へたどると，下腿中央付近まで紡錘形様の筋腹として確認できる。
   - 下腿後面の中央で腓腹筋内側頭との筋間を確認した後，この筋間の外側の筋腹を脛骨へ押し込むように行う（図10）。
   - 踵骨隆起に付着するアキレス腱部を確認した後，踵骨へ押し当てるようにしてアキレス腱を近位外側へたどり，筋腹の始まる部位まで触診する。
   ② 腓腹筋内側頭（ランドマーク：大腿骨内側上顆，踵骨隆起）
   - 大腿骨内側上顆を確認し，半腱・半膜様筋のすぐ内側部から下腿後面内側を踵骨隆起に向かって末梢方向へたどると，下腿中央付近まで紡錘形様の筋腹として確認できる。
   - 下腿後面の中央で腓腹筋外側頭との筋間を確認した後，この筋間の内側にある筋腹を脛骨へ押し込むように行う（図11）。
   - 踵骨隆起に付着するアキレス腱部を確認した後，踵骨へ押し当てるようにしてキレス腱を近位内側へたどり，筋腹の始まる部位まで触診する。
   ③ ヒラメ筋（ランドマーク：腓骨頭，踵骨隆起）
   - 腓骨頭のすぐ遠位で，下腿最外側にある長腓骨筋を触診する。ヒラメ筋外側縁の触診は長腓骨筋および腓腹筋外側頭との間を脛骨に押し込むように行う（図12）。

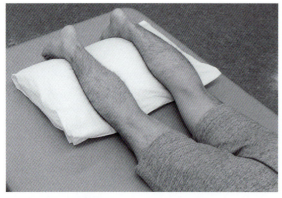

図9 適切な検査姿勢

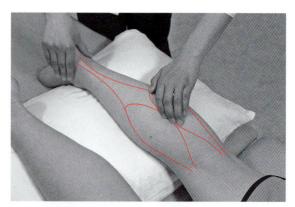

図10 腓腹筋外側頭の触診（左下肢）

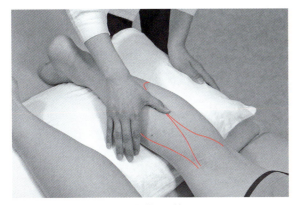
図11 腓腹筋内側頭の触診（左下肢）

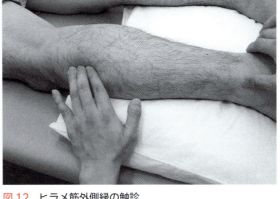
図12 ヒラメ筋外側縁の触診

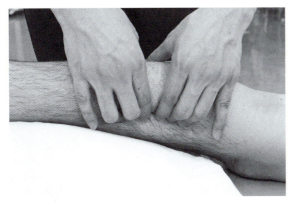
図13 ヒラメ筋内側縁の触診

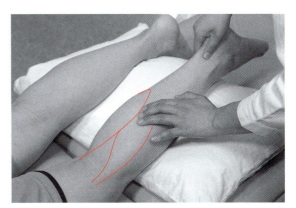
図14 腓腹筋外側頭の筋収縮による触診

- ヒラメ筋内側縁の触診は脛骨内側縁近位1/4付近から下腿内側を末梢方向へ筋腹を脛骨に押し込むように行う（図13）。
- 踵骨隆起に付着するアキレス腱部は，踵骨へ押し当てるように触診する。

6. **筋収縮時の触診を行い，採点者に触診部位の適否を確認してもらう。**

【腓腹筋】
- 能動的に膝関節屈曲を行わせ，代償運動の出現や疼痛の有無を確認する。
- 膝関節伸展位で足関節最大底屈位をとり，能動的な膝関節屈曲運動を行わせ，代償運動の出現，疼痛の有無を確認する。
- 代償運動として，膝関節屈曲運動が生じやすいため注意する。
- 抵抗を加えながら膝関節屈曲運動を等尺性収縮で行わせ，腓腹筋を触診する。
- 膝関節伸展位，足関節底屈位にて踵骨ごと足関節を固定し，抵抗をかける。固定部位は，底背屈軸上とし，固定部位が前足部方向へずれないように注意する。
- このとき，触診可能な腱の緊張は，膝関節の屈曲に関わることができる二関節筋の腓腹筋によるものである。ヒラメ筋は単関節筋のため，足関節底屈のみに作用する。
- 筋収縮（図14）が確認できたら採点者に声をかけ，触診部位が適切であるか確認してもらう。

【ヒラメ筋】
- 能動的に足関節底屈を行わせ，代償運動の出現や疼痛の有無を確認する。
- 膝関節90°屈曲，足関節軽度底屈位（約30°程度）とし，腓腹筋の緊張を緩めた肢位にて能動的に足関節底屈運動を行わせる。
- 代償運動として，足関節底屈運動に伴う膝関節伸展運動が生じやすいため注意する。
- 足関節底屈運動を行わせて，ヒラメ筋の筋腹を触れる。触診部位はヒラメ筋の外縁または上縁とする（図15）。

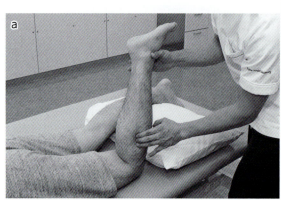 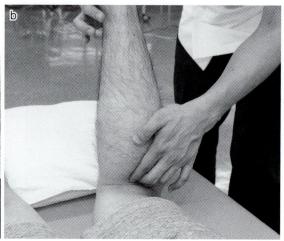

図15 ヒラメ筋の収縮による触診
a：ヒラメ筋外縁，b：ヒラメ筋上縁

・筋収縮（図15）が確認できたら採点者に声をかけ，触診部位が適切であるか確認してもらう。

> 🔴 臨床のコツ
> ◆ 足関節を背屈位にすると，緩めた腓腹筋を再び伸張することになるため，運動の開始はあくまで軽度底屈位とする。
> ◆ 患者の腓腹筋内側頭ないし外側頭の上に手指を当て，底屈運動に伴う収縮がないことを併せて確認するとよい。

7. **患者に触診結果を伝える。**
   ・触診結果から末梢神経麻痺の回復程度を推察し，今後のリハビリテーション計画を説明する。
8. **患者に終了を伝える。**

9　筋の触診　273

採点基準

採点者は模擬患者に受験者の言動の適否を適宜確認して，以下の項目を採点してください。

1．態度

①適切な身なりで明瞭な挨拶（開始時・終了時）・自己紹介ができる。	2点	適切な身なり，明瞭な挨拶（開始時・終了時）・自己紹介ができる
	1点	上記のうち1項目ができない
	0点	2項目以上できない
②2つの識別子で患者の確認ができる。	2点	2つの識別子で患者の確認ができる
	1点	1つの識別子で確認ができる
	0点	確認ができない
③下腿三頭筋の触診を行う旨を患者に伝え，了承を得ることができる。	2点	下腿三頭筋の触診を行う旨を正確に伝え，患者の了承を得ることができる
	1点	どちらか一方のみできる
	0点	どちらもできない
④課題全般を通して，患者の様子（表情・心情・姿勢・身体機能）や状況に応じた丁寧な対処（声かけ・触れ方・動かし方）ができる。	2点	課題全般を通して，患者の様子や状況に応じた丁寧な声かけ，触れ方，動かし方ができる
	1点	上記3項目のうち1項目ができない
	0点	2項目以上できない

2．技能

①安定した腹臥位にし，下腿をリラックスさせることができる。	2点	安定した腹臥位にし，下腿をリラックスさせることができる
	1点	安定した腹臥位をとらせるが，下腿をリラックスさせることができない
	0点	どちらもできない
②両側の筋萎縮や浮腫の有無，皮膚の状態などを視診・触診できる。	2点	両側の筋萎縮や浮腫の有無，皮膚の状態を視診・触診できる
	1点	一側のみ視診・触診できる
	0点	両側ともできない
③ランドマークに沿って腓腹筋を触診できる。	2点	ランドマークに沿って腓腹筋（外側頭と内側頭）を触診できる
	1点	ランドマークに沿って行うが，一部触診できない
	0点	ランドマーク，触診部位ともに確認できない
④ランドマークに沿ってヒラメ筋を触診できる。	2点	ランドマークに沿ってヒラメ筋を触診できる
	1点	ランドマークに沿って行うが，一部触診できない
	0点	ランドマーク，触診部位ともに確認できない
⑤足関節底屈位で膝関節屈曲運動（腓腹筋による自動運動）を能動的に行わせ，代償運動が出現しないように配慮できる。	2点	足関節底屈位で膝関節屈曲運動（腓腹筋による自動運動）を能動的に行わせ，代償運動が出現しないように配慮できる
	1点	足関節底屈位で膝関節屈曲運動は行えるが，代償運動が出現しないように配慮できない
	0点	足関節底屈位で膝関節屈曲運動の指示ができない
⑥膝関節伸展・足関節最大底屈位で固定し，膝関節屈曲運動に抵抗をかけ，腓腹筋の収縮（筋腹）を触診できる。	2点	膝関節伸展・足関節最大底屈位で踵骨ごと足関節を底背屈軸上で固定し，抵抗をかけ，腓腹筋の筋収縮（筋腹）を正しい部位で触診できる
	1点	上記のうち1項目ができない
	0点	2項目以上できない
⑦膝関節90°屈曲位・足関節軽度底屈位から足関節底屈運動（ヒラメ筋による自動運動）を能動的に行わせ，代償運動が出現しないように配慮できる。	2点	膝関節90°屈曲位・足関節軽度底屈位から足関節底屈運動（ヒラメ筋による自動運動）を能動的に行わせ，代償運動が出現しないように配慮できる
	1点	膝関節90°屈曲位・足関節軽度底屈位から足関節底屈運動は行えるが，代償運動が出現しないように配慮できない
	0点	膝関節90°屈曲位・足関節軽度底屈位から足関節底屈運動の指示ができない

⑧膝関節90°屈曲位，足関節軽度底屈位から足関節底屈運動を行わせて，ヒラメ筋の収縮（筋腹）を正しい部位で触診できる。	2点 膝関節90°屈曲位，足関節軽度底屈位から足関節底屈運動を行わせて，ヒラメ筋の収縮（筋腹）を正しい部位で触診できる 1点 どちらか一方のみできる 0点 どちらもできない
⑨患者に触診結果を伝えることができる。	2点 患者に触診結果をわかりやすく伝えることができる 1点 触診結果を伝えるがわかりにくい 0点 触診結果を伝えることができない
⑩課題全体を通して，運動時や触診時の疼痛の有無を確認できる。	2点 適切に確認できる 1点 確認が不十分 0点 確認できない

OSCE 担当者確認事項

採点者

・受験者が採点者に触診部位の確認を求めなかった場合は，採点者から確認する旨を伝え，触診部位が適切であるか判定する。
・筋収縮が確認できた時点で，触診部位が適切であるか判定する。

模擬患者

・靴と靴下を脱いでズボン（丈が膝よりも上のもの）を着用し，治療用ベッドに端座位で待機する（図16）。足下の床の上にマットを敷く。
・腓腹筋の収縮を確認するために能動的に膝関節を屈曲する際，股関節屈曲の代償運動を出現させる。もしくは，触診側の足関節が底屈位での固定が不十分な場合に膝関節屈曲運動に伴う足関節背屈の代償運動を出現させる。
・ヒラメ筋の収縮を確認するために能動的に膝関節90°屈曲位・足関節軽度底屈位から足関節を底屈する際，足関節底屈に伴う膝関節伸展の代償運動を出現させる。
・正しい固定・指示がなければ代償運動を出現させる。

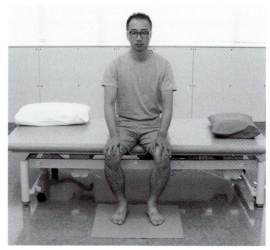

図16　模擬患者の開始姿勢

参考文献

1) 内田淳正 監：標準整形外科学 第11版．医学書院，2011．
2) 鈴木重行 編：ID触診術 第2版．三輪書店，2014．
3) 河上敬介，磯貝 香：骨格筋の形と触察法．大峰閣，1998．
4) 林 典雄（青木隆明 監）：運動療法のための機能解剖学的触診技術 上肢 改訂第2版．メジカルビュー社，2011．
5) 林 典雄（青木隆明 監）：運動療法のための機能解剖学的触診技術 下肢・体幹 改訂第2版．メジカルビュー社，2012．
6) Serge Tixa（奈良 勲 監訳）：触診解剖アトラス 下肢 第2版．医学書院，2007．

10 感覚検査

1 感覚とは

　感覚検査でわかる感覚とは，刺激をそれに対応する感覚受容器に受けた際に発せられる情報を大脳皮質で言語的に置き換えたものを指す。一般的分類にならえば，特殊感覚・内臓感覚・体性感覚の3つに分類される。以下に体性感覚の種類を示す。

1) 表在感覚

　触覚（静的・動的）：皮膚に軽く触れた感覚

　痛覚：皮膚を先の尖った針などで軽くつついた際に感じる疼痛

　温度覚：温かさや冷たさを感じる皮膚表面の感覚

2) 深部感覚

　振動覚：振動を感じる感覚

　位置覚：四肢がどのような位置をとっているかを判断する感覚

　受動運動覚：指などがどちらの方向に動いたかを知る感覚

3) 複合感覚

　2点識別覚（静的・動的）：同時に加えられた2点の刺激を識別できる感覚

　皮膚書字覚：皮膚に書かれた数字や記号を読み取る感覚

　立体覚：使い慣れた物体を触っただけで，その物体を当てることができる感覚

2 感覚検査の実施

A. 目　的

　疾患により生じる感覚障害の有無，部位，程度を知り，診断や治療法選定の資料とする。また，感覚障害がADLに与える影響について考察することができる。

B. 環境・肢位姿勢

　静かで検査に集中しやすい環境を選ぶ。検査を行う際は，できる限りリラックスした肢位姿勢が望ましい。力が入ったり，緊張したりすると，疲労しやすい。

C. 判定と記録（表1）

　通常，感覚障害には感覚鈍麻，感覚脱失，感覚過敏があり，その判定が必要である。

　程度の判別は患者の主観になりやすいため，できる限り数値化された測定法を用いるとよい。

　ほかに，自発的に生じる異常な感覚を異常感覚，与えられた刺激とは異なって感じる感覚を錯感覚と呼ぶが，患者の訴える「びりびりする」「じんじんする」「靴下の上から触られているようだ」などの表現は，そのまま記録しておくのが望ましい。

表1 検査方法と判定および記録

<table>
<tr><th colspan="2"></th><th>検査方法　*すべての検査は閉眼で行われる</th><th>判定および記録</th></tr>
<tr>
<td rowspan="7">表在感覚</td>
<td>静的触覚</td>
<td>Semmes-Weinstein monofilament（ミニキット）2.83番（緑），3.61番（青），4.31番（紫），4.56番（赤），6.65番（赤斜線）の5本のフィラメントを用いて，触覚閾値を調べる。</td>
<td>正常：2.83番感知（問題なし）
低下：3.61番感知（本人は知覚障害に気づいていないこともある）
防衛知覚低下：4.31番感知（物体の操作に支障をきたす）
防衛知覚脱失：4.56～6.65番感知（視覚の届かない範囲での操作不可能）
測定不能：6.65番が感知不能（外傷にも全く気づかない）</td>
</tr>
<tr>
<td></td>
<td>簡易検査法：知覚検査筆（もしくは柔らかな毛筆，ティッシュ，脱脂綿など）を用いた検査が簡便なため，用いやすい。できる限り軽く触れ，わかりにくければ，わずかに撫でるようにする。</td>
<td>触覚障害の有無が判定できる。
採点法を用いて，健常部位を10点とし，それに対して障害部位が何点かを答えさせることで，主観的に障害の程度がわかることもある。</td>
</tr>
<tr>
<td>動的触覚</td>
<td>30 cps音叉を振動させ，柄を検査部位に当てる。振動を感じない場合は，先端を検査部位に当てる。次に256 cpsでも同様に行う。</td>
<td>正常：柄で感知できる。
鈍麻：先端で感知できる。
脱失：先端でも感知できない。</td>
</tr>
<tr>
<td>痛覚</td>
<td>定量型知覚針：皮膚に垂直に刺激を加え，痛く感じるか，触っている感じかを確認する。</td>
<td>正常：10 gの荷重で痛みを感じる。
鈍麻：10 g以上で痛みを感じる（荷重量をgで記載）。
脱失：20 gでも痛みを感じない。
過敏：8 g以下で痛みを感じる（荷重量をgで記載）。</td>
</tr>
<tr>
<td></td>
<td>簡易検査法：知覚針や安全ピンを用いて，怪我をしない程度に皮膚に刺激を加え，痛く感じるかを答えさせる。</td>
<td>痛覚障害の有無が判定できる。</td>
</tr>
<tr>
<td>温度覚</td>
<td>10℃と50℃の温覚計を用意し，皮膚に対して垂直に1秒間当て，冷たいか温かいかを答えさせる。わからない場合は，0℃と60℃で行う。</td>
<td>正常：10℃と50℃がわかる。
鈍麻：0℃と60℃がわかる。
脱失：0℃と60℃がわからない。</td>
</tr>
<tr><td></td><td></td><td></td></tr>
<tr>
<td rowspan="4">深部感覚</td>
<td>振動覚</td>
<td>音叉を振動させ，骨の突起部に当て，振動を感じるかを答えさせる。</td>
<td>正常：健常部位と同じように感じる。
鈍麻：健常部位より弱く感じる。
脱失：感じない。</td>
</tr>
<tr>
<td>位置覚</td>
<td>1つの関節を他動的に動かし，反対側で真似させる。もしくは，口頭で状態を言わせてもよい。</td>
<td></td>
</tr>
<tr>
<td></td>
<td>母指探しテスト：麻痺側母指を，非麻痺側で掴むことを指示する。
片麻痺に用いる。</td>
<td>正常：円滑，かつ迅速に母指を掴むことができる。
1度：数cmずれるか，直ちに矯正して目標に到達する。
2度：数cm以上ずれる，母指周辺を探り伝うようにして到達する。
3度：10 cm以上ずれる，空間を探っても容易に目的に到達できない。</td>
</tr>
<tr>
<td>受動運動覚</td>
<td>検査する部位を側方から軽く持ち，他動的に上下に動かし，どちらに動いたかを答えさせる。動かす範囲は正常ROMの全範囲，わずかな動きをそれぞれ数回ずつ行う。</td>
<td>正常：わずかな動きでもわかる。
鈍麻：わずかな動きがわからない。
脱失：全範囲動かしてもわからない。</td>
</tr>
<tr>
<td rowspan="5">複合感覚</td>
<td>静的2点識別覚</td>
<td>Disk-Criminatorを四肢の長軸と平行に，皮膚蒼白部を作らない程度の圧で2点刺激を加える。時折，1点刺激を加えることで，2点刺激と区別を明確にする。5 mmから開始する。</td>
<td>閾値：指尖2～8 mm，手掌8～12 mm，手背30 mm，胸部・前腕・下腿40 mm，背部40～70 mm，上腕・大腿75 mm</td>
</tr>
<tr>
<td>動的2点識別覚</td>
<td>Disk-Criminatorを手指の長軸に対して直角に当て，約2秒かけて指腹から指尖にかけて動かす。時折，1点刺激を加えることで，2点刺激と区別を明確にする。5 mmから開始する。</td>
<td>正常：3 mm以下（45歳以下），4 mm以下（45歳以上）
異常：4 mm以上（45歳以下），5 mm以上（45歳以上）6 mm以下は物体識別可能。</td>
</tr>
<tr>
<td>皮膚書字覚</td>
<td>先の尖っていないものを用いて，「いまから記号や数字を書くので当ててください」と指示し，答えさせる。</td>
<td></td>
</tr>
<tr>
<td>立体覚</td>
<td>日常で使用する物品を触ることで，それが何かを答えさせる。</td>
<td></td>
</tr>
</table>

D. 正確性に影響する因子

1）患者の状態

　緊張や恐れ，疼痛は結果に影響を与える可能性がある。痺れ（刺激に反応するのみではなく，自発的な感覚障害）がある場合，結果に影響を与えることがある。

　患者の認知機能，意識，精神状態に異常がある場合，正確な結果を得られない可能性がある。また，検査時間，服薬時間，眠気，疲労によっても変化することがある。

　関節可動域制限や拘縮の状況によっては検査が困難なことがある。

2）患者の協力

　検査には患者の協力が必須である。このため，患者には検査内容をよく説明し，十分な理解を得ることが大切である。

3　疾患に応じた検査の展開

　感覚障害は，疾患によりさまざまな症状を呈する[1]。本項では，脳血管障害，脊髄損傷，末梢神経障害について解説する。

1）脳血管障害でのポイント

・大脳損傷においては，半側の感覚障害を呈することが多いため，感覚の左右差を確認する。障害の程度の判定に加え，刺激を部位別（上肢，手指，下肢など）に分けて確認することが必要である。

2）脊髄損傷でのポイント

・完全な脊髄損傷においては，損傷部以下に対称性の感覚障害を呈する。米国脊髄損傷協会（American Spinal Cord Injury Association：ASIA）の定める Key Sensory Points[2]（図1の・）を Dermatome に即して，低位の髄節レベルから高位に向かって評価することで，脊髄の損傷レベルを判定することができる。評価は，正常部位と比較して，「正常」「異常（鈍麻・過敏）」「脱失」で判断し，「異常」「脱失」から損傷部位と考える。「正常」を最も高位の残存髄節レベルと判定する。

3）末梢神経障害でのポイント

・単一の末梢神経障害においては，その支配領域（図2）の感覚障害を呈する。周囲の支配領域および正常部位と比較することで，障害レベルを判定することが重要である。手外科においては，Semmes-Weinstein monofilament 知覚検査（図3）を用いることで，損傷部位の判定や回復の予測ができる。糖尿病では，四肢末梢の振動覚と位置覚の低下が生じるため，単一ではなく複数の検査を併用することが望ましい。

4　触覚検査の手順のポイント

1）挨拶・自己紹介を行い，2つの識別子で患者の確認を行う

・患者とのラポール（信頼関係）形成のため，挨拶，自己紹介を行う。
・患者の取り違えを防止するため，氏名に加え生年月日もしくは ID など，2つの識別子で確認する。

2）触覚検査を行う旨を患者に伝え了承を得る

・これから実施する検査をわかりやすく説明し，了承を得る。

臨床のコツ

◆患者の認知機能，意識，精神状態に異常がある場合，正確な結果を得られない可能性がある。
◆疲労には十分気をつけ，疲れていたら日を変えるようにするとよい。
◆検査には患者の協力が必須である。このため，患者には検査内容をよく説明し，十分な理解を得ることが大切である。

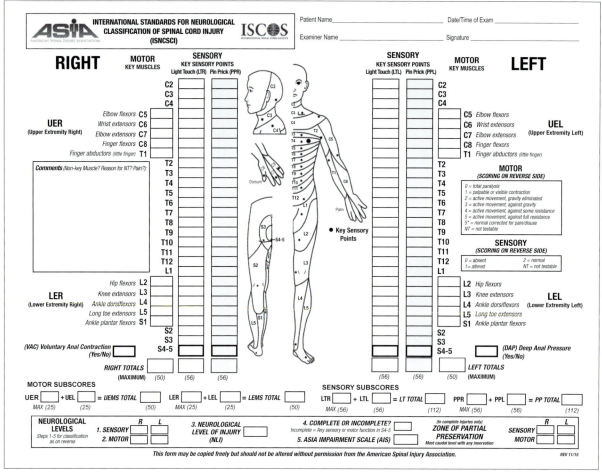

図1 ASIA 知覚スコア
(C4 肩峰，C5 腕橈骨筋起始，C6 母指，C7 中指，C8 小指，T4 乳頭高位，T6 胸骨剣状突起高位，T10 臍高位，L1 股内転筋起始，L2 大腿内側中央，L3 膝蓋骨内側，L4 内果，L5 足背内側，S1 踵外側，S2 膝窩，S3 殿皺壁中央，S4-5 肛門皮膚粘膜移行部）
(http://www.asia-spinalinjury.org/)

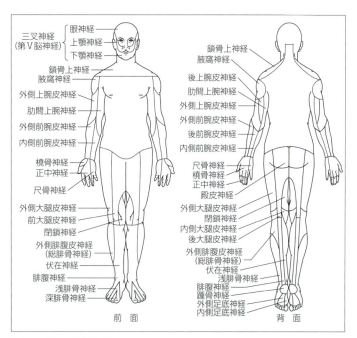

図2 皮節の神経支配
(Nancy Berryman Reese : Muscle and Sensory Testing. W.B. Saunders Company, 1999. より)

図3 Semmes-Weinstein monofilament 知覚検査
右から 2.83 番，3.61 番，4.31 番，4.56 番，6.65 番

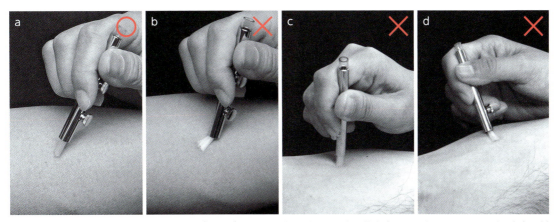

図4 a：良い例，b〜d：悪い例（b：圧が強過ぎる，c：皮膚に対して垂直に筆を立てて圧をかけている，d：皮膚に対して筆を寝かせ過ぎている）

3）触覚検査の方法と答え方を患者に説明する
- まず，開眼の状態で患者の正常な部位を用いて，デモンストレーションを交え検査の方法を説明し，それを閉眼の状態で実施することを伝える。
- 答え方は，刺激がわかったところで「はい」と答えることと，その後，正常部位と比較してどの程度わかるかを答えてもらうことを説明し，理解と協力を得る。

4）問診により触覚障害について，大まかに把握する
- 触覚障害の有無，障害の部位・程度などの問診を行い，大まかに状態を把握する。
- 痺れなどの自発的に生じる異常感覚や，触れるだけでも痛いなどのリスクを確認する。

5）患者を検査できる適切な肢位にする
- 刺激を与えやすい肢位をとらせる。

6）検査部位を露出する
- できる限り検査部位を露出する。

7）閉眼するよう指示する
- 触覚は視覚で代償しやすいため，検査中は閉眼を指示して検査部位を見ることができないようにする。検査途中にも閉眼が持続できているかを確認する。
- 持続して閉眼できない場合は，スクリーンやアイマスクなどを使用する。

8）検査部位を正しく刺激する
- 筆などで皮膚を触れる場合は，まずできる限り軽く触れ，それがわからない時には少し撫でるようにする（図4）。1回ずつ，反応をみながら2〜3回刺激する。
- 上記4）の開眼で行ったデモンストレーションと同じ強度，速度で行う。
- 複数回刺激する際には強度，速度が均一になるようにする。
- 答えを誘導したり，暗示を与えたりしてはいけない。例えば，刺激を与える際に「これはわかりますか」などの発言はしない。先入観をもたせないことも重要である。

> **臨床のコツ**
> - ◆触覚検査に適した検査器具を選択する。検者間の信頼性を高めるために，知覚検査筆が望ましい（図5）。なければ，柔らかな毛筆やティッシュペーパーなどを使用する。患者の皮膚を傷つけないように，ピンと一体化した筆の使用には十分な注意が必要である（図6）。
> - ◆時折，刺激の間隔をずらす，刺激をせずに答えを求めるなどを行うことで患者の答えに信頼性があるかを確認する。

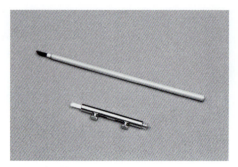
図5 感覚検査器具

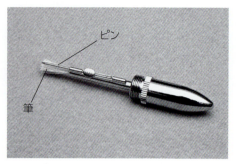
図6 ピンと一体化したタイプの筆

9) 正常部位と比較する
- 刺激がわかった場合は，正常部位と比較することで，「正常」か「異常（鈍麻・過敏）」のどちらかとなり，感覚障害の有無がわかる。また，刺激がわからなければ「脱失」となる。
- 簡易検査（筆や安全ピンなどで行う検査）は感覚障害の有無を確認する質的評価である。障害の程度などの量的評価を行う場合は標準化された検査を使用し，具体的数値を記載し，正常部位と比較する。

10) 患者に検査結果を伝える
- 患者に検査結果を伝え，感覚障害がある場合は怪我などに注意する旨を伝え，ADLに与える影響について説明する。

11) 患者に終了を伝える

12) 採点者に感覚障害について報告する
- 障害の有無を報告する。
- 疾患によって，障害の報告に適した表現方法は異なる。左右差や支配領域，髄節レベルを判定し，報告する。

5 受動運動覚検査の手順のポイント

1) 挨拶・自己紹介を行い，2つの識別子で患者の確認を行う
- 患者とのラポール（信頼関係）形成のため，挨拶，自己紹介を行う。
- 患者の取り違いを防止するため，氏名に加え生年月日もしくはIDなど，2つの識別子で確認する。

2) 受動運動覚検査を行う旨を患者に伝え了承を得る
- これから実施する受動運動覚検査をわかりやすく説明し，了承を得る。

3) 患者を検査できる適切な肢位にする
- 刺激を与えやすい肢位をとらせる。

4) 問診により受動運動覚障害について，大まかに把握する
- 受動運動覚障害の有無，障害の部位・程度などの問診を行い，大まかに状態を把握する。
- 痺れなどの自発的に生じる異常感覚や，触れるだけでも痛いなどのリスクを確認する。

5) 検査部位を露出する
- できる限り検査部位を露出する。
- 患者自身が行う場合は，転倒などに備え近くで安全管理をする。

6) 関節可動域を他動的に確認する
- 動かす範囲を決定するために，他動的に関節可動域を確認する。

7) 受動運動覚検査の方法と答え方を患者に説明する
- まず，開眼の状態で患者の正常部位を用いてデモンストレーションを交え検査の方法を説明し，それを閉眼の状態で実施することを伝える。
- 答え方を説明し，理解と協力を得る。

8) 閉眼するよう指示する
- 受動運動覚は視覚で代償しやすいため、検査中は閉眼を指示して検査部位を見ることができないようにする。検査途中にも閉眼が持続できているかを確認する。
- 持続して閉眼できない場合は、スクリーンやアイマスクなどを使用する。

9) 検査部位を正しく動かす
- 正常な部位で検査を実施し、答え方が正しいかを確認する。
- 動かす部位を側方から軽く持ち、中間位から「動かします」と合図をしてから上下に動かし、上か下のどちらかで止め「どちらに動きましたか」と尋ね、答えさせる（図7）。この際、上下方向から持つと圧刺激で動かした方向がわかってしまうため、必ず側方から持つ（図8）。1回ずつ反応をみながら2～3回行う。刺激後は毎回必ず中間位に戻してから次の刺激を与える。
- 最初は全可動域にわたって動かす。正しく答えることができたら、次にわずかな動きで検査をする。

> **臨床のコツ**
> - 検査部位を動かす際、療法士の手や指が他の部位に当たらないように注意する。
> - 受動運動覚は四肢末梢ほど障害されやすいため、足趾や手指で異常所見がみられた場合のみ、ほかの大きな四肢関節の検査をすればよい。
> - 時折、動かさずに答えを求めることで患者の答えに信頼性があるかを確認する。

10) 障害の程度を判定する
- 全可動域の動きがわからなければ「脱失」と判断できる。全可動域の動きを正しく答えることができたら、次にわずかな動きで検査をする。これがわからなければ「鈍麻」、正しければ「正常」と判断する。

11) 患者に検査結果を伝える
- 患者に検査結果を伝え、受動運動覚障害がある場合は注意点を伝え、ADLに与える影響について説明する。

12) 患者に終了を伝える

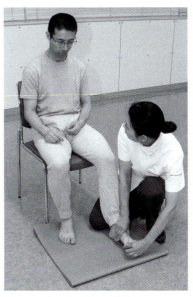

図7　母趾受動運動覚の検査法

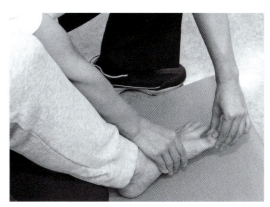

図8　母趾の持ち方

OSCE課題　触覚検査

対応動画

設問
頸髄損傷の患者です。この患者の上肢の触覚検査を行って，ASIAに準じて最も高位の触覚残存髄節レベルを推定し，採点者に報告してください。なお，時間の都合上，正常部位との比較は両側とも最も高位の触覚残存髄節レベルとその一つ上位の2髄節ずつとします。制限時間は5分です。では，始めてください。

準備するもの
治療用ベッド，枕，感覚検査器具（筆，知覚検査筆）

患者情報

疾患・障害	脊髄損傷・四肢麻痺	疼　痛	両肩関節
年齢・性別	不問	ROM	両肩関節外転 90°
受傷後期間	1カ月	理　解	良好
Frankel 分類	A	表　出	良好

課題の目標

態度
1. 触覚検査に備えた心がけができる（清潔かつ安全な身なり）。
2. 患者に触覚検査を行う旨を説明し，了承を得ることができる。
3. 患者に不快な思いをさせない（話し方，表情，振る舞い）。

技能
1. 患者の安全に配慮しながら進めることができる。
2. 触覚検査を適切な手順および方法で行うことができる。
3. わかりやすく簡潔に結果を伝えることができる。

10 感覚検査 283

手 順

1. 挨拶・自己紹介を行い，2つの識別子で患者の確認を行う。
2. 触覚検査を行う旨を患者に伝え了承を得る。
   - 触覚検査を実施することで，感覚障害がある部位と正常な部位を見分けることを説明し，了承を得る。
3. 触覚検査の方法と答え方を患者に説明する。
   - 開眼の状態で筆を見せ，正常な部位に対しデモンストレーションをし，それを閉眼で上肢に行うことを説明する。答え方は，刺激がわかったところで「はい」と答えることと，その後，正常部位と比較してどの程度わかるかを答えてもらうことを説明する。
4. 問診により触覚障害について大まかに把握する。
   - 患者に触覚障害の有無，部位，程度などの問診を行い，大まかに状態を把握する。また，疼痛の有無についても確認する。
5. 患者を検査できる適切な肢位にする。
   - 刺激を正確に与えるため，肩関節は軽度外転外旋位にする。
6. 検査部位を露出する。
   - 正しく検査を行うため，患者の袖をまくり上肢全体を露出する。
7. 閉眼するよう指示する。
   - 検査途中にも閉眼の持続ができているかを確認する。
8. 検査部位を正しく刺激する。
   - 刺激部位は ASIA の定める Key Sensory Points の部分（図1）を参考とする。残存髄節レベルを判定するため，Dermatome の皮節分布（図2）に即して，低い髄節レベルから高位へ向かって上肢全体を検査する。その際，複数の髄節レベルを同時に刺激しないように注意する。
9. 軽い刺激を一定の強さで実施する。
   - 筆などで皮膚を触れる場合は，まずできる限り軽く触れ，それがわからない時には少し撫でるようにする（図4）。1回ずつ，反応をみながら2〜3回刺激する。
10. 左右両側とも上肢全体を検査する。
    - 刺激の際は誘導するような声かけを行わないよう注意する。
11. 正常部位と比較する。
    - 刺激がわかった場合，正常と思われる部位と比較をすることで，触覚障害の有無がわかる。そこから，最も高位の知覚残存髄節レベルの判定を行う。
12. 患者に検査結果を伝える。
    - 患者に検査結果を伝え，感覚障害がある場合は注意点を伝える。
13. 患者に終了を伝える。
14. 採点者に残存髄節レベルを報告する。
    - 最も高位の残存髄節レベルを採点者に報告する。

採点基準

採点者は模擬患者に受験者の言動の適否を適宜確認して，以下の項目を採点してください。

1．態度

①適切な身なりで明瞭な挨拶（開始時・終了時）・自己紹介ができる。	2点	適切な身なり，明瞭な挨拶（開始時・終了時）・自己紹介ができる
	1点	上記のうち1項目ができない
	0点	2項目以上できない
②2つの識別子で患者の確認ができる。	2点	2つの識別子で患者の確認ができる
	1点	1つの識別子で確認ができる
	0点	確認ができない
③触覚検査を行う旨を患者に伝え，了承を得ることができる。	2点	触覚検査を行う旨を正確に伝え，患者の了承を得ることができる
	1点	どちらか一方のみできる
	0点	どちらもできない
④課題全般を通して，患者の様子（表情・心情・姿勢・身体機能）や状況に応じた丁寧な対処（声かけ・触れ方・動かし方）ができる。	2点	課題全般を通して，患者の様子や状況に応じた丁寧な声かけ，触れ方，動かし方ができる
	1点	上記3項目のうち1項目ができない
	0点	2項目以上できない

2．技能

①筆を見せ，触覚検査方法についてデモンストレーションを交えて説明できる。	2点	筆を見せ，検査方法についてデモンストレーションを交えて説明できる
	1点	口頭でのみ説明する
	0点	説明しない
②触覚障害の有無，部位，程度，疼痛の問診を行い，大まかな状態を把握できる。	2点	触覚障害の有無，部位，程度，疼痛を確認できる
	1点	上記のうち1項目が確認できない
	0点	2項目以上確認できない
③刺激がわかったところで「はい」と答えることと，その後，正常部位と比較してどの程度わかるかを答えてもらうことを説明できる。	2点	刺激がわかったところで「はい」と答えることと，その後，正常部位と比較してどの程度わかるかを答えてもらうことを説明できる
	1点	どちらか一方のみできる
	0点	どちらもできない
④検査部位を露出し，肩関節を軽度外転外旋位にできる。	2点	検査部位を露出し，肩関節を軽度外転外旋位にできる
	1点	どちらか一方のみできる
	0点	どちらもできない
⑤閉眼するよう指示し，閉眼が持続できているかを確認できる。	2点	閉眼するよう指示し，閉眼が持続できているかを確認できる
	1点	閉眼するよう指示を出すが，検査中に閉眼を持続できているか確認ができない
	0点	閉眼の指示ができない
⑥両側ともKey Sensory Pointsを，障害が予想される部位から高位に向かって刺激することができる。	2点	両側ともKey Sensory Pointsを，障害が予想される部位から高位に向かって刺激することができる
	1点	両側ともKey Sensory Pointsを刺激することはできないが，高位に向かって同一髄節レベルを刺激することができる
	1点	一側のみKey Sensory Pointsを高位に向かって刺激することができる
	0点	高位から障害が予想される部位に向かって刺激を与える
⑦両側ともできる限り軽く一定の刺激にすることができる。	2点	両側ともできる限り軽く一定の刺激にすることができる
	1点	一側のみできるだけ軽く一定の刺激にできる
	1点	一部で一定の刺激にできない
	0点	両側ともできない（強過ぎる，弱過ぎる，なぞるように刺激する）

⑧両側とも適切な回数（2～3回）を刺激することができる。	2点 1点 0点	両側とも適切な回数（2～3回）を刺激することができる 一側のみできる 両側ともできない
⑨両側とも上肢全体を検査することができる。	2点 1点 0点	両側とも上肢全体を検査することができる 一側のみできる 両側ともできない
⑩両側とも正常部位と比較することができる。	2点 1点 0点	両側とも正常部位と比較することができる 一側のみできる 両側ともできない
⑪患者に検査結果をわかりやすく伝えることができる。	2点 1点 0点 0点	患者に検査結果をわかりやすく伝えることができる 検査結果を伝えるがわかりにくい 検査結果を伝えることができない 誤った内容を伝える
⑫両側とも正しい残存髄節レベルの判定ができる。	2点 1点 0点	両側とも正しい判定ができる 一側のみできる 両側ともできない

OSCE 担当者確認事項

環境設定
・ベッド近くに検査器具（筆，知覚検査筆）を置く。
・検査に集中できる程度の静かな環境を設定する。

採点者と模擬患者
・あらかじめ残存髄節レベルを決めておく。

模擬患者
・袖をまくりやすい半袖 T シャツを着用し，治療用ベッド上背臥位で待機する（図 9）。
・手指は手指背側の Key Sensory Points を触れることができる程度の軽度屈曲位にしておく。
・頸椎カラーを外した直後の頸髄損傷設定のため，首はほとんど動かさない設定とする。
・閉眼の指示があれば閉眼するが，検査中に1回，開眼して検査場面を見る。その際，再度閉眼の指示があれば閉眼し，指示がなければそのまま検査場面を見続ける。
・時間の都合上，返答には悩まず，できる限り早く返答する。

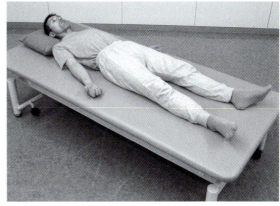

図9　模擬患者の開始姿勢

OSCE課題　受動運動覚検査

対応動画

設問
脳梗塞により左片麻痺を呈した患者です。この患者の母趾の受動運動覚を検査してください。制限時間は5分です。では，始めてください。

準備するもの
背もたれ付き椅子，足下用マット

患者情報

疾患・障害	脳梗塞・片麻痺	疼　　痛	なし
年齢・性別	不問	Ｒ Ｏ Ｍ	制限なし
障 害 側	左	座　　位	安定
発症後期間	1カ月	理　　解	良好
Ｂ Ｒ Ｓ	上肢：Ⅴ　手指：Ⅴ　下肢：Ⅴ	表　　出	良好
筋 緊 張	下肢伸筋群軽度亢進		

課題の目標

態度
1. 受動運動覚検査に備えた心がけができる（清潔かつ安全な身なり）。
2. 患者に受動運動覚検査を行う旨を説明し，了承を得ることができる。
3. 患者に不快な思いをさせない（話し方，表情，振る舞い）。

技能
1. 患者の安全に配慮しながら進めることができる。
2. 受動運動覚検査を適切な手順および方法で行うことができる。
3. わかりやすく簡潔に結果を伝えることができる。

手　順

1. 挨拶・自己紹介を行い，2つの識別子で患者の確認を行う。
2. 母趾の受動運動覚検査を行う旨を患者に伝え了承を得る。
3. 患者を検査できる適切な肢位にする。
   - 正しく検査を行うため，殿部を深くした安定した座位をとり，下肢の力を抜かせる。下肢の筋緊張が亢進している場合は臥位でもよい。
4. 問診により受動運動覚障害について大まかに把握する。
   - 患者に受動運動覚障害の有無，部位，程度などの問診を行い，大まかに状態を把握する。また，疼痛の有無についても確認する。
5. 検査部位を露出する。
   - 靴下を脱ぎ，足趾を露出する。
   - 患者自身が行う場合は，転倒などに備え近くで安全管理をする。
6. 母趾の関節可動域を他動的に確認する。
7. 受動運動覚検査の方法と答え方を患者に説明する。
   - 開眼の状態で非麻痺側でデモンストレーションをし，それを閉眼の状態で行うことを説明する。答え方は，趾先が足背側に動いた時は「上」，趾先が足底側に動いた時は「下」と答えるよう説明する。
8. 閉眼するよう指示する。
   - 検査途中にも閉眼の持続ができているかを確認する。
9. 検査部位を正しく動かす。
   - 検査は非麻痺側から実施することで，答え方が正しいかを確認する。
   - 一方の手は足背を持ち，足部を固定する。もう一方の手は母趾を側方から軽く持ち，隣の足趾に当たらないようにわずかに外転させる。
   - 屈曲伸展中間位から「動かします」と合図をしてから上下に動かし，上か下のどちらかで止めどちらに動いたか答えさせる。1回ずつ反応を見ながら2～3回行う。刺激後は毎回必ず中間位に戻してから次の刺激を与える。
   - 最初は全可動域にわたって動かす。正しく答えることができたら，次にわずかな動きで検査する。
   - 両側行い，左右差を確認する。
10. 障害の程度を判定する。
    - 全可動域の動きがわからなければ「脱失」と判断する。全可動域の動きで正しく答えることができ，わずかな動きでわからなければ「鈍麻」，正しければ「正常」と判断する。
11. 患者に検査結果を伝える。
    - 患者に検査結果を伝え，受動運動覚障害がある場合は注意点を伝える。
12. 患者に終了を伝える。

採点基準

採点者は模擬患者に受験者の言動の適否を適宜確認して，以下の項目を採点してください。

1．態度

①適切な身なりで明瞭な挨拶（開始時・終了時）・自己紹介ができる。	2点	適切な身なり，明瞭な挨拶（開始時・終了時）・自己紹介ができる
	1点	上記のうち1項目ができない
	0点	2項目以上できない
②2つの識別子で患者の確認ができる。	2点	2つの識別子で患者の確認ができる
	1点	1つの識別子で確認ができる
	0点	確認ができない
③受動運動覚検査を行う旨を患者に伝え，了承を得ることができる。	2点	受動運動覚検査を行う旨を正確に伝え，患者の了承を得ることができる
	1点	どちらか一方のみできる
	0点	どちらもできない
④課題全般を通して，患者の様子（表情・心情・姿勢・身体機能）や状況に応じた丁寧な対処（声かけ・触れ方・動かし方）ができる。	2点	課題全般を通じて，患者の様子や状況に応じた丁寧な声かけ，触れ方，動かし方ができる
	1点	上記3項目のうち1項目ができない
	0点	2項目以上できない

2．技能

①殿部を深くした座位姿勢に修正し，足の力を抜かせることができる。	2点	殿部を深くした座位姿勢に修正し，足の力を抜かせることができる
	1点	どちらか一方のみできる
	0点	どちらもできない
②受動運動覚障害の有無，部位，程度，疼痛に関する問診を行い，大まかな状態を把握できる。	2点	受動運動覚障害の有無，部位，程度，疼痛を確認できる
	1点	上記のうち1項目が確認できない
	0点	2項目以上確認できない
③検査部位を露出し，非麻痺側から実施できる。	2点	検査部位を露出し，非麻痺側から実施できる
	1点	どちらか一方のみできる
	0点	どちらもできない
④両側とも母趾の関節可動域を他動的に確認できる。	2点	両側とも関節可動域を他動的に確認できる
	1点	一側のみできる
	0点	両側ともできない
⑤開眼時に受動運動覚検査方法についてデモンストレーションを交えながら説明できる。	2点	開眼時に検査方法についてデモンストレーションを交えながら説明できる
	1点	口頭でのみ説明する
	0点	説明しない
⑥刺激に対する答え方（趾先が足背側に動いた時は「上」，趾先が足底側に動いた時は「下」と答える）の説明ができる。	2点	趾先が足背側に動いた時は「上」，趾先が足底側に動いた時は「下」と答えるよう説明できる
	1点	説明がわかりにくい
	0点	説明しない
⑦閉眼するよう指示し，閉眼が持続できているかを確認できる。	2点	閉眼するよう指示し，閉眼が持続できているかを確認できる
	1点	閉眼するよう指示を出すが，検査中に閉眼が持続できているか確認ができない
	0点	閉眼の指示ができない
⑧両側とも足背部から足部を固定し，母趾を側方から正しく持つことができる。	2点	両側とも足背部から足部を固定し，母趾を側方から正しく持つことができる
	1点	一側のみできる
	0点	両側ともできない

⑨両側とも適切な速さで動かすことができる。	2点 両側とも適切な速さで動かすことができる 1点 一側のみ適切にできる 0点 両側とも適切にできない
⑩両側とも適切な回数（2〜3回）を動かすことができる。	2点 両側とも適切な回数（2〜3回）を動かすことができる 1点 一側のみ適切にできる 0点 両側とも適切にできない
⑪両側とも適切な角度（全可動域とわずかな動き）を動かすことができる。	2点 両側とも適切な角度（全可動域とわずかな動き）を動かすことができる 1点 一側のみ適切にできる 0点 両側とも適切にできない
⑫両側とも受動運動覚障害の程度を正しく判定できる。	2点 両側とも受動運動覚障害の程度を正しく判定できる 1点 一側のみ正しく判定できる 0点 両側とも正しく判定できない
⑬患者に検査結果をわかりやすく伝えることができる。	2点 患者に検査結果をわかりやすく伝えることができる 1点 検査結果を伝えるがわかりにくい 0点 検査結果を伝えることができない 0点 誤った内容を伝える

OSCE 担当者確認事項

環境設定

・検査に集中できる程度の静かな環境を設定する。
・患者の足下にマットを敷いて，その上で検査を行う。

模擬患者

・課題開始時は，脱ぎやすい靴下を着用し，背もたれ付き椅子に端座位で待機する（図10）。背もたれに背をつけ，非麻痺側に重心を乗せて麻痺側殿部がやや前に出た，浅めの座位姿勢とする。
・座位姿勢の修正，靴下を脱ぐ動作は自己にて可能な設定とする。
・極端に足を持ち上げられたら，姿勢が崩れ開始時の座位姿勢となる。
・閉眼の指示があれば閉眼するが，検査中に1回，開眼して検査場面を見る。その際，再度閉眼の指示があれば閉眼し，指示がなければそのまま検査場面を見続ける。
・時間の都合上，返答には悩まず，できる限り早く返答する。
・非麻痺側足趾はわずかな動きもわかり，麻痺側足趾は大きく動かせばわかるが，わずかな動きはわからない設定とする。

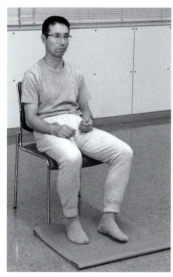

図10　模擬患者の開始姿勢

引用文献

1) 田崎義昭，斎藤佳雄 編：ベッドサイドの神経の診かた　改訂17版．p95-105, p191-198, 南山堂，2010.
2) 才藤栄一 監：PT・OTのためのOSCE ―臨床力が身につく実践テキスト―．p109-113, 金原出版，2011.

参考文献

1) 田崎義昭，斎藤佳雄 編：ベッドサイドの神経の診かた　改訂17版．p95-105, p191-198, 南山堂，2010.
2) 才藤栄一 監：PT・OTのためのOSCE ―臨床力が身につく実践テキスト―．p109-113, 金原出版，2011.
3) 社団法人 日本作業療法士協会 監：作業療法学全書 作業療法評価学 改訂第3版 第3巻．p81-86, 協同医書出版社，2009.

4) 千住秀明 監（中島喜代彦 編）：理学療法テキストⅡ 理学療法評価法 第3版．p91-103，神陵文庫，2011．
5) 矢谷令子 監（岩崎テル子，小川恵子 他，編）：標準作業療法学 作業療法評価学 第2版．p121-136，医学書院，2011．
6) 中田眞由美，大山峰生（鎌倉矩子 他，編）：作業療法士のためのハンドセラピー入門 第2版．p41-49，三輪書店，2006．
7) 里宇明元，園田 茂，道免和久（千野直一 編著）：脳卒中患者の機能評価—SIAS と FIM の実際．p24，シュプリンガー・ジャパン，1997．
8) 中田眞由美，岩崎テル子：知覚をみる・いかす—手の知覚再教育．協同医書出版社，2003．
9) 千田富義，高見彰淑 編：リハ実践テクニック脳卒中 改訂第2版．p102-105，メジカルビュー社，2013．
10) 住田幹男：リハビリテーション MOOK No.11 脊髄損傷のリハビリテーション．p11-16，金原出版，2004．
11) 神奈川リハビリテーション病院「脊髄損傷マニュアル編集委員会」（代表：大橋正洋）：脊髄損傷マニュアル リハビリテーション・マネージメント（第2版）．p100-109，医学書院，2002．

11 反射検査（腱反射・病的反射）

1 反射とは

　反射とは，感覚受容器から求心性神経によって伝えられた刺激が，意思とは無関係に中枢神経のある部分で切り替えられて，遠心性神経に伝達され，効果器に反応を現す現象である[1]。反射は基本的な生体の防御機構として存在し，神経学的障害を診断するのに重要な検査である。

　本項では，腱反射と病的反射について解説する。

2 反射の測定

A. 目　的

　腱反射は生理学的には，筋の伸張が刺激となって引き起こされる。そのことから筋伸張反射，深部腱反射とも呼ばれる。病的反射は，筋の伸張や皮膚表面の刺激により引き起こされ，健常者では原則として認められない。

　腱反射の亢進，病的反射の出現は，臨床的には錐体路障害の重要な徴候であり，最も確実な指標となるのは病的反射（バビンスキー反射）である。また，意識障害，注意力低下や認知機能低下のために患者の協力が得られないときには，最も重要な神経学的検査となり得る。

B. 腱反射，病的反射の種類

　腱反射，病的反射は多く存在する。以下に項目のみまとめる。

- 腱反射：下顎反射，頭後屈反射，上腕二頭筋反射，上腕三頭筋反射，腕橈骨筋反射，回内筋反射，胸筋反射，腹筋反射，膝蓋腱反射，アキレス腱反射，下肢内転筋反射，膝屈筋反射
- 病的反射（錐体路障害）：口尖らし反射，ホフマン反射，トレムナー反射，ワルテンブルグ反射，ロッソリーモ反射，バビンスキー反射，マリー・フォア反射
- 病的反射（前頭葉障害）：手掌オトガイ反射，把握反射，強制把握反射

C. 環境・肢位

　検査時は，楽な姿勢でかつ完全に力を抜き，検査する筋を伸張した肢位にする必要がある。その際，検査部位を露出させて視診で皮膚の裂傷，腫脹，熱感などの異常所見がないことを確認する。

　検査姿勢は，臥位や座位で行うが，座位の安定性が低い場合や，座位で筋緊張が亢進してしまう患者では臥位で行う方がよい。

1）腱反射

【上腕二頭筋腱反射】（図 1）

- 臥位の場合：上腕をベッドに接地した状態で，肩関節軽度外転・内旋，肘関節屈曲し，手部を側腹部に乗せる。
- 座位の場合：肩関節軽度外転，肘関節屈曲前腕回外とし，手部を大腿に乗せる。

【上腕三頭筋腱反射】（図 2）

- 臥位の場合：肩関節軽度屈曲・軽度内転・内旋，肘関節屈曲し，手部を腹部に乗せる。療法士が前腕を下から支持して，上腕を保持する。

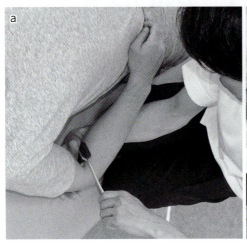
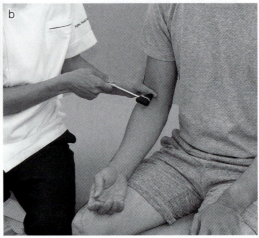

図1　上腕二頭筋腱反射
a：臥位，b：座位

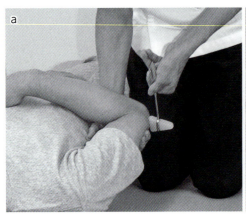
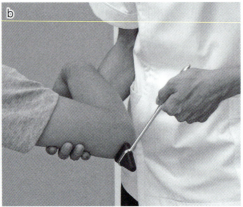

図2　上腕三頭筋腱反射
a：臥位，b：座位

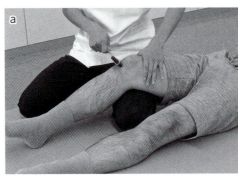
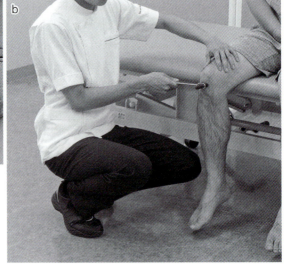

図3　膝蓋腱反射
a：臥位，b：座位

- 座位の場合：肩関節軽度屈曲・軽度内転・内旋し，肘関節屈曲する．療法士が前腕を下から支持して，上腕を保持する．

【膝蓋腱反射】（図3）

- 臥位の場合：股関節，膝関節軽度屈曲（30～60°）とし，療法士の大腿部で患者の膝下を支えて安定させる．足底全体は接地させず，踵のみ接地させる．
- 座位の場合：足底面が床に接地しないように座面の高さを調節する．

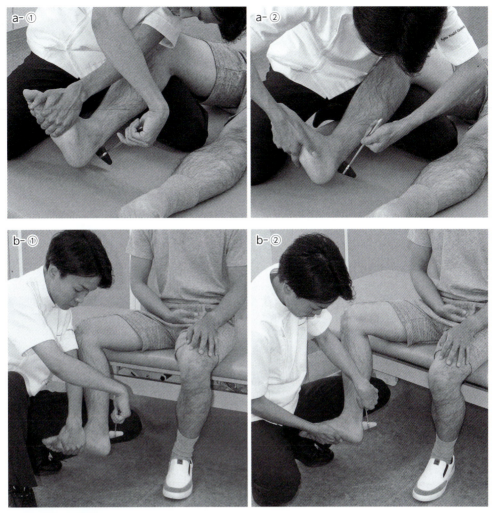

図4 アキレス腱反射
a：臥位，b：座位

【アキレス腱反射】（図4）
・臥位の場合：股関節屈曲・外転・外旋，膝関節屈曲し，足関節は他動的に背屈する。または，検査側を反対側の大腿に乗せ，足関節を背屈してもよい。
・座位の場合：足底面が床に接地しないように座面の高さを調節し，足関節を他動的に背屈する。

2）病的反射

【ホフマン反射】（図5）
・手関節を軽度背屈させる。
・患者の中指の末節を挟み，療法士の母指で患者の中指の爪の部分を鋭く手掌側へはじく。
・母指が内転，屈曲すれば陽性である。

【トレムナー反射】（図6）
・手関節を軽度背屈，手指を軽度背屈させる。
・療法士は患者の中指の中節を支え，示指または中指で患者の中指の先端手掌面を強くはじく。
・母指が内転，屈曲すれば陽性である。

【バビンスキー反射】（図7）
・下肢を伸展位にし，患者の足関節部を支えると安定する。
・先の尖ったもの（鍵のようなものが推奨される）で足の裏の外縁をゆっくりと踵から上に向かってこすり，先端で母趾の方に曲げる。母趾の基部まではこすらない。疼痛で足を引っ込めるほどの刺激を与えてはならない。反射の発現には，刺激の集積が必要なことがあるため，1回で止めずに数回行う。

図5 ホフマン反射

図6 トレムナー反射

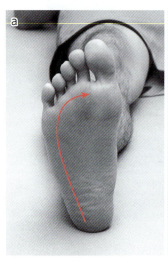
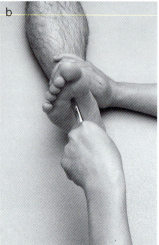
図7 バビンスキー反射
a：刺激の方向，b：検査方法

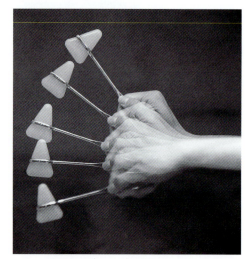
図8 打腱器の使い方

- 母趾が伸展すれば陽性（伸展性足底反応）となる。また，母趾以外の4趾が開く，いわゆる開扇徴候を認めることもある。伸展性足底反応は錐体路徴候として重視されているが，開扇徴候の臨床的意義は明らかではない。
- バビンスキー反射の変法には，チャドック反射，オッペンハイム反射，ゴードン反射，シェファー反射，ゴンダ反射がある。

D. 注意すべき点

　打腱器は，示指を鍵型にして打腱器の上に軽く乗せ，母指で支えるように持つとよい。その状態から，打腱器のヘッドの重さを利用しながら速度が加わるように行い，腱を垂直に叩打し適切な刺激を適切な部位に与える。打腱器の用い方のコツは，手関節の力を抜いて速やかに手関節を返すようにすると適当な強さの衝撃を急速に与えることができる（図8）。腱が太く広い場合はヘッドの平たい側，腱が細く狭い場合は尖った側で叩打する。

　腱反射の検査を行う際に，打腱器を持っていない側の手は検査する筋の筋腹を軽く触れ，筋の収縮を確認する。その際，強く触れ過ぎると反射の出現に影響を及ぼす可能性があるため注意する。しかし，上腕二頭筋を検査する場合，筋に適度な伸張を与えるため，療法士の母指で腱の部分に直接的な圧迫を加える。また，筋緊張が亢進している場合は，検査部位を揺するように動かしながら筋緊張を軽減させてから行う。

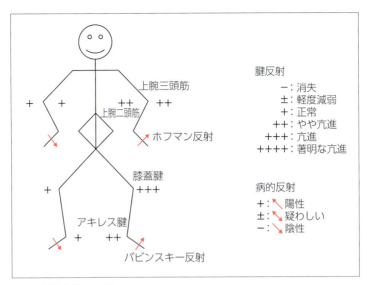

図9　記載方法の一例

　腱反射の異常には，反射の減弱，消失ないし亢進が含まれている。しかし，神経系に何ら器質的病変がないときにも，反射が消失したり，亢進したりすることがある。したがって，反射の異常を見分ける最も重要な指標は，左右差である。例えば，両側で亢進していれば，他に病的な徴候がない限り，病的な意義をつける必要はない。また，左右のみの比較ではなく，上肢と下肢で変化にも注意すべきである。また，筋が萎縮している場合，反射は減弱ないし消失する。この場合は反射による運動をみるよりは，筋自身の収縮を直接みるか，筋腹に手を当てて，その収縮を感じるとよい。

　病的反射については，刺激の部位と方向，強度，頻度に注意する必要がある。また，刺激部位と反応部位が異なるため，反応の阻害にならない肢位にする必要がある。

　バビンスキー反射を検査する場合では，足底面を先の尖ったものでこするため，創にならないような配慮が必要である。

E. 判定基準

　よく用いられる腱反射の判定基準は，1. 消失（absent），2. 軽度減弱（diminished），3. 正常（normal），4. やや亢進（slightly exaggerated），5. 亢進（moderately exaggerated），6. 著明な亢進（markedly exaggerated）の6段階であるが，部位や患者の状態によっても異なるため，絶対的なものではない。正しい判定を行うためには，正常な反射を理解したうえで異常を判定すべきである。

　病的反射は，1. 陽性，2. 疑わしい，3. 陰性の3段階で判定する（図9）。

F. 腱反射の増強法

　腱反射が減弱ないし消失しているときには，増強法を行う。
- 患者と会話しながら検査することで，注意をそらす。
- イェンドラシック手技（Jendrassik maneuver）を用いる。下肢の反射をみる場合は両手を組み合わせ，合図とともに左右に引っ張る。上肢の反射をみる場合は，歯を固く噛み合わせるとよい。

G. 正確性に影響する因子

　腱反射の場合，部位によっては非利き手で打腱器を扱うことがあるため，利き手，非利き手で刺激強度に差が生じないようにしなければならない。打腱器の振り方も上下左右方向へ振ることがあるため，練習が必要である。また，異なる姿勢であっても刺激強度に差が生じないように叩打できるとよい。

　反射検査は，筋の伸張や皮膚表面の刺激により反射を引き起こすため，検査部位は必ず露出させ，身体を直接刺激することが必要である。

> **臨床のコツ**
> ◆ 反射検査は関節可動域や筋緊張の影響を受けやすいため，関節可動域と筋緊張を事前に検査しておくとよい。

3 反射検査（腱反射・病的反射）の手順のポイント

1) 挨拶・自己紹介を行い，2つの識別子で患者の確認を行う
・患者とのラポール（信頼関係）形成のため，挨拶，自己紹介を行う。
・患者の取り違いを防止するため，氏名に加え生年月日もしくはIDなど，2つの識別子で確認する。

2) 反射検査（腱反射・病的反射）を行う旨を患者に伝え了承を得る

3) 検査内容を説明する
・デモンストレーションを交えて検査する反射の内容をわかりやすく説明する。

4) 患者を検査に適した姿勢にする

5) 必要な部位を露出させ，検査や把持する部位全体の皮膚に異常がないか視診にて確認する
・皮膚の裂傷，腫脹，熱感などの異常所見があれば検査を中止するなどの措置をとる。

6) 検査する部位の関節可動域と周辺の筋緊張・疼痛を確認する
・検査する部位を動かし，関節可動域や筋緊張，疼痛の有無を確認する。

7) 患者を検査に適した肢位（図1〜7）にする
・病的反射では必要に応じて関節を固定する。
・あまりにも弛緩した肢位では反射を誘発できないため，検査時の姿勢や肢位には注意する。

8) 反射検査を実施する
・非麻痺側・麻痺側の順に行う。

【腱反射】
①検査する筋の停止部の腱を触診する
・上腕二頭筋腱（図10），上腕三頭筋腱（図11），膝蓋腱（図12），アキレス腱（図13）を触診し位置を確認する。打腱器を持っていない側の手は，検査する筋の収縮を確認するために軽く筋腹に触れる。上腕二頭筋を検査する場合，筋に適度な伸張を与えるため，療法士の母指で腱の部分に直接的な圧迫を加える。

②打腱器を正確に持ち，腱を垂直に叩打し，適度な刺激を適切な部位に与える（図8）
・示指を鍵型にして打腱器の上に軽く乗せ，母指で支えるように持つ。
・打腱器の用い方のコツは，手関節の力を抜いて速やかに手関節を返すようにすると，適当な強さの衝撃を急速に与えることができる。

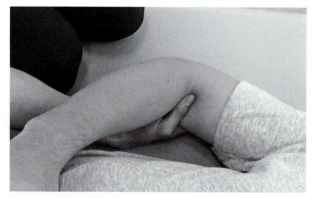

図10　上腕二頭筋腱の触診

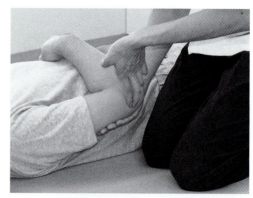

図11　上腕三頭筋腱の触診

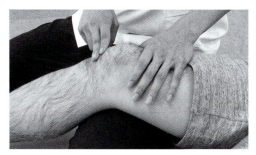
図12　膝蓋腱の触診

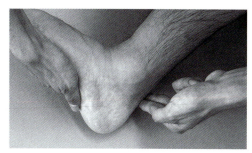
図13　アキレス腱の触診

> **臨床のコツ**
> ◆反射が減弱ないし消失している場合は増強法を試みる。

【病的反射】
・必要に応じて適切な部位で固定し，適度な刺激を適切な部位と方向に与える。

9) 再現性，対称性に留意する
・叩打もしくは刺激する回数は1回ではなく，2〜3回程度で再現性を確認し，左右差や反射の強弱を判定する。
・腱反射では腱を叩く強さを常に一定にすることが大切である。そのために，できるだけヘッドの重い打腱器を選択し，ヘッドの重みで速度をつけて腱を叩くようにする。打腱器を持つ手が左右どちらに変わっても，常に同じ反応が出せるようにする。

10) 患者を安静肢位に戻す
・検査が終了したら，露出した検査部位の衣服を戻し，患者を安静肢位にする。

11) 患者に検査結果を伝える
・反射の異常が生じる要因（錐体路障害，末梢神経障害，精神的緊張など）について考察し，その内容を患者にわかりやすい言葉で説明する。

12) 患者に終了を伝える

OSCE課題　反射検査（腱反射・病的反射）

対応動画

設問

脳梗塞により右（もしくは左）片麻痺を呈した患者です。この患者の腱反射および病的反射（下記1～4のうち1つを提示する）を検査してください。制限時間は5分です。では，始めてください。

1. 上腕二頭筋腱反射，バビンスキー反射
2. 上腕三頭筋腱反射，バビンスキー反射
3. 膝蓋腱反射，ホフマン反射
4. アキレス腱反射，トレムナー反射

準備するもの

治療用ベッド，打腱器，枕，鍵のような先の尖ったもの（バビンスキー反射の場合）

患者情報

疾患・障害	脳梗塞，片麻痺	深部覚	中等度鈍麻
年齢・性別	不問	ROM	制限なし
障害側	右（もしくは左）	座位	自立
発症後期間	1カ月	起居動作	監視
BRS	上肢：Ⅱ　手指：Ⅱ　下肢：Ⅲ	理解	良好
疼痛	麻痺側肩関節	表出	良好
表在覚	軽度鈍麻		

目標

態度
1. 反射検査に備えた心がけができる（清潔かつ安全な身なり）。
2. 患者に腱反射・病的反射検査を行う旨を説明し，了承を得ることができる。
3. 患者に不快な思いをさせない（話し方，表情，振る舞い）。

技能
1. 患者の安全に配慮しながら進めることができる。
2. 腱反射・病的反射検査を適切な手順および方法で行うことができる。
3. わかりやすく簡潔に結果を伝えることができる。

手　順

1. 挨拶，自己紹介を行い，2つの識別子で患者の確認を行う。
2. 反射検査（腱反射・病的反射）を行う旨を患者に伝え了承を得る。
3. 検査内容を説明する。
   ・デモンストレーションを交えて検査する反射の内容をわかりやすく説明する。
4. 患者を検査に適した姿勢にする。
5. 腱反射を行うために検査や把持する部位全体の皮膚に異常がないか視診にて確認する。
   ・皮膚の裂傷，腫脹，熱感などの異常所見がないか視診にて確認する。
6. 検査する部位の関節可動域と周辺の筋緊張・疼痛を確認する。
   ・検査する部位を動かし，関節可動域や筋緊張，疼痛の有無を確認する。
7. 患者を検査に適した肢位（図1〜7）にする。
   ・病的反射では必要に応じて関節を固定する。
   ・あまりにも弛緩した肢位では反射を誘発できないので検査時の姿勢や肢位には注意する。
8. 反射検査を実施する。
   ・非麻痺側・麻痺側の順に行う。
   【腱反射】
   ①検査する筋の停止部の腱を触診し，位置を確認する。打腱器を持っていない側の手は，検査する筋の収縮を確認するために軽く筋腹に触れる
   ②打腱器を正確に持ち，腱を垂直に叩打し，適度な刺激を適切な部位に与える
   ・示指を鍵型にして打腱器の上に軽く乗せ，母指で支えるように持つ。
   ・打腱器の用い方のコツは，手関節の力を抜いて速やかに手関節を返すようにすると，適当な強さの衝撃を急速に与えることができる。
   【病的反射】
   ・必要に応じて適切な部位で固定し，適度な刺激を適切な部位と方向に与える。
   ・ホフマン反射，トレムナー反射の場合，母指が内転，屈曲すれば陽性である。
   ・バビンスキー反射は，母趾が伸展すれば陽性となる。また，母趾以外の4趾が開く，いわゆる開扇徴候を認めることもある。
9. 再現性，対称性に留意する。
   ・叩打もしくは刺激する回数は1回ではなく，2〜3回程度で再現性を確認し，左右差と反応の強弱を判定する。
10. 患者を安静肢位に戻す。
11. 患者に検査結果を伝える。
12. 患者に終了を伝える。

採点基準

採点者は模擬患者に受験者の言動の適否を適宜確認して，以下の項目を採点してください。

1．態度

①適切な身なりで明瞭な挨拶（開始時・終了時）・自己紹介ができる。	2点 1点 0点	適切な身なり，明瞭な挨拶（開始時・終了時）・自己紹介ができる 上記のうち1項目ができない 2項目以上できない
②2つの識別子で患者の確認ができる。	2点 1点 0点	2つの識別子で患者の確認ができる 1つの識別子で確認ができる 確認ができない
③反射検査（腱反射・病的反射）を行う旨を患者に伝え，了承を得ることができる。	2点 1点 0点	反射検査を行う旨を正確に伝え，患者の了承を得ることができる どちらか一方のみできる どちらもできない
④課題全般を通して，患者の様子（表情・心情・姿勢・身体機能）や状況に応じた丁寧な対処（声かけ・触れ方・動かし方）ができる。	2点 1点 0点	課題全般を通して，患者の様子や状況に応じた丁寧な声かけ，触れ方，動かし方ができる 上記3項目のうち1項目ができない 2項目以上できない

2．技能

①腱反射・病的反射検査方法をわかりやすく説明できる。	2点 1点 0点	わかりやすく説明できる 説明が不十分 説明できない
②両側の検査や把持する部位の皮膚に異常がないかを視診にて確認できる。	2点 1点 0点	両側とも確認できる 一側のみできる 両側ともできない
【腱反射】		
③両側の検査部位の関節可動域と周辺の筋緊張・疼痛を確認できる。	2点 1点 0点	両側とも確認できる 一側のみできる 両側ともできない
④両側とも検査に適した肢位をとることができる。	2点 1点 0点	両側とも適切な検査肢位をとることができる 一側のみできる 両側ともできない
⑤両側の腱を触診し，位置を確認できる。	2点 1点 0点	両側の腱を触診し，位置を確認できる 一側のみできる 両側ともできない
⑥両側とも打腱器を母指・示指で持ち，手関節の力を抜いて速やかに手関節を返すよう刺激を与えることができる。	2点 1点 0点	両側で持ち方，振り方ともに適切である 一側のみできる 両側ともできない
⑦両側とも適度な刺激を2〜3回ずつ与えることができる。	2点 1点 0点	両側とも適度な刺激を2〜3回ずつ与えることができる 一側のみできる 両側ともできない
⑧両側とも適切な部位に刺激を与えることができる。	2点 1点 0点	両側とも適切な部位に刺激を与えることができる 一側のみできる 両側ともできない

【病的反射】		
⑨両側の検査部位の関節可動域と周辺の筋緊張・疼痛を確認できる。	2点 1点 0点	両側とも確認できる 一側のみできる 両側ともできない
⑩両側とも適切な肢位をとり，関節を固定できる。	2点 1点 0点	両側とも適切な検査肢位をとり，固定できる 一側のみできる 両側ともできない
⑪両側とも適度な刺激を2〜3回ずつ与えることができる。	2点 1点 0点	両側とも適度な刺激を2〜3回ずつ与えることができる 一側のみできる 両側ともできない
⑫両側とも適切な部位と方向に刺激を与えることができる。	2点 1点 0点	両側とも適切な部位と方向に刺激を与えることができる 一側のみできる 両側ともできない
【腱反射・病的反射共通】		
⑬腱反射・病的反射検査について非麻痺側，麻痺側の順で検査できる。	2点 1点 0点	腱反射・病的反射とも非麻痺側，麻痺側の順で検査できる どちらか一方のみ正しい順で検査できる どちらもできない
⑭腱反射・病的反射の左右差を正しく判定し，患者に検査結果を伝えることができる。	2点 1点 0点	腱反射・病的反射とも正しく判定し，患者に検査結果を伝えることができる 正しく判定できるが，患者に結果を伝えることができない 判定が誤っている

OSCE担当者確認事項

環境設定

・ベッド近くに打腱器を準備する。

採点者と模擬患者

・あらかじめ障害側を決めておく。

模擬患者

・課題開始時は検査部位を露出し，治療用ベッドに背臥位で待機する（図14）。
・麻痺側は腱反射亢進，病的反射陽性の設定とする。

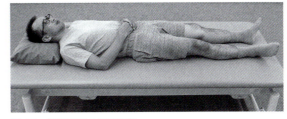

図14　模擬患者の開始姿勢

引用文献

1) 松澤 正，江口勝彦：理学療法評価学 改訂第5版．p109，金原出版，2016．

参考文献

1) 田崎義昭，斎藤佳雄：ベッドサイドの神経の診かた 改訂18版．p65-92，南山堂，2016．
2) 寳珠山稔，佐橋 功：上腕二頭筋反射，上腕三頭筋反射，腕橈骨筋反射，回内筋反射．Clinical Neuroscience 22：944-945, 2004．
3) 本田英比古：手指屈筋反射．Clinical Neuroscience 22：946-947, 2004．
4) 松澤 正，江口勝彦：理学療法評価学 改訂第5版．p113-125，金原出版，2016．
5) 鈴木則宏：神経診察クローズアップ 正しい病巣診断のコツ．p114-127，メジカルビュー社，2011．
6) 小嶺幸弘：神経診察ビジュアルテキスト．p153-167，医学書院，2002．

12 脳神経検査

1 脳神経とは

　脳神経は脊椎動物の神経系に属する器官で，第 I ～第 XII 神経まで存在する．主に脳幹から線維が伸び，頭頸部の運動や感覚，自律神経機能を司る末梢神経である．脳神経 12 対の構成部分は表 1 のようになる．中枢神経疾患は脳神経の障害を伴うことが多く，障害を十分考慮したうえでリハビリテーションを進める必要がある．

表 1　ヒト脳神経の構成分子

No.	神経	構成*分子	第一次細胞体	経　　路	末梢の結末
I	嗅神経	なし	嗅上皮	鼻腔の上壁を通る	嗅上皮
II	視神経	SSS	網膜の神経細胞層	眼窩→視神経交叉→視索	網膜の双極細胞→杆状体および円錐体
III	動眼神経	SM	動眼神経核	眼窩	上直筋，下直筋，内側直筋，下斜筋，眼瞼挙筋
		VM	Edinger-Westphal 核（動眼神経副核）	毛様体神経節→毛様体神経	瞳孔括約筋および毛様体筋
IV	滑車神経	SM	滑車神経核	眼窩	上斜筋
V	三叉神経	BM	三叉神経運動核	下顎神経と共に走る	咀嚼筋群
		GSS	半月神経節	眼神経，上顎神経，下顎神経	顔面，鼻，口腔
		GSS	三叉神経中脳路核	上顎および下顎神経と共に	下顎筋および歯肉への固有知覚
VI	外転神経	SM	外転神経核	橋の下部を通って眼窩へ	外側直筋
VII	顔面神経	BM	顔面神経核	側頭骨を抜け，顔面の側方に出る	表情筋，舌骨挙筋群
		VM	上唾液核	a. 大錐体神経→翼口蓋神経節	鼻腔，口蓋の分泌腺および涙腺
				b. 鼓索神経→顎下神経節	顎下腺および舌下腺
		VS	膝神経節	鼓索神経	舌前部の味蕾
VIII	前庭神経	SSS	前庭神経節	内耳道	半規管の膨大部稜，卵形嚢斑，球形嚢斑
	蝸牛神経	SSS	ラセン神経節	内耳道	Corti 器官
IX	舌咽神経	BM	疑核	頸静脈孔→咽頭側壁	上咽頭収縮筋，茎突咽頭筋
		VM	下唾液核	小錐体神経→耳神経節→耳介側頭神経	耳下腺
		VS	下神経節（舌咽神経）	咽頭側壁	堤防状乳頭の味蕾
		GSS	上神経節（舌咽神経）	咽頭側壁	耳管
X	迷走神経	BM	疑核	反回神経および上喉頭神経の外枝	咽頭および喉頭の筋群
		VM	迷走神経背側核	頸動脈に沿って食道，腹部へ	胸腔，腹腔の臓器へ
		VS	下神経節（迷走神経）	頸動脈に沿って食道，腹部へ	胸腔，腹腔の臓器へ
		GSS	上神経節（迷走神経）	耳介枝	耳翼
XI	副神経	BM	副神経核	頸の両側	胸鎖乳突筋，僧帽筋
XII	舌下神経	SM	舌下神経核	舌の両側	舌筋

*BM＝鰓性運動性　　　GSS＝一般的体知覚性　　　SM＝体運動性
SSS＝特殊性体知覚性　　VM＝内臓運動性　　　　VS＝内臓知覚性
(Wendell JS Krieg : Brain Mechanisms In Diachrome 2nd ed. Brain Books, 1957. より)

1) 第 I 脳神経：嗅神経

嗅覚を司る。検査ではコーヒーなど刺激の弱い香りを使用し，臭いを確認する。

2) 第 II 脳神経：視神経

視覚を司る。検査では視力の確認や，視野検査（対座検査など）を実施する。

3) 第 III 脳神経：動眼神経

運動神経による眼球運動と副交感神経による瞳孔運動を司る。検査では眼瞼，眼球，瞳孔の観察，眼球の運動を確認する。

4) 第 IV 脳神経：滑車神経

上斜筋を支配する運動神経による眼球運動を司る。検査では眼球の運動を確認する。

5) 第 V 脳神経：三叉神経

顔面，鼻，口，歯の知覚や，咀嚼運動を司る。検査では主に顔面の感覚（痛覚，触覚，温度覚）を確認する。また，運動機能の検査では奥歯をしっかりと噛み合わせるよう指示し，両側の咬筋，側頭筋を触診する。

6) 第 VI 脳神経：外転神経

外直筋を支配する運動神経による眼球運動を司る。検査では眼球の運動を確認する。

7) 第 VII 脳神経：顔面神経

表情筋の運動，舌前 2/3 の味覚，涙腺や唾液腺の分泌を司る。検査では顔貌の確認，顔筋の運動機能検査，味覚検査を実施する。

8) 第 VIII 脳神経：内耳神経

聴覚を司る蝸牛神経と平衡覚を司る前庭神経の感覚神経からなる。検査では音叉を使用した聴力検査，リンネ検査，ウェーバー検査等を実施する。

9) 第 IX 脳神経：舌咽神経

舌後 1/3 の知覚，味覚，唾液腺の分泌を司る。検査では軟口蓋，咽頭を観察し，咽頭反射や催吐反射，軟口蓋反射などを舌圧子を使用して確認し，嚥下機能を評価する。

10) 第 X 脳神経：迷走神経

咽頭，喉頭の知覚，運動，頸胸腹部の臓器を支配する。舌咽神経と同様に検査では軟口蓋，咽頭を観察し，咽頭反射や催吐反射，軟口蓋反射などを舌圧子を使用して確認し，嚥下機能を評価する。

11) 第 XI 脳神経：副神経

上部僧帽筋，胸鎖乳突筋の運動を支配する。検査では僧帽筋，胸鎖乳突筋を確認し，筋力検査を行う。

12) 第 XII 脳神経：舌下神経

舌筋の運動を支配する。検査では舌を前方に突き出すよう指示し，舌の萎縮，偏位，線維束性収縮の有無を確認する。また，舌を側方へ動かすよう指示し，舌圧子で押さえて舌の左右へ動かす力を調べる。

本項では，理学療法士，作業療法士が検査する頻度の高い視神経と顔面神経の検査例を取り上げる。なお，OSCE 課題は視神経のみとする。

2 脳神経検査例 1：視野検査（視神経）

A. 目 的

視野の測定によって周辺視野障害の有無，程度を調べることができる。大脳障害の局在診断に重要な検査である。

高次能機能障害を呈する患者において，食事や更衣の場面で見落としがあり，半側空間失認の疑いがある場合には，見落としの原因が視力や視野の障害によって生じたものか，認知機能の問題であるかを判断するために視神経の検査が行われる。

B. 原　則

視野の測定には眼科領域での静的視野検査を用いることが一般的だが，ここではリハビリテーション場面において頻用される対座試験による視野検査を実施する（図1）。

C. 環境・姿勢

静かな環境で，姿勢は座位姿勢を基本とする。

D. 判定基準

視野の検査では，まず療法士が指を動かし，左右どちらの指が動いたかを患者が判別できるかどうか確認する。どちらの指が動いたのか指摘できない場合は視野の欠損，縮小が予測されるため，視野の周辺部より指を中心に向け直線的に動かし，視野が維持されている範囲を確認する。また，検査中，常に患者の視線が固定されているかを監視し，視線が動いた場合は指摘する。

E. 手順のポイント

1) 挨拶・自己紹介を行い，2つの識別子で患者の確認を行う
・患者とのラポール（信頼関係）形成のため，挨拶，自己紹介を行う。
・患者の取り違いを防止するため，氏名に加え生年月日もしくはIDなど，2つの識別子で確認する。

2) 視野検査を行う旨を患者に伝え了承を得る

3) 患者と向かい合い，適切な位置に座る
・対座試験を行うため，患者の眼と療法士の眼との間隔が約80cmになるように向き合い，療法士は椅子に座り，患者と療法士の眼の高さを合わせる（図1）。
・患者と療法士の体格差が大きい場合には，クッションの使用などによって療法士の座面の高さを調整し，眼の高さが合うように工夫する。

4) 検査方法や回答の仕方をデモンストレーションを交えて説明する

5) 視野検査の準備を行う
①患者に片方の眼を自身の手で覆ってもらうよう指示する
②開眼している側の眼で療法士と向かい合った側の眼を見てもらう（患者の右眼を検査するときには療法士の左眼を見つめさせる）

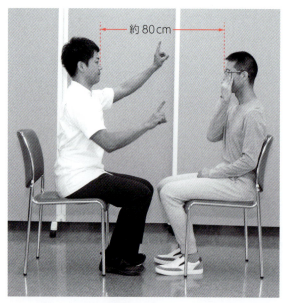

図1　患者との適切な距離

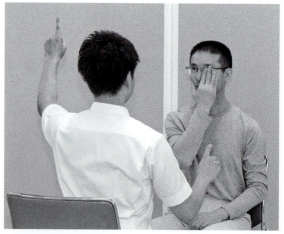

図2　対座試験の様子

・口頭にて，視覚が遮断されているか，向かい合った眼を見ているかを患者に確認する。

6) 視野検査を実施する（図2）

①療法士は患者の開眼している側と同側の眼を閉じ，検査に必要な視野の範囲を最初に決定する
・両手指を前側方の自身の視野いっぱいに広げる。示指をほぼ垂直に立てるようにして，指の位置はちょうど患者と療法士との中央に設定し，療法士の視野範囲内で左上端と右下端に指を置くようにする。
②検査ではランダムに指を動かし，左右どちらの指が動いたかを数回実施し，指摘させる
③左右どちらかが指摘できない場合は，視野欠損，縮小が予測されるため，視野の周辺部より指を中心に向け直線的に動かし，どこで見えるようになったか（どの範囲から視野が維持されているか）を確認する
④療法士の視野範囲内で左下端と右上端に療法士の指を置き，同様に評価する
⑤反対側の眼も同様に検査する

> **臨床のコツ**
> ◆検査中，患者の眼球が固定されているかどうか，常に注意する。途中で逸れてしまう場合は修正し，再度検査を行う。
> ◆対面で検査を行うので，患者と療法士の視野は，左右が逆転していることを考慮する。
> ◆答えを「右」「左」と口頭で答えてもらうことで患者が誤りやすい場合は，指の動いている方を患者が指で示すようにするとよい。
> ◆左右を同時に動かして，それがわかるか（視覚消去現象の有無）も確認しておくとよい。これは障害側の視覚が非障害側の視覚により消去されるために生じる現象である。この場合には半側空間無視の存在を疑う。
> ◆認知症や失語症などのため患者の協力が得られない場合，視野の周辺から患者の眼を引きそうな物を近づけたときの反応を確認することにより，視野を大まかに推測することができる。
> ◆軽度の意識障害がある患者の視野を判定する際には，あたかも眼に物を突っ込むかのように，視野の周辺部より患者の眼に指先を近づける。その際，防御的に眼を閉じる（視覚性おどし反射）なら，その方向の視野は保たれている。

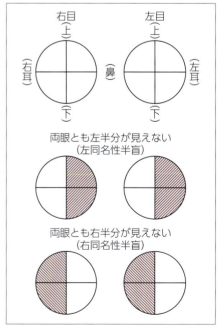

図3　視野の記録法

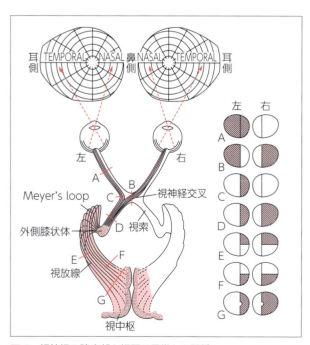

図4　視神経の障害部と視野の異常との関係
視神経および脳のA〜Gまでの障害と視野異常を示す。
(田崎義昭，斎藤佳雄：ベッドサイドの神経の診かた　改訂18版．p197，南山堂，2010．より)

7) 検査結果を記録・考察し，患者に伝える

- 視野障害の有無，視野の範囲等を記録する（図3）。
- 結果から視神経および脳の障害部位を考察する（図4）。
- 検査結果を患者に伝え，ADLに与える影響（特に歩行，車椅子駆動）について説明する。

8) 患者に終了を伝える

> **臨床のコツ**
> ◆ 患者情報を収集し視野障害の有無，程度を確認，問診にて状態を情報収集した後，検査を実施する。
> ◆ 患者の検査に対する理解，協力が得られないと正確な視野範囲が測定できない。
> ◆ 半盲の患者は障害側より非障害側へ物体を近づけると中心線で初めて見えるようになる。
> ◆ 視野障害の患者は半側が見えないことを自覚している場合が多いが，半側空間無視の患者は半側が見えないことを自覚していないことが多く，線分二等分線テストなどで両者の判別が可能である。
> ◆ 上肢の麻痺などにより手で眼を覆うことができない場合は，ガーゼで眼を覆い，テープで貼るなどの工夫が必要である。

3 脳神経検査例2：顔面神経麻痺の検査（顔面神経）

A. 目 的

顔面神経麻痺の症状を評価し，顔面全体や顔面各部位の動きを確認する。その結果で麻痺の程度を判定する。

B. 原 則

顔面神経麻痺の測定として臨床で用いられることが多い40点法（柳原法）を実施する（図5）。

C. 環境・姿勢

静かな環境で座位姿勢とする。

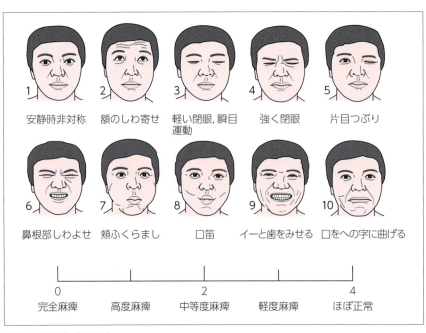

図5　40点法（柳原法）
（柳原尚明：柳原法について．Facial N Res J 24：11-13, 2004. より）

D. 判定基準

　麻痺の程度を知るためには，40点法（図5）の10項目の顔面運動を行い，各項目において，正常にできるものを4点，減弱を2点，消失を0点として40点満点で採点する。10点以上を不全麻痺，8点以下を完全麻痺，あるいは20点以上を軽症，18〜10点を中等症，8点以下を重症とする。中枢性麻痺と末梢性麻痺の鑑別には，額にしわを寄せて，両方の額に左右対称のしわ寄せができるときは中枢性麻痺，麻痺側の額にしかしわ寄せができないとき，またはできても弱いときは末梢性麻痺と診断する。

E. 手順のポイント

1) 挨拶・自己紹介を行い，2つの識別子で患者の確認を行う
・患者とのラポール（信頼関係）形成のため，挨拶，自己紹介を行う。
・患者の取り違えを防止するため，氏名に加え生年月日もしくはIDなど，2つの識別子で確認する。

2) 顔面神経麻痺の検査を行う旨を患者に伝え了承を得る

3) 患者と向かい合い，指示した運動ができているかを確認しやすい位置に座る
・左右の動きが確認しやすい正面が望ましい。

4) 顔面神経麻痺の検査を実施する
・10項目の顔面運動を指示し，項目ごとに採点する。

5) 測定結果を記録・考察し，患者に伝える
・顔面神経麻痺の有無，程度などを記録，考察し，その内容を患者に伝える。

6) 患者に終了を伝える

臨床のコツ

◆患者情報を収集し，顔面神経麻痺の有無，程度を確認，問診にて状態を情報収集し，検査を実施する。

◆顔貌が左右対称的であるかどうかを確認する。

◆検査時に患者の検査に対する理解，協力が得られないと正確な麻痺の程度が測定できない。

◆健常者でも顔貌は多少左右非対称を示すため，軽度の変化を軽率に麻痺と判定しない方がよい。

◆顔面神経麻痺を呈すると，食事のときは口唇から食事がこぼれたり，うがいのときに口に含んだ水が漏れてしまったりする。また，眼瞼の開閉が困難なこともある。

◆全く異常がないようにみえても，話をしていると，笑う時の口元の様子，口角の動きの左右差が認められる場合もある。

◆顔面神経麻痺による自身の表情変化によって患者は心理的苦痛を被っていることが多いため，配慮が必要な場合がある。

OSCE課題　視野検査

対応動画

設問
　脳梗塞により左（もしくは右）片麻痺を呈した患者です。この患者の視野検査を行ってください。検査の際は，方法を口頭で採点者に説明しながら進めてください。制限時間は5分です。では，始めてください。

準備するもの
　椅子（2脚）

患者情報

疾患・障害	脳梗塞，片麻痺	深部覚	正常
年齢・性別	不問	ROM	制限なし
障害側	左もしくは右	座位	自立
発症後期間	1カ月	理解	良好
BRS	上肢：Ⅵ　手指：Ⅵ　下肢：Ⅵ	表出	良好
筋緊張	正常	視野障害	事例1：左（または右）の同名性半盲 事例2：左上1/4（または右上1/4）の同名性半盲 事例3：左下1/4（または右下1/4）の同名性半盲
疼痛	なし		
表在覚	正常		

課題の目標

態度
1. 視野検査に備えた心がけができる（清潔かつ安全な身なり）。
2. 患者に視野検査を行う旨を説明し，了承を得ることができる。
3. 患者に不快な思いをさせない（話し方，表情，振る舞い）。

技能
1. 患者の安全に配慮しながら進めることができる。
2. 視野検査を適切な手順および方法で行うことができる。
3. わかりやすく簡潔に結果を伝えることができる。

手　順

1. 挨拶・自己紹介を行い，2 つの識別子で患者の確認を行う。
2. 視野検査を行う旨を患者に伝え了承を得る。
3. 受験者は患者を検査できる適切な位置に座る。
   - 患者と受験者の眼の高さを合わせる。
   - 患者の眼と受験者の眼との間隔は約 80 cm とする。
4. 検査方法や回答の仕方をデモンストレーションを交えて説明する。
5. 患者に片方の眼を自身の手で覆ってもらう。
   - 視覚遮断されているか確認し，必要に応じて修正する。
6. 開眼している側の眼で，受験者と向かい合った側の眼を見てもらう。
   - 目が動いていないか確認し，必要に応じて修正する。
7. 受験者の示指を垂直に立て，指の位置は患者と受験者の間の中央に設定する。
8. 自分の視野を基準に，検査に必要な視野の範囲を決定する。
   - 患者の開眼している側と同側の眼を閉じ，検査に必要な視野の範囲を決定する。
9. 視野の左上端-右下端に置いた指をランダムに動かし，左右どちらの指が動いたかを指摘させる。
   - 左右どちらかが指摘できない場合は，視野の周辺部より指を中心に向け直線的に動かし，どこで見えるようになったかを確認する。
   - 眼が動いたときは，必要に応じて修正する。
10. 次に左下端-右上端に指を置き，同様に評価する。
11. 反対側の視野も同様に検査する。
12. 患者に検査結果を伝える。
   - 検査結果と ADL に与える影響について説明する。
13. 患者に終了を伝える。

採点基準

採点者は模擬患者に受験者の言動の適否を適宜確認して，以下の項目を採点してください。

1. 態度

①適切な身なりで明瞭な挨拶（開始時・終了時）・自己紹介ができる。	2点 1点 0点	適切な身なり，明瞭な挨拶（開始時・終了時）・自己紹介ができる 上記のうち1項目ができない 2項目以上できない
②2つの識別子で患者の確認ができる。	2点 1点 0点	2つの識別子で患者の確認ができる 1つの識別子で確認ができる 確認ができない
③視野検査を行う旨を患者に伝え，了承を得ることができる。	2点 1点 0点	視野検査を行う旨を正確に伝え，患者の了承を得ることができる どちらか一方のみできる どちらもできない
④課題全般を通して，患者の様子（表情・心情・姿勢・身体機能）や状況に応じた丁寧な対処（声かけ・触れ方・動かし方）ができる。	2点 1点 0点	課題全般を通して，患者の様子や状況に応じた丁寧な声かけ，触れ方，動かし方ができる 上記3項目のうち1項目ができない 2項目以上できない

2. 技能

①患者の正面に座り，互いの眼の高さを合わせることができる。	2点 1点 0点	患者の正面に座り，互いの眼の高さを合わせることができる どちらか一方のみできる どちらもできない
②患者と受験者の眼の間隔を80cmにすることができる。	2点 1点 0点	患者と受験者の眼の間隔を80cmにすることができる 一側のみできる 両側ともできない
③視野検査についてデモンストレーションを交えて説明を行うことができる。	2点 1点 0点	患者にデモンストレーションを交えてわかりやすく説明できる 説明するが，わかりにくい 説明できない
④両側とも患者に片方の眼を自身の手で覆うよう指示し，視覚遮断されているか確認し，必要に応じて修正できる。	2点 1点 0点 0点	両側とも患者に片方の眼を自身の手で覆うよう指示し，視覚遮断されているか確認し，必要に応じて修正できる 一側のみできる 両側とも不十分 両側ともできない
⑤両側とも開眼している側の眼で受験者と向かい合った眼を見てもらうよう指示し，眼が動いていないか確認し，必要に応じて修正できる。	2点 1点 0点	両側とも開眼している側の眼で受験者と向かい合った眼を見てもらうよう指示し，眼が動いていないか確認し，必要に応じて修正できる 一側のみできる 両側ともできない
⑥自分の視野を基準に，検査に必要な視野の範囲を決定することができる。	2点 1点 0点	両側とも自分の視野を基準に検査に必要な視野の範囲を決定することができる 一側のみできる 両側ともできない
⑦受験者は両側の指を垂直に立て，適切な位置（左上端-右下端，左下端-右上端）に広げることができる。	2点 1点 0点	両側の指を垂直に立て，適切な位置に広げることができる 一側のみできる 両側ともできない

⑧患者と受験者の中央に受験者の指を設定できる。	2点 1点 0点	患者と受験者の中央に受験者の指を設定できる 一側のみできる どちらもできない
⑨両側とも受験者の指をランダムに動かし，左右どちらの指が動いたかを回答させることができる。	2点 1点 0点	両側ともランダムに指を動かし，左右を回答させることができる 一側のみできる 両側ともできない
⑩検査から視野範囲を正しく判定できる。	2点 1点 0点	両側とも正しく視野範囲を判定できる 一側のみできる 両側ともできない
⑪患者に検査結果とADLに与える影響について伝えることができる。	2点 1点 0点	患者に検査結果とADLに与える影響について伝えることができる どちらか一方のみできる どちらもできない

OSCE 担当者確認事項

採点者と模擬患者

・あらかじめ事例の設定を決めておく。

模擬患者

・課題開始時は椅子座位で待機する（図6）。検査に適した座位姿勢とする。
・模擬患者の側方に受験者用の椅子を配置する。
・手で眼を覆う視覚遮断が不十分な場合，指摘されたら修正可能な設定とする。
・検査の前半に，一度目を逸らす設定とする。

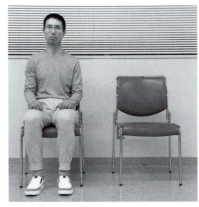

図6　模擬患者の開始姿勢

参考文献

1) J.G. Chusid, J.J. McDonald（山根至二 訳）：臨床神経学入門．金芳堂，1965．
2) 松澤 正：理学療法評価学 改訂第3版．p190-198，金原出版，2011．
3) 田崎義昭，斎藤佳雄：ベッドサイドの神経の診かた 改訂18版．p105-126, 197-235, 318，南山堂，2010．
4) 岡庭 豊：病気がみえる7 脳・神経．p212-245，メディックメディア，2011．
5) 柳原尚明：顔面神経麻痺評価法40点法，柳原法について．Facial N Res J 24：11-13, 2004．
6) 能登真一，山口 昇，玉垣 努 他，編：標準作業療法学．作業療法評価学 第3版．p171, 178，医学書院，2017．

13 脳卒中の麻痺側運動機能の評価

1 脳卒中の機能障害と評価法

　脳卒中は，病巣の大きさ，障害部位に応じて多様な機能障害を呈する。主な機能障害には，運動麻痺，意識・注意障害，感覚障害，疼痛，非麻痺側の筋力低下，高次脳機能障害（失語，半側空間無視など），構音障害，摂食嚥下障害がある。
　これらの機能障害に対する代表的な評価法を紹介する。

A. Brunnstrom Recovery Stage（BRS）

　BRSは，1966年に理学療法士Brunnstromによって開発された中枢神経麻痺の評価法であり，運動パターンを6段階で評価する（詳細は後述）。また，BRSをベースに評点を12段階化して感度を高めた上田の12段階式片麻痺機能テストもある[1]。

B. Stroke Impairment Assessment Set（SIAS）

　SIASは，脳卒中の機能障害を定量化するために，わが国で開発された総合的評価法である[2]。SIASは，車椅子に座った患者を1人で簡便に評価できるよう，すべての評価は座位で行うように設定されている。具体的には，9種類の機能障害（麻痺側運動機能，感覚機能，筋緊張，体幹機能，関節可動域，非麻痺側運動機能，言語機能，視空間認知，疼痛）に分類された22項目からなり，各項目は3点あるいは5点満点で評価する（図1，表1[3]）。また，多数の課題で評価する多項目評価（multi-task assessment）ではなく，1つの課題で評価する一項目評価（single-task assessment）で構成されている。麻痺側運動機能の評価は後述する。

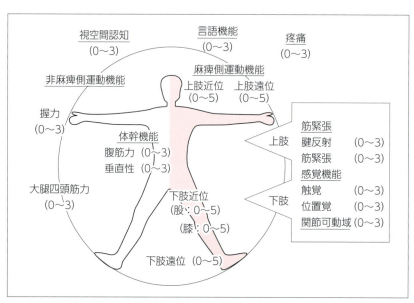

図1　SIASの概要
（千野直一，椿原彰夫，園田　茂，他 編著：脳卒中の機能評価—SIASとFIM［基礎編］．p40，金原出版，2012．より）

表1 SIAS チャート

氏名　　　　　　　　　　　　検査日　　年　　月　　日　　　　検者
（右・左）麻痺

	上肢	下肢			
膝・口テスト			0：まったく動かず 課題可能でぎこちなさが 3：中等著明 4：軽度　5：なし	疼痛	0：睡眠を妨げる 2：加療を要しない程度
手指テスト			1A：わずかな集団屈曲 1B：集団伸展 1C：分離一部 2：分離可能屈伸不十分	腹筋力	45°傾斜 0：起きられない 2：軽い抵抗 3：強い抵抗でも
股屈曲テスト			2：足部が床から離れる	垂直性	0：座位不可 2：指示にて垂直
膝伸展テスト			2：足部が床から離れる	視認空間認知 （1回目）　　cm	2回測定 患者の左側を基準として，実測値を記載
足パット・テスト				視認空間認知 （2回目）　　cm	2回のうち中央からのずれが大きい方でスコアリング
深部腱反射			0：sustained clonus 1A：中等亢進　1B：減弱 2：軽度亢進 3：正常	視空間認知 スコア	15cm　5cm 2cm 0　1　2 3
筋緊張			0：著明亢進 1A：中等亢進　1B：低下 2：軽度亢進 3：正常	言語機能	0：全失語 1A：重度感覚（混合） 1B：重度運動 2：軽度
触覚			0：脱失 1：中等 2：軽度 3：正常	非麻痺側 大腿四頭筋力	0：重力に抗せず 1：中等筋力低下 　（MMT4程度まで） 2：軽度低下 3：正常
位置覚			0：動き不明 1：方向不明 3：わずかな動きでも可	非麻痺側握力 　　　　kg	座位，肘伸展位
関節可動域 （肩 / 足）	°	°	3 150° 2 90° 0 60°	麻痺側握力 スコア	25kg 10kg 2 3 3kg 1 0kg
関節可動域スコア （肩 / 足）			10° 21 10° 3 0	麻痺側握力 　　　　kg	参考 （SIAS項目でない）

（千野直一, 椿原彰夫, 園田　茂, 他 編著：脳卒中の機能評価― SIAS と FIM ［基礎編］. p144, 金原出版, 2012.
より）

C. Fugl-Meyer Assessment（FMA）

　FMA は，上肢運動機能，下肢運動機能，バランス，感覚，関節可動域，疼痛の項目からなる脳卒中の総合評価法である。FMA は検査者間信頼性も高く，機能回復を細かく評価できるため，世界的に汎用されている。

D. National Institute of Health Stroke Scale（NIHSS）

　NIHSS は 15 項目からなり，意識水準，意識障害（質問と従命），最良の注視，視野，顔面麻痺，上肢の運動，下肢の運動，運動失調，感覚，最良の言語（失語），構音障害，消去現象と注意障害（無視）を

評価する。項目によって評価値は異なり，0〜2点，0〜3点，0〜4点で評価値としては0〜42点で，各項目とも点数が高いほど重症度が高くなる。NIHSSは，発症早期の評価に適している。

E. 脳卒中重症度スケール（Japan Stroke Scale：JSS）

JSSは，意識，言語，無視，視野欠損または半盲，眼球運動障害，瞳孔異常，顔面麻痺，足底反射，感覚系，運動系について3段階（A，B，C）で評価し，重みづけされた数値が割り振られている。急性期の評価を目的としているため，意識障害の評価の占める割合が高いという特徴がある。

以上のように，BRSを除いた各評価法は，総合的に機能障害を評価するため多種の項目が設けられており，その項目は各評価法によって異なる特徴がある。

本項では，脳卒中患者の機能障害の中で出現頻度の高い運動麻痺の評価について，わが国で汎用されているBRSとSIASの麻痺側運動機能の評価方法を取り上げて解説する。なお，本項では「麻痺側運動機能の評価」は，「運動麻痺の評価」と同義とする。

2 脳卒中の運動麻痺

脳卒中による運動麻痺では，連合反応や共同運動，原始反射などの特有の運動パターンや原始的な反射が出現する。後遺症で多くみられる運動麻痺は，錐体路損傷に伴う片麻痺であるが，再発や損傷部位によっては四肢麻痺を呈することもある。運動麻痺は急性期から回復期にかけ回復するが，残存することも少なくない。一般的に発症後早期の麻痺は弛緩性を呈し，時間経過とともに次第に筋緊張や深部腱反射が亢進し，痙性麻痺に移行することが多い[1]（図2）。痙性麻痺で生じる特異的な筋緊張亢進は痙縮と呼ばれ，他動的に運動させると運動初期に強い抵抗を呈するが，徐々に抵抗が弱くなる折りたたみナイフ現象を認める。一方，固縮は大脳基底核障害で認める鉛管様または歯車様の筋緊張であり，痙縮とは区別される。

A. 連合反応

連合反応とは，身体の一部に運動が生じた際に，運動した身体部位とほぼ対称的な部位に収縮が生じる反応である[1]（表2）。上肢では対称性，下肢では内外転方向は対称性，屈伸方向は相反性を呈するこ

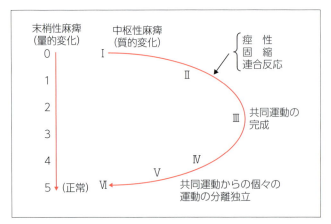

図2　末梢性麻痺と中枢性麻痺の回復過程の差
末梢性麻痺の回復が筋力0から5（正常）への量的変化にすぎないのに対し，中枢性麻痺の回復は，完全麻痺（StageⅠ）から始まって，回復初期には質的に異常な現象が出現して（Ⅱ），それが頂点に達し（Ⅲ），やがて次第にそれが弱まって（Ⅳ，Ⅴ），質的に正常な状態に戻る（Ⅵ，ほぼ完全な回復），質的変化である。
（上田 敏（福井圀彦 編著）：リハビリテーション医学全書14 脳卒中・その他の片麻痺　第2版．p74-105，医歯薬出版，1994.より）

表2 連合反応

1. 対側性連合反応 (contralateral associated reactions)
A. 上肢（対称性）＊ 　　健肢の屈曲→患肢の屈曲 　　健肢の伸展→患肢の伸展
B. 下肢 　ⅰ. 内外転・内外旋については対称性 　　（Raimiste の反応） 　　健肢の内転→患肢の内転（と内旋） 　　健肢の外転→患肢の外転（と外旋） 　ⅱ. 屈伸に関しては相反性＊ 　　健肢の屈曲→患肢の伸展 　　健肢の伸展→患肢の屈曲
2. 同側性連合反応 (homolateral associated reactions)
主に同種＊ 　　上肢の屈曲→下肢の屈曲 　　下肢の伸展→上肢の伸展，など

＊例外も決して少なくない。
（上田 敏（福井圀彦 編著）：リハビリテーション医学全書 14 脳卒中・その他の片麻痺　第 2 版. p74-105, 医歯薬出版, 1994. より）

表3 基本的共同運動パターン

a：上肢

	屈筋共同運動	伸筋共同運動
肩甲帯	挙上と後退	前方突出
肩関節	屈曲・外転・外旋	伸展・内転・内旋
肘関節	屈曲	伸展
前　腕	回外	回内
手関節＊	（掌屈）	（背屈）
手　指＊	（屈曲）	（伸展）

＊手関節と手指のパターンは，個人差が大きい。

b：下肢

	屈筋共同運動	伸筋共同運動
股関節	屈曲・外転・外旋	伸展・内転・内旋
膝関節	屈曲	伸展
足関節	背屈・内反＊	底屈・内反＊
足　指	伸展（背屈）	屈曲（底屈 clawing＊＊）

＊内反はどちらのパターンでも起こる。
＊＊母指はしばしば背屈することがある。

（上田 敏（福井圀彦 編著）：リハビリテーション医学全書 14 脳卒中・その他の片麻痺 第 2 版. p74-105, 医歯薬出版, 1994. より）

とが多い。顔面筋は上肢に連合反応を起こすが，頸部や体幹筋でも生じる。

B. 共同運動

　共同運動とは，ある運動を行うと，その主動筋以外に共同筋も同時に収縮してしまう現象である。基本的な共同運動パターンは，上下肢とも屈曲パターンと伸展パターンからなるが，屈伸-内外転-内外旋などの運動が複合されることが多い[1]（表3）。また，体軸に対し，斜めに回旋しながら動くパターンを呈することが多いことから，diagonal spiral pattern（対角性・回旋性パターン）とも呼ばれる。

C. 姿勢反射

1）対称性緊張性頸反射

　頸部の前屈により両側上肢の屈曲と下肢の伸展が生じ，頸部の後屈により上肢の伸展，下肢の屈曲が生じる。

2）非対称性緊張性頸反射

　頸部の捻転によって，捻転側の上下肢の伸展と対側の上下肢の屈曲が生じる。

3）緊張性迷路反射

　背臥位で上下肢の伸筋優位，腹臥位で屈筋優位となる。

D. 陽性/陰性支持反射

陽性支持反射とは，足底を床につけて下肢に体重を負荷することによって，反射的・持続的に下肢に伸展が生じる現象である。陰性支持反射とは，足底が床につくと膝・足関節が屈曲し，足底が床から離れてしまう現象である。麻痺が重度の場合に認められることが多く，立位・歩行障害の原因となる。

3 BRS

BRSとは，片麻痺の運動機能回復の過程を連合反応，共同運動の分離の程度に応じて示したものである。上肢，手指，下肢にそれぞれの回復過程をStage Ⅰ〜Ⅵに分け，基準を定めている[3]。

A. 目的ならびに原則

検査の目的は，脳卒中により出現する運動麻痺を評価するものであり，運動麻痺が出現していなければ使用しない。Stage Ⅵは特定の動作（分離運動）の完成度により判定するため，正常を意味するものではない[4]。

B. 環境・肢位および注意すべき点

検査に集中できる場所が理想とされる。座位の検査では姿勢が崩れないように，両足底が床につく高さで背もたれのある椅子や，硬いベッドの使用が望ましい。また，立位の検査では，手すりやベッド柵などを利用して，転倒を予防する。

C. 判定基準[5~7]

1) 上肢

Stage Ⅰ：弛緩性，随意運動なし。
Stage Ⅱ：上肢の連合反応もしくはわずかな随意運動が可能。
Stage Ⅲ：上肢の運動が随意的に行われ，はっきりとした関節運動を示す。
Stage Ⅳ：腰の後ろに手を持っていくことが可能。
　　　　　前方水平位に挙上する（肘は完全に伸展）。
　　　　　肘を90°屈曲位で身体につけ前腕の回内・回外が可能。
Stage Ⅴ：横水平位に腕の挙上が可能（肘伸展位）。
　　　　　前方頭上に腕の挙上が可能（肘伸展位）。
　　　　　肘伸展位で前腕回内・回外が可能。
Stage Ⅵ：非麻痺側と同じように運動ができる。

2) 手指

Stage Ⅰ：弛緩性，随意運動なし。
Stage Ⅱ：随意運動が全くないかわずかに可能。
Stage Ⅲ：全指同時握り，鉤形握りで握ることはできるが，離すことができない，随意的な手指伸展不能，反射による伸展は可能。
Stage Ⅳ：横つまみと母指を動かして離すことは可能，わずかな範囲で手指伸展の随意運動は可能。
Stage Ⅴ：対向つまみ，筒握り，球握りができる（動きは不器用で，機能的な使用は制限される）。随意的な手指伸展は可能だが，範囲は一定しない。
Stage Ⅵ：すべての握りが可能になり，巧緻性も改善し全可動域の手指伸展が可能。
　　　　　個別の手指運動は，非麻痺側に比して正確さは劣るけれども可能である。

3) 下肢

Stage Ⅰ：弛緩性，随意運動なし。
Stage Ⅱ：下肢のわずかな随意運動可能（反射や連合運動でもよい）。

Stage Ⅲ：座位，立位での股・膝・足の同時屈曲。

Stage Ⅳ：座位で膝屈曲 90°以上屈曲して，足を床の後方へ滑らす。
座位で踵を床から離さずに随意的に足背屈可能。

Stage Ⅴ：立位で股伸展位またはそれに近い肢位で膝屈曲の分離運動が可能，立位で患肢を少し前に
踏み出して膝伸展位で足関節背屈の分離運動が可能。

Stage Ⅵ：立位での股関節外転が骨盤挙上による範囲を超えて可能，座位で内側および外側ハムスト
リングスの交互運動による，下腿の内・外旋が足の内・外反を伴って可能。

注）課題の完成度は動作の可・不可に加え，動作の質をみて回復の程度を判断する。全関節可動域を 4
分割とし，0/4〜4/4 の区分で判定する。

D. 正確性に影響する因子

BRS は，中枢性麻痺の回復段階のみをみるために作成された評価であり，量的側面は記述することが
できない。したがって，同じ麻痺の Stage であっても筋力増強の効果によって回復を認めることがある。
また，不安定な測定姿勢は，痙性を亢進させることがあり，検査結果に影響を与える。

E. BRS の手順のポイント

Brunnstrom による原著[4] では，運動評価よりも先に麻痺肢の運動を認知する能力や，手の触覚，足
底の圧覚を識別する能力など感覚評価を行うことが紹介されているが，本項では臨床で汎用されている
Stage 判別テストのみ紹介する。

1) 挨拶・自己紹介を行い，2 つの識別子で患者の確認を行う

・患者とのラポール（信頼関係）形成のため，挨拶，自己紹介を行う。

・患者の取り違えを防止するため，氏名に加え生年月日もしくは ID など，2 つの識別子で確認する。

2) 上肢，手指，下肢機能障害の検査（BRS）を行う旨を患者に伝え了承を得る

3) 患者を適切な測定姿勢にする

・まず座位姿勢で実施する。

・不安定な座位姿勢は痙性を亢進させることがあるため，足底を全面接地させ，骨盤直立位の安定した
座位姿勢にする。

・立位検査では，手すりやベッド柵などを把持させ，転倒に注意する。

4) 測定部位の状態を確認する

・上肢，手指，下肢の他動運動を行い，可動域，疼痛と拘縮の有無，筋緊張の状態を確認する。

5) 患者に Stage テストの課題を説明する

・療法士は患者に関節の動かし方をデモンストレーションを交えてわかりやすく説明する。

6) Stage テストを実施する

・Stage Ⅲ以上は，代償運動が出現した場合，代償運動を出現させないよう指示し再度テストを行う。

7) 患者に検査結果を伝える

・検査結果から麻痺の程度を患者にわかりやすく伝える。

8) 患者に終了を伝える

9) 採点者に課題の完成度を報告する

・動作の可・不可に加え，分離の程度を伝える。

臨床のコツ

◆最初に Stage Ⅲのテストを実施して随意性の有無を確認すると，Stage の見当がつけやすい。
随意性があれば Stage はⅢ以上となり，随意性が出現しなければ連合反応の有無を判定する。連合反応
の検査は，非麻痺側に負荷する抵抗により，麻痺側に反射性の反応が出現するかどうかで判定する。連
合反応が出現すれば Stage Ⅱ，出現しなければ Stage Ⅰとなる。

4 SIASの麻痺側運動機能の評価[2,3] (表1)

SIASの麻痺側運動機能の評価は，上肢は近位と遠位の2項目，下肢は近位（股関節，膝関節），遠位の3項目の計5項目からなる。基本的には0～5点の6段階（上肢遠位のみ1点をさらに3段階に分類する）で判定し，点数が低いほど麻痺が重症であることを意味し，各項目で基準を定めている。

A. 目的ならびに原則

SAISの目的は，麻痺側の運動機能だけでなく，筋緊張，感覚機能，関節可動域，疼痛，体幹機能，視空間認知，言語機能，非麻痺側機能など多面的に脳卒中患者を評価することである。また，1項目を1つのテストで評価する。

B. 環境・肢位および注意すべき点

検査に集中できる場所が理想とされるが，ベッドサイド，リハビリテーション室などどこでも実施可能である。車椅子座位でも実施でき，体位を変える必要がない。いずれの項目も3回程度繰り返し行うことで正確に評価することができる。

C. 判定基準

1) 上肢近位テスト：膝・口テスト (Knee-Mouth Test)（図3）

座位で麻痺側の手部を対側膝（大腿）上より挙上し，手部を口まで運ばせる。この際，肩は90°まで外転させ，それを膝上に戻させる。

この課題が遂行可能であれば3点，非麻痺側と同様にスムーズに課題を遂行できた場合は5点とし，軽度のぎこちなさを認めた場合は4点とする。手が口まで届かない場合，手が乳頭の位置に届いていれば2点，届かない場合は1点とし，上腕二頭筋に収縮を認めない場合は0点とする。

なお，肩関節や肘関節に拘縮が存在する場合は，可動域内の運動をもって課題遂行可能と判断する。

2) 上肢遠位テスト：手指テスト (Finger-Function Test)（図4）

手指の分離運動を，母指から小指の順に屈曲，小指から母指の順に伸展させる。

全指の分離運動が十分な屈曲伸展を伴って可能であれば3点，正常の協調性をもって遂行できた場合は5点と評価し，軽度のぎこちなさを認めた場合は4点とする。全指の分離運動が可能だが屈曲伸展運動が不十分な場合は2点とする。集団屈曲や集団伸展などのわずかな動きが可能な場合は1点とし，集団屈曲のみ可能な場合は1A，集団伸展が可能なら1B，ごくわずかな分離運動が可能なら1Cと評価する。随意収縮が認められない場合は0点とする。

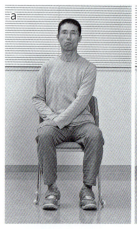
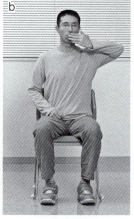

図3　膝・口テスト

図4　手指テスト

3）下肢近位テスト：股屈曲テスト（Hip-Flexion Test）（図5）

座位にて股関節を90°より最大屈曲させる。

非麻痺側と同様の筋力で，協調的に屈曲できれば5点，足部が床から十分離れるまで股関節を屈曲できれば3点，軽度のぎこちなさを認めた場合は4点とする。足部がかろうじて床から離れる程度の場合は2点，屈曲運動は可能であるが足部が床から離れない場合は1点，随意収縮を認めない場合は0点とする。

なお，必要ならば座位保持のための介助をしても構わない。

4）下肢近位テスト：膝伸展テスト（Knee-Extension Test）（図6）

座位にて膝関節を90°屈曲位から十分（−10°程度まで）伸展させる。

非麻痺側と同様に力強く繰り返し遂行できる場合は5点，膝関節を重力に抗して十分伸展できるが，中等度あるいは，著明なぎこちなさを伴う場合は3点，軽度のぎこちなさを伴う場合は4点とする。膝関節の伸展筋に収縮があり，足部は床より離れるが，十分に膝関節を伸展できない場合は2点，足部が床から離れない場合は1点，随意収縮を認めない場合は0点とする。

なお，必要ならば座位保持のための介助をしても構わない。

5）下肢遠位テスト：足パット・テスト（Foot Pat Test）（図7）

座位または臥位にて，踵部を床につけたまま，足関節の背屈・底屈をできるだけ速く3回繰り返させる。

足関節の背屈ができ，前足部が十分床から離れれば3点，正常な筋力と協調性があれば5点，軽度の

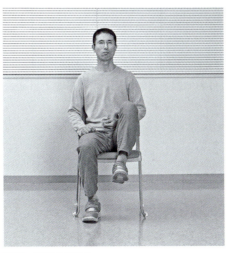

図5　股屈曲テスト

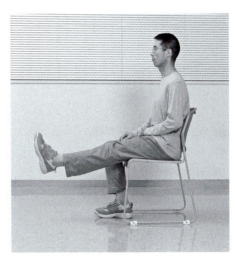

図6　膝伸展テスト

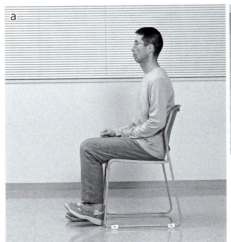

図7　足パット・テスト

ぎこちなさを認めた場合は4点とする．随意収縮があるが，運動が出現しない場合は1点，随意収縮を認めない場合は0点とする．4点と2点は，上下の得点の機能の間に割り当てる．

D. 正確性に影響する因子

非麻痺側で実施することで検査内容を正確に理解できるため，非麻痺側，麻痺側の順で行う．

E. SIAS（麻痺側運動機能の評価）の手順のポイント

1）挨拶・自己紹介を行い，2つの識別子で患者の確認を行う
・患者とのラポール（信頼関係）形成のため，挨拶，自己紹介を行う．
・患者の取り違いを防止するため，氏名に加え生年月日もしくはIDなど，2つの識別子で確認する．

2）上肢・手指・下肢機能障害の検査（SIAS）を行う旨を患者に伝え了承を得る

3）座位姿勢を確認し（図8），必要に応じて姿勢を修正する
・足底を全面接地させ，骨盤直立位の安定した座位姿勢にする．体幹後傾の代償運動を抑制できるように，椅子は背もたれのあるものが望ましい．
・Chinoらによる原著[2]では，手指テストは姿勢の指定がなく，足パット・テストは背臥位でも可としているが，座位保持が可能な患者にはすべてのテストを一括して実施するため，本項のOSCE課題では座位姿勢を指定している．

4）測定部位の状態を確認する
・上肢，手指，下肢の他動運動を行い，可動域，疼痛と拘縮の有無，筋緊張の状態を確認する．

5）患者にSIASの課題動作を説明する
・療法士は患者に関節の動かし方をデモンストレーションを交えてわかりやすく説明する．

6）SIASのテストを実施する
・テストは非麻痺側で動きを確認したのち，麻痺側を行う．各テストで3回の動作を行わせ判定する．特に下肢のテストでは，体幹の代償運動（図9，10）を出現させないように注意し，必要であれば補助も行う．

7）患者に検査結果を伝える
・検査結果から麻痺の状態を患者にわかりやすく伝える．

8）患者に終了を伝える

9）SIASの判定を行い，採点者に報告する
・麻痺側の動きと，判定結果（点数）を伝える．

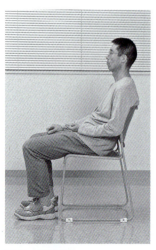

図8　不良姿勢

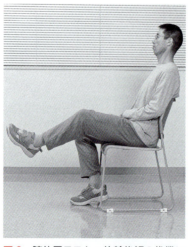

図9　膝伸展テスト：体幹後傾の代償による膝伸展

図10　足パット・テスト：足部内反を伴った背屈

> **臨床のコツ**
> ◆バランス不良などの理由で患者が座位をとれない場合，椅子の背にもたれ安定した状態で評価を進める。
> ◆SIASの麻痺側運動機能の評価は，痙縮などの原因によって筋の伸張が困難な場合，低く判定される。
> したがって，テストの前に，各関節の自動・他動運動を行い，筋緊張や関節可動域を確認するとよい。
> また，痙縮を認めた場合，筋を他動的に伸張させてから開始する。

5 BRSとSIASの問題点

　BRSは，中枢神経麻痺の回復段階をみるために作成されたものであり，あくまでも共同運動を中心とした麻痺の一面をみているにすぎないことを意識しなければならない。また，BRSはテスト項目が多く（multi-task assessment），評価が煩雑である，上肢と手指は分けて評価しているのに下肢は単一項目にとどまっている，などの問題点が指摘されている。BRSは，わが国では汎用されているが，検者間信頼性が低い，評価の段階が大まか過ぎるなどの理由で，国際的には汎用されていない現状にある。

　SIASは，これらの問題点をふまえ，MMTによる筋力の概念と共同運動の概念を包括して作成されている。しかしながら，BRSとともにSIASも順序尺度による評価であるため，間隔・比例尺度に比べ，尺度水準が低くなることを理解しておく必要がある。

　これらの問題を解決させるため，近年，3次元動作分析システムを応用させた運動麻痺の評価が注目されている。

OSCE課題　Brunnstrom Recovery Stage (BRS)

対応動画

設問
脳梗塞により左片麻痺を呈した患者です。数日前，BRSのStageは上肢Ⅳ（またはⅤ），手指Ⅳ（またはⅤ），下肢Ⅳ（またはⅤ）と判定されました。この患者に，指示された1項目（上肢または下肢）のStageの再評価を行い（表4），課題の完成度を採点者に説明してください。制限時間は5分です。では，始めてください。

準備するもの
昇降式ベッド，据え置き式の手すり（安定した上肢支持具になるものであれば可）

患者情報

疾患・障害	脳梗塞，片麻痺	深 部 覚	軽度鈍麻
年齢・性別	不問	Ｒ Ｏ Ｍ	制限なし
障 害 側	左	座 位	監視
発症後期間	40日	立 位	監視
筋 緊 張	中等度亢進	歩 行	軽介助
疼 痛	なし	理 解	良好
表 在 覚	軽度鈍麻	表 出	良好

課題の目標
態度
1. BRSによる評価に備えた心がけができる（清潔かつ安全な身なり）。
2. 患者にBRSによる評価を行う旨を説明し，了承を得ることができる。
3. 患者に不快な思いをさせない（話し方，表情，振る舞い）。

技能
1. 患者の安全に配慮しながら進めることができる。
2. BRSによる評価を適切な手順および方法で行うことができる。
3. わかりやすく簡潔な報告ができる。

表4　テスト課題

	上肢	下肢
Stage Ⅳ	①腰の後ろに手をもっていく（図11） ②肘伸展位で肩屈曲90°（図12） ③肘屈曲90°で前腕回内外（図13）	①（座位）膝を90°以上屈曲して足を床の後方へ滑らす（図17） ②（座位）踵接地での足背屈（図18）
Stage Ⅴ	①肘伸展前腕回内位で肩外転90°（図14） ②肘伸展位で手を頭上まで前方挙上（図15） ③肘伸展肩屈曲90°での前腕回内外（図16）	①（立位）股伸展位での膝屈曲（図19） ②膝伸展位で足を少し前方に踏み出して足背屈（図20）

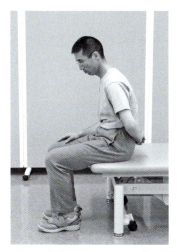
図11 上肢 Stage Ⅳ：腰の後ろに手をもっていく

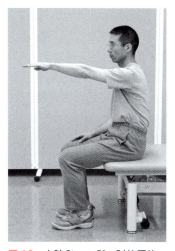
図12 上肢 Stage Ⅳ：肘伸展位・肩屈曲90°

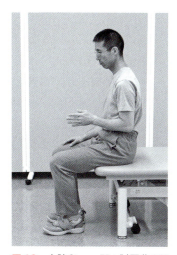
図13 上肢 Stage Ⅳ：肘屈曲90°・前腕回内外

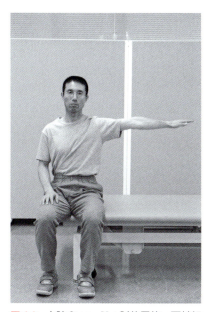
図14 上肢 Stage Ⅴ：肘伸展位・肩外転90°

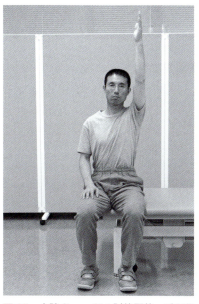
図15 上肢 Stage Ⅴ：肘伸展位・手を頭上まで前方挙上

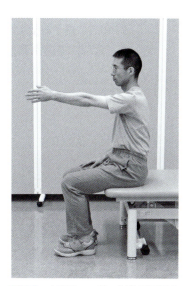
図16 上肢 Stage Ⅴ：肘伸展肩屈曲90°での前腕回内外

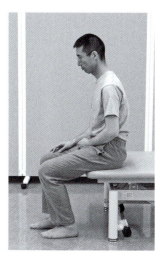
図17 下肢 Stage Ⅳ：膝を90°以上屈曲して足を床の後方へ滑らす

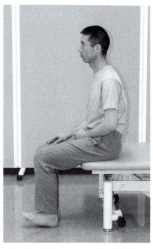
図18 下肢 Stage Ⅳ：踵接地での足背屈

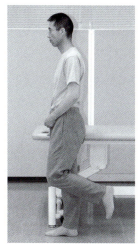
図19 下肢 Stage Ⅴ：股伸展位での膝屈曲

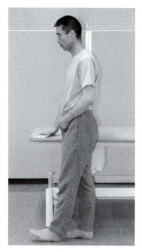
図20 下肢 Stage Ⅴ：膝伸展位で足を少し前方に踏み出しての足背屈

手　順

採点者が指示した Stage のみ再評価を行う。

1. 挨拶・自己紹介を行い，2 つの識別子で患者の確認を行う。

2. 上肢または下肢の機能障害検査（BRS）を行う旨を患者に伝え了承を得る。

3. 座位姿勢を確認し（図 8），必要に応じて座位を修正する。
   ・ベッドの高さは必要ならば調整し，下腿長に合わせて足底を全面接地させ，骨盤直立位の安定した座位姿勢にする。

4. 測定部位の状態を確認する。
   ・他動的に測定部位を動かし，可動域，疼痛と拘縮の有無，痙性の状態を確認する。

5. 患者に Stage テストの課題を説明する。
   ・関節の動かし方をデモンストレーションを交えてわかりやすく説明する。

6. Stage テストを実施する。
   ・代償運動が出現した場合，代償運動を出現させないように指示し再度課題動作を行う。

7. 患者に検査結果を伝える。
   ・検査結果から麻痺の程度を患者にわかりやすく伝える。

8. 患者に終了を伝える。

9. 採点者に課題の完成度を説明する。
   ・動作の可・不可に加え，分離の程度を伝える。

13 脳卒中の麻痺側運動機能の評価　325

採点基準

採点者は模擬患者に受験者の言動の適否を適宜確認して，以下の項目を採点してください。

1. 態度

①適切な身なりで明瞭な挨拶（開始時・終了時）・自己紹介ができる。	2点	適切な身なり，明瞭な挨拶（開始時・終了時）・自己紹介ができる
	1点	上記のうち1項目ができない
	0点	2項目以上できない
②2つの識別子で患者の確認ができる。	2点	2つの識別子で患者の確認ができる
	1点	1つの識別子で確認ができる
	0点	確認ができない
③機能障害（BRS）の検査を行う旨を患者に伝え，了承を得ることができる。	2点	機能障害（BRS）の検査を行う旨を正確に伝え，患者の了承を得ることができる
	1点	どちらか一方のみできる
	0点	どちらもできない
④課題全般を通して，患者の様子（表情・心情・姿勢・身体機能）や状況に応じた丁寧な対処（声かけ・触れ方・動かし方）ができる。	2点	課題全般を通して，患者の様子や状況に応じた丁寧な声かけ，触れ方，動かし方ができる
	1点	上記3項目のうち1項目ができない
	0点	2項目以上できない

2. 技能

①座位姿勢を確認し，足底全面接地，骨盤直立位に修正できる。	2点	座位姿勢を確認し，足底全面接地，骨盤直立位に修正できる
	1点	座位姿勢を確認するが，修正が不十分である
	0点	座位姿勢を修正しない
②他動的に測定部位の状態を確認できる。	2点	他動的にすべての部位を確認できる
	1点	1つの部位を確認しない
	0点	2つ以上の部位を確認しない

【再評価を指示した項目（上肢・下肢）について採点する】＊上肢は3課題（③〜⑤），下肢は2課題（③④）を採点する

③課題動作1についてデモンストレーションを交えてわかりやすく説明し，課題を実施できる。	2点	実施課題1についてデモンストレーションを交えてわかりやすく説明し，課題を正確に実施できる
	1点	どちらか一方のみできる
	0点	どちらもできない
④課題動作2についてデモンストレーションを交えてわかりやすく説明し，課題を実施できる。	2点	実施課題2についてデモンストレーションを交えてわかりやすく説明し，課題を正確に実施できる
	1点	どちらか一方のみできる
	0点	どちらもできない
⑤課題動作3についてデモンストレーションを交えてわかりやすく説明し，課題を実施できる。	2点	実施課題3についてデモンストレーションを交えてわかりやすく説明し，課題を正確に実施できる
	1点	どちらか一方のみできる
	0点	どちらもできない
⑥代償運動が出現したときに動作を止め，代償運動を出現させないよう指示し再度課題動作を行うことができる。	2点	代償運動が出現したときに動作を止め，代償運動を出現させないよう指示し再度課題動作を行うことができる
	1点	代償運動が出現したときに動作を止め，再度課題動作を行うが，代償運動を出現させないよう指示しない
	0点	代償運動が出現したときに動作を止めず，再度課題動作も行わない
⑦患者に検査結果（麻痺の程度）をわかりやすく伝えることができる。	2点	患者に検査結果（麻痺の程度）をわかりやすく伝えることができる
	1点	結果を伝えるがわかりにくい
	0点	結果を伝えることができない
	0点	誤った内容を伝える

326　レベル2

【採点者に報告】		＊上肢は3課題（⑧〜⑩），下肢は2課題（⑧，⑨）を採点する
⑧課題動作1について完成度（動作の可・不可，分離の程度）を正しく判定し，説明できる。	2点 1点 0点	課題動作1について動作の可・不可，分離の程度を正しく判定し，説明できる 正しく判定できるが説明が不十分 判定が誤っている
⑨課題動作2について完成度（動作の可・不可，分離の程度）の判定ができる。	2点 1点 0点	課題動作2について動作の可・不可，分離の程度を正しく判定し，説明できる 正しく判定できるが説明が不十分 判定が誤っている
⑩課題動作3について完成度（動作の可・不可，分離の程度）の判定ができる。	2点 1点 0点	課題動作3について動作の可・不可，分離の程度を正しく判定し，説明できる 正しく判定できるが説明が不十分 判定が誤っている

OSCE担当者確認事項

環境設定
・ベッドの高さは，足底の接地が不十分な状態にする。

採点者と模擬患者
・あらかじめ各課題動作の完成度を決めておく。

模擬患者
・課題開始時は，上下肢の運動を観察しやすい服を着用し，昇降式ベッドに端座位で待機する（図21）。
・各課題動作は，1回目に代償運動が出現し，2回目には運動方向の修正を促されれば代償運動なく，課題動作を行うことができる設定とする。

採点者
・設問呈示の際，測定部位（上肢または下肢），Stage（ⅣまたはⅤ）を明示する。

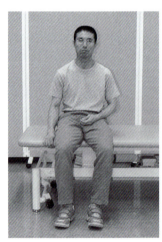

図21　模擬患者の開始姿勢

OSCE課題　SIAS（麻痺側運動機能の評価）

設問
　脳梗塞により左片麻痺を呈した患者です。この患者の麻痺側運動機能について，SIASの5種類のテスト（表5）の中から指定された上下肢各1項目（計2項目）を実施し，結果を採点者に報告してください。制限時間は5分です。では，始めてください。

準備するもの
　背もたれ付き椅子

患者情報

疾患・障害	脳梗塞，片麻痺	深部覚	軽度鈍麻
年齢・性別	不問	ROM	制限なし
障害側	左	座位	監視
発症後期間	1カ月	立位	監視
筋緊張	下腿三頭筋亢進	歩行	軽介助
疼痛	なし	理解	良好
表在覚	軽度鈍麻	表出	良好

課題の目標

態度
1. SIASによる評価に備えた心がけができる（清潔かつ安全な身なり）。
2. 患者にSIASによる評価を行う旨を説明し，了承を得ることができる。
3. 患者に不快な思いをさせない（話し方，表情，振る舞い）。

技能
1. 患者の安全に配慮しながら進めることができる。
2. SIASによる評価を適切な手順および方法で行うことができる。
3. わかりやすく簡潔に結果を伝えることができる。

表5　テスト課題

	上肢	下肢
近位	膝・口テスト	股屈曲テスト
		膝伸展テスト
遠位	手指テスト	足パット・テスト

手　順

1. 挨拶・自己紹介を行い，2つの識別子で患者の確認を行う。

2. 上肢または下肢機能障害の検査（SIAS）を行う旨を患者に伝え了承を得る。

3. 患者を適切な測定姿勢にする。
   ・足底を全面接地させ，骨盤直立位の安定した座位姿勢にする。

4. 測定部位の状態を確認する。
   ・他動的に測定部位を動かし，可動域，疼痛と拘縮の有無，痙性の状態を確認する。

5. 患者に SIAS の課題動作を説明する。
   ・関節の動かし方をデモンストレーションを交えてわかりやすく説明する。

6. SIAS のテストを実施する。
   ・テストは非麻痺側，麻痺側の順で行う。各テストで3回の動作を行わせる。体幹の代償運動が出現した場合，動作を止め代償運動を出現させないよう指示し，再度課題動作を行う。必要であれば代償運動を出現させないよう補助も行う。

7. 患者に検査結果を伝える。
   ・検査結果から麻痺の状態を患者にわかりやすく伝える。

8. 患者に終了を伝える。

9. SIAS の判定を行い，採点者に報告する。
   ・麻痺側の動きと判定結果（点数）を伝える。

13　脳卒中の麻痺側運動機能の評価　329

採点基準

採点者は模擬患者に受験者の言動の適否を適宜確認して，以下の項目を採点してください。

1. 態度

①適切な身なりで明瞭な挨拶（開始時・終了時）・自己紹介ができる	2点	適切な身なり，明瞭な挨拶（開始時・終了時）・自己紹介ができる
	1点	上記のうち1項目ができない
	0点	2項目以上できない
②2つの識別子で患者の確認ができる。	2点	2つの識別子で患者の確認ができる
	1点	1つの識別子で確認ができる
	0点	確認ができない
③上肢または手指，下肢の機能障害の検査を行う旨を患者に伝え，了承を得ることができる。	2点	上肢または手指，下肢の機能障害の検査を行う旨を正確に伝え，患者の了承を得ることができる
	1点	どちらか一方のみできる
	0点	どちらもできない
④課題全般を通して，患者の様子（表情・心情・姿勢・身体機能）や状況に応じた丁寧な対処（声かけ・触れ方・動かし方）ができる。	2点	課題全般を通して，患者の様子や状況に応じた丁寧な声かけ，触れ方，動かし方ができる
	1点	上記3項目のうち1項目ができない
	0点	2項目以上できない

2. 技能

①座位姿勢を確認し，足底全面接地，骨盤直立位に修正できる。	2点	座位姿勢を確認し，足底全面接地，骨盤直立位に修正できる
	1点	座位姿勢を確認するが，修正が不十分である
	0点	座位姿勢を修正しない
②他動的に測定部位の状態を確認できる。	2点	他動的にすべての部位を確認できる
	1点	1つの部位を確認しない
	0点	2つ以上の部位を確認しない
③上肢テストについてデモンストレーションを交えてわかりやすく説明し，課題を実施できる。	2点	上肢テストについてデモンストレーションを交えてわかりやすく説明し，課題を正確に実施できる
	1点	どちらか一方のみできる
	0点	どちらもできない
④下肢テストについてデモンストレーションを交えてわかりやすく説明し，課題を実施できる。	2点	下肢テストについてデモンストレーションを交えてわかりやすく説明し，課題を正確に実施できる
	1点	どちらか一方のみできる
	0点	どちらもできない
⑤上肢テスト・下肢テストとも非麻痺側，麻痺側の順でテストが実施できる。	2点	上肢テスト・下肢テストとも非麻痺側，麻痺側の順でテストが実施できる
	1点	いずれか一方を正しい順で実施できる
	1点	途中で順番の誤りに気づき，正しい順でやり直す
	0点	両方とも麻痺側から実施する
⑥上肢テストの課題動作を両側とも3回程度行わせることができる。	2点	両側とも3回程度実施できる
	1点	一側のみ実施できる
	0点	両側とも実施しない
⑦下肢テストの課題動作を両側とも3回程度行わせることができる。	2点	両側とも3回程度実施できる
	1点	一側のみ実施できる
	0点	両側とも実施しない
⑧上肢テストで代償運動が出現したときに動作を止め，代償運動を出現させないよう指示し再度課題動作を行わせることができる。	2点	代償運動が出現したときに動作を止め，代償運動を出現させないよう指示し再度課題動作を行わせることができる
	1点	代償運動が出現したときに動作を止め，再度課題動作を行わせるが，代償運動を出現させないよう指示しない
	0点	代償運動が出現したときに動作を止めず，再度課題動作も行わせない

⑨下肢テストで代償運動が出現したときに動作を止め，代償運動を出現させないよう指示し再度課題動作を行わせることができる。	2点 代償運動が出現したときに動作を止め，代償運動を出現させないよう指示し再度課題動作を行わせることができる 1点 代償運動が出現したときに動作を止め，再度課題動作を行わせるが，代償運動を出現させないよう指示しない 0点 代償運動が出現したときに動作を止めず，再度課題動作も行わせない
⑩患者に検査結果（麻痺の程度）をわかりやすく伝えることができる。	2点 患者に検査結果（麻痺の程度）をわかりやすく伝えることができる 1点 説明できるがわかりにくい 0点 結果を伝えることができない 0点 誤った内容を伝える
【採点者に報告】	
⑪上肢テストについて正しく判定し，麻痺側の動きを説明できる。	2点 正しく判定し，麻痺側の動きを説明できる 1点 正しく判定できるが，麻痺側の動きの説明が不十分 0点 判定が誤っている
⑫下肢テストについて正しく判定し，麻痺側の動きを説明できる。	2点 正しく判定し，麻痺側の動きを説明できる 1点 正しく判定できるが，麻痺側の動きの説明が不十分 0点 判定が誤っている

OSCE担当者確認事項

採点者と模擬患者
・あらかじめ麻痺側の動きと点数を決めておく。

模擬患者
・課題開始時は上下肢の運動を観察しやすい服を着用し，背もたれ付き椅子に座位で待機する（図22）。骨盤後傾位の座位姿勢とする。
・座位姿勢の修正は自己にて可能な設定とする。
・各課題動作は，1回目に代償運動が出現し，2回目には運動方向の修正を促されれば代償運動なく，課題動作を行うことができる設定とする。

採点者
・設問呈示の際，測定部位（上肢と下肢各1項目）を明示する。

図22 模擬患者の開始姿勢

引用文献
1) 福井圀彦 編著：リハビリテーション医学全書14 脳卒中・その他の片麻痺 第2版．p74-105, 医歯薬出版，1994.
2) Chino N, Sonoda S, Domen K, et al：Stroke Impairment Assessment Set（SIAS）— A new evaluation instrument for stroke patients —. Jpn J Rehabil Med 31：119-125, 1994.
3) 千野直一，椿原彰夫，園田 茂，他 編：脳卒中の機能評価—SIASとFIM［基礎編］．p144, 金原出版，2012.
4) S. Brunnstrom：Movement Therapy in Hemiplegia A Neurophysiological Approach. p35-55, Harper & Row, New York, 1970.
5) 奈良 勲 監，内山 靖 編：理学療法学事典．p678, 医学書院，2006.
6) 米本恭三 他，編：Journal of Clinical Rehabilitation 別冊 リハビリテーションにおける評価 ver.2. p78, 医歯薬出版，2000.
7) 加賀谷 斉，尾崎健一，大塚 圭，他：客観的動作評価法．Medical Rehabilitation No.141：51-54, 2012.

参考文献
1) 上田 敏，福屋靖子，間 得之，他：片麻痺テストの標準化-12段階「片麻痺回復グレード」法．総合リハ 5：749-766, 1977.
2) Fugl-Meyer AR, Jääskö L, Leyman I, et al：The post-stroke hemiplegic patient. 1. a method for evaluation of physical performance. Scand J Rehabil Med 7：13-31, 1975.
3) 内山 靖，小林 武，潮見泰藏 編：臨床評価指標入門—適用と解釈のポイント．協同医書出版社，2003.
4) 脳卒中合同ガイドライン委員会 監：脳卒中治療ガイドライン2015. 協和企画，2015.

14 構音障害のスクリーニング

1 言語とは：構音（speech）言語（language）

　人間は他者との情報伝達を音声もしくは文字を中心としたことば（言語）により行っている。ことばによるコミュニケーションによって，自分の考えや思い，日々の経験などを他者と分かち合うとともに，情報の伝達や知識・文化の継承が可能となる。ことばのうち，思考や概念を言語記号に置き換えることや言語記号を解読して意味を理解することが言語能力（language）である。すなわち，「聞く」「話す」「読む」「書く」すべての面を指す。このうち，「話す」を構成する発声発語器官（呼吸器，喉頭，軟口蓋，舌，顎，口唇）の運動が構音（speech）であり，発話の明瞭度に影響する。

2 構音能力／言語能力のスクリーニング

A. 目　的

　言語によるコミュニケーションの問題は，周囲の人間との情報伝達／交換ができない，意思疎通を欠くなどコミュニケーションの問題にとどまらず，不安，絶望，孤立感につながり，社会生活への適応に大きく支障をきたす場合がある。コミュニケーションの問題が構音能力にあるか言語能力にあるかによりアプローチ方法が異なるため，言語能力のスクリーニングを行う。コミュニケーション内容に問題はみられないが発話が不明瞭であれば，構音障害が疑われるため，発語器官機能，発話明瞭度や発話の異常度などを評価する。その目的はコミュニケーション手段の獲得，患者に最も効果的なアプローチ方法や代替的コミュニケーション手段の導入を検討することにある。一方で，コミュニケーション内容に問題があるが，発話が明瞭であれば，構音障害は否定され，失語症や高次脳機能障害などが疑われるため，言語および高次脳機能障害のスクリーニングを行う。

B. 環　境

　面接は静かでプライバシーが保て，会話が中断されない場所が最適で，一般には個室で行うことが望ましい。専用の個室がない場合，少なくともついたてやカーテンなどで仕切りをすることで注意が逸れず，面接に集中できる環境を整える。また，患者の顔面の左右差が正確に評価できるように療法士の座る位置にも留意する。患者とは対面で，顔面や舌が観察しやすいように比較的近い位置が望ましい。

C. 評　価

1）情報収集

・診断名，合併症，画像診断など医学的情報を得る。また，他職種からの情報や患者の背景となる一般情報をカルテや家族から得る。

2）自由会話

・一般情報の聴取や，障害に対しどの程度の認識をもち理解しているのか，患者の心境や現在の生活状況などを聞き取る。また，その際患者の様子を観察し，会話から聴覚的理解の確認や構音障害の有無を推測する。併せて，これから言語能力，構音能力の評価を行うことを説明し了承を得る。

【観察ポイント】

・姿勢は正しく保たれているか

・顔と視線は何に向けられているか

・身だしなみは整っているか

・どのような表情を浮かべているか

・どのような態度をとっているか

・こちらの質問は正しく理解できているか

・会話のやりとりはスムーズか

【質問内容例】

・ご気分はいかがですか？

・フルネームでお名前を教えてください。

・今の病気でどのようなことに困っていますか？

・今日の日付を教えてください。

・ここはどこですか？

・住所はどちらですか？

・病気の前は1日をどのように過ごしていましたか？

・病気が落ち着いたらどのような生活をしたいと思いますか？

3) 発語器官機能（流涎の有無，口角下垂の有無，口唇運動，舌運動）

・発語器官機能の運動が十分でないと構音が不明瞭となり構音障害を呈することが多い。発語器官のどの部分がどの程度障害されているかにより，構音障害の程度やリハビリテーションを行うポイント，優先順位が変わってくる。構音障害のスクリーニングに発語器官機能の評価は不可欠である。

・流涎・口角下垂の有無：観察より，流涎・口角下垂の有無を確認する。口角下垂を認めると，流涎がみられることがある。常にみられるとは限らないため，患者へ普段の流涎の有無についても尋ねるとよい。

・顎の運動：開口幅，開口時の偏位の有無，偏位側を検査する。開口幅は痛みのない範囲で最大努力を指示して行う。

・口唇運動：突出，横引きの動き，左右差の有無や可動域を検査する。可動域は最大努力を指示して行う。

・舌運動：挺舌，左右，上下への動き，左右差や可動域を検査する。可動域は最大努力を指示して行う。

・軟口蓋運動：「/a:/（あー）」と発声させ，発声時の挙上範囲，左右差，挙上持続を検査する。鼻咽腔閉鎖機能の検査となる。

・発語器官の左右差や可動域のほか，構音には運動の持続力，巧緻性，速度，協調性も大きく影響する。併せて検査することが望ましい。

4) 発声

・声量：声の大きさ（大き過ぎる／小さ過ぎることはないか）を聴覚印象にて評価する。

・声質：嗄声には，粗糙性嗄声（ガラガラ声など雑音が多い声），気息性嗄声（スースーと息漏れする声），無力性嗄声（力のない弱々しい声），努力性嗄声（苦しそうにしぼり出すような声）の4種類がある。それぞれの嗄声がどの程度みられるかを聴覚印象にて評価する。

・一般的に嗄声はGRBAS尺度を用いて評価を行う。

【GRBAS尺度】

G（grade）　　：総合的な嗄声の程度を表す

R（rough）　　：粗糙性嗄声の程度を表す

B（breathy）　：気息性嗄声の程度を表す

A（asthenic）：無力性嗄声の程度を表す

S（strained）：努力性嗄声の程度を表す

それぞれについて0（嗄声なし）～3（重度）の4段階で評価を行う。

例えば，気息性嗄声のみがやや強い場合は「G2R0B2A0S0」と表記する。

・開鼻声の有無：構音時に鼻咽腔閉鎖が不十分で鼻に空気が漏れると開鼻声になる。開鼻声が重度であ

ると，音の歪みが大きく発話明瞭度に影響を与える。開鼻声の有無や程度についても評価を行う。聴覚印象のほか，鼻息鏡を用いて発声時の呼気鼻漏出（呼気が鼻から漏れる程度）も測定する。

・最長発声持続時間（maximum phonation time：MPT）：声帯麻痺や声帯の器質的な問題などにより声門閉鎖が不十分であると発声持続時間は短くなる。十分な発声持続時間が得られないと，発話が途切れるなどの影響がある。呼気量が低下している患者でも発声持続時間は短くなるため，声門閉鎖の問題か呼気量の問題か，その両方が問題なのかを判断するには，呼気持続時間（発声させず呼気のみ長く出し続ける）の評価を行う。

5）構音

・音の誤り：音の誤り方には大きく分けて「置換」「省略」「歪<ひず>み」の３種類ある。どの音がどのような誤り方をするかを聴覚印象にて評価する。「置換」は音が他の音に置き換わることであり，例えばサ行がタ行に置換していると「さかな」が「たかな」となってしまう。「省略」は語音の音素が省略されることであり，例えばラ行の子音部分が省略され「ひとり」が「ひとい」と聴取される。「歪み」は日本語の音として表記できない音に歪むことであり，構音障害には出現しやすい。

・単音，単語，短文，自由会話，どの段階から音の誤りが生じるかの評価を行う。単音の産生から困難であれば単音レベルから練習を行う，といったようにプログラム立案の指標となる。

・発話明瞭度：患者の普段の発話について聴覚印象にて評価を行う。評価は「発話明瞭度1：全てわかる」「発話明瞭度2：時々わからない言葉がある」「発話明瞭度3：内容を知っていればわかる」「発話明瞭度4：時々わかる言葉がある」「発話明瞭度5：全くわからない」の5段階で行う。

・oral diadochokinesis：主に構音の速度，正確性，規則性（リズム）を評価する方法である。患者に「パ」（口唇で産生される音），「タ」（舌尖で産生される音），「カ」（奥舌で産生される音），「パタカ」をできるだけ速く明瞭に構音するよう指示し，5秒間の回数を数える。その後，1秒あたりの回数を計算し，正常値（4〜6回/秒程度）と比べる。

D. 正確性に影響する因子

1）認知機能

指示内容の理解ができないと正確な評価の実施が難しい。

2）口腔内の湿潤

口腔内の汚染や乾燥がみられる場合，発語器官機能の正確な評価が困難となる。

3）姿勢

姿勢を調整する。座位姿勢が崩れていると声量が小さい，努力的な発声になる，など正確な評価が困難となる。

3 手順のポイント

1）挨拶・自己紹介を行い，2つの識別子で患者の確認を行う

・患者とのラポール（信頼関係）形成のため，挨拶，自己紹介を行う。

・患者の取り違えを防止するため，氏名に加え生年月日もしくはIDなど，2つの識別子で確認する。

2）発声発語器官運動と構音能力の評価を行う旨を患者に伝え了承を得る

・発語器官の形態や運動を評価することを説明し，同意を得る。また，結果を記録することにも了承を得てから開始する。話しづらさの自覚の有無を確認する。

3）衛生管理・感染予防を行う

・患者の唾液に触れる可能性があるため，衛生面や感染面を考慮し速乾性擦式手指消毒液で消毒した後，ディスポタイプ手袋を装着する（レベル1「1 標準予防策」参照）。

・使用物品は必ず消毒済みのものを準備する。

4）評価しやすい位置関係をとる

・療法士と患者の座る位置は発語器官の左右差を評価するため対面が望ましく，口唇や舌の動きなどを

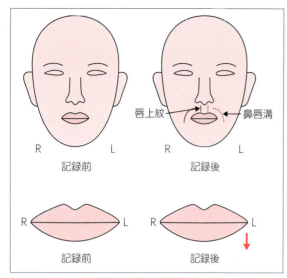

図1　安静時顔面の記録方法

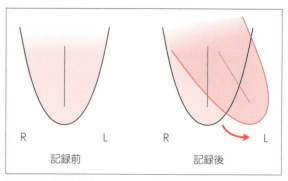

図2　舌の記録方法

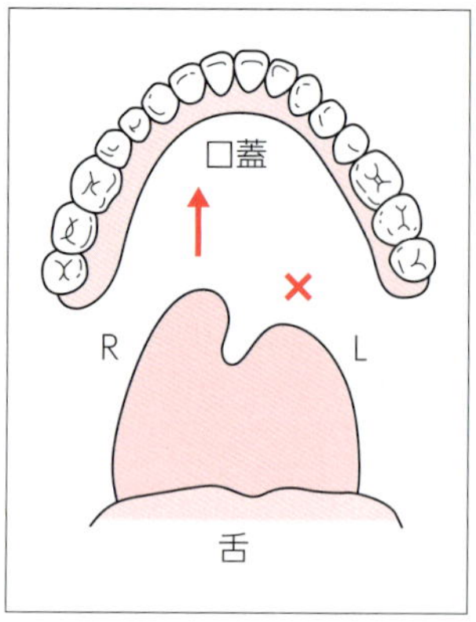

図3　軟口蓋の記録方法

評価するため，患者の顔面に触れられる程度の比較的近い位置に座る。

5) 観察により，流涎，静止時の顔面の左右差や口角下垂の評価を行う

- 「顔と口の状態を見せてください」と声をかけ，安静時の顔面の左右差の有無（唇上紋・鼻唇溝），程度，口角下垂，流涎の有無を観察する。さらに，普段の流涎の有無を確認するために患者へ流涎について質問してもよい。

【安静時顔面の記録方法（左片麻痺の場合）】

　左右差に注目する。左片麻痺の患者の場合は左側の鼻唇溝や唇上紋は右側に比べはっきりしなくなる。図1の上図のようにはっきりと見える場合を実線で，はっきりしない場合を点線で示す。口角も右側に比べ左側で低下する。口角下垂を図1の下図のように矢印で示す。

6) 発語器官の麻痺の有無・麻痺側について検査を行う

- 下顎：開口幅（3横指程度が正常）や開口時の偏位の有無，偏位側を検査する。
- 口唇：突出，横引きの動き，左右差の有無や可動域を検査する。
- 舌：挺舌，左右，上下への動き，左右差や可動域を検査する（挺舌は下唇を越えるのが正常）。
- 軟口蓋：「/a:/（あー）」と発声させ，発声時の挙上範囲，左右差，挙上持続を検査する。
- 軟口蓋を十分に観察できるように舌圧子とペンライトを使用する。
- いずれもデモンストレーションを交えながら，最大可動範囲を検査する。

【舌の記録方法（左片麻痺の場合）】

　挺舌時の偏位に注目する。通常，麻痺側に偏位する。左片麻痺の患者の場合は左へ偏位する。偏位した方向を図2のように記載する。

【軟口蓋の記録方法（左片麻痺の場合）】

　軟口蓋は「/a:/（あー）」と発声させ，発声時の挙上範囲と左右差に注目する。左片麻痺の患者の場合は右側に比べ左側の挙上範囲が低下する。図3のように挙上の有無を矢印↑や×で示し，さらに挙上の程度を矢印の長さで示す。

7) 発声のスクリーニングを実施する

- 最長発声持続時間（MPT）は，「大きく息を吸い，できるだけ長く『あー』と声を出し続けてください」とデモンストレーションを交えながら教示する。患者が実施方法を十分に理解したうえで大きく息を吸い，患者のタイミングで発声し始めてもらう。ストップウォッチを使用して測定する。その際，最大努力が得られるよう励ましを行う。発声持続時間は男性15秒以上，女性10秒以上が正常である。

正しい　　　　　　　　　　　　　　　　　　不適切

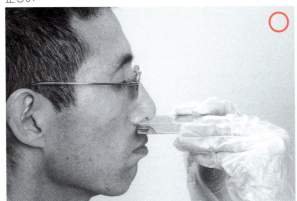 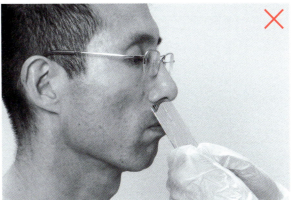

図4　鼻息鏡の使用方法

- また，発声持続や普段の会話における声質についても評価できる。嗄声には粗糙性嗄声（ガラガラ声など雑音が多い声），気息性嗄声（スースーと息漏れする声），無力性嗄声（力のない弱々しい声），努力性嗄声（苦しそうにしぼり出すような声）の4種類がある。

> **臨床のコツ**
> ◆MPTは声が続く最長の長さを測定することが目的のため，大きな声でなくてよい。また，できるだけ声が途切れるまで長く発声し続けられるよう，発声中に患者を励ます。

- 開鼻声の評価は，普段の発話の聴覚印象および鼻漏出の有無や程度にて行う。鼻漏出の測定には鼻息鏡を用いる。発声している間に鼻息鏡を患者の鼻の下に置き，呼気がどの程度鼻から漏れているかを検査する。

【鼻息鏡の使用方法】
使用前後にアルコール綿で清潔にする。図4のように鼻のすぐ下に垂直に軽く当てる。呼吸でも曇ってしまうため，当てるタイミングは患者が発声してからが望ましい。
頭部が伸展する場合は片手で鼻息鏡を持ち，もう片方の手で頭部を支える工夫が必要である。

【鼻漏出の記録方法】
鼻漏出した息によって曇った鼻息鏡のラインの本数を左右それぞれ記載する。
左片麻痺で左側の軟口蓋挙上不全を認める患者の場合は，図5または下記の例のように記載する。
例）/a/: R0×L1　/i/: R1×L2　/u/: R0×L1　/e/: R0×L1　/o/: R0×L1

> **臨床のコツ**
> ◆鼻息鏡は患者が発声を始めてから正しい角度で当てるようにすると正確に評価することができる。
> ◆鼻漏出を正確に読み取るために，鼻息鏡を当てている間（発声中）に曇った部分の目盛を読み取る。

8）構音のスクリーニングを実施する

- 聴覚印象や oral diadochokinesis などを用いて構音障害の有無や程度を評価する。
- oral diadochokinesis「パ（タ，カ，パタカ）」の教示は「できるだけ速くきれいに『パ（タ，カ，パタカ）』と言ってください。私が『やめ』というまで言い続けてください」のように行う。その後，デモンストレーションを交えて，できるだけ速く言う正常なパターンを示す。患者が十分に実施方法を理解したうえで開始する。療法士は5秒間で「パ（タ，カ，パタカ）」が何回言えたかを数える。音の歪みにかかわらず，聴覚的に弁別できたものを1回と数える。その後，1秒間に何回構音できたかを計算する。正常値は4〜6回/秒である。構音の速度，正確性，規則性，声の大きさの変化などを評価する。

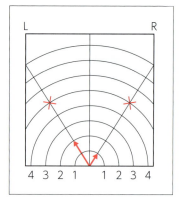

図5 鼻漏出の記録方法
右1度，左2度の漏れの記載例。

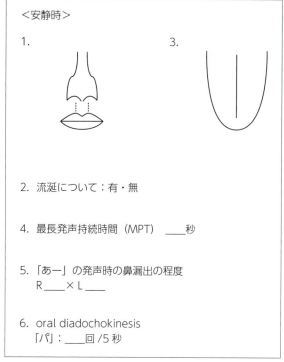

図6 記録用紙の例

【oral diadochokinesis の記録方法】
　「パ（タ，カ）」の数の数え方は患者の発音に合わせて白紙に点を打っていく。5秒の時点で点を打つのをやめ，終了を指示する。後に点の数を数え，「●回/5秒」と表記する。「パタカ」の場合は「パタカ」で1つ点を打つようにする。終了後に点の数を数え，3倍し，「●回/5秒」と表記する。例えば，「パタカ」が5秒間で5回言え，6回目の「パ」で時間切れになった場合は，「パタカ」5回×3＝15回と6回目の「パ」1回を足して「16回/5秒」と表記する。

9）ディスポタイプ手袋を外す
・手袋は汚染されている可能性があるため，直接手で触れないように外す必要がある（レベル1「1 標準予防策」，レベル2「15 摂食嚥下障害のスクリーニング」参照）。

10）患者に検査結果を伝える
・発声・発語器官および発声・構音の検査結果を適宜記録用紙（図6）に記録する。
・現在の静止時・運動時の発語器官機能や発声・構音の状態について簡潔にまとめ，患者にわかりやすく説明する。

11）患者に終了を伝える

> **臨床のコツ**
> ◆聴覚的理解が不十分な患者にはデモンストレーションを交えた教示や模倣にて運動を行うなど，工夫が必要である。
> ◆課題の理解度や最大努力が得られているかが検査結果に影響するため，教示は丁寧かつ正確に行う。
> ◆評価項目のみに捉われず，自由会話での発話明瞭度や異常度を聴覚的印象にて評価する。

4 失語症やその他高次脳機能障害との鑑別

A. 失語症との鑑別

　失語症とは，大脳の言語中枢が脳血管障害や脳外傷など種々の原因により損傷されることにより生じる言語障害である。大脳の言語機能を司る言語領域が障害を受けると，一度習得された言語機能の体系が障害され，ことばを「聞く」「読む」「話す」「書く」のすべての言語側面に障害が及ぶ。それに対し，構音障害は発声発語器官の麻痺や失調，不随意運動などの運動障害により正しい発音ができなくなった状態をいう。構音障害のみの場合は障害が重度であっても文字言語による表出手段（書字）により，意思の伝達が可能である。

B. 発語失行，口部顔面失行との鑑別

　発語失行は口唇や舌など，発語器官の筋の麻痺や失調などがないにもかかわらず，構音動作の障害により意図している言葉とは異なった音を発する状態をいう。発語失行は関連のない音への置換が主で，誤りには一貫性がないが，構音障害は歪みと構音の単純化による音の置換が主で，誤りには一貫性がある。また，口部顔面失行も発語失行と同様に発語器官の筋の麻痺や失調などがないにもかかわらず，発語器官の随意的運動が上手に行えない状態をいう。

OSCE課題　構音障害のスクリーニング

設問

脳梗塞により左片麻痺を呈した患者です。意識は清明です。主治医より構音機能に問題があると言われています。この患者の発語器官の評価（流涎の有無，顔面の観察，開口幅，口唇・舌の運動）と最長発声持続時間（MPT）の測定，開鼻声の評価，oral diadochokinesis を実施してください。必要な事項は記録用紙に記録して，簡潔にまとめて患者へ説明してください。制限時間は5分です。では，始めてください。

準備するもの

机，椅子（2脚），記録用紙（図6），筆記用具，ストップウォッチ，鼻息鏡，速乾性擦式手指消毒液，ディスポタイプ手袋（使用物品は全て消毒済み），ティッシュペーパー（またはタオル）

患者情報

疾患・障害	脳梗塞，片麻痺	顔面の表在感覚	問題なし
年齢・性別	不問		
障害側	左	座位	安定
発症後期間	2週間	理解	良好
BRS	上肢：Ⅲ　手指：Ⅲ　下肢：Ⅴ	表出	良好
その他	構音障害があり，発話明瞭度2（時々わからない言葉がある）。失語症はなく言語理解と言語表出は問題なし。患者像として，声量が小さく，発音がやや不明瞭で，口唇，舌の動きが苦手。		

課題の目標

態度
1. 構音障害のスクリーニングに備えた心がけができる（清潔かつ安全な身なり）。
2. 患者に構音障害のスクリーニングを行う旨を説明し，了承を得ることができる。
3. 患者に不快な思いをさせない（話し方，表情，振る舞い）。

技能
1. 患者の安全に配慮しながら進めることができる。
2. 構音障害のスクリーニングを適切な手順および方法で行うことができる。
3. わかりやすく簡潔に結果を伝えることができる。

14 構音障害のスクリーニング 339

手　順

1. 挨拶・自己紹介を行い，2つの識別子で患者の確認を行う。
2. 発声発語器官運動と構音能力の評価を行う旨を患者に伝え了承を得る。
   - 結果を記録することにも了承を得てから開始する。
   - 話しづらさの自覚の有無を確認する。
   - 検査結果などは適宜記録用紙に記録する。
3. 衛生管理・感染予防を行う。
   - 患者の唾液に触れる可能性があるため，衛生面や感染面を考慮して速乾性擦式手指消毒液で消毒をした後，ディスポタイプ手袋を装着する（レベル1「1 標準予防策」参照）。
   - 使用物品は必ず消毒済みのものを準備する。
4. 評価しやすい位置関係をとる。
   - 受験者と患者の座る位置に配慮する。
   - 発語器官の左右差を評価するため，対面が望ましく，口唇や舌の動きなどを評価するため，比較的近い位置に座る。
5. 観察により，流涎と静止時の顔面の左右差や口角下垂の評価を行う。
   - 流涎の有無，顔面の左右差（唇上紋・鼻唇溝），口角下垂の有無を評価する。
6. 発語器官の麻痺の有無・麻痺側について検査を行う。
   - デモンストレーションを交えながら最大可動域を確認するため，大きく動かすように指示する。
   ①下顎：開口幅（3横指程度が正常）
   ②口唇：突出，横引き
   ③舌：挺舌（正常では下唇を超えまっすぐ出る）
7. 発声のスクリーニングを実施する。
   ①デモンストレーションを交えながら最長発声持続時間（MPT）を測定する（正常値：男性15秒以上，女性10秒以上）
   ②発声持続中の鼻漏出の有無を鼻息鏡を用いて測定する
   - 鼻息鏡を当てるタイミングは患者が発声してからが望ましい。
8. 構音のスクリーニングとして oral diadochokinesis（パ）を実施する。
   - 5秒間測定する。
   - 受験者はデモンストレーションを交えてできるだけ速く明瞭に構音する正常なパターンで行う。
9. ディスポタイプ手袋を外す（レベル2「15 摂食嚥下障害のスクリーニング」参照）。
   - 対側の手袋を装着した手で，手袋の外側をつまんで，裏返しながら外す。
   - 外した手袋は，手袋を装着している手で握り込む。
   - 手袋を装着していない手で，手袋の袖口の内側に指を差し入れ，裏返しながら外す。
10. 患者に検査結果を伝える。
   - 現在の静止時・運動時の発語器官機能や発声・構音の状態について簡潔にまとめ，患者にわかりやすく説明する。
11. 患者に終了を伝える。

採 点 基 準

採点者は模擬患者に受験者の言動の適否を適宜確認して，以下の項目を採点してください。

1．態度

①適切な身なりで明瞭な挨拶（開始時・終了時）・自己紹介ができる。	2点 1点 0点	適切な身なり，明瞭な挨拶（開始時・終了時）・自己紹介ができる 上記のうち1項目ができない 2項目以上できない
②2つの識別子で患者の確認ができる。	2点 1点 0点	2つの識別子で患者の確認ができる 1つの識別子で確認ができる 確認ができない
③構音障害のスクリーニングを行う旨を患者に伝え，了承を得ることができる。	2点 1点 0点	構音障害のスクリーニングを行う旨を正確に伝え，患者の了承を得ることができる どちらか一方のみできる どちらもできない
④課題全般を通して，患者の様子（表情・心情・姿勢・身体機能）や状況に応じた丁寧な対処（声かけ・触れ方・動かし方）ができる。	2点 1点 0点	課題全般を通して，患者の様子や状況に応じた丁寧な声かけ，触れ方，動かし方ができる 上記3項目のうち1項目ができない 2項目以上できない

2．技能

①開始前に速乾性擦式手指消毒液で消毒し，ディスポタイプ手袋を手順に従い衛生的に着脱できる。	2点 1点 0点	開始前に速乾性擦式手指消毒液で消毒し，ディスポタイプ手袋を手順に従い衛生的に着脱できる どちらか一方のみできる どちらもできない
②患者と適切な位置（正面かつ近距離）がとれる。	2点 1点 0点	正面かつ近距離に位置できる どちらか一方のみできる どちらもできない
③観察により，流涎の有無，顔面の左右差・口角下垂の評価ができる。	2点 1点 0点	流涎の有無，顔面の左右差・口角下垂について評価できる 上記のうち1項目ができない 2項目以上できない
④デモンストレーションを交えながら，開口幅，口唇突出-横引きの検査ができる。	2点 1点 0点	デモンストレーションを交えながら，開口幅，口唇突出-横引きのすべてを検査できる 上記のうち1項目ができない 2項目以上できない
⑤デモンストレーションを交えながら，挺舌の最大可動域を検査できる。	2点 1点 0点	デモンストレーションを交えながら，最大可動域を検査できる どちらか一方のみできる どちらもできない
⑥デモンストレーションを交えながら，最長発声持続時間（MPT）の測定ができる。	2点 1点 0点	デモンストレーションを交えながら，最長発声持続時間の測定ができる どちらか一方のみできる どちらもできない
⑦鼻漏出の有無や程度を確認するため，鼻息鏡を発声してからのタイミングで鼻のすぐ下に垂直に軽く当て検査できる。	2点 1点 0点	鼻息鏡を発声してからのタイミングで，鼻のすぐ下に垂直に軽く当て検査できる どちらか一方のみできる どちらもできない

⑧oral diadochokinesis「パ」の方法について正しい教示を行い，5秒間に構音できた回数を数えることができる。	2点	デモンストレーションを交えながらできるだけ速く明瞭に構音するよう教示し，5秒間に構音できた回数を数えることができる
	1点	どちらか一方のみできる
	0点	どちらもできない
⑨患者に検査結果をわかりやすく説明できる。	2点	患者に検査結果をわかりやすく説明できる
	1点	結果を伝えるがわかりにくい
	0点	結果を伝えることができない
	0点	誤った内容を伝える

OSCE 担当者確認事項

環境設定

・机に速乾性擦式手指消毒液，ディスポタイプ手袋，鼻息鏡，ストップウォッチ，記録用紙（図6），筆記用具，ティッシュペーパーを準備しておく。

模擬患者

・課題開始時は机の前に椅子座位で待機する（図7）。
・口唇・舌の左片麻痺や最長発声持続時間の低下，発話明瞭度低下を呈している患者を設定しているため，症状を再現できるよう練習する。
・以下に詳細な症状設定を示す。
①発話明瞭度2（時々わからない）レベルであり，会話場面ではやや不明瞭に話す。
②話しづらさの自覚はあり，流涎は左口角から出ることがある設定とする。
③下顎の開口幅は1横指程度とし，口唇突出・横引き検査では左側が動かない。
④挺舌では下唇を超えるが左側へ偏位する。
⑤「あー」の最長発声持続時間は5～10秒程度とする。
⑥oral diadochokinesis では1秒間に2～3音程度の速度で，やや不明瞭に話す。

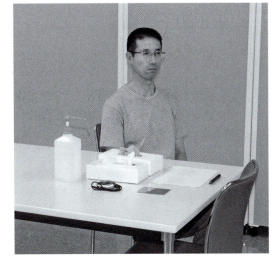

図7　模擬患者の開始姿勢

参考文献

1) 伊藤元信 他，編：新編 言語治療マニュアル．p226-229，医歯薬出版，2001．
2) 笹沼澄子，伊藤元信 編：リハビリテーション医学全書11 言語障害．p1-14，医歯薬出版，2004．
3) 立石雅子：言語障害．老年精神医学雑誌 23：483-489，2012．
4) 小寺富子 監：言語聴覚療法臨床マニュアル 改訂第2版．p348-361，協同医書出版社，2004．

15 摂食嚥下障害のスクリーニング

1 摂食嚥下とは

摂食とは，食物を摂取する行動・活動であり，嚥下とは，食塊を口腔から胃へ送り込む一連の輸送運動[1]である。従来は，咀嚼と嚥下に関わる口腔，咽頭機能が中心であったが，食べ物や飲み物を体内に取り込む（食べ方の判断，口まで運ぶ，口に取り入れる，咀嚼，飲み込む）ための機能を「摂食嚥下機能」といい，その機能に障害をきたした状態を「摂食嚥下障害」[1,2]と定義づけ，広く「食べる障害」として扱うようになった。

摂食嚥下の流れは，液体やゼリーなどを噛み砕かずに飲み込むような「飲む」嚥下では，口腔準備期，口腔送り込み期，咽頭期，食道期に分かれ（4期モデル），咀嚼が必要な「食べる」咀嚼嚥下では，stage I transport（第一期輸送），processing（咀嚼），stage II transport（第二期輸送），咽頭期，食道期に分かれる（プロセスモデル）[1]。

なお，拒食症を代表とする神経性食思不振症など，精神心理的障害に基づく摂食障害とは別であり，本項では精神心理的障害に基づく摂食障害は扱わない。

2 摂食嚥下評価

A. 目 的

「摂食嚥下機能」に障害をきたす原因として，脳血管障害，パーキンソン病など神経変性疾患，頭頸部癌，認知症などがある。摂食嚥下障害は，二次的に①誤嚥性肺炎，②窒息，③脱水，④低栄養などの合併症を引き起こすだけでなく，⑤食べる楽しみの喪失など生活の質をも低下させる。

早期に嚥下障害の有無を診断し，詳細な評価によって摂食嚥下障害を引き起こしている原因の理解やリスク要因を明らかにし，適切な対応を行い，患者にとって最良の摂食状態を作ること，さらには合併症の予防に努める必要がある[1]。

B. 原 則

評価基準には，日本摂食嚥下リハビリテーション学会がまとめた摂食嚥下障害の評価（簡易版）に準じて実施することを推奨する[3]（表1）。

摂食嚥下評価では，主に口腔・咽頭機能の評価が中心となる。しかし，患者の機能・能力面の評価だけでなく，①意識と呼吸状態を中心とした一般状態，②食事動作を安全に行うことができ，練習時の指示に従うことができる程度の認知機能，③ADL，④介助者や退院先などの環境要因，その他，介助者の有無なども評価する必要がある[1]。

C. 口腔・咽頭・喉頭機能と嚥下スクリーニング評価について

療法士が臨床現場ですぐに評価できる口腔・咽頭・喉頭機能，嚥下のスクリーニング評価を記載する。

1) 口腔機能（流涎の有無，口角下垂の有無，開口量，舌運動，咬合力）

・流涎・口角下垂の有無：観察より，流涎の有無を確認する。口角下垂を認めると，流涎がみられることがある。

・開口量：口腔をできるだけ大きく開くように指示する。

15 摂食嚥下障害のスクリーニング　343

表1　摂食嚥下障害評価表

年　　月　　日		名前		
ID.	年齢　　　歳　男・女		身長　　　　cm　体重　　　　kg	
血圧　　／	脈拍　　回／分	SpO₂　　%	（ルームエア・O₂投与　　%）	

主訴ないし症状			
原因疾患/基礎疾患		関連する既往歴	
栄養方法	経口摂取：常食・粥・きざみ・その他（　　　　　）　絶食		
	水　分：トロミなし・トロミ付き・禁		
補助（代替）栄養	なし・経鼻経管・胃瘻・点滴・その他	座位耐久性	十分・不十分・不可

1.　認知		6.　発声・構音 ［気切：無・有（カフ：無・有）］	
意識	清明・不清明・傾眠	発声	有声・無声・なし
意思表示	良・不確実・不良	湿性嗄声	なし・軽度・重度
従命	良・不確実・不良	構音障害	なし・軽度・重度
食への意欲	あり・なし・不明	開鼻声	なし・軽度・重度
その他：		その他：	

2.　食事		7.　呼吸機能	
摂取姿勢	椅子・車椅子・端座位・bedup（　）°	呼吸数	回／分
摂取方法	自立・監視・部分介助・全介助	随意的な咳	十分・不十分・不可
飲食中のムセ	なし・まれ・頻回	その他：	
口腔内食物残留	なし・少量・多量		
流涎	なし・少量・多量	8.　スクリーニングテスト	
その他：		反復唾液嚥下テスト　　　　回／30秒	
		喉頭挙上　　十分・不十分・なし	
3.　頸部		改訂水飲みテスト（3 mL，　mL）	
頸部可動域	制限なし・少し動く・不動	1. 嚥下なし，むせる　and/or　呼吸切迫	
その他：		2. 嚥下あり，呼吸切迫（silent aspiration 疑い）	
		3. 嚥下あり，呼吸良好，むせる　and/or 湿性嗄声	
4.　口腔		4. 嚥下あり，呼吸良好，むせなし	
義歯（不要・要）	適合・不良・なし	5. 4.に加え，追加空嚥下運動が30秒以内に2回可能	
衛生状態（口腔）	良好・不十分・不良	その他：	
その他：		9.　脱水・低栄養	
5.　口腔咽頭機能		皮膚・眼・口の乾燥	なし・軽度・重度
開口量	3横指・2横指・1横指以下	るいそう	なし・軽度・重度
口角下垂	なし・あり（右・左）	その他：	
軟口蓋運動（/ ア / 発声時）	十分・不十分・なし		
咬合力	十分・不十分・なし	10.　まとめ：	
舌運動　挺舌	十分・下唇を越えない・不能		
偏位	なし・あり（右・左）		
口腔感覚異常	なし・あり（部位：　　　）	治療方針：指導のみ・外来訓練・入院訓練・他院へ紹介・他	
その他：		11.　検査	
		VF	済（ / ）・予定（ / ，未定）
評価者氏名/職種		VE	済（ / ）・予定（ / ，未定）

（日本摂食嚥下リハビリテーション学会医療検討委員会：摂食・嚥下障害の評価（簡易版）日本摂食嚥下リハビリテーション学会医療検討委員会案．日摂食嚥下リハ会誌　15（1）：96-101, 2011．より）

・**舌運動**：挺舌と左右と上下の動きを確認する。偏位や筋力低下などを確認する。

・**咬合力**：下顎の上下の動きを確認する。

2）咽頭機能（軟口蓋運動，開鼻声）

・**軟口蓋運動**：軟口蓋の挙上の程度とカーテン徴候の有無を確認する。カーテン徴候は，一側に麻痺を

認めた場合，口蓋縫線，口蓋垂は非麻痺側に偏位し，非麻痺側のみの軟口蓋弓の挙上がみられる。
- **開鼻声**：「/a:/(あー)」と発声させ，開鼻声の有無を評価する。軟口蓋挙上低下により鼻咽腔閉鎖機能低下があると，嚥下時の鼻腔への逆流の可能性が示唆される。

3）喉頭機能（呼吸状態，随意的な咳払い，湿声）

- **呼吸状態**：速くて浅い呼吸，努力的な呼吸，また，口呼吸など大雑把に印象を捉える。正常な呼吸数は15〜20回/分である。測定方法は，30秒での回数を測定し，2倍する。
- **咳払い**：随意的な咳払い（喀出力）の評価を実施することで，万が一，誤嚥した場合でも自力で喀出可能かどうかの目安となる。
- **湿声**：咽頭に唾液が貯留している場合に認めることが多い。湿声は，痰が絡んだようなゴロゴロという湿った音を伴うもので，誤嚥の徴候の一つである。

4）嚥下スクリーニングテスト（反復唾液嚥下テスト，改訂水飲みテスト）

- **反復唾液嚥下テスト（repetitive saliva swallowing test：RSST）**：頸部位置を特に制限せずにリラックスした状態で座らせ，30秒間でできるだけ多く空嚥下するよう指示する。3回/30秒未満であれば陽性（嚥下障害の疑いあり）と判断する。示指で舌骨，中指で甲状軟骨（喉頭隆起）を触診して，嚥下の有無を確認する（図1）。喉頭隆起が指を十分に乗り越えて挙上した場合を1回と数え，喉頭隆起が十分に移動しない場合は回数に含めない。

　検査前に患者の口腔内を観察して，口腔内乾燥がある場合は，口腔内を湿らせてから実施する。

- **改訂水飲みテスト**：3mLの冷水を口腔底に入れ，嚥下するように指示し，その際の嚥下の有無，ムセの有無，呼吸変化の有無，湿声の有無について評価する。

　判定には，定められた判定基準フローチャートがある[4]（図2，表2）。これらの基準で3点以下は誤嚥の可能性が疑われる（感度0.70）。ただし改訂水飲みテストでは不顕性誤嚥（ムセのない誤嚥）は検出できないことに留意する。

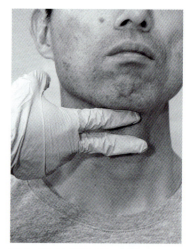

図1 舌骨と甲状軟骨の触診方法

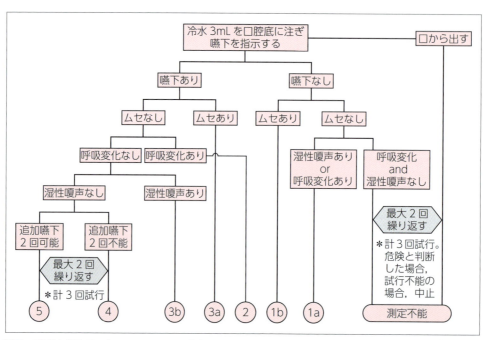

図2 改訂水飲みテストフローチャート（千野直一 他，編：リハビリテーションMOOK12 言語障害・摂食嚥下障害とリハビリテーション．p85，金原出版，2005．より）

表2 改訂水飲みテスト判定基準

判定基準（評点）；フローチャート参照（図2）
1a. 嚥下なし and ムセなし and［呼吸変化あり or 湿性嗄声あり］
1b. 嚥下なし and ムセあり
2. 嚥下あり and ムセなし and 呼吸変化あり
3a. 嚥下あり and ムセあり
3b. 嚥下あり and ムセなし and 呼吸変化なし and 湿性嗄声あり
4. 嚥下あり and ムセなし and 呼吸変化なし and 湿性嗄声なし
5. 4に加え，30秒以内に2回の追加嚥下*が可能
──評点4以上の場合，最大3回繰り返し，最も低い点で評価
判定不能：嚥下なし and ムセなし and 呼吸変化なし and 湿性嗄声なし
　　　　　この場合，様子をみて可能なら最大2回繰り返す。判定不能として終了してもよい

*：追加嚥下；冷水嚥下後に空嚥下を行わせ，2回できるかを評価する。
(千野直一 他，編：リハビリテーションMOOK12 言語障害・摂食嚥下障害とリハビリテーション.
p85，金原出版，2005.より)

臨床のコツ
◆評価時の誤嚥が引き金となって呼吸切迫や呼吸困難を生じることもあるため，パルスオキシメーターや吸引器を準備し，対応できるようにしておくとよい。
◆正確に評価するためには，認知機能，姿勢，頸部の可動域の評価も必要である。

D. 環境・姿勢

・プライバシーに十分配慮する必要があり，個室を推奨する。個室が難しい場合は，部屋の隅やパーテーションで区切るなど配慮する。
・椅子または車椅子座位姿勢で行う。
・急性期の場合，患者の状態によってはギャッチベッド上のリクライニング位で実施する。
・呼吸状態の変化を捉えるため，パルスオキシメーターを使用する。
・唾液貯留やムセなどに対処するため吸引器を準備する。
・吸引は厚生労働省が定める喀痰吸引等研修を受講した療法士のみが行えるため，あらかじめ受講しておくとよい。

E. 判定基準

　日本摂食嚥下リハビリテーション学会がまとめた，摂食嚥下障害の評価（簡易版）に準じて判定する[3]。
　口腔・咽頭機能と嚥下スクリーニング評価では，嚥下障害の疑いを示唆できるが，嚥下障害の重症度や食形態による嚥下機能の違いなどの評価は困難である。
　摂食嚥下障害を疑った場合，主治医に報告して嚥下造影（videofluoroscopic examination of swallowing：VF）や内視鏡下嚥下機能検査（videoendoscopic examination of swallowing：VE）による客観的評価の検討を行う。詳細については後述する。

F. 正確性に影響する因子

1）認知機能
　指示理解ができないと正確な評価の実施が難しい。

2）口腔内の湿潤
　口腔内の汚染や乾燥がみられる場合，RSSTの正確な評価が困難となる。

3）姿勢
　姿勢を調整する。頭頸部が過度に伸展している場合は，下顎を少し引いた状態になるように促す（図3a）。頸椎が伸展していると，咽頭と気管が直線的な位置関係となり誤嚥を引き起こしやすくなる。ま

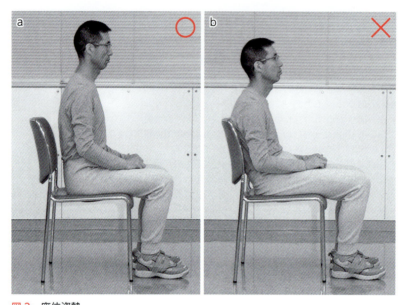

図3 座位姿勢
a：良好姿勢，b：不良姿勢

た下位頸椎が屈曲位，上位頸椎が伸展位の場合，頸部全体の筋緊張が高まり，下顎は閉じにくくなる（図3b）。また嚥下に伴う喉頭挙上も行いにくく，努力性になりやすい。

4）頸部の可動性

喉頭隆起の小さい女性，皮下脂肪の厚い患者，頸部郭清術後で頸部の筋・皮膚などの可動性が低下した患者の場合，甲状軟骨の触診が難しいことがある。

G. 記　録

日本摂食嚥下リハビリテーション学会がまとめた，摂食嚥下障害の評価（簡易版）の記載用紙を利用することで，記載が簡便に実施できる（表1）。

H. その他の測定方法

VFとVEがあり，いずれも，医師が実施する検査方法である。

- VFは，X線透視下で嚥下機能の評価を実施する検査である。一般に造影剤入りの食塊を口腔内に入れ，咀嚼，食塊形成，送り込み，嚥下の一連の流れを撮影して，口腔から食道までの一連の現象を客観的に捉える検査である。検査を実施することで，摂食嚥下に関する何らかの情報が得られ，治療方針を立てるために実施する。症状と病態の関係を明らかにする「診断のための検査」であり，形態的異常，機能的異常，誤嚥，残留などを明らかにする。また，食物・体位・摂食方法などの調整により治療に反映させる「治療のための検査」でもあり，食物や体位，摂食方法などを調整することで安全に嚥下し，誤嚥や咽頭残留を減少させる方法を探す。
- VEとは，内視鏡下で直接嚥下機能の評価を実施する検査である。検査の目的は，①咽頭期の機能的異常の診断，②器質的異常の評価（疑わしい場合は耳鼻咽喉科や頭頸部外科などの専門医を受診），③機能的異常の評価で，診断のための検査であると同時に，食物・体位など治療に有効な手段の検討，リハビリテーション手技の効果確認など「治療のための検査」でもある。また，患者・家族・メディカルスタッフへの教育指導にも用いることができる。

3 手順のポイント

1) 挨拶・自己紹介を行い，2つの識別子で患者の確認を行う
- 患者とのラポール（信頼関係）形成のため，挨拶，自己紹介を行う。
- 患者の取り違いを防止するため，氏名に加え生年月日もしくはID など，2つの識別子で確認する。

2) 口腔・咽頭・喉頭機能評価と嚥下スクリーニングテストを行う旨を患者に伝え了承を得る
- これから評価する内容を患者に簡潔にわかりやすく説明し，評価を行うことに対して了承を得る。

3) 姿勢を確認し，必要に応じて修正する（図3）
- 頭頸部が伸展している場合は，咽頭と気管の位置関係から誤嚥を引き起こしやすくなる。
- 骨盤後傾，円背姿勢では，下位頸椎が屈曲位，上位頸椎が伸展位となりやすく，下顎は閉じにくく，嚥下に伴う喉頭挙上が行いにくく，努力性になりやすい（図3b）。
- 姿勢を調整して，下顎を少し引いた状態になるように促す必要がある（図3a）。

4) 衛生管理・感染予防を行う
- 患者の唾液に触れる可能性があり，衛生面や感染予防のため，手指消毒をした後，ディスポタイプ手袋を装着する。
- 速乾性擦式手指消毒液を使用する場合は，3〜5 mL 手にとり，指先から手首まで擦り込む。
- ディスポタイプ手袋はサイズの合うものを使用する。

5) 観察により，流涎，口角下垂について評価する
- 流涎や口角下垂があると，口唇閉鎖運動の低下が疑われる。これにより食塊の取り込み，食塊形成，送り込みに影響を及ぼす。

6) 口腔内の衛生状態，乾燥状態を確認する
- 口腔内に唾液を多く認める場合や食物残渣を認める場合，口腔内の感覚低下や舌の運動障害，咀嚼機能低下や嚥下惹起の低下を疑う。
- 舌苔が目立つ場合，熱性疾患や消化器の異常を疑う。
- 口腔内の乾燥状態を確認することで，唾液の分泌機能低下を疑うことができる。唾液の分泌量が少なくなると食塊形成が難しくなり，咽頭通過が行いにくくなる。
- 口腔内の評価時，開口が不十分な場合は，補助して開口を促す（図4）。

> **臨床のコツ**
> - 口腔内の衛生状態が不衛生であると菌が増殖し，気管や肺に侵入すると誤嚥性肺炎の原因となる。
> - 普段より，口腔内の清潔には留意する。嚥下評価を実施する際，不衛生であった場合は衛生を確保したのち，評価を実施する。
> - 姿勢を調整した場合は，どのように調整したかを記録しておくと，後に，患者や家族，スタッフに姿勢についてアドバイスを行う際に有効である。

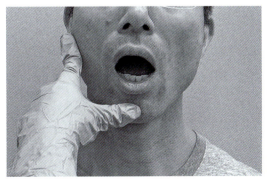

図4 下顎の補助

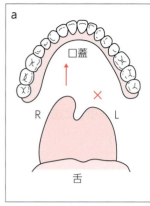
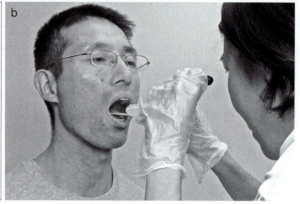

図5 軟口蓋（カーテン徴候）の評価方法
aでは，左側の軟口蓋弓の挙上が認められないので，麻痺側は左である。bは，軟口蓋（カーテン徴候）の評価方法である。

7）デモンストレーションを交えて，舌機能を最大可動域で評価する
・舌の動きの評価は，舌下神経の評価である。
・挺舌は下唇を越えて実施可能な場合，左右は舌尖部が左右口角に接触できれば，上下は舌尖部が上下切歯の後ろ歯茎に接触できれば正常と判断する。
・挺舌した際，一側に偏位した場合は，偏位した側が麻痺側である。

8）舌圧子を適切に扱い，舌を軽く押さえる
・舌圧子は，使用する直前に袋から取り出すことで，衛生的に扱える。
・舌圧子は水で濡らしておく。舌圧子をそのまま舌に押し当てると，乾燥した舌の場合，舌粘膜を剥がしてしまう危険性がある。

> **臨床のコツ**
> ◆舌の動きが不十分な場合，舌圧子を舌で押すように促すと，動きを誘導できることがある。

9）咽頭機能を評価する
・カーテン徴候は，舌咽，迷走神経の評価であり，一側に麻痺を認めた場合，口蓋縫線，口蓋垂は非麻痺側に偏位し，非麻痺側のみの軟口蓋弓の挙上がみられる[5]（図5a）。
・軟口蓋の動きを観察する際，開口が狭い場合，舌により軟口蓋が見えにくい場合などがあるため，舌圧子により軽く舌前部を下方に押すとよい。さらにペンライトで明るくすると口腔内が見やすくなる（図5b）。
・カーテン徴候を評価する際，必ず「/aː/（あー）」と発声させるため，後述する喉頭機能の障害である湿声の評価も可能である。

10）喉頭機能を評価する
・咳払いの可・不可，咳払いの強弱を評価する。随意的に咳払いが可能で，さらに十分喀出できるだけの強さが重要である。もし誤嚥しても，十分喀出できるだけの強さがあることで，声門部で気管への流入を防ぐことができる。
・湿声は，痰が絡んだような「ゴロゴロ」という湿った音を伴うもので，誤嚥の徴候の一つである。

> **臨床のコツ**
> ◆感染予防のため，マスクを着用するとよい。
> ◆ストップウォッチやペンライト等の器具は使用前後に消毒しておく。

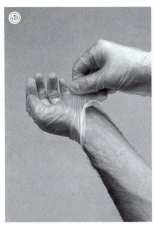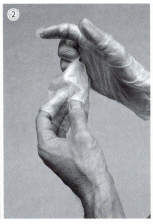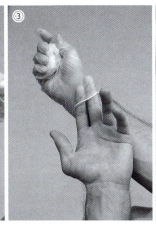

図6 ディスポタイプ手袋を脱ぐ方法（レベル1「1 標準予防策」より）
①対側の手袋を装着している手で手袋の外側をつかんで外す（裏側になるように）。
②手袋を装着している手で脱いだ手袋を持つ。
③手袋を装着していない手の指を残りの手袋の手首の部分から入れる。
④先に外した手袋を包み込むように裏返して外し，そのまま廃棄容器へ捨てる。

11）反復唾液嚥下テスト（RSST）の準備を行う
・口腔内が乾燥していると，唾液嚥下は行いにくくなる。そのため，正確な評価を実施するうえで，あらかじめ水と綿棒を準備しておくことで，スムーズな評価の実施が可能となる。

12）RSSTの実施方法を教示・実施する
・誤った教示方法では，正確な評価が行えないため，適切な教示方法が必要である。
「30秒間で何回，唾を飲み込むことができるか評価します。できるだけ多く行ってください」と教示する。
・前述のように，口腔内の乾燥が強い場合は，水で湿らせた綿棒で，舌背を撫でるように触れ，口腔内を湿潤した後に実施する。

> **臨床のコツ**
> ◆通常は，水で湿らせた綿棒を用いるか，人工唾液（サリベート）を噴霧する[6]。
> ◆水分を多く含み，水滴が落ちるような状態では，綿棒より出た水分で誤嚥する危険があるため注意する。

・評価中，嚥下の惹起が弱く，喉頭挙上が十分行えない場合があるため，示指で舌骨，中指で甲状軟骨を触診して実施することで，より正確に喉頭挙上の評価が行える（図1）。
・甲状軟骨が指を十分乗り越えた場合を1回とカウントする。

13）ディスポタイプ手袋を外す
・手袋は菌で汚染されている可能性があるため，直接皮膚に触れないよう外す必要がある（図6およびレベル1「1 標準予防策」参照）。

14）患者に評価結果を伝える
・嚥下障害は，窒息など命に関わる危険性もあるため，リスク管理および，患者にとって最良の摂食状態を確保する必要がある。そのため，口腔・咽頭機能評価と嚥下機能評価の結果，嚥下障害を疑う場合は，その内容と今後の対応について患者にわかりやすく説明する。
・今後の対応については，主治医に相談すること，それによって食事形態の変更，追加の評価（VF，VE）を行う場合があることを説明する。

15）患者に終了を伝える

OSCE課題　摂食嚥下障害のスクリーニング

対応動画

設問

食事中ムセることが多い，脳梗塞により左片麻痺を呈した患者です．この患者に座位にて口腔（口腔の観察，挺舌・舌左右運動）と咽頭機能の評価（軟口蓋運動，発声），喉頭機能（咳払い，湿声の有無）の評価と反復唾液嚥下テスト（RSST）による，簡易的な摂食嚥下評価を行ってください．観察による評価の際は，口頭で採点者に説明しながら進めてください．制限時間は5分です．では，始めてください．

準備するもの

机，背もたれ付き椅子，ストップウォッチ，綿棒（大），コップ，水（常温水），ディスポタイプ手袋，速乾性擦式手指消毒液，舌圧子，ペンライト，ゴミ袋（またはゴミ箱），ティッシュペーパー
注）本来は吸引器とパルスオキシメーターが必要だが，OSCE では準備しない．

患者情報

疾患・障害	脳梗塞・片麻痺・嚥下障害	理　解	良好
年齢・性別	不問	表　出	良好
障害側	左	臨床的重症度分類（DSS）	3：水分誤嚥（表3）
発症後期間	3週間		
肺炎の既往	なし	摂食状態（ESS）	4：経口のみ（調整食，表4）
意　識	清明		
見　当　識	問題なし	食　形　態	咀嚼調整食，水分とろみ
BRS	上肢：Ⅲ　手指：Ⅲ　下肢：Ⅵ	口腔内の状態	清潔
座　位	安定	発話明瞭度	1：すべてわかる

表3　臨床的重症度分類（Dysphagia Severity Scale：DSS）（才藤栄一：平成11年度厚生科学研究費補助金（長寿科学総合研究事業）「摂食・嚥下障害の治療・対応に関する統合的研究（総括研究報告書）」摂食・嚥下障害の治療・対応に関する統合的研究．平成11年度厚生科学研究費補助金研究報告書 p1-17, 1999. より）

	分　類	定　義
誤嚥なし	7：正常範囲	臨床上問題なし
	6：軽度問題	主観的問題を含め，何らかの軽度の問題がある
	5：口腔問題	誤嚥はないが，主として口腔期障害により摂食に問題
誤嚥あり	4：機会誤嚥	時々誤嚥する．もしくは咽頭残留が著明で臨床上誤嚥が疑われる
	3：水分誤嚥	水分は誤嚥するが，工夫した食物は誤嚥しない
	2：食物誤嚥	あらゆるものを誤嚥し，嚥下できないが呼吸状態は安定
	1：唾液誤嚥	唾液を含めてすべてを誤嚥し，呼吸状態が不良 嚥下反射が全く惹起されず，呼吸状態が不良

表4　摂食状態（Eating Status Scale：ESS）

5	経口－調整：無
4	経口－調整：要
3	経口＞経管
2	経管＞経口
1	経管

課題の目標

態度

1. 評価に備えた心がけができる（清潔かつ安全な身なり）。
2. 患者に摂食嚥下評価を行う旨を説明し，了承を得ることができる。
3. 患者に不快な思いをさせない（話し方，表情，振る舞い）。

技能

1. 患者の安全に配慮しながら進めることができる。
2. 口腔・咽頭・喉頭機能評価と嚥下スクリーニングテストを適切な手順および方法で行うことができる。
3. わかりやすく簡潔に結果を伝えることができる。

手　順

1. **挨拶・自己紹介を行い，2つの識別子で患者の確認を行う。**
2. **口腔・咽頭・喉頭機能評価と嚥下スクリーニングテストを行う旨を患者に伝え了承を得る。**
3. **姿勢を確認し，必要に応じて修正する。**
   - 必要に応じて骨盤直立位の座位姿勢に修正し，下顎を少し引いた状態になるように促す。
4. **衛生管理・感染予防を行う。**
   - 患者の唾液に触れる可能性があり，衛生面や感染予防のため，手指消毒をした後，ディスポタイプ手袋を装着する。
5. **観察により，流涎，口角下垂について評価する。**
6. **口腔内の衛生状態（食物残渣の有無），乾燥状態を確認する。**
   - 口腔内の評価時，開口が不十分な場合は，補助して開口を促す。
7. **デモンストレーションを交えて，舌機能を最大可動域で評価する。**
   - 挺舌・舌左右運動を，デモンストレーションを交えて評価する。
8. **舌圧子を適切に扱い，舌を軽く押さえる。**
   - 舌圧子は使用する直前に袋から取り出す。
   - 舌圧子は少し水で濡らしてから，軽く舌前部を下方に押して口腔内を見えやすくする。
9. **咽頭機能を評価する。**
   - カーテン徴候により軟口蓋の動きを評価する。
   - 「/aː/（あー）」と発声させることで，喉頭機能の障害である湿声の評価も行う。
10. **喉頭機能を評価する。**
    - 随意的な咳払いの確認と強弱を評価する。
11. **反復唾液嚥下テスト（RSST）の準備を行う。**
    - 口腔内が乾燥していると，唾液嚥下は行いにくくなるため，正確な評価が実施できるよう，あらかじめ水と綿棒で口腔内を湿らせておく。
12. **RSST の実施方法を教示・実施する。**
    - 「30秒間で何回，唾を飲み込むことができるか評価します。できるだけ多く行ってください」と教示する。
    - 示指で舌骨，中指で甲状軟骨を触診して喉頭挙上の評価を行う（図1）。
    - 甲状軟骨が指を十分乗り越えた場合を1回と数える。
13. **ディスポタイプ手袋を外す。**
    - 手袋は菌で汚染されている可能性があるため，直接皮膚に触れないように外す。
14. **患者に評価結果を伝える。**
    - 口腔・咽頭・喉頭機能評価と嚥下スクリーニングテストの結果を，患者にわかりやすく説明する。
    - 嚥下障害を疑う場合，今後の対応については，主治医に相談すること，それによって食事形態の変更，追加の評価（VF，VE）を行う場合があることを説明する。
15. **患者に終了を伝える。**

15 摂食嚥下障害のスクリーニング 353

採点基準

採点者は模擬患者に受験者の言動の適否を適宜確認して，以下の項目を採点してください。

1. 態度

①適切な身なりで明瞭な挨拶（開始時・終了時）・自己紹介ができる。	2点 1点 0点	適切な身なり，明瞭な挨拶（開始時・終了時）・自己紹介ができる 上記のうち1項目ができない 2項目以上できない
②2つの識別子で患者の確認ができる。	2点 1点 0点	2つの識別子で患者の確認ができる 1つの識別で確認ができる 確認ができない
③口腔・咽頭・喉頭機能評価と嚥下機能スクリーニングテストを行う旨を患者に伝え，了承を得ることができる。	2点 1点 0点	口腔・咽頭・喉頭機能評価と嚥下機能スクリーニングテストを行う旨を正確に伝え，患者の了承を得ることができる どちらか一方のみできる どちらもできない
④課題全般を通して，患者の様子（表情・心情・姿勢・身体機能）や状況に応じた丁寧な対処（声かけ・触れ方・動かし方）ができる。	2点 1点 0点	課題全般を通して，患者の様子や状況に応じた丁寧な声かけ，触れ方，動かし方ができる 上記3項目のうち1項目ができない 2項目以上できない

2. 技能

①座位姿勢を確認し，骨盤直立位で下顎を少し引いた姿勢に修正できる。	2点 1点 0点	座位姿勢を確認し，骨盤直立位で下顎を少し引いた姿勢に修正できる どちらか一方のみできる どちらもできない
②手指を消毒し，ディスポタイプ手袋を装着できる。	2点 1点 0点	手指を消毒し，ディスポタイプ手袋を装着できる どちらか一方のみできる どちらもできない
③観察により，流涎，口角下垂の評価ができる。	2点 1点 0点	観察により流涎，口角下垂の評価ができる どちらか一方のみできる どちらもできない
④口腔内の衛生状態（食物残渣の有無），乾燥状態の観察ができる。	2点 1点 0点	口腔内の衛生状態（食物残渣の有無），乾燥状態の観察ができる どちらか一方のみできる どちらもできない
⑤デモンストレーションを交えて，舌の動き（挺舌，左右の動き）を最大可動域で評価できる。	2点 1点 1点 0点	デモンストレーションを交えて，舌の動きを最大可動域で評価できる デモンストレーションを交えるが，舌の動きの評価が不十分 デモンストレーションを行わず，舌の評価を実施する 評価しない
⑥舌圧子を使用する直前に袋から取り出し，少し水で濡らしてから，軽く舌前部を下方に押すことができる。	2点 1点 0点	舌圧子を使用する直前に袋から取り出し，少し水で濡らしてから，軽く舌前部を下方に押すことができる 上記のうち1項目ができない 2項目以上できない
⑦咽頭機能の評価（軟口蓋の運動，発声）ができる。	2点 1点 0点	「/a：/（あー）」と発声させ，カーテン徴候，湿声の評価ができる 上記のうち1項目ができない 2項目以上できない
⑧随意的な咳払いの可否，強弱の評価ができる。	2点 1点 0点	随意的な咳払いの可否，強弱の評価ができる どちらか一方のみできる どちらもできない

⑨口腔内を湿らせ，RSSTの実施方法を教示できる。	2点 1点 0点	口腔内を湿らせ，RSSTの実施方法を教示できる どちらか一方のみできる どちらもできない
⑩示指で舌骨，中指で甲状軟骨を触診し，30秒間の嚥下回数を正確に測定できる。	2点 1点 0点	示指で舌骨，中指で甲状軟骨を触診し，30秒間の嚥下回数を正確に測定できる どちらか一方のみできる どちらもできない
⑪手順通りに皮膚に触れず衛生的に手袋を外すことができる。	2点 1点 0点	手順通りに進め，皮膚に触れず外すことができる どちらか一方のみできる どちらもできない
⑫患者に評価結果をわかりやすく伝えることができる。	2点 1点 0点 0点	患者に評価結果をわかりやすく伝えることができる 結果を伝えるがわかりにくい 結果を伝えることができない 誤った内容を伝える

OSCE 担当者確認事項

環境設定 （図7）

- 机にストップウォッチ，綿棒（大），コップ，水（常温水），ディスポタイプ手袋，速乾性擦式手指消毒液，舌圧子，ペンライト，ゴミ袋（またはゴミ箱），ティッシュペーパーを準備しておく。
- 模擬患者と受験者の間にテーブルを挟み90°の位置（図7）で，患者の顔面に触れられる距離とする。

模擬患者

- 課題開始時は，椅子座位で待機する。骨盤後傾位，頭頸部伸展位の座位姿勢とする（図3b）。
- 座位姿勢の修正は自己にて可能な設定とする。
- やや不明瞭な構音で話す設定とする。

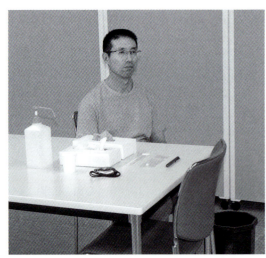

図7 課題開始時の環境

- 挺舌は，1回目は口唇手前まで，2回目に受験者に「もう少し出せますか？」と尋ねられたら1回目より前方に挺舌する。
- 舌の左右運動はゆっくりと行う。
- 咳払いでは1回目は弱く行い，2回目に受験者に「もう少し強く」と指示されたら1回目よりやや強く行う。
- RSSTでは2回嚥下を行い，飲み込みにくそうな設定とする。

引用文献

1）才藤栄一 他，監：摂食・嚥下リハビリテーション第3版．医歯薬出版，2017.
2）椿原彰夫 編著：リハビリテーション総論 改訂第2版．診断と治療社，2011.
3）日本摂食嚥下リハビリテーション学会 ホームページ：摂食・嚥下障害の評価（簡易版）
　　http://www.jsdr.or.jp/doc/doc_manual1.html
4）千野直一 他，編：リハビリテーション MOOK12 言語障害・摂食嚥下障害とリハビリテーション．p81-95，金原出版，
　　2005.
5）田崎義昭，斎藤佳雄：ベッドサイドの神経の診かた 改訂17版．p126，南山堂，2010.
6）伊藤元信 他：新編 言語治療マニュアル．p367-397，医歯薬出版，2002.

16 運動失調検査

1 運動失調（ataxia）とは

　運動失調（ataxia）は，"lack of order" という意味を持ち，筋力低下や麻痺，筋緊張の亢進がないにもかかわらず，随意運動がうまくできないことによる，運動の規則性・方向性・速度・距離の障害による運動の時間的・空間的効率の低下を意味し，姿勢や平衡を保つための筋の収縮が維持できず，運動の協調性が失われた状態を指す。

　Garcin ら[1] は「運動失調は協調運動障害であり，筋力低下とは無関係に随意運動の方向や範囲を部分的に変え，姿勢やバランスを維持するのに必要とされる持続性の随意的あるいは反射的な筋収縮の機能障害である」と定義している。また，日本神経学会[2] は「協調運動は一肢を構成する複数の肢節の合目的的な調和のとれた運動，または身体他部の同様な運動を言い，この異常が協調運動障害である」としている。運動失調と協調運動障害は同義に扱われることもある。

A. 運動失調症の分類

　運動失調は，症状別では静止時に失調症状がみられる静止時運動失調，歩行やランニング，四つ這いなどの際に失調症状がみられる移動時運動失調，主に四肢の運動時に失調症状がみられる運動時運動失調に分類される。

　また病態別の分類とその特徴は以下のようになる。

1) 小脳性運動失調症と脊髄性運動失調症（表1）

　小脳性運動失調症と脊髄性運動失調症について対比表にまとめる。

表1　小脳性運動失調症と脊髄性運動失調症の比較

	小脳性運動失調	脊髄性運動失調
深部感覚障害	－	＋
Romberg 徴候	－	＋ Mann Test（図1）で敏感に検出
運動失調	表2	下肢に著明
歩行障害	酩酊歩行，よろめき歩行	床を見ながら「パタンパタン」と歩く
筋緊張	低下	低下
腱反射	軽度低下	後根障害があると消失
振　戦	企図振戦	粗大振戦
測定異常	＋	＋
構音障害	爆発的，不明瞭・緩慢	－
備　考	・小脳の部位により臨床症状が異なる（表2） ・四肢の小脳性運動失調の6要素：測定障害（dysmetria），反復拮抗運動不能（dysdiadochokinesis），運動分解（decomposition of movement），協働収縮不能（asynergy），振戦（tremor），時間測定障害（dyschronometria） ・小脳性障害では眼振が認められる	

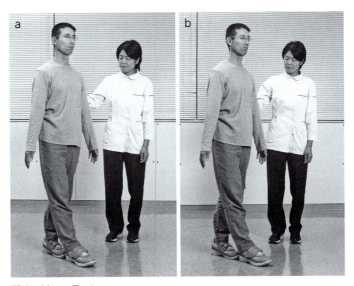

図1 Mann Test
a：開眼，b：閉眼
Romberg Test が両足を揃えた立位で行うのに対し，Mann Test は，両足を前後に縦一直線（前足の踵と後足のつま先をつける）の立位で行う。開眼（a）での身体の動揺を確認した後，閉眼（b）での動揺を比較・確認する。

表2 小脳の病巣部位と症候

病巣部位	症候群	症候の出現部位	運動失調 歩行体幹	上肢	下肢	眼振	構音障害	筋緊張低下	反跳現象	その他
古（原始）小脳	小脳底部（下虫部）		＋	0	±	±	0	±	0	＊1
旧小脳	小脳前葉（上虫部）		＋	±	＋	0	0	＋	±	＊2
新小脳	小脳外側（小脳半球）		＋	＋	＋	＋	＋	＋	＋	
全体	全小脳		＋	＋	＋	＋	＋	＋	＋	

＊1．頭位異常
＊2．extensor thrust reflex ⊕，小脳発作，小脳性カタレプシー
（DeMyer W：Technique of the Neurologic Examination. 1969. より）

2）前庭・迷路性運動失調症

・頭位の変化や加速度を感受する前庭・迷路系の障害に起因する。深部感覚は正常である。
・起立・立位保持，歩行時の平衡障害が特徴である。四肢の随意運動に障害はない。
・起立姿勢は wide based で不安定である。迷路反射が出現しないため閉眼により不安定さは増大する。
・歩行障害として千鳥足を認める。

3）大脳性運動失調症

・前頭葉，頭頂葉，側頭葉などの障害に起因する（最も知られているのは前頭葉性運動失調）。
・小脳性運動失調と類似しているが，病巣と対側に症状が出現する。腱反射の亢進や病的反射の出現も鑑別ポイントとなる。

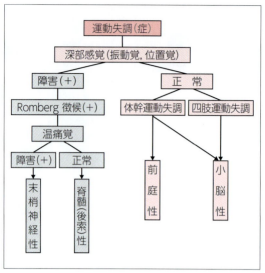
図2 運動失調の見分け方

B. 運動失調の鑑別

運動失調は，深部感覚の障害，Romberg徴候の判定，温痛覚の障害，平衡障害の有無により，その障害を見分けることができる（図2）。

2 運動失調検査

A. 目 的

運動失調の症状はさまざまであり，病巣によって出現する症状も異なるため，姿勢や動作時の観察と各種運動失調検査を実施することで，失調症状の特徴を把握することができる。患者の失調症状の特徴を把握することは，リハビリテーションを行う際の手段の選択にもつながる。

B. 運動失調検査・観察ポイント

運動失調の特徴を検出する検査は種々存在し，それぞれの検査時の症状の現れ方（失調症状がいつ，どの場所から出現するのか，出現時の固定部分と動揺（失調）部分はどこなのか，近位部と遠位部の関係）[3]をとらえる必要がある。また，検査結果だけでなく，運動失調が動作にどのように影響を与えているのかを観察することも重要となる。

1）姿勢
【座位姿勢】
・運動失調があると座位では両足を開き，上肢を座面について安定を図ろうとしたり（図3），車椅子などでは，バックサポートや背もたれに上体を押しつけるようにして座る様子が観察されることが多い（図4）。
・小脳虫部の障害では，運動失調は主に体幹に出現するため，座位の障害が著明となることがある。
・体幹失調の検出方法は，ベッドに深く座り，両足底を床から離した状態にする。体幹が不安定となり，両下肢を開く，両上肢で身体を支持する場合は体幹失調が疑われる。また，上体の動揺が明らかでない場合には，両膝をぴったりとつけたり，両腕を組むことで体幹の動揺が出現することがある。座位で頭部が間断なく動くことがある（頭部揺動）。
・小脳半球の障害では，障害側の上下肢に運動失調が著明であるが，体幹の平衡感覚は保たれているため，端座位保持は可能である。

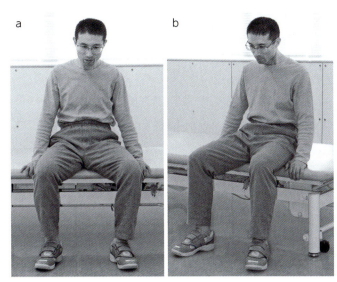

図3 両上肢支持での座位姿勢
a：正面，b：側面

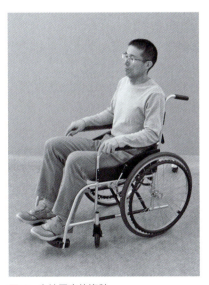

図4 車椅子座位姿勢

図5 特徴的な立位姿勢

【立位姿勢】
・両足を開き wide based となり，両上肢を外転位とすることでバランスを保とうとすることが多い（図5）。
・症状が重度な場合には，全身が不規則に動揺する。
・バランスを障害側または後方に崩しやすいため，注意する。
・Romberg Test や Mann Test で異常の検出が可能である。

2）歩行
・両足を開き（wide based），歩幅が一定せず，身体がふらつき，不安定となる。
・直線歩行，つぎ足歩行，回れ右などをさせると異常が目立つ。
・脊髄性障害の場合は，踵打歩行（床を見ながら「パタンパタン」と歩く）がみられる。視覚的代償（足下を見て状況を確認する）を用いる。
・小脳性障害，前庭・迷路性障害の場合は，酩酊歩行，よろめき歩行，千鳥足がみられる。
・前庭・迷路性障害の場合は，直線歩行の際，障害側へ傾斜する。閉眼により傾斜は著明になる。

3) 構音障害
・発語は爆発的で，不明瞭または緩慢，断綴性となる。
・検査方法は，レベル2「14 構音障害のスクリーニング」を参照。

4) 眼振
・末梢前庭性障害では，水平，回旋混合の定方向性眼振がみられる。
・小脳性障害では，注視方向性眼振，垂直性眼振がみられる。

5) 書字障害
・小脳失調では大字症（文字が徐々に大きくなる）がみられる。
　cf：パーキンソン病では小字症（文字が徐々に小さくなる）がみられる。

6) 四肢の運動失調症
①測定障害（dysmetria）
　随意運動を目的の位置で止めることができない現象である。測定過小（目的位置にたどり着かない），測定過大（目的位置を行き過ぎてしまう）がみられる。
　代表的な検査方法には，Arm Stopping Test，コップを持たせる方法，過回内試験，線引き試験，模倣現象がある。

②反復拮抗運動不能（dysdiadochokinesis）
　一肢または身体の一部において拮抗する反復動作がリズミカルで素早く，正確に行えない現象である。
　代表的な検査方法には手回内・回外検査，Finger Wiggle，Foot Pat，Tongue Wiggle がある。

③運動分解（decomposition of movement）
　小脳性障害の場合に認められる。耳朶を触る指示に対し，示指の軌跡が直線的でなくなる。
　代表的な検査方法には，示指－耳朶検査がある。

④協働収縮不能（asynergy）
　日常の行為はいくつかの運動が組み合わさったものであり，一定の順序，調和が保たれていることが必要となる。この順序や調和が障害される，または消失する現象を指す。
　代表的な検査方法には，背臥位で腕を組んだまま起き上がる，立位姿勢で反り返る方法がある。

⑤振戦（tremor）
　動作筋とその拮抗筋が交互に収縮し，身体の一部または全身において不随意で規則的な動揺である。
　代表的な検査方法には，企図振戦‒指鼻試験，鼻指鼻試験がある。

⑥時間測定障害（dyschronometria）
　動作開始時や動作を止めようとした際に，時間的に遅れる現象である。

C. 環境・肢位

・安全に配慮する。四肢の検査ではその動作により重心位置が変化し，バランスを崩しやすくなるため，車椅子や背もたれのある椅子を用いるとよい。
・体幹失調の有無とその影響を確認する。体幹失調により座位の安定を図るために背もたれを利用したり，上肢で身体を支持している場合がある。
・体位変換の際には，転倒や転落に注意する。

D. その他の測定法

　【International Cooperative Ataxia Rating Scale（ICARS）】：脊髄小脳変性症を対象として開発され，運動失調の重症度評価の国際基準として用いられているが，項目数の多さから評価に時間を要する。
　【Scale for the Assessment and Rating of Ataxia（SARA）】：2006 年に半定量的な運動失調の評価法として報告された。改訂を経て全8項目で構成されており，ICARS よりも簡便である。ICARS，Barthel Index（BI）との高い相関が報告されている。 2007 年に厚生労働省運動失調症研究班事務局より SARA の日本語版が作成された（表3）。

表3 Scale for the Assessment and Rating of Ataxia（SARA）日本語版

Rater: _____ date: _____ patient: _____

Scale for the Assessment and Rating of Ataxia（SARA）	
1）歩行 以下の2種類で判断する。①壁から安全な距離をとって壁と平行に歩き，方向転換し，②帰りは介助なしでつぎ足歩行（つま先に踵を継いで歩く）を行う。 0：正常。歩行，方向転換，つぎ足歩行が困難なく10歩より多くできる。（1回までの足の踏み外しは可） 1：やや困難。つぎ足歩行は10歩より多くできるが，正常歩行ではない。 2：明らかに異常。つぎ足歩行はできるが10歩を超えることができない。 3：普通の歩行で無視できないふらつきがある。方向転換がしにくいが，支えは要らない。 4：著しいふらつきがある。時々壁を伝う。 5：激しいふらつきがある。常に，1本杖か，片方の腕に軽い介助が必要。 6：しっかりとした介助があれば10mより長く歩ける。2本杖か歩行器か介助者が必要。 7：しっかりとした介助があっても10mには届かない。2本杖か歩行器か介助が必要。 8：介助があっても歩けない。	**2）立位** 被検者に靴を脱いでいただき，開眼で，順に①自然な姿勢，②足を揃えて（親趾同士をつける），③つぎ足（両足を一直線に，踵とつま先に間を空けないようにする）で立っていただく。各肢位で3回まで再施行可能，最高点を記載する。 0：正常。つぎ足で10秒より長く立てる。 1：足を揃えて，動揺せずに立てるが，つぎ足で10秒より長く立てない。 2：足を揃えて，10秒より長く立てるが動揺する。 3：足を揃えて立つことはできないが，介助なしに，自然な肢位で10秒より長く立てる。 4：軽い介助（間欠的）があれば，自然な肢位で10秒より長く立てる。 5：常に片方の腕を支えれば，自然な肢位で10秒より長く立てる。 6：常に片方の腕を支えても，10秒より長く立つことができない。
Score ⎢	Score ⎢
3）坐位 開眼し，両上肢を前方に伸ばした姿勢で，足を浮かせてベッドに座る。 0：正常。困難なく10秒より長く座っていることが出来る。 1：軽度困難，間欠的に動揺する。 2：常に動揺しているが，介助無しに10秒より長く座っていられる。 3：時々介助するだけで10秒より長く座っていられる。 4：ずっと支えなければ10秒より長く座っていることが出来ない。	**4）言語障害** 通常の会話で評価する。 0：正常。 1：わずかな言語障害が疑われる。 2：言語障害があるが，容易に理解できる。 3：時々，理解困難な言葉がある。 4：多くの言葉が理解困難である。 5：かろうじて単語が理解できる。 6：単語を理解できない。言葉が出ない。
Score ⎢	Score ⎢
5）指追い試験 被検者は楽な姿勢で座ってもらい，必要があれば足や体幹を支えてよい。検者は被検者の前に座る。検者は，被検者の指が届く距離の中間の位置に，自分の人差し指を示す。被検者に，自分の人差し指で，検者の人差し指の動きに，できるだけ早く正確についていくように命ずる。検者は被検者の予測できない方向に，2秒かけて，約30cm，人差し指を動かす。これを5回繰り返す。被検者の人差し指が，正確に検者の人差し指を示すかを判定する。5回のうち最後の3回の平均を評価する。 0：測定障害なし。 1：測定障害がある。5cm未満。 2：測定障害がある。15cm未満。 3：測定障害がある。15cmより大きい。 4：5回行えない。 (注) 原疾患以外の理由により検査自体ができない場合は5とし，平均値，総得点に反映させない。	**6）鼻―指試験** 被検者は楽な姿勢で座ってもらい，必要があれば足や体幹を支えてよい。検者はその前に座る。検者は，被検者の指が届く距離の90％の位置に，自分の人差し指を示す。被検者に，人差し指で被検者の鼻と検者の指を普通のスピードで繰り返し往復するように命じる。運動時の指先の振戦の振幅の平均を評価する。 0：振戦なし。 1：振戦がある。振幅は2cm未満。 2：振戦がある。振幅は5cm未満。 3：振戦がある。振幅は5cmより大きい。 4：5回行えない。 (注) 原疾患以外の理由により検査自体ができない場合は5とし，平均値，総得点に反映させない。

Score	Right	Left	Score	Right	Left
平均（R+L）/2			平均（R+L）/2		

7）手の回内・回外運動 被検者は楽な姿勢で座ってもらい，必要があれば足や体幹を支えてよい。被検者に，被検者の大腿部の上で，手の回内・回外運動を，できるだけ速く正確に10回繰り返すよう命ずる。検者は同じ事を7秒で行ない手本とする。運動に要した正確な時間を測定する。 0：正常。規則正しく行える。10秒未満でできる。 1：わずかに不規則。10秒未満でできる。 2：明らかに不規則。1回の回内・回外運動が区別できない，もしくは中断する。しかし10秒未満でできる。 3：きわめて不規則。10秒より長くかかるが10回行える。 4：10回行えない。 (注) 原疾患以外の理由により検査自体ができない場合は5とし，平均値，総得点に反映させない。	**8）踵―すね試験** 被検者をベッド上で横にして下肢が見えないようにする。被検者に，片方の足をあげ，踵を反対の膝に移動させ，1秒以内ですねに沿って踵まで滑らせるように命じる。その後，足を元の位置に戻す。片方ずつ3回連続で行う。 0：正常。 1：わずかに異常。踵はすねから離れない。 2：明らかに異常。すねから離れる（3回まで）。 3：きわめて異常。すねから離れる（4回以上）。 4：行えない（3回ともすねにそってかかとをすべらすことができない）。 (注) 原疾患以外の理由により検査自体ができない場合は5とし，平均値，総得点に反映させない。

Score	Right	Left	Score	Right	Left
平均（R+L）/2			平均（R+L）/2		

（厚生労働省難治性疾患克服研究事業 運動失調に関する調査および病態機序に関する研究班．2007．より）

3 手順のポイント

本項では，鼻指鼻試験と Foot Pat の実施の手順を述べる。

1) 挨拶・自己紹介を行い，2 つの識別子で患者の確認を行う
- 患者とのラポール（信頼関係）形成のため，挨拶，自己紹介を行う。
- 患者の取り違いを防止するため，氏名に加え生年月日もしくは ID など，2 つの識別子で確認する。

2) 運動失調検査を行う旨を患者に伝え了承を得る

3) 患者の座位姿勢を確認し，必要に応じて座位を修正する
- 座位姿勢の不安定さが検査の遂行，結果に影響を与えるため，検査を開始するにあたり患者の座位姿勢を確認し，必要に応じて座位姿勢の修正を行う。
- 患者の運動失調の特徴から座位を安定させるために上肢の支持が必要か否かを確認し，検査が実施できるよう，可能な限り上肢での身体の支持を最小限にした骨盤直立位の姿勢にする（図6）。
- 姿勢修正時はフットサポートを跳ね上げ，床面に足底を接地させて行う。足底接地させることで安定した座位姿勢をとることができる。また，身体の横に手をついたり，椅子や車椅子の背もたれを利用することで姿勢を安定させる場合もある。

> **臨床のコツ**
> ◆ 検査を実施する際には，上肢の動きや，閉眼に伴い転倒やバランスを崩すことがあるため，すぐに対応できるよう療法士は自身の立ち位置に配慮する。

4) 問診で症状の左右差の確認を行う
- 問診で，より症状の重い側を把握する。
- 運動失調の症状は一側，もしくは両側に生じる場合がある。症状が両側性の場合，左右差を把握することは，以降に実施する検査の実施順の参考要素となり得る。

5) 上肢のリーチ範囲を確認する

6) 運動失調テストを実施する
- 左右上下肢のうち，より症状の軽い側から行うことで，患者が検査方法を理解しやすくなる。療法士も症状の軽い側を基準に，次に行う症状の重い側の検査の判定が行いやすくなる。
- 病巣が小脳のどの部位にあるかによって，失調症状が四肢や体幹にどのように出現するかが異なる。両側に障害が出現する場合，または一側に障害が出現する場合があるため，両側とも検査を実施し比

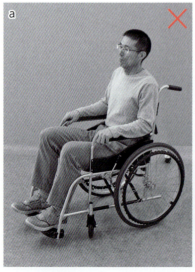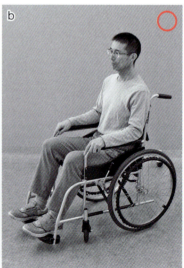

図6 座位姿勢
a：不良な座位姿勢，b：安定した座位姿勢

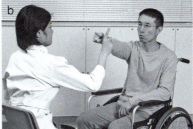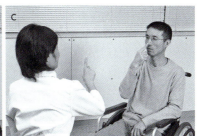

図7　鼻指鼻試験

図8　Foot Pat

較することが重要である。

【鼻指鼻試験】（図7）

①療法士は，患者に示指で自身の鼻先に触れ，次いで療法士の示指の先を交互に触れるように実際の動作を交えて指示する
- 療法士の指先（示指）は，患者の肘が伸びきらない程度の位置に提示し（図7a，b），その位置は1回ごとに移動させる（図7c）。

②患者の上肢や示指の動き，速度の変化への反応をみる
- 速度を変えることで，拙劣さが顕著になることがあるため，「患者の動かしやすい速度」「それよりも速く」「それよりもゆっくり」行うよう指示を与え，速度を変えて検査を行う。
- 小脳性振戦の特徴である企図振戦は，示指の振戦が目的物（療法士の示指，患者の鼻先）に近づくほど顕著になることで確認できる。

【Foot Pat】（図8）
- 療法士は，患者に踵を床につけたまま，できるだけ速く足関節の底背屈運動を行うようデモンストレーションを交えて指示する。
- 障害がある場合は，ゆっくりとした拙劣な動きとなる。
- 運動麻痺，筋緊張亢進，関節の異常，深部感覚障害がある場合にも，反復拮抗運動不能が出現するため，注意する。

> 臨床のコツ
>
> 【Foot Pat】
> ◆臨床場面では，両側同時に実施することで左右差が検出しやすくなることが多い。
> ◆別法として，背臥位で足関節の底背屈運動を指示する方法もある。この際は，足底で療法士の手掌を叩けるように，療法士の手掌を足底側に置いて実施する。

7）患者に検査結果を伝える
- 左右を比較し，上下肢の失調症状の特徴をわかりやすく説明する。

8) 患者に終了を伝える

9) 採点者に結果を報告する

・検査結果から，測定障害，協働収縮不能，振戦，反復拮抗運動不能の有無を判定し，患者の運動失調の特徴を採点者に説明する。

> **臨床のコツ**
>
> ◆ 運動失調症は，動作の協調性が低下するため，各検査から患者の運動失調の特徴を判定するだけでなく，患者の姿勢，起居動作や歩行，ADL 動作を観察，分析することも重要となる。ADL では上衣の着脱の際に上肢の動揺による重心の動揺や，視界の遮断によりバランスを崩しやすくなるため，動作方法の指導や安全性への配慮も重要となる。
>
> ◆ 小脳障害では，頭位の変化によりめまいや嘔吐を生じる場合があり，急な姿勢変化に注意を要することがある。また複視を呈する患者においては，焦点を合わせることが困難なため，眼帯やガーゼで一方の視界を遮断することで，遮断されていない側で安定して焦点を合わせやすくなることもある。

OSCE課題　運動失調検査

対応動画

設問

小脳梗塞の患者です。この患者に鼻指鼻試験，Foot Pat を行ってください。また，検査終了後，検査の結果からこの患者の運動失調の特徴を採点者に説明してください。試験の都合上，鼻指鼻試験はスピードの段階ごとに 4 回ずつ施行し，Foot Pat は片側ずつ実施してください。制限時間は 5 分です。では，始めてください。

準備するもの

車椅子（患者の体格に合ったもの），補高用の台，椅子

患者情報

疾患・障害	小脳梗塞，運動失調	R O M	制限なし
年齢・性別	不問	座　　位	安定
発症後期間	1 カ月	歩　　行	中等度介助
疼　　痛	なし	理　　解	良好
表 在 覚	正常	表　　出	軽度の構音障害あり
深 部 覚	正常	複　　視	なし

課題の目標

態度
1. 運動失調検査に備えた心がけができる（清潔かつ安全な身なり）。
2. 患者に運動失調検査を行う旨を説明し，了承を得ることができる。
3. 患者に不快な思いをさせない（話し方，表情，振る舞い）。

技能
1. 患者の安全に配慮しながら進めることができる。
2. 運動失調検査を適切な手順および方法で行うことができる。
3. わかりやすく簡潔に結果を伝えることができる。
4. わかりやすく簡潔な報告ができる。

手　順

1. 挨拶・自己紹介を行い，2つの識別子で患者の確認を行う。
2. 運動失調検査を行う旨を患者に伝え了承を得る。
3. 患者の座位姿勢を確認し，必要に応じて座位を修正する。
   - 患者の運動失調の特徴から座位を安定させるために上肢の支持が必要か否かを確認し，検査が実施できるよう，可能な限り上肢での身体の支持を最小限にした骨盤直立位の姿勢にする。
   - 姿勢修正時はフットサポートを跳ね上げ，床面に足底を接地させて行う。
4. 問診で症状の左右差を確認する。
   - より症状の重い側を把握する。
5. 上肢のリーチ範囲を把握する。
6. 運動失調テストを実施する。
   - 症状の軽い側から先に検査を実施する。
   - 検査方法を患者にデモンストレーションを交えてわかりやすく説明する。

   【鼻指鼻試験】（図7）
   ①患者は示指で自身の鼻先と受験者の示指の先を交互に触れる。受験者の指先は1回ごとにその位置を移動させる
   ②患者の上肢や示指の動き，速度の変化への反応をみる。速度を変えることで，拙劣さが顕著になることがあるため，「患者の動かしやすい速度」「それよりも速く」「それよりもゆっくり」行うよう指示を与え，速度を変えて検査を行う

   【Foot Pat】（図8）
   - 患者は踵を床につけたままできるだけ速く足関節の底背屈運動を行う。
7. 患者に検査結果を伝える。
   - 左右を比較し，上下肢の失調症状の特徴をわかりやすく説明する。
8. 患者に終了を伝える。
9. 採点者に結果を報告する。
   - 検査結果から，測定障害，協働収縮不能，振戦，反復拮抗運動不能の有無を判定し，患者の運動失調の特徴を採点者に説明する。

16　運動失調検査　367

採点基準

採点者は模擬患者に受験者の言動の適否を適宜確認して，以下の項目を採点してください。

1．態度

①適切な身なりで明瞭な挨拶（開始時・終了時）・自己紹介ができる。	2点	適切な身なり，明瞭な挨拶（開始時・終了時）・自己紹介ができる
	1点	上記のうち1項目ができない
	0点	2項目以上できない
②2つの識別子で患者の確認ができる。	2点	2つの識別子で患者の確認ができる
	1点	1つの識別子で確認ができる
	0点	確認ができない
③運動失調検査を行う旨を患者に伝え，了承を得ることができる。	2点	運動失調検査を行う旨を正確に伝え，患者の了承を得ることができる
	1点	どちらか一方のみできる
	0点	どちらもできない
④課題全般を通して，患者の様子（表情・心情・姿勢・身体機能）や状況に応じた丁寧な対処（声かけ・触れ方・動かし方）ができる。	2点	課題全般を通して，患者の様子や状況に応じた丁寧な声かけ，触れ方，動かし方ができる
	1点	上記3項目のうち1項目ができない
	0点	2項目以上できない

2．技能

①患者の座位姿勢を確認し，修正ができる。	2点	座位姿勢を確認し，適切に修正できる
	1点	座位姿勢を確認するが，修正が不十分である
	0点	座位姿勢を修正できない
②問診による障害の左右差，リーチ範囲の確認を行うことができる。	2点	問診による障害の左右差，リーチ範囲の確認を行うことができる
	1点	どちらか一方のみできる
	0点	どちらもできない
③2つの検査を症状の軽い側・症状の重い側の順に両側とも実施できる。	2点	2つの検査を症状の軽い側・症状の重い側の順に両側とも実施できる
	1点	どちらか一方のみできる
	0点	どちらもできない
【鼻指鼻試験】		
④鼻指鼻試験の方法をデモンストレーションを交えてわかりやすく説明できる。	2点	デモンストレーションを交えてわかりやすく説明できる
	1点	デモンストレーションを交えて説明するが，不十分
	0点	デモンストレーションを交えず説明する
⑤両側とも受験者の指先の位置を患者の肘が伸びきらない程度の位置に設定できる。	2点	両側とも受験者の指先の位置を患者の肘が伸びきらない程度の位置に設定できる
	1点	一側のみ設定できる
	0点	両側とも設定できない
⑥両側とも受験者の指先の位置を1回ごとに変えて実施できる。	2点	両側とも1回ごとに受験者の指先の位置を変えて実施できる
	1点	時折，位置を変えることを忘れる
	1点	一側のみできる
	0点	両側ともできない
⑦両側とも速度を変えて（「患者の行いやすい速度」「速く」「ゆっくり」）実施できる。	2点	両側とも速度を変えて実施できる
	1点	速度の変更が不十分
	1点	一側のみできる
	0点	両側ともできない

【Foot Pat】		
⑧ Foot Pat の方法をデモンストレーションを交えてわかりやすく説明できる。	2点 1点 0点	デモンストレーションを交えてわかりやすく説明できる デモンストレーションを交えて説明するが，不十分 デモンストレーションを交えず説明する
⑨ 実施した2つの検査の結果を患者にわかりやすく伝えることができる。	2点 1点 0点 0点	実施した2つの検査の結果を患者にわかりやすく伝えることができる 結果を伝えるがわかりにくい 結果を伝えることができない 誤った内容を伝える
【採点者への報告】		
⑩ 鼻指鼻試験について，正しく判定し，運動失調の特徴を説明できる。	2点 1点 0点 0点	運動失調（左右比較，動作の円滑さ，測定障害，協働収縮不能，振戦）について正しく判定し，特徴を説明できる 正しく判定できるが，失調の特徴についての説明が不十分である 左右比較ができず，説明できない 判定が誤っている
⑪ Foot Pat について，正しく判定し，運動失調の特徴を説明できる。	2点 1点 0点 0点	運動失調（左右比較，動作の円滑さ，反復拮抗運動不能）について正しく判定し，特徴を説明できる 正しく判定できるが，失調の特徴についての説明が不十分である 左右比較ができず，説明できない 判定が誤っている

OSCE 担当者確認事項

環境設定
・車椅子は模擬患者の体格に合ったものを使用する。

採点者と模擬患者
・あらかじめ症状の出現する側を決めておく。

模擬患者
・症状の出現は一側の設定とする。
・課題開始時は車椅子座位で待機する（図9）。骨盤後傾位で，上肢で身体を支持し肩が挙上した座位姿勢とする。
・症状出現側の鼻指鼻試験では通常スピードとゆっくりのスピードで企図振戦，速いスピードで企図振戦と測定過大を出現させる。
・症状出現側の Foot Pat では反復拮抗運動不能を出現させる。

採点者
・Foot Pat の際，受験者が両下肢同時に実施させた時は，片側ずつ行うよう指示し，課題を継続させる。

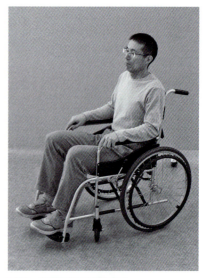

図9 模擬患者の開始姿勢

引用文献

1) Garcin R, Vinken PJ, Bruyn GW（eds）：The ataxias. Handbook of Clinical Neurology vol1, p309-355, North-Holland Publ, Amsterdam, 1969.
2) 日本神経学会用語委員会 編：神経学用語集 第2版．p12，文光堂，1993.
3) 後藤 淳：失調症患者における問題点の予測．関西理学療法 4：15-25，2004.

参考文献

1) 田崎義昭，斎藤佳雄：ベッドサイドの神経の診かた 改訂18版．南山堂，p141-156，237-242，2016.
2) 松澤 正，江口勝彦：理学療法評価学　改訂第4版．金原出版，p157-166，2012.
3) 佐々木秀直，田代邦雄：協調運動の診かた．Clinical Neuroscience 21：288-289，2003.
4) 高梨雅史，森 秀生：起立・歩行の検査とその意義．Clinical Neuroscience 21：294-295，2003.
5) 大久保卓哉，水澤英洋：小脳．Clinical Neuroscience 21：318-319，2003.
6) 佐藤和則，矢部一郎，相馬広幸，他：新しい小脳性運動失調症の重症度評価スケール Scale for the Assessment and Rating of Ataxia（SARA）日本語版の信頼性に関する検討．Brain Nerve 61：591-595, 2009.
7) 山内康太，小柳靖裕，岩松希美，他：Scale for the Assessment and Rating of Ataxia（SARA）を用いた脳卒中に伴う運動失調重症度評価の有用性について．脳卒中 35：418-424, 2013.

17 立位バランスの評価

1 バランス能力とは

バランス能力とは，姿勢調節における安定性に着目した概念で，身体重心の投影点を支持基底面内に保持する能力であり，平衡機能のほか，骨関節，筋，感覚，認知，呼吸循環機能など多くの関連要素から成るシステムとして機能している[1~3]。リハビリテーション医療において，動作の自立度の向上や日常生活の基盤となる姿勢は重要な課題であり，バランス能力は，動作の安定性や安全性と深く関わり動作の自立度を左右する重要な要因である。

2 バランス能力の評価

A. 目 的

理学・作業療法におけるバランス能力評価の目的は，①患者のバランス能力の程度（バランス障害の有無と障害の重症度）の把握，②バランス障害の原因の特定，③生活機能障害全体の中でのバランス障害の位置づけ，そして①～③を踏まえて介入の方針・プログラムを決定することである[4]。バランス能力低下は転倒・転落の主要な危険因子であり，バランス能力を評価することで，転倒・転落リスクの予測，治療効果判定などを行うことができる。

B. 評価方法

バランス能力の検査には，重心動揺計（足圧中心計）や3次元動作解析装置などの測定機器を用いて定量的に検査する方法と，機器を用いずに患者のパフォーマンスを観察し，また患者に操作を加えることにより定性的に検査する方法がある。本項では，後者を扱う。

3 バランス能力検査の流れ

バランス能力は，静的姿勢保持，外乱負荷応答，随意運動中のバランス機能に分類でき，さらに随意運動中のバランス機能は，支持基底面内での重心移動能力と新たな支持基底面内に重心を移動する能力に分けられる。これらのすべての要素について検査を実施すれば，患者の総合的なバランス能力の検査が可能になる[5]。以下に，理学・作業療法場面で用いられる主な評価スケールとして，有用性が報告されている方法[6~10]を紹介する。

A. 静的姿勢保持

一定の支持基底面に圧中心を保持しようとする機能であり，静止立位などがこれにあたる。力学的には支持基底面が大きく重心位置が低いほど，物体としては倒れにくく安定性は高くなる。基本姿勢では背臥位→座位→立位の順で，立位では開脚位→閉脚位→継ぎ足位→片足立ち位の順でバランス保持は難しくなる。療法士は，患者が何秒間姿勢保持できるかどうかに加え，身体の動揺の程度，頭部，体幹，四肢の対称性，骨盤や脊柱のアライメントなどを観察する。

【理学・作業療法場面で用いられる主な評価スケール】

Romberg Test，Mann Test，片足立ち，Standing Test for Imbalance and Disequilibrium（SIDE），重心動揺計測

B. 外乱負荷応答

外乱に対して圧中心を支持基底面内に留まらせ，再び適切な位置に戻そうとする機能である。外乱には物理的な外力のほか，自らの上肢を挙上するなど，身体内部の運動が外乱となる場合もある。物理的な外力の大きさによって，支持基底面に留まろうとする立ち直り反応や，新たに支持基底面を設けるステッピング反応などがある。

座位や立位において，療法士が患者の肩や背部，腰部などを押したり，座面を傾斜させることによって外乱を加え，患者の身体の反応を観察する。最初はゆっくりと小さく，次第に素早く大きな外乱を加え，どの程度の重心移動まで姿勢を保持できるか，前後左右で姿勢を崩しやすい方向があるか，外乱に対する身体反応に遅れや欠如はないかなどを検査する。

【理学・作業療法場面で用いられる主な評価スケール】

Nudge/Push Test, Manual Perturbation Test, Postural Stress Test, Motor Control Test, Sensory Organization Test

C. 支持基底面内での重心移動能力

座位や立位での動作など，一定の支持基底面の中で身体重心線を移動する能力である。前方や側方リーチ動作などがこれにあたり，上下方向の重心移動としては，スクワット動作や床の物を拾う動作などが考えられる。

座位や立位において，患者に随意的に前後，左右，斜め方向の重心移動を行わせ，重心移動が可能な範囲，移動した際の身体アライメント，身体の動揺の程度，筋緊張などを検査する。

【理学・作業療法場面で用いられる主な評価スケール】

Functional Reach Test, Cross Test

D. 新たな支持基底面内に重心を移動する能力

支持基底面を変更して，新たな支持基底面の適切な位置に圧中心を調整しようとする機能であり，起居動作，移乗，歩行，階段昇降などの動作がこれにあたる。患者の動作観察や，患者を介助・誘導した際の安定性の変化や抵抗の程度から検査する。

背もたれや杖などの補助具の使用は支持基底面を変化させ，安定性を高めるための手段として捉えることができる。また，床面の材質，視覚情報の有無，同時に遂行する課題数などによってバランス能力は変化するため，これらを適宜組み合わせて課題設定することで難易度を調整し，検査を進める。

【理学・作業療法場面で用いられる主な評価スケール】

Timed Up and Go Test, Berg Balance Scale（前述の A.～C. の要素も含む），Fugl-Meyer Sensorimotor Assessment of Balance Performance, Dynamic Gait Index

4 注意すべき点

バランス能力の評価にあたっては，量的側面（バランス障害の程度）と質的側面（バランス障害の特性）の両者をみる必要がある。量的なバランス能力検査は，前述した評価スケールを用いて数値化することでバランス能力を把握する。ただし，各評価スケールはバランス能力の一側面を評価しているに過ぎず，評価結果は総合的に解釈する必要がある。質的なバランス能力検査では，課題を設定し，患者を観察する。また患者に操作を加えることにより，身体部位の配置の観察，骨格筋活動の触診，介助・誘導時の介助量や抵抗感などを情報として，身体重心と支持基底面との関係，骨格筋の活動状況，動作方法，動作の制限要因などを推察する。静的姿勢保持能力，外乱負荷応答，随意運動中のバランス機能の要素を多角的に捉えるべきである。

5 練習プログラムへの反映

継ぎ足位や片足立ち位は歩行の安定性を反映し，歩行の自立度に影響している[11,12]。患者が静止立位を保持できない場合，運動麻痺，姿勢保持に関与する筋出力の低下，アライメントの構造的な異常，運動失調，疼痛などの原因が考えられる。静止立位保持能力の検査では，徐々に支持基底面を狭くして，患者が姿勢を保持できるか，どのようにバランスをとっているのかを観察する。バランス機能の改善は，実施した運動課題と対応する[6]ため，患者の能力に応じた治療プログラムの立案が必要である。また，開眼と閉眼で課題を実施し，閉眼時に動揺が増悪すれば深部感覚障害を疑うとともに，視覚による固有感覚の代償が有効か否かを推察できる。

6 転倒予防のための補助具

バランス能力の検査は，転倒リスクが高い検査である。転倒リスク回避のため，ベルトや平行棒，ベッドなどの支持物などが補助的に用いられる。

通常，患者が転倒しそうになると療法士が患者を支える。しかし，実際にバランスを崩して反応しても転倒は防ぎにくく，そのため，前もって患者の体を支えることになる。しかし，バランスを崩す前に患者を支えてしまうと，患者自身が立ち直りを体験する機会を奪うことにつながる。患者の体幹に転倒予防のためのベルトを装着することで，介助することなく，患者がバランスを崩す直前まで転倒リスクを抑えつつ観察可能となる。患者がバランスを崩した際，ベルトに付属する握り部を引くことで転倒を防ぎ，もう一方の手で患者を支える余裕を生み出すことができる。握り部を持っていれば，療法士は常に患者に触れている必要がなくなり，患者に近づき過ぎて姿勢制御を邪魔してしまうことや，患者の上肢を引っ張ってしまい患者が肩を痛めるというリスクも小さい。

7 手順のポイント

ここでは Romberg Test を例にする。

1) 挨拶・自己紹介を行い，2 つの識別子で患者の確認を行う
・患者とのラポール（信頼関係）形成のため，挨拶，自己紹介を行う。
・患者の取り違えを防止するため，氏名に加え生年月日もしくは ID など，2 つの識別子で確認する。

2) バランス能力検査を行う旨を患者に伝え了承を得る
・立位姿勢を観察すること，支持基底面を狭くしたり閉眼してもらうことを伝える。
・転倒の危険が伴う検査であるが，転倒は必ず防ぐことを伝え，最大のパフォーマンスを発揮させる。

3) 転倒予防のためのベルトを装着する
・転倒予防のため，ベルトを装着することの同意を得る。
・ベルトは下半分が骨盤にかかる高さで，ベルトと身体の間に隙間ができないように巻く[13]（図 1，2）。
・ベルトの握り部が背部の中央に位置するように調整する（図 3）。
・ベルトの締め過ぎで苦しくないかを確認する。
・骨盤に腫瘍の転移がある場合は，転倒予防のためのベルト使用の介助により外傷を加えてしまう危険があるため，十分注意する。

4) 患者を起立させる前に，検査を実施できる環境を整える
・患者が立位になった際の目線の高さに，固視点を定める。必要に応じて，第三者に姿勢矯正鏡の準備，固視点修正を依頼する。
・固視点は，患者から 2〜3 m 前方に定め，固視点の大きさは直径 4〜5 cm 程度の円形とする。
・固視点の距離，大きさ，形については標準化された方法はない。検査結果を比較するためには，毎回統一した方法で行うことが重要である。
・閉眼の検査を行う際には，患者が閉眼を維持しているかの確認を必要に応じて第三者に依頼しておく。

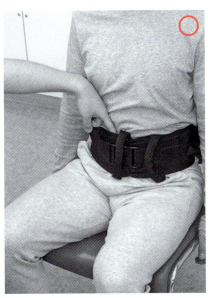
図1 適切な装着例（ベルトと身体の間に隙間がない）

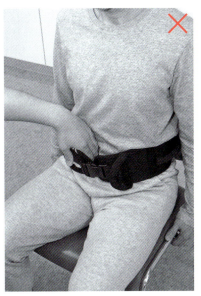
図2 不適切な装着例（ベルトと身体の間に隙間がある）

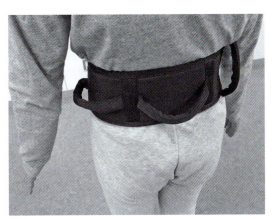
図3 ベルトの握り部の位置

5) 患者を起立させ，立位姿勢を観察する

・本来は，患者が起立しやすい足幅や方法で起立させ，姿勢を観察した後に徐々に支持基底面を狭くし，その反応を観察する。しかし，立位となった後に足幅を変えることが難しい患者の場合，座位の段階で足幅を規定し，起立させることもある。
・患者が座っていた椅子が検査の邪魔にならないよう患者から少し離れたところに移動させる。
　その際，患者に椅子を移動させる旨を伝える。
・定めた固視点が患者の目線の高さにあることを確認し，必要に応じて固視点の位置を修正する。
・患者に楽な姿勢で立つように指示し，姿勢保持できるかどうか，介助が必要か，姿勢を保持するために支持基底面を広くしているか，身体の動揺の程度，頭部，体幹，四肢の対称性，骨盤や脊柱のアライメントを患者の後方および側方から観察する。
・患者がバランスを崩した際，すぐに支えることができる範囲内で観察する。

6) 採点者に静止立位の観察結果を伝える

・介助の必要性，身体動揺の程度，身体アライメントについて採点者に伝える。
　例）「静止立位姿勢について報告します。上肢の支持や介助なく立位保持可能です。著明な重心動揺は認めません。前後左右のアライメントは，対称的です」

図4　Romberg Test 中の閉脚位

7) Romberg Test を行う

【難易度の設定】
・立位保持は，支持基底面の大きさから開脚位よりも閉脚位の方が難易度が高く，また視覚情報の有無を組み合わせると，開眼閉脚位よりも閉眼閉脚位の方が難易度が高い[14]ため，開脚→閉脚，開眼→閉眼の順で検査する。
・開眼させたまま両足を揃え，つま先を閉じて立位を保持させる（図4）。上肢は体側に沿わせるか，前方に挙上させる。

【開眼閉脚位での検査の実施】
・前方の固視点を見続けるように指示する。
・患者が前方の固視点を注視し始めてから，姿勢保持できずに支持基底面を変化させたり，介助が必要となるまでの時間をストップウォッチを用いて計測する。また，身体の動揺の程度を観察する。

【閉眼閉脚位での検査の実施】
・閉眼させ，身体動揺の変化を観察する。患者が閉眼し始めてから，開眼してしまったり，姿勢を保持できずに支持基底面を変化させたり，介助が必要になるまでの時間を計測する。閉眼により身体の動揺が著明になれば，Romberg Sign 陽性とする[15]。
・患者に閉眼させる際は，第三者に患者が閉眼を維持しているかを確認するよう依頼するか，姿勢矯正鏡を用意してもらい，療法士自身が鏡を通して患者が閉眼を維持しているかを確認する。

【安全上の注意点】
・検査中，療法士は患者の後方に位置し，いつでも患者を支えることができるよう構える（図5）。
・療法士と患者の距離は，療法士が患者の後方で肩関節と肘関節を軽度屈曲した際に手指が患者に軽く触れる程度を目安とする。患者との体格差が大きい場合，より患者に近づいてもよいが，姿勢制御を邪魔してはいけない（図6）。
・構えた際，療法士は手をベルトの握り部に添えてもよいが，ベルトの位置は患者の身体重心位置に近いため，ベルトをわずかに操作しただけでも患者の重心が動いてしまう。そのため，ベルトを操作して患者の転倒を予防するタイミングには十分な注意が必要である。
・転倒予防のために患者を支えるタイミングを見極める必要があり，身体の動揺が増した時は，ベルトを引っ張るのではなく動揺した方向に療法士が移動したり先回りして，いつでも安全に介助できるように構えながら観察を続ける。

図5 適切な療法士と患者の距離

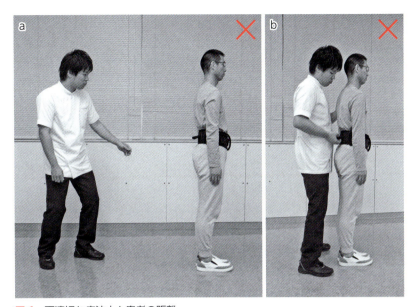

図6 不適切な療法士と患者の距離
a：療法士と患者の距離が遠過ぎる，b：療法士と患者の距離が近過ぎる

> **臨床のコツ**
> ◆ 転倒予防のためのベルトを巻く際は，腹部の圧迫を避けること，患者と療法士との身長差，ベルトの使用目的を考慮してベルトの位置を決める必要がある（例：小柄な患者を大柄な療法士が介助する場合，転倒予防のためのベルトを胸郭に装着する）。
> ◆ ストップウォッチに注意を向け過ぎて，転倒のリスク管理を怠らないように注意する。
> ◆ バランス能力を検査する際，療法士は患者の後方に位置するが，患者が一側性の障害を呈する場合には転倒する危険が高いと考えられる障害側に寄るなど，患者の疾患や病態に合わせて立ち位置を調整するとよい。
> ◆ 高齢者やバランス障害を呈する患者においては，検査結果がバラつくことが考えられるため，同じ姿勢で繰り返し検査し，再現性を評価する必要がある。
> ◆ 患者が転倒しかけた際は転倒予防のためのベルトのみで患者の転倒を防ごうとせず，一側の手で転倒予防のためのベルトを引き，必ずもう一側の手で患者の身体を支える。

8) 患者を座位姿勢に戻し，転倒予防のためのベルトを外す
9) 患者に終了を伝える
10) 採点者に検査結果を伝える

・各条件における重心動揺の程度，転倒リスク，日常生活での注意点について採点者に伝える。

　例）「検査結果を報告します。安静立位時，著明な重心動揺は認めませんでした。支持基底面を狭くすると，重心動揺は増えましたが，10秒間姿勢保持可能でした。支持基底面を狭くし，閉眼するとさらに重心動揺は増え，10秒間姿勢保持できませんでした。急な方向転換や夜間の歩行時は注意が必要だと考えます」

OSCE課題　立位バランスの評価

対応動画

設問

脊髄後索障害による運動失調症の患者です。この患者に転倒予防のためのベルトを装着して，起立させ静止立位姿勢を観察し，結果を採点者に報告してください。その後，Romberg Test を行い，患者を座位に戻し，検査結果と転倒のリスク，日常生活での注意点について簡潔に採点者に説明してください。なお，固視点の修正と閉眼状況の確認は採点者に依頼してください。今回は時間の都合上，1つの姿勢を保持するのは最大で10秒とします。制限時間は5分です。では，始めてください。

準備するもの

椅子，転倒予防のためのベルト，ストップウォッチ，固視点（直径4～5cmの円形で，患者の目線に合わせて移動できるもの）

患者情報

疾患・障害	脊髄腫瘍，脊髄性運動失調	ROM	制限なし
年齢・性別	不問	座　位	安定
発症後期間	1カ月	立　位	監視
疼　痛	なし	起立・着座動作	監視
腱反射	減弱		
表在覚	軽度鈍麻	理　解	良好
深部覚	重度鈍麻	表　出	良好

課題の目標

態度
1. 立位バランスの評価に備えた心がけができる（清潔かつ安全な身なり）。
2. 患者に立位バランスの評価を行う旨を説明し，了承を得ることができる。
3. 患者に不快な思いをさせない（話し方，表情，振る舞い）。

技能
1. 患者の安全に配慮しながら進めることができる。
2. 立位バランスの評価を適切な手順および方法で行うことができる。
3. わかりやすく簡潔な報告ができる。

17　立位バランスの評価　377

手　順

1. 挨拶・自己紹介を行い，2 つの識別子で患者の確認を行う。
2. バランス能力検査を行う旨を患者に伝え了承を得る。
3. 転倒予防のためのベルトを装着する。
   - 転倒予防のため，ベルトを装着することの同意を得る。
   - ベルトは下半分が骨盤にかかる高さで，ベルトと身体の間に隙間ができないように巻く[13]（図 1, 2）。
   - ベルトの握り部が背部の中央に位置するように調整する（図 3）。
4. 患者を起立させる前に，検査を実施できる環境を整える。
   - 患者が立位になった際の目線の高さに，固視点を定める。
   - 固視点は，患者から 2〜3 m 前方に定め，固視点の大きさは直径 4〜5 cm の円形とする。
   - 検査前に固視点の位置の修正，患者が閉眼を維持しているかの確認を採点者に依頼する。
5. 患者を起立させ，立位姿勢を観察する。
   - 患者の足幅（両第 2 中足骨頭間の距離）を両坐骨結節間の距離とし，起立させる。
   - 立位となった患者の目線の高さに固視点があるかを確認する。修正する場合，第三者に依頼する。
   - 姿勢保持できるかどうか，介助が必要か，姿勢を保持するために支持基底面を広くしているか，身体の動揺の程度，頭部・体幹・四肢の対称性，骨盤や脊柱のアライメントを患者の後方および側方から観察する。
6. 採点者に静止立位の観察結果を伝える。
   - 介助の必要性，身体動揺の程度，身体アライメントについて採点者に伝える。
7. Romberg Test を行う。＊本課題において，1 つの姿勢を保持させるのは最大で 10 秒間とする。
   - 開眼，閉眼の順に行う。
   - 開眼させたまま閉脚立位を保持させる（図 4）。上肢は体側に沿わせるか，前方に挙上させる。
   【開眼閉脚位での検査の実施】
   - 前方の固視点を見続けるように指示する。
   - 患者が前方の固視点を注視し始めてから，姿勢保持できずに支持基底面を変化させたり，介助が必要となるまでの時間をストップウォッチを用いて計測する。また，身体の動揺の程度を観察する。
   【閉眼閉脚位での検査の実施】
   - 閉眼させ，身体動揺の変化を観察する。患者が閉眼し始めてから，開眼してしまったり，姿勢保持できずに支持基底面を変化させたり，介助が必要となるまでの時間を計測する。
   - 閉眼により身体の動揺が著明となれば，Romberg 徴候陽性とする[15]。
   【安全上の注意点】
   - 検査中，受験者は患者の後方に位置し，いつでも患者を支えることができるよう構える（図 5）。
   - 受験者と患者の距離は，受験者が患者の後方で肩関節と肘関節を軽度屈曲した際に手指が患者に軽く触れる程度を目安とする。
   - 構えた際，受験者は手をベルトの握り部に添えてもよいが，ベルトの位置は患者の身体重心位置に近いため，ベルトをわずかに操作しただけでも患者の重心が動いてしまう。そのため，ベルトを操作して患者の転倒を予防するタイミングには十分な注意が必要である。
   - 転倒予防のために患者を支えるタイミングを見極める必要があり，身体の動揺が増した時は，ベルトを引っ張るのではなく動揺した方向に受験者が先回りして，いつでも安全に介助できるように構えながら観察を続ける。
   - ストップウォッチに注意を向け過ぎ，転倒のリスク管理を怠らないように注意する。
8. 患者を座位姿勢に戻し，転倒予防のためのベルトを外す。
9. 患者に終了を伝える。

10. 採点者に検査結果を伝える。

・各条件における重心動揺の程度，転倒リスク，日常生活での注意点について採点者に伝える。

17 立位バランスの評価　379

採点基準

採点者は模擬患者に受験者の言動の適否を適宜確認して，以下の項目を採点してください。

1. 態度

①適切な身なりで明瞭な挨拶（開始時・終了時）・自己紹介ができる。	2点	適切な身なり，明瞭な挨拶（開始時・終了時）・自己紹介ができる
	1点	上記のうち1項目ができない
	0点	2項目以上できない
②2つの識別子で患者の確認ができる。	2点	2つの識別子で患者の確認ができる
	1点	1つの識別子で確認ができる
	0点	確認ができない
③立位バランスの評価を行う旨を患者に伝え，了承を得ることができる。	2点	立位バランスの評価を行う旨を正確に伝え，患者の了承を得ることができる
	1点	どちらか一方のみできる
	0点	どちらもできない
④課題全般を通して，患者の様子（表情・心情・姿勢・身体機能）や状況に応じた丁寧な対処（声かけ・触れ方・動かし方）ができる。	2点	課題全般を通して，患者の様子や状況に応じた丁寧な声かけ，触れ方，動かし方ができる
	1点	上記3項目のうち1項目ができない
	0点	2項目以上できない

2. 技能

①転倒予防のためのベルトを装着する理由を説明し，ベルトの下半分が骨盤にかかる高さで，ベルトと身体の間に隙間ができないよう装着できる。	2点	ベルトを装着する理由を説明し，ベルトの下半分が骨盤にかかる高さで，ベルトと身体の間に隙間ができないよう装着できる
	1点	上記のうち1項目ができない
	0点	2項目以上できない
②検査前に採点者に固視点の修正と閉眼状況の確認を依頼し，立位時の目線の高さ，患者から2〜3m前方に固視点を定めることができる。	2点	検査前に採点者に固視点の修正と閉眼状況の確認を依頼し，立位時の目線の高さ，患者から2〜3m前方に固視点を定めることができる
	1点	上記のうち1項目ができない
	0点	2項目以上できない
③患者の足幅を両座骨結節間の距離にし，安全に立ち上がり，立位保持をさせることができる。	2点	患者の足幅を両座骨結節間の距離にし，安全に立ち上がり，立位保持をさせることができる
	1点	上記のうち1項目ができない
	0点	2項目以上できない
④静止立位姿勢の観察結果（介助の必要性，身体動揺の程度，身体アライメント）を採点者に伝えることができる。	2点	介助の必要性，身体動揺の程度，身体アライメントについて正しく伝えることができる
	1点	上記のうち1項目ができない
	0点	2項目以上できない
⑤Romberg Test を行うにあたり，開眼時・閉眼時とも患者に閉脚立位を保持させることができる。	2点	開眼時・閉眼時とも患者に閉脚立位を保持させることができる
	1点	開眼時・閉眼時のどちらか一方のみできる
	1点	立位を保持させることができるが不十分
	0点	どちらもできない
⑥Romberg Test において，開眼，閉眼の順に検査できる。	2点	正しい順序で検査できる
	1点	実施するが，順序が逆である
	0点	実施しない

⑦受験者と患者の距離は，受験者が患者の後方で肩関節と肘関節を軽度屈曲した際，手指が軽く触れる程度で，いつでも介助できる構えがとれる。	2点 1点 0点	受験者と患者の距離が適切で，いつでも介助できる構えがとれる どちらか一方のみできる どちらもできない
⑧ベルトを操作するタイミングに注意し，患者の動揺した方向に受験者が移動し，常に安全に検査ができる。	2点 1点 1点 0点	ベルトを操作するタイミングに注意し，患者の動揺した方向に受験者が移動し，常に安全に検査ができる どちらか一方のみできる 転倒予防のためのベルトを使用しない どちらもできない
⑨ストップウォッチで時間計測しながら評価し，転倒のリスク管理ができる。	2点 1点 0点	ストップウォッチで時間計測しながら評価し，転倒のリスク管理ができる 上記のうち1項目ができない 2項目以上できない
⑩患者を安全に座位に戻し，転倒予防のためのベルトを外すことができる。	2点 1点 0点	患者を安全に座位に戻し，転倒予防のためのベルトを外すことができる どちらか一方のみできる どちらもできない
⑪条件別の重心動揺の程度を比較し，転倒リスクや日常生活での注意点について採点者に伝えることができる。	2点 1点 0点	重心動揺の程度の把握が正しく，転倒リスクや日常生活での注意点を伝えることができる 上記のうち1項目ができない 2項目以上できない

OSCE担当者確認事項

環境設定
・周囲に障害物がなく広いスペースで行う。
・転倒予防のためのベルトは，わずかな調整で済むように毎回設定しておく。

模擬患者
・課題開始時は椅子座位で待機する。足幅を広げておく（図7）。
・起立・着座動作，立位保持は監視にて可能な設定とする。
・開眼・開脚での立位姿勢保持は，明らかな重心動揺はしない設定とする。
・閉脚する際，まずは両足を揃えるのみで，つま先を閉じない設定とする。
・開眼・閉脚での立位姿勢保持は，開眼・開脚での立位姿勢保持よりも重心動揺が大きくなるが，10秒以上保持できる設定とする。
・閉眼・閉脚での立位姿勢保持は，開眼・閉脚での立位姿勢保持よりも重心動揺を大きくし，前後左右に揺れながら，6～7秒経過した時点でいずれかの方向に転倒しかける設定とする。

採点者
・検査前に固視点の修正と閉眼状況を確認することを採点者に依頼しなかったときはその旨を伝え，課題を継続させる。

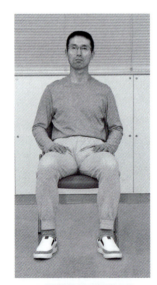

図7 模擬患者の開始姿勢

引用文献

1) A.S. Cook 他（田中 繁，高橋 明 監訳）：モーターコントロール　運動制御の理論と臨床応用　原著第2版．医歯薬出版，2004.
2) 望月 久：バランス―バランスの評価と理学療法．理学療法学 36：220-222, 2009.
3) 望月 久：バランス障害に対する理学療法．理学療法学 40：322-325, 2013.
4) 丸山仁司，竹井 仁，黒澤和生 編：考える理学療法 評価から治療手技の選択―中枢神経疾患編．p124-137，文光堂，2006.
5) 島田裕之，内山 靖，原田和宏 他：姿勢バランス機能の因子構造：臨床的バランス機能検査による検討．理学療法学 33：283-8, 2006.
6) 潮見泰藏 編：脳卒中に対する標準的理学療法介入―何を考え，どう進めるか？ p134-142，文光堂，2007.
7) Allison L（ed by Umphred D）：Balance disorder. in Neurological Rehabilitation 5th Ed. p802-837, Mosby, St. Louis, 1995.
8) 内山 靖：姿勢バランスの定量的評価．理学療法学 24：109-113, 1997.
9) 石川 朗，武藤美穂子，佐伯秀一 他：平衡機能検査を目的とした Cross Test の有効性．理学療法学 21：186-194, 1994.
10) Teranishi T, Kondo I, Sonoda S, et al：Validity study of the standing test for imbalance and disequilibrium（SIDE）：Is the amount of body sway in adopted postures consistent with item order？ Gait Posture 34：295-299, 2011.
11) 鬼頭智宏，南 公大，小島かおり 他：監視歩行から自立歩行への移行因子の検討．J Clin Phys Ther 14：63-70, 2011.
12) 猪飼哲夫，辰濃 尚，宮野佐年：歩行能力とバランス機能の関係．リハビリテーション医学 43：828-833, 2006.
13) 冨士武史 監：ここがポイント！整形外科疾患の理学療法 改訂第2版．金原出版，2006.
14) 齋藤 宏，長崎 浩（中村隆一 編著）：臨床運動学 第3版．医歯薬出版，2002.
15) 田崎義昭，齋藤佳雄：ベッドサイドの神経の診かた 改訂第17版．南山堂，2010.

18 下肢装具・歩行補助具の調整

1 麻痺疾患における装具選定と継手調整

麻痺疾患における下肢装具の使用目的は，関節運動の単純化（自由度制約），関節保護，変形予防である。このうち，関節運動の単純化（自由度制約）は課題の難易度を調整し，立位・歩行能力の向上を図ることができる。その動作能力向上のためには，適切な下肢装具の選定や継手調整が重要となるが，麻痺の重症度が個々の症例で異なり，回復過程において下肢装具に求められる機能が変化することを考慮しなければならない。

2 継手のチェックアウトと種類

膝継手：単軸のヒンジ継手を大腿骨顆部の中心あたりに定めるのが一般的である（図1a～f）。

足継手：底背屈の可動域を残し，内返し，外返し運動を制約するものが一般的である（図2a～f）。

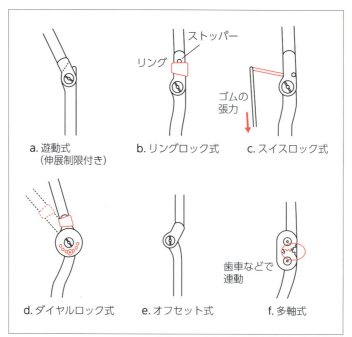

図1　代表的な膝継手
（日本整形外科学会，日本リハビリテーション医学会 監（伊藤利之 編）：義肢装具のチェックポイント 第8版．p218，医学書院，2014．より）

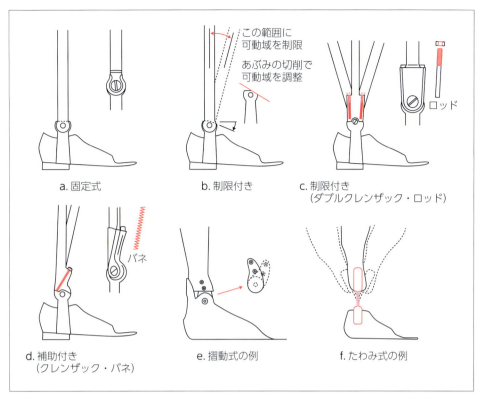

図2 足継手
(日本整形外科学会,日本リハビリテーション医学会 監(伊藤利之 編):義肢装具のチェックポイント 第8版. p217, 医学書院, 2014. より改変)

3 装具別にみる足継手の構造および調整法

A. 金属支柱付き短下肢装具

- 金属支柱付き短下肢装具の調節式二方向制御足継手[1]には,調節式二方向制限足継手(金属ロッド)と調節式二方向ばね補助足継手(コイルスプリング)がある。
- 足継手にある鼓ネジ部分の前後かつ内外側の4カ所に穴があり,金属ロッドあるいはコイルスプリングが入っている(図3)。
- 装具を矢状面からみたとき,足趾側のナット,金属ロッド(またはコイルスプリング)により背屈方向の角度調整ができる。踵側のナット,金属ロッド(またはコイルスプリング)により底屈方向の角度調整ができる(図4)。
- 足継手の角度調整はまずスパナにて反時計回りにナットを緩め(図4①),次に金属ロッドあるいは調整ネジのねじ込み量をマイナスドライバで調整する。底背屈両方向の金属ロッドをねじ込み,完全に穴を埋めることで固定となる(図4②)。また穴の空洞量を調整することで遊動となり,コイルスプリングの場合は補助力も調整できる。目標の角度に調整できたら,最後にマイナスドライバで金属ロッドが回らないよう固定した状態でナットを時計回りに締める(図4③)。

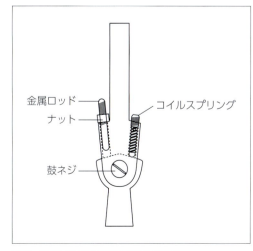

図3 調節式二方向制御足継手の構造

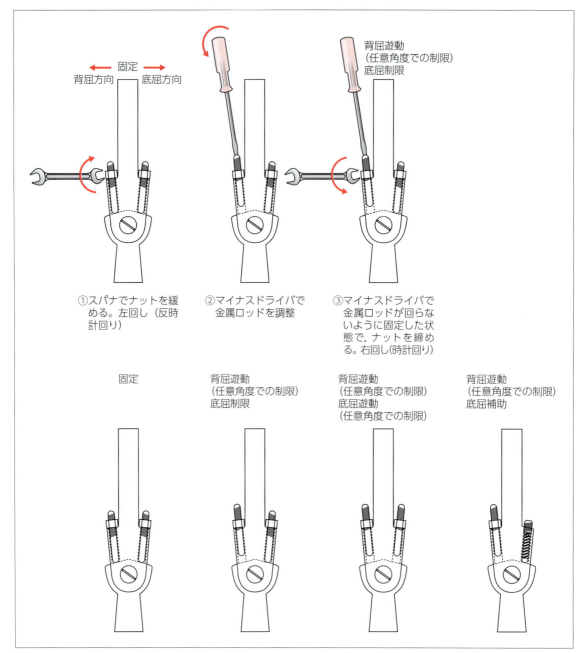

図4 調節式二方向制御足継手の角度調整法
上段は底背屈固定から背屈遊動底屈制限への調整を示す。

B. 調節機能付き後方平板支柱型短下肢装具（APS-AFO：adjustable posterior strut-AFO）[2]（図5）

- APS-AFOの足継手は二方向制限で，角度調整は継手部背面および側面の4本のネジで行う。底背屈を制限するネジは背面にあり，上から背屈制限ネジ，底屈制限ネジとなっている。患者が装具を装着したままの状態で六角ネジを使用し，容易に角度調整が行える。
- 設定角度の目安となるよう足継手側に目盛りが記され，50°の底背屈可動範囲で任意の角度での固定・遊動設定が可能である。

 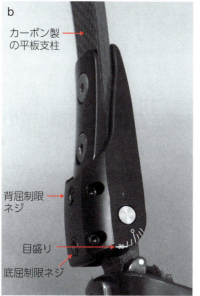 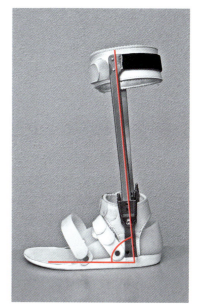

図5 APS-AFOとモジュラーパーツ
a：APS-AFO，b：平板支柱と足継手

図6 装具足継手の角度計測法

> **臨床のコツ**
> ◆ APS-AFOのモジュラーパーツとして，平板支柱と足継手（RAPS：remodeled adjustable posterior strut）がある。平板支柱は4種の曲げ剛性の異なるカーボン支柱（Hard, Semi-hard, Standard, Soft）と可撓性の小さなアルミ支柱の計5種からなり，平板支柱の選定により制動力を調整できる。足継手は継手の精度と耐久性を高め，金属シャンクをなくし，軽量化されている。

4 足継手の角度設定と測定法

　足継手の角度設定は，立位姿勢および歩容を確認しながら適宜変更する。足継手角度の測定法は，継手位置と生体の関節軸との不一致や足底部にヒール，ウェッジなどが挿入されることによる生体角度との不一致が生じるなどの要因から，厳密な基準がない。臨床場面では装具を装着した状態で，日本整形外科学会と日本リハビリテーション医学会が制定する測定法に準じて[注]足継手の角度を測定することが多い。

　装具を装着していない状態で装具本体の角度測定を行う場合，金属支柱付き短下肢装具では上記測定法の基準に近いものとして，外側支柱と装具中底（生体の足底面）とのなす角度で行われることが多い（図6）。APS-AFOでは，目安になるよう足継手側面に角度の目盛りがついている。

注）基本軸：腓骨への垂直線，移動軸：第5中足骨

5 チェックアウト時のリスク管理

　チェックアウトのポイントはレベル1「6 下肢装具の装着介助」を参照のこと。立位・歩行など荷重をかけた状態で行う場合，常に患者に手を差し伸べられる態勢をとり転倒に対するリスク管理を行いながらチェックする必要がある。必要に応じて，適切な補助具を選択しなければならない。人員が確保できる環境であれば，他の療法士にリスク管理を依頼し，患者の麻痺側に立って転倒予防に努めてもらうとよい。療法士1人でチェックアウトする場合には，固定性の高い平行棒を使用するなど，転倒予防に配慮した環境設定を行い実施する。

必ず問診・視診・触診によるフィッティング確認を行うが，特に視診時には装具による圧迫の有無に限定せず，正面および側面で全身を観察できる位置から姿勢アライメントの確認をし，下肢と装具のアライメントは一致しているか（踵部や前足部，下腿が正しく装具内に収まっているか）を確認することが重要である．

6 手順のポイント（調節式二方向制御足継手の場合）

1) 挨拶・自己紹介を行い，2つの識別子で患者の確認を行う
- 患者とのラポール（信頼関係）形成のため，挨拶，自己紹介を行う．
- 患者の取り違いを防止するため，氏名に加え生年月日もしくはIDなど，2つの識別子で確認する．

2) 患者が適切な姿勢であるか確認し，必要に応じて姿勢を修正する
- 装具の角度調整を行うにあたり，背もたれ付き椅子での座位を基本とするが，座位が不安定，持久性低下などの場合は臥位にするとよい．
- 座位姿勢は足底が接地した骨盤直立位で，必要に応じて深く座り背もたれを使用することで安定を確保する．下腿長が座面高より短く，殿部を後方へ置くことで足底が接地しない場合は，足底が接地するよう浅く座ってもらい，枕等で背部の空間を埋めて安定性を確保する（図7）．

3) 装具の角度調整を行う旨を患者に伝え了承を得る
- 装具調整を行うことおよび調整する理由について簡潔にわかりやすく説明し，調整を行うことに対して了承を得る．

4) 関節角度計を用いて角度設定を確認する
- 患者が装具を装着していない状態で，他動的に足継手を動かして現状の角度設定を確認する．
- 関節角度計を用いた角度測定は，外側支柱と装具中底（生体の足底面）とのなす角度で実施する．

> **臨床のコツ**
> ◆ 継手ネジは装具の使用に伴い緩みやすく，歩容に変化を及ぼすのみでなく転倒リスクを高める要因になるため定期的に確認する必要がある．

5) スパナ，マイナスドライバ（図8）を用いて適切な手順で手際よく正確に角度調整を行う
①足継手の調整はナット，金属ロッドを緩める操作と締め込む操作で行う

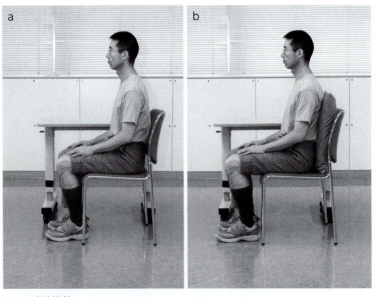

図7 座位姿勢
a：背もたれ座位，b：下腿長が座面高より短い場合の座位

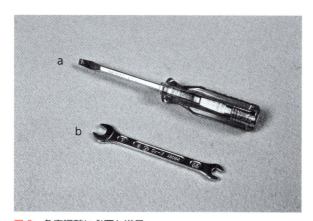

図8　角度調整に必要な道具
a：マイナスドライバ，b：スパナ

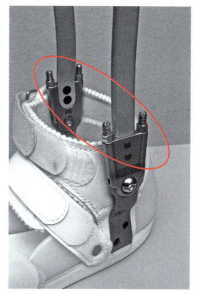

図9　金属ロッドの締まり確認
金属ロッドの頭が同量出ているかどうかを確認する。

②装具を側面からみたとき，前足側のナット，金属ロッドにより背屈方向の調整を，踵側のナット，金属ロッドにより底屈方向の調整を行う
・一定角度に固定する場合には，ナット，金属ロッドが緩んだ状態で関節角度計を用いて目標の角度に位置し，両運動方向の金属ロッドを完全に締め込む。
・金属ロッドを締めた段階で，同運動方向の内外側2点の金属ロッドの頭が同量出ているかを確認する必要がある。締まり具合に不均等があると一方に負担がかかり，緩みが生じる原因となり得る（図9）。
・金属ロッドの頭の状態を確認後，4カ所のナットを締め込み，最後にマイナスドライバを用いて金属ロッドを，スパナを用いてナットを完全に締めて，緩みが生じないようにする。
・上記の角度調整の操作手順を迅速かつ正確に行う。
・角度調整時は患者から離れた位置で行うため，常に患者の転倒・転落を防ぐよう注意する必要がある。

> **臨床のコツ**
> ◆底背屈両方向の調整が必要な場合は，まずどちらか一方向の調整を行い，その後，反対方向の調整を行うとよい。

6）角度調整後，関節角度計を用いて角度を確認する
・角度設定が的確に行えたか，再度関節角度計を用いて角度を確認する。
・角度調整後，他動的に足継手を動かし緩みが生じていないか確認する。

7）座位にて装具の装着介助を行い，フィッティングを確認する
・座位での装具装着介助の手順はレベル1「6 下肢装具の装着介助」参照。
・装着に適した座位姿勢の確保，装具の取り扱い，患者の表情に配慮して迅速に行う。
・問診，視診，触診にてフィッティングを確認する。
・フィッティング確認のポイント（レベル1「6 下肢装具の装着介助」参照）は下肢と装具のアライメントは一致しているか（踵部や前足部，下腿が正しく装具内に収まっているか），足長・足幅サイズは適切か，半月や継手軸等の位置は適切か，軟部組織の挟み込みがないか，支柱が軟部組織に接触・食い込んでいないか，骨突起部などに装具が当たっていないか，疼痛や発赤はないか，ベルトの締め具合が適切かである。
・装具の足底に触れずに装具を丁寧に扱うようにする。

8) 患者に声かけを行い起立させる

- 足継手を固定したことにより，これまでと起立時の感覚が変わる可能性があることを伝える。
- 起立動作準備として，殿部を前方へ移動して大腿骨の近位1/3まで浅く座り，足部を両坐骨結節幅で踵が浮かない程度に引き寄せる。
- 起立動作では骨盤直立位にて，2～3 m前下方を見ながら股関節を屈曲し重心を前方に移動することで離殿を促す。離殿後，重心を上方へと移動する。この時，療法士は麻痺側に位置し，患者の転倒に留意する（図10）。
- 必要に応じて適切な補助具を使用する。

> **臨床のコツ**
> ◆ 足継手が固定されていると，起立動作における前方への重心移動がしづらくなる。そのような場合は麻痺側足部を足趾分前方に出す，もしくは座面をわずかに高くすることで離殿しやすくなる。

9) 適切なアライメントの立位姿勢を確保した状態で，フィッティングを確認する

- 療法士は原則，麻痺側に位置し，患者の転倒リスクに十分注意して常に患者に手を差し伸べられる態勢で行う。
- 立位にて患者の足幅を両坐骨結節幅とし，両側の足底を接地させて姿勢アライメントを確認する。不良姿勢（左右非対称，スウェイバック，体幹屈曲位）となっている場合は修正する（図11）。
- 必要に応じて適切な補助具を使用する。
- 立位でのフィッティング確認のポイントは，座位でのフィッティング確認のポイントと同様である。
- 触診によるフィッティング確認や視診による正面および側面からの全身観察で，下肢と装具のアライメントが一致しているか（踵部や前足部，下腿が正しく装具内に収まっているか）確認する際，療法士自身の責任のもと他の療法士にリスク管理を依頼して患者の麻痺側に立ってもらい，適宜，患者の転倒予防に努める。

10) 患者を着座させ適切な座位姿勢にし，下肢から装具を取り外して下肢の発赤・圧迫状況を確認する

- 着座動作では座面との距離を確認し，視線を前下方に向けて重心を下方に移動後，後下方に移動して殿部を座面に下ろす。
- 下肢から装具を取り外す際，転倒を回避する姿勢を選択する。背もたれ付き椅子での座位を基本とするが，座位が不安定，持久性低下などの理由がある場合は臥位とする。

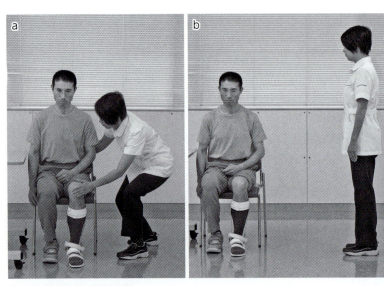

図10 起立動作の監視距離
a：適切な距離，b：不適切な距離（遠過ぎる）

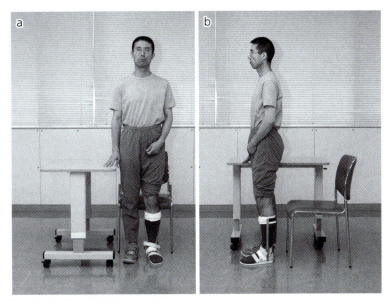

図11　立位姿勢のアライメント確認
a：正面，b：側面
不良姿勢（左右非対称，スウェイバック，体幹屈曲位）となっている場合は修正する。

・下肢から装具を取り外した状態で，装具による骨突起部などへの当たりで発赤・圧迫の痕がないか視診で確認する。必要に応じて触診で発赤・圧迫の痕の程度確認も行う。

11）患者に適合状況を伝える

・角度設定および適合状況（装具サイズの適否，軟部組織への接触や食い込みの有無，骨突起部などの当たりの有無，ベルトの締め具合）を患者に伝える。

12）患者に終了を伝える

7 歩行補助具[3〜5]

　歩行補助具として，杖，松葉杖，歩行器などが使用される。これら歩行補助具は，支持点の増加によって支持基底面が拡大し立位を安定させて，歩行能力の改善，転倒の予防ができる。また，下肢荷重関節への免荷効果が期待できる。
　ここでは，①杖（単脚杖），②松葉杖，③歩行器（交互式，固定式），④歩行車に分けて解説する（図12）。

A. 基本的構造

1）杖（単脚杖）

　握り（握り手，グリップ），支柱，杖先からなり，手と床面の2点で体重を支持する。

握り（握り手，グリップ）：手部で握って，体重を支え，杖を固定する部分。形状は弯曲型，T字型，馬蹄型（U字型），逆L字型，オフセット型などがある。

支柱：支柱は軽くて丈夫なものが好ましい。さまざまな形状，材質のものがある。手関節や手指に障害のある患者は，特にその形状，硬さ，手・肘関節の角度の関係を検討する。

杖先：杖先にはゴムを使用する。その目的として，杖先が床に着地したときの衝撃緩和，滑り止め，消音がある。深く溝が掘られ，接地面が広く，適度に弾力性のあるものが安定する。ゴムの劣化が生じると，滑り・転倒リスクが高まるため，適宜新しいものに交換する必要がある。

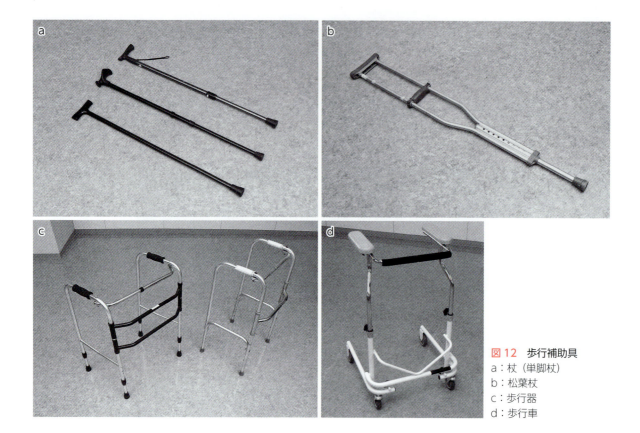

図12 歩行補助具
a：杖（単脚杖）
b：松葉杖
c：歩行器
d：歩行車

2) 松葉杖
腋窩当て：横木と，その上にクッションを入れ，皮革などでカバーがされている。

握り（握り手）：手部で握って体重を支え，松葉杖を固定する部分である。形状はたる形で，握りの高さ調整用の穴（直径6mm以下）が，支柱に等間隔で開けられ，その穴に固定されている。荷重時に疼痛が生じる場合には，包帯などでクッション性を高める処置を行うとよい。

支柱：松葉杖の本体で，腕の力が長軸方向にかかり，体重を支持する部分である。上部約2/3は半円柱状で2本に分かれ，握り手の部分を頂点にした軽い弓状になっており，これを側弓という。その上端は腋窩当ての横木に固定される。下部約1/3は下端部といい，2本の側弓が合わさって1本の円柱状の棒となる。調整型は別に伸展棒があり，これに伸縮調整のための数個の穴が開けられ，側弓の下端にボルトとナットで固定されている。

杖先：杖（単脚杖）と同じゴム製のキャップをつける。

3) 歩行器
フレーム：一対の金属パイプを折り曲げて前脚・後脚とし，左右合わせて4本の支柱を上中下3本の連結棒によって「コ」の字型に組み立てられており，その一部分が握り手となっている。連結部が固定されたタイプ（固定型）と，可動性のあるタイプ（交互型）がある。

握り手：フレームの一部分が左右一対あり，歩行器を持ち上げるために，もしくは左右の支柱を交互に移動させるために把持する部分である。握り手は手で把持するほかに，体重の支持部として利用される。

杖先：支柱の先端に，杖や松葉杖と同じゴム製のキャップをつける。

4) 歩行車
3本または4本の支柱（脚）と連結棒で組み立てられたフレームに，小車輪が取り付けられたもので，三輪歩行車または四輪歩行車ともいい，歩行器に比して機動性のあることが特徴である。小車輪には固定輪と自在輪（キャスタ）がある。

B. 適応する障害

1) 杖（単脚杖）
- 杖を把持する側の上肢筋力が良好かつ，バランス機能が比較的良好な患者が適応となる。

2) 松葉杖
- 主に，整形外科的疾患患者へ免荷・支持性拡大を目的に利用される。
- 脊髄損傷患者も適応となるが，両下肢の残存機能と松葉杖使用に必要な上肢筋力との総和により体重支持と姿勢制御がなされるため，適応の可否を判断し選択する必要がある。

3) 歩行器
- 平行棒内歩行から杖歩行への移行過程にある患者が適応となる。
- 障害側が免荷で，広い支持面が必要な患者でも適応となる。

4) 歩行車
- 全身的な筋力低下をきたした高齢者や平衡機能障害のある患者などが適応となる。
- 特に前腕支持型四輪歩行車は，上肢機能が比較的保たれ，前腕を馬蹄型フレームに保持することができる患者に適応となる。

C. 長さの決定（適合判定）（図 13）

1) 杖（単脚杖）
- 立位にて杖の長さを決めるには，常用の履物を履いた状態で両坐骨結節幅に開脚し，左右の肩の高さを同じとする。
- 杖先を足尖部から前方へ 15 cm，足部外側へ 15 cm の位置に置いたとき，杖の握りの最も高い部分が

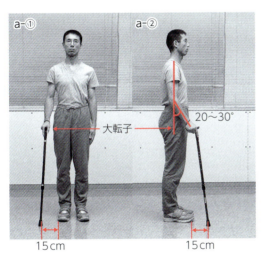
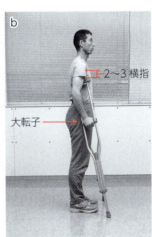
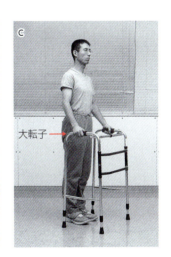
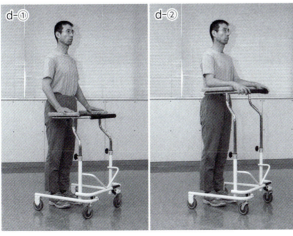

図 13　長さの決定
a：杖（単脚杖）（①正面，②側面）
b：松葉杖
c：歩行器
d：歩行車（①手掌支持，②前腕支持）

大転子の高さとなるようにする。この時，肘関節が約 30°屈曲位となるようにする。
・肘に屈曲拘縮がある患者，標準より上肢が短い患者など，大転子に合わない場合もあるため，目的に
応じて杖の高さを調整する。

2）松葉杖
・杖（単脚杖）同様，両坐骨結節幅に開脚した立位をとる。
・杖先を足尖部から前方へ 15 cm，足部外側へ 15 cm の位置に置いたとき，腋窩と松葉杖の腋窩当てと
の間に 2〜3 横指の隙間があり，かつ杖の握りの最も高い部分が大転子の高さ（肘関節が約 30°屈曲位）
となるようにする。
・腋窩当ては体重を支持するためのものではなく，上腕と体幹で挟んで使用するものである。不適切な
長さで利用すると，腋窩や前腕，手根管に圧迫性神経障害が生じる危険があるため，注意すべきであ
る。

3）歩行器
・杖と同様に大転子の高さが目安となるが，使用者の上肢長，姿勢，下肢筋力などを考慮し調整すると
よい。

4）歩行車
・手掌支持タイプと前腕支持タイプが存在するが，共に使用者の上肢長，姿勢，下肢筋力などを考慮し
調整するとよい。手掌支持タイプの歩行車は肘関節軽度屈曲位で支持できる高さを目安とし，前腕支
持タイプは前腕受けに肘関節 90°屈曲位で前腕を乗せ体重が支持できる高さを目安とする。両タイプ
ともに肩甲帯挙上位にならないよう留意する必要がある。

臨床のコツ
◆杖や松葉杖には長さの適合判定基準が存在するが，必要に応じて患者自身の杖のつきやすさを考慮し調
整するとよい。
◆円背を伴う患者の杖の長さは肘関節軽度屈曲位で，無理なく体幹伸展して杖をつきやすいところが望ま
しい。
◆歩行車はフレームを両手で押しながら前後する車輪操作が必要となるため，体幹および下肢の機能があ
る程度維持されていなければ操作不能となり，転倒の危険性が伴う。
◆サークル型歩行車は前腕支持または手掌支持で用いることがある。前腕支持は主に下肢の支持性が弱い
患者や疼痛の強い患者に用い，手掌支持は下肢の支持性が比較的保たれている患者に用いる。

8　脳卒中における装具・歩行補助具選択のポイント[2]

回復過程に応じた装具・歩行補助具の選定と継手の角度調整について解説する。

1）股・膝関節のコントロールが不良な時期
・まず長下肢装具を選定し，股関節コントロールの学習を行う。
・関節運動の単純化という観点から膝・足継手は固定とするが，足継手は，膝伸展位固定での立位時に
股関節屈曲・伸展中間位から軽度伸展位で安定するよう底背屈 0°〜軽度背屈位にするとよい。
・補助具は非麻痺側上下肢や体幹機能によって使用の有無を決定する。使用する場合は，適当な高さの
支持台や平行棒，多脚杖の中から選定する。
・この時期は，麻痺側下肢の股関節伸展のタイミングと荷重，遊脚時歩幅の一定化を学習し，歩行パター
ンを獲得する。
・麻痺側遊脚期のクリアランス不良が生じている場合は，非麻痺側の補高を取り付ける。

2）股関節コントロールが可能となった時期
・短下肢装具への移行を検討する。
・この時点では膝関節のコントロールが不良であるため，足継手は立脚期に過度な膝屈曲や膝折れが生

じない程度の背屈位固定とする。

・APS-AFO を使用する場合の支柱選定は，アルミ支柱が適当である。

・非麻痺側の補高については，麻痺側遊脚期のクリアランスが確保されるよう調整する。

・この時期の補助具は大半が四脚杖であり，麻痺側の膝関節コントロールと荷重量によりウォーカーケイン，四脚杖ラージ型，四脚杖スモール型の選定を行う。

3）膝関節コントロールが一部可能となった時期

・この段階でも，足継手は固定がよい。

・APS-AFO を使用する場合はカーボン支柱による背屈制動機能を利用できるため，4種のカーボン支柱の中から，過度な膝屈曲を生じないものを選定し，足継手固定のまま課題難易度の調整が可能である。

・補助具は，麻痺側の膝関節コントロールが安定し，一定の荷重量が確保されたら杖（単脚杖）に移行する。

4）膝関節コントロールが可能となった時期

・足継手背屈を遊動とする。

・遊動範囲は歩行時の膝関節コントロールが確認でき，かつ立脚中期から後期にかけて ankle rocker となる背屈運動が確保できるものとする。

・この時期の APS-AFO における支柱選定は，立脚初期の heel rocker を再現するための遠心性の背屈補助（底屈制動）機能を確保できるものとする。

・補助具は杖（単脚杖）を用いない歩行獲得も視野に入れる。

OSCE課題　下肢装具の調整

対応動画

設問

1カ月ぶりに来院した脳梗塞により左片麻痺を呈した患者です。金属支柱付き短下肢装具の足継手を確認したところ、緩みが生じています。この装具の足継手を背屈2°固定に調整してください。その後、この患者へ装具装着介助を行ってください。今回は時間の都合上、座位・立位でのフィッティング確認は省きます。制限時間は5分です。では、始めてください。

準備するもの

金属支柱付き短下肢装具（調節式二方向制御足継手），ハイソックス，マイナスドライバ，スパナ，関節角度計，背もたれ付き椅子，マット，装具調整用の台（70cm程度）

患者情報

疾患・障害	脳梗塞，片麻痺	表 在 覚	軽度鈍麻
年齢・性別	不問	深 部 覚	中等度鈍麻
障 害 側	左	座 位	安定
発症後期間	1年	理 解	良好
B R S	上肢：Ⅱ　手指：Ⅱ　下肢：Ⅲ	表 出	良好
筋 緊 張	上腕二頭筋，手指屈筋，下腿三頭筋軽度亢進		

課題の目標

態度
1. 装具の角度調整に備えた心がけができる（清潔かつ安全な身なり）。
2. 患者に装具の角度調整を行う旨を説明し，了承を得ることができる。
3. 患者に不快な思いをさせない（話し方，表情，振る舞い）。

技能
1. 患者の安全に配慮しながら進めることができる。
2. 装具の角度調整を適切な手順および方法で行うことができる。

手　順

1. 挨拶・自己紹介を行い，2つの識別子で患者の確認を行う。
2. 患者が適切な姿勢であるか確認し，必要に応じて姿勢を修正する。
    ・背もたれ付き椅子での座位とする。
    ・座位姿勢は足底が接地した骨盤直立位で，必要に応じて深く座り背もたれを使用することで安定を確保する。
3. 装具の角度調整を行う旨を患者に伝え了承を得る。
4. 関節角度計を用いて角度設定を確認する。
    ・関節角度計を用いた角度測定は，外側支柱と装具中底（生体の足底面）とのなす角度で実施する。
5. スパナ，マイナスドライバを用いて適切な手順で正確に角度調整を行う。
    ①関節角度計を用いた角度設定の確認と同時に，目標の角度に合わせ，緩んでいる背屈側のナットと金属ロッドを完全に締め込む
    ・一定角度に固定する場合には，ナット，金属ロッドが緩んだ状態で関節角度計を用いて目標の角度に位置し，両運動方向の金属ロッドを完全に締め込む。
    ・金属ロッドを締めた段階で，同運動方向の内外側2点の金属ロッドの頭が同量出ているかを確認する必要がある。締まり具合に不均等があると一方に負担がかかり，緩みが生じる原因となり得る（図9）。
    ②金属ロッドの頭の状態を確認後，4カ所のナットを締め込み，最後にマイナスドライバを用いて金属ロッドを，スパナを用いてナットを完全に締めて，緩みが生じないようにする
    ・上記の角度調整の操作手順を迅速かつ正確に行う。
    ・角度調整時は患者から離れた位置で行うため，常に患者の転倒・転落を防ぐよう注意する必要がある。
6. 角度調整後，関節角度計を用いて角度を確認する。
    ・足継手を動かし緩みが生じていないか確認する。
7. 座位にて装具の装着介助を迅速に行う。
    ・装着前のベルト処理の準備をし，下腿部をできるだけ手掌の広い面で支え，高く持ち上げないよう保持する。
    ・踵部を装具に挿入し，アライメントを整えながら，前足部や下腿を装具内に適切に収める。
    ・装具のベルトは，足関節部ベルト→前足部ベルト→下腿半月部ベルトの順で，しっかりと締める。
    ・装具の足底を触れずに装具を丁寧に扱う。
8. 患者に終了を伝える。

396　レベル2

採点基準

採点者は模擬患者に受験者の言動の適否を適宜確認して，以下の項目を採点してください。

1. 態度

①適切な身なりで明瞭な挨拶（開始時・終了時）・自己紹介ができる。	2点	適切な身なり，明瞭な挨拶（開始時・終了時）・自己紹介ができる
	1点	上記のうち1項目ができない
	0点	2項目以上できない
②2つの識別子で患者の確認ができる。	2点	2つの識別子で患者の確認ができる
	1点	1つの識別子で確認ができる
	0点	確認ができない
③装具の角度調整を行う旨を患者に伝え，了承を得ることができる。	2点	装具の角度調整を行う旨を正確に伝え，患者の了承を得ることができる
	1点	どちらか一方のみできる
	0点	どちらもできない
④課題全般を通して，患者の様子（表情・心情・姿勢・身体機能）や状況に応じた丁寧な対処（声かけ・触れ方・動かし方）ができる。	2点	課題全般を通して，患者の様子や状況に応じた丁寧な声かけ，触れ方，動かし方ができる
	1点	上記3項目のうち1項目ができない
	0点	2項目以上できない

2. 技能

①座位姿勢を確認し安定した姿勢（骨盤直立位かつ足底接地）に修正することができる。	2点	座位姿勢を確認し，骨盤直立位かつ足底接地した姿勢をとらせることができる
	1点	座位姿勢を確認するが，修正が不十分である
	0点	座位姿勢を修正できない
②関節角度計を用いて外側支柱と装具中底の軸に合わせ現状の角度設定を確認できる。	2点	関節角度計を用いて外側支柱と装具中底の軸に合わせ現状の角度設定を確認できる
	1点	関節角度計を用いるが，正確に現状の角度設定を確認できない
	0点	関節角度計を用いない
	0点	現状の角度設定を確認しない
③角度調整時，スパナを用いてナットを，マイナスドライバを用いて金属ロッドを，調整することができる。	2点	スパナを用いてナットを，マイナスドライバを用いて金属ロッドを，調整することができる
	1点	角度調整を行うことができるが，スパナ，マイナスドライバを適切に用いることができない
	0点	角度調整を行うことができない
④手際よく（1回以下のやり直しで）角度調整を行うことができる。	2点	1回以下のやり直しで調整することができる
	1点	2回のやり直しで調整することができる
	0点	3回以上やり直す
⑤正確に（1°以下の誤差で）角度設定を行うことができる。	2点	1°以下の誤差で角度設定を行うことができる
	1点	2°未満の誤差が生じている
	0点	2°以上の誤差が生じている
⑥調整後，外側支柱と装具中底の軸に角度計を合わせ，確認できる。	2点	外側支柱と装具中底の軸に角度計を合わせることができる
	1点	どちらか一方のみ軸を合わせることができる
	0点	両軸とも合わせることができない
⑦金属ロッド，ナットの締め込みを最終的に4カ所，確実に行うことができる。	2点	背屈側の2カ所を締め込み，最終的に4カ所をしっかりと締めることができる
	1点	背屈側の2カ所を締め込んだが締め込みが不十分で，3カ所以下の緩みが生じている
	0点	すべてに緩みが生じている
	0点	底屈側の金属ロッドを緩めてしまう

⑧座位にて，適切な手順（装着前にベルトを処理する，下腿を装具へ収める，足関節部→前足部→下腿半月部の順にベルトを締める）で迅速に装具装着介助を行うことができる。	2点 1点 0点	適切な手順（装着前にベルトを処理する，下腿を装具へ収める，足関節部→前足部→下腿半月部の順にベルトを締める）で迅速に装具装着介助を行うことができる 適切な手順で行うが，迅速に行うことができない 手順が不適切で，迅速に行うことができない
⑨装具の足底を触れずに，装具を丁寧に扱うことができる。	2点 1点 0点	装具の足底を触れずに，装具を丁寧に扱うことができる どちらか一方のみできる どちらもできない
⑩角度調整時，安全面に配慮できる。	2点 1点 0点	常に患者の安全を確保できる態勢にある（患者から目を離さない，近位監視，常に誘導・補助できる姿勢） 半分未満，安全への配慮が欠ける場面がある 半分以上，安全への配慮が欠ける場面がある

OSCE 担当者確認事項

環境設定

- 装具の初期設定は背屈2°から背屈方向に2,3°程度遊動とする。4カ所のナットを緩めておく。
- 装具は，ベルトの準備をしない状態で，左下肢側方に置く。
- 患者に適合する装具がない場合は少し大きめの装具を準備する。
- 試験時，初期設定に戻す時間を考慮し，数本の装具を準備しておくことが望ましい。

模擬患者

- 課題開始時はズボン（丈が膝よりも上のもの）を着用し，装具をつけない状態（図14）で，椅子に端座位にて待機する。骨盤後傾位，内反尖足した座位姿勢とする。
- 座位姿勢の修正は自己にて可能な設定とする。
- 靴は簡単に脱ぐことのできるものを着用する。紐靴の場合は紐を緩めなくても脱ぐことができるようにしておく。

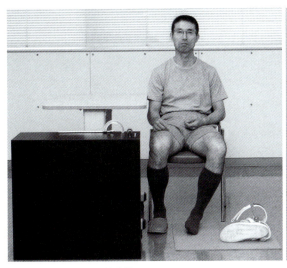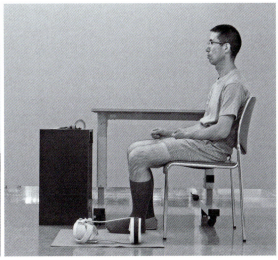

図14　模擬患者の開始姿勢

採点者

・受験者が靴紐を緩めようとしたときは緩める必要がないことを伝える。
・角度測定時に軸がずれているなど，角度設定が疑わしい場合は試験終了後に角度計で確認する。
・次の受験者が入室するまでに角度を課題開始時の設定に戻す。

引用文献

1）渡邉英夫：脳卒中の下肢装具―病態に対応した装具の選択法．p13，医学書院，2012．
2）沢田光思郎 他：リハ医として知っておきたい短下肢装具 APS-AFO．Clinical Rehabilitation 22：224-228, 2013．
3）松原勝美（松澤 正 監）：移動補助具 第2版―杖・松葉杖・歩行器・車椅子．p22-31，金原出版，2009．
4）服部一郎，細川忠義，和才嘉昭：リハビリテーション技術全書 第2版．p401-409，医学書院，1984．
5）日本整形外科学会，日本リハビリテーション医学会 監（伊藤利之 編）：義肢装具のチェックポイント 第8版．p358-368，医学書院，2015．

OSCE

採点シート集

採点シート 1-3

コミュニケーション技法

採点者 _____ 採点日_____

学年 □1年 □2年 □3年 □4年 専攻 □PT □OT

学籍番号_____ 氏名 _____

設問：3日後に手術を控えた変形性膝関節症の入院患者です。リハビリテーション室で担当療法士を待っています。リハビリテーション開始時間より少し早いため，担当療法士はまだ不在です。担当療法士が戻ってくるまでの間，患者を不快にすることなく，また親和関係を築くことができるよう，話し相手として対応をしてください。なお，受験者は担当療法士の指示を受けて対応する者で，患者とは初対面です。制限時間は5分です。では，始めてください。

採点者は模擬患者に受験者の言動の適否を適宜確認して，以下の項目を採点してください。

		good fair poor
態度	1) 適切な身なりで明瞭な挨拶（開始時・終了時）・自己紹介ができる。	□2 □1 □0
	2) 2つの識別子で患者の確認ができる。	□2 □1 □0
	3) 会話しながら担当療法士を待ってほしい旨を患者に伝え，了承を得ることができる。	□2 □1 □0

小計_____点（6点満点）

		good fair poor
技能	1) 患者に配慮して，位置関係，距離の調整ができる。	□2 □1 □0
	2) 視線の高さ，方向が適切である。	□2 □1 □0
	3) 会話の姿勢，しぐさが適切である。	□2 □1 □0
	4) 適切な話題を選択し，会話を自然に開始できる。	□2 □1 □0
	5) 言葉づかい，会話のスピードが適切である。	□2 □1 □0
	6) 声量が適切で，声が明瞭である。	□2 □1 □0
	7) 話の流れがスムーズである。	□2 □1 □0
	8) 表情が自然である。	□2 □1 □0
	9) 傾聴技法（相づちを打つ，頷く，相手の言葉を繰り返す，相手の発言を待つ）を用いることができる。	□2 □1 □0
	10) 患者の訴えに対して，心情を察する発言ができる。	□2 □1 □0
	11) 予後に関する質問に対して，立場をわきまえた対応ができる。	□2 □1 □0

小計_____点（22点満点）

合計_____点（28点満点）

藤田医科大学　保健衛生学部　リハビリテーション学科

採点シート 1-4

ホットパック実施の補助

採点者 ＿＿＿＿＿＿＿＿ 採点日＿＿＿＿＿＿＿＿

学年 □1年 □2年 □3年 □4年 専攻 □PT □OT

学籍番号＿＿＿＿＿＿＿＿ 氏名 ＿＿＿＿＿＿＿＿＿

設問：右膝関節周囲の疼痛に対し，疼痛軽減を目的にホットパックを実施している変形性膝関節症の患者です。担当療法士の代わりに乾熱によるホットパックの準備・実施・片づけをしてください。担当療法士からホットパックの実施時間は20分と指示が出ています。患者へのオリエンテーション（目的・方法・時間の説明）と実施前に行う適用部位の疼痛部位確認，貴金属類の有無確認については，担当療法士が済ませているため不要とします。また，実施中および実施後の適用部位の皮膚の状態確認も担当療法士が行います。ホットパックの準備・実施をし終えたら，採点者に声をかけてください。片づけを指示します。制限時間は5分です。では，始めてください。

採点者は模擬患者に受験者の言動の適否を適宜確認して，以下の項目を採点してください。

		good fair poor
態度	1) 適切な身なりで明瞭な挨拶（開始時・終了時）・自己紹介ができる。	□2 □1 □0
	2) 2つの識別子で患者の確認ができる。	□2 □1 □0
	3) ホットパック実施の補助を行う旨を患者に伝え，了承を得ることができる。	□2 □1 □0
	4) 課題全般を通して，患者の様子（表情・心情・姿勢・身体機能）や状況に応じた丁寧な対処（声かけ・触れ方・動かし方）ができる。	□2 □1 □0

小計＿＿＿＿＿点（8点満点）

水分を通さない外装のホットパックであればビニールシートに関する採点は不要

技能	1) ホットパック準備前に患者をリラックスさせ，安楽な姿勢かを口頭で確認できる。	□2 □1 □0
	2) 患者に了承を得たうえで適用部位全体を露出させることができる。	□2 □1 □0
	3) ホットパックを水槽から取り出す前に2～3枚のタオルを重ねて，その上にビニールシートを重ねる準備ができる。	□2 □1 □0
	4) 適用する部位に合った大きさ，形状のホットパックを選択できる。	□2 □1 □0
	5) ハイドロコレーターから取り出す際，床に水滴が落ちない程度に水切りができる。	□2 □1 □0
	6) ホットパックを作業台の水切り用タオルに置き，素早くハイドロコレーターの蓋を閉めることができる。	□2 □1 □0
	7) ビニールシートで包む前に，ホットパックの表面についた水分をタオルで十分に取り除くことができる。	□2 □1 □0
	8) ビニールシートでホットパックと水分が出ないよう素早く適切に包むことができる。	□2 □1 □0
	9) タオルからホットパックがはみ出ないよう素早く4～6層に包むことができる。	□2 □1 □0
	10) タオルの4～6層の面が患部に接し，ビニールの折り目が患部に向くことがないよう，ホットパックを膝関節周囲へ均等に当てることができる。	□2 □1 □0
	11) ホットパックを当てた直後に，熱過ぎたり不快感がないかを患者に確認できる。	□2 □1 □0
	12) 過熱時の対応について具体的に説明し，理解を得ることができる。	□2 □1 □0
	13) タイマーを20分にセットすることができる。	□2 □1 □0
	14) ホットパック終了時に，不快感や発汗の有無を問診・視診・触診にて確認できる。	□2 □1 □0
	15) ホットパック，ビニールシート，タオルを適切に片づけることができる。	□2 □1 □0

小計＿＿＿＿＿点（30点満点）

合計＿＿＿＿＿点（38点満点）

藤田医科大学 保健衛生学部 リハビリテーション学科

採点シート 1-5

三角巾の装着

採点者 ＿＿＿＿＿＿＿＿＿ 採点日＿＿＿＿＿＿＿＿＿＿

学年　□1年 □2年 □3年 □4年　専攻 □PT □OT

学籍番号＿＿＿＿＿＿＿＿　氏名 ＿＿＿＿＿＿＿＿＿＿＿

設問：脳梗塞による左片麻痺を呈した患者です。上肢管理が不十分のため，この患者に三角巾を適切に装着してください。三角巾の装着手順（あらかじめ肘部を結ぶ・装着の最終段階で結ぶ）はどちらでも可とします。制限時間は5分です。では，始めてください。

採点者は模擬患者に受験者の言動の適否を適宜確認して，以下の項目を採点してください。

		good	fair	poor
態度	1) 適切な身なりで明瞭な挨拶（開始時・終了時）・自己紹介ができる。	□2	□1	□0
	2) 2つの識別子で患者の確認ができる。	□2	□1	□0
	3) 三角巾の装着を行う旨を患者に伝え，了承を得ることができる。	□2	□1	□0
	4) 課題全般を通して，患者の様子（表情・心情・姿勢・身体機能）や状況に応じた丁寧な対処（声かけ・触れ方・動かし方）ができる。	□2	□1	□0

小計＿＿＿＿＿点（8点満点）

		good	fair	poor
技能	1) 三角巾装着に適した座位姿勢（足底接地,体幹・骨盤直立位,麻痺側上肢の肢位）を確認し，修正できる。	□2	□1	□0
	2) 麻痺側肩関節・肩甲骨のアライメントを視診・触診で確認できる。	□2	□1	□0
	3) 肩関節を含む上肢・手指の疼痛や痺れの有無について確認できる。	□2	□1	□0
	4) 三角巾の二等辺の頂点部分にポケットができるよう結び，長辺を折り返すことができる。	□2	□1	□0
	5) 麻痺側肩から肘関節を三角巾で覆うことができる。	□2	□1	□0
	6) 麻痺側の前腕，手関節，MP関節までを三角巾で包み込むことができる。	□2	□1	□0
	7) 肘関節は肩関節真下に位置し，手部が肘関節よりわずかに挙上した肢位にすることができる。	□2	□1	□0
	8) 前腕を回内外中間位で手関節が掌屈や橈屈しないよう中間位に保持することができる。	□2	□1	□0
	9) 骨突出部に重ならない位置で，適切な強さで結ぶことができる。	□2	□1	□0
	10) 上肢を支持するように布の張りを調整しながら装着することができる。	□2	□1	□0
	11) 装着後に疼痛の有無，不快感がないか確認できる。	□2	□1	□0
	12) 装着後に上腕骨頭が適切な位置にあるか視診・触診で確認できる。	□2	□1	□0

小計＿＿＿＿＿点（24点満点）

合計＿＿＿＿＿点（32点満点）

藤田医科大学　保健衛生学部　リハビリテーション学科

採点シート 1-6

短下肢装具の装着介助

採点者 _____ 採点日_____

学年 □1年 □2年 □3年 □4年 専攻 □PT □OT

学籍番号_____ 氏名 _____

設問：脳梗塞により左片麻痺を呈した患者です。今から歩行練習を行うため，担当療法士の代わりに装具装着を全介助にて行ってください。なお，装具はズボンの下に装着し，歩行練習時に膝関節の状態を確認できるようにしておいてください。装具装着の介助にあたっては，移乗や立ち上がり，歩行は行わず車椅子座位にて装着してください。装具装着後，採点者に座位における装具のフィッティング状態（足長・足幅サイズの適否，下腿半月位置の適否）を報告してください。なお，今回は装具の制御，制動，可動性に関する適合判定は行わないものとします。制限時間は5分です。では，始めてください。

採点者は模擬患者に受験者の言動の適否を適宜確認して，以下の項目を採点してください。

			good	fair	poor
態度	1) 適切な身なりで明瞭な挨拶（開始時・終了時）・自己紹介ができる。		□2	□1	□0
	2) 2つの識別子で患者の確認ができる。		□2	□1	□0
	3) 下肢装具の装着介助を行う旨を患者に伝え，了承を得ることができる。		□2	□1	□0
	4) 課題全般を通して，患者の様子（表情・心情・姿勢・身体機能）や状況に応じた丁寧な対処（声かけ・触れ方・動かし方）ができる。		□2	□1	□0

小計_____点（8点満点）

			good	fair	poor
技能	1) ブレーキの確認を行い，車椅子を固定できる。		□2	□1	□0
	2) 装着に適した骨盤直立位，足底接地の座位姿勢を確保できる。		□2	□1	□0
	3) ベルトが装着時の邪魔にならないよう準備することができる。		□2	□1	□0
	4) 患者に了承を得て，膝関節がしっかりと確認できる位置までズボンの裾を上げることができる。		□2	□1	□0
	5) 衛生面に配慮して，手際よく靴を脱がすことができる。		□2	□1	□0
	6) 装具や靴を丁寧に扱うことができ，邪魔にならないよう管理できる。		□2	□1	□0
	7) 患者の正面からやや側方に位置し，介助および患者の観察に適した姿勢をとることができる。		□2	□1	□0
	8) 下肢を手掌の広い面で支え，下腿部を高く持ち上げずに保持できる。		□2	□1	□0
	9) 手際よく，かつ正確にアライメントを整えながら踵部，前足部，下腿を装具内に収めることができる。		□2	□1	□0
	10) 適切な順序（足関節部→前足部→下腿半月部），適切な強度でベルトを締めることができる。		□2	□1	□0
	11) 問診・触診・視診にて装具による骨突出部などへの当たりや疼痛の有無を確認できる。		□2	□1	□0
	12) フィッティングの判定（足長・足幅サイズの適否・下腿半月位置の適否）結果を採点者に報告することができる。		□2	□1	□0

小計_____点（24点満点）

合計_____点（32点満点）

藤田医科大学　保健衛生学部　リハビリテーション学科

採点シート 1-7

車椅子の駆動介助

採点者 ＿＿＿＿＿＿＿＿＿　採点日＿＿＿＿＿＿＿＿＿＿

学年　□1年 □2年 □3年 □4年　専攻 □PT □OT

学籍番号＿＿＿＿＿＿＿＿　氏名 ＿＿＿＿＿＿＿＿＿＿＿

設問：脳梗塞により左片麻痺を呈した患者です。車椅子駆動は自立していません。この患者の車椅子駆動を全介助で行い，表示ルートに従って目的地点まで移動してください。制限時間は5分です。では，始めてください。

採点者は模擬患者に受験者の言動の適否を適宜確認して，以下の項目を採点してください。

		good	fair	poor
態度	1) 適切な身なりで明瞭な挨拶（開始時・終了時）・自己紹介ができる。	□2	□1	□0
	2) 2つの識別子で患者の確認ができる。	□2	□1	□0
	3) 車椅子駆動の介助を行う旨を患者に伝え，了承を得ることができる。	□2	□1	□0
	4) 課題全般を通して，患者の様子（表情・心情・姿勢・身体機能）や状況に応じた丁寧な対処（声かけ・触れ方・動かし方）ができる。	□2	□1	□0

小計＿＿＿＿＿点（8点満点）

		good	fair	poor
技能	1) 両側のブレーキが確実にかかっているかを確認できる。	□2	□1	□0
	2) 姿勢の自己修正が可能かを確認してから深く座らせ，バックサポートにもたれて安定した座位姿勢に修正できる。	□2	□1	□0
	3) 足底に触れないように下腿部を持ち上げ，足部をフットサポートに乗せることができる。	□2	□1	□0
	4) 足部がキャスタにぶつからない位置で，足底がフットサポートに接した状態で乗せることができる。	□2	□1	□0
	5) 駆動輪の空気圧，フットサポートの高さを確認できる。	□2	□1	□0
	6) 直線，カーブともに駆動スピードが患者に不安感を与えないよう調節できる。	□2	□1	□0
	7) スロープの上りが前向き，下りが後ろ向きで移動することができる。	□2	□1	□0
	8) スロープ上の安全な場所を選択し，車椅子が動揺することなく操作できる。	□2	□1	□0
	9) スロープ昇降時のスピードが速くならないよう注意できる。	□2	□1	□0
	10) スロープの昇降で，受験者自身に適した操作方法で車椅子を操作できる。	□2	□1	□0
	11) 段差の上りが前向き，下りが後ろ向きで移動することができる。	□2	□1	□0
	12) ティッピングレバーを正しく（高さ・速さ・タイミング）使用して，患者に恐怖感を与えることなくキャスタを台に乗せることができる。	□2	□1	□0
	13) 駆動輪を段差に沿わせ，患者に衝撃を与えずに昇降できる。	□2	□1	□0
	14) 両側のブレーキを患者自身でかけられるかを確認したうえで確実にかけることができる。	□2	□1	□0

小計＿＿＿＿＿点（28点満点）

合計＿＿＿＿＿点（36点満点）

藤田医科大学　保健衛生学部　リハビリテーション学科

採点シート 1-8

移乗介助（2人介助）：上肢担当者

採点者 ＿＿＿＿＿＿＿ 採点日＿＿＿＿＿＿＿＿

学年 □1年 □2年 □3年 □4年 専攻 □PT □OT

学籍番号＿＿＿＿＿＿＿ 氏名 ＿＿＿＿＿＿＿＿

設問：第7頸髄節まで機能が残存している頸髄損傷患者です。療法士に下肢介助の協力を依頼して，2人介助でこの患者を車椅子から治療用ベッドに移乗させてください。移乗後は背臥位にしてください。制限時間は5分です。では，始めてください。

採点者は模擬患者に受験者の言動の適否を適宜確認して，以下の項目を採点してください。

		good	fair	poor
態度	1) 適切な身なりで明瞭な挨拶（開始時・終了時）・自己紹介ができる。	□2	□1	□0
	2) 2つの識別子で患者の確認ができる。	□2	□1	□0
	3) 2人での移乗介助を行う旨を患者に伝え，了承を得ることができる。	□2	□1	□0
	4) 課題全般を通して，患者の様子（表情・心情・姿勢・身体機能）や状況に応じた丁寧な対処（声かけ・触れ方・動かし方）ができる。	□2	□1	□0

小計＿＿＿＿＿点（8点満点）

		good	fair	poor
技能	1) 車椅子をベッドの長辺に対し中央付近で駆動輪をベッドに沿わせ，フットサポートとベッドの間を30cm程度離して，ブレーキをかけることができる。	□2	□1	□0
	2) 2人で分担すること，車椅子内で殿部を移動させること，ベッドの端に一旦移乗してからベッド中央に移動することを説明できる。	□2	□1	□0
	3) 腕を組むこと，腋を締め肩を下げること，視線の向きを変えることを患者に説明できる。	□2	□1	□0
	4) 患者の両肩に手を置き，わずかに座面からバックサポート方向へ圧を加え座位を安定させることができる。	□2	□1	□0
	5) 患者に腕を組むように指示し，両腋から上肢を差し込んで前腕を把持することを説明し，患者の背中に密着し自身の腋を締めた介助姿勢をとることができる。	□2	□1	□0
	6) 殿部の向きを変えることを説明し，腋を締め肩を下げること，殿部の移動方向と反対に視線を向けることを指示できる。	□2	□1	□0
	7) 患者と下肢担当者に合図を出し，患者をわずかに垂直に持ち上げ殿部をベッド寄りに近づけることができる。	□2	□1	□0
	8) ベッド端に移乗するためベッド寄りの下肢をベッド上に乗せグリップの外側に構えた介助姿勢をとり，患者と密着し自身の腋を締めた状態で患者の身体を垂直に持ち上げ，下肢担当者がサポートするまで待つことができる。	□2	□1	□0
	9) 下肢担当者と協調して患者の身体をアームサポートよりも高く上げベッド端まで移動させ，殿部からゆっくりと下ろすことができる。	□2	□1	□0
	10) 患者にベッド中央に移動することを説明し，腋を締め肩を下げること，移動方向に視線を向けることを指示できる。	□2	□1	□0
	11) 患者と下肢担当者に合図を出し，自身の腋を締めた姿勢で患者の殿部をベッド中央に移動させることができる。	□2	□1	□0
	12) 患者に肘をつくように指示し，協力を得ながら頸部と背部を支え，ゆっくりと寝かせることができる。	□2	□1	□0
	13) 移乗中および背臥位姿勢で不快な思いをしていないか，口頭および観察にて確認し，適切な姿勢にできる。	□2	□1	□0

小計＿＿＿＿＿点（26点満点）

合計＿＿＿＿＿点（34点満点）

藤田医科大学　保健衛生学部　リハビリテーション学科

採点シート 1-8

移乗介助（2人介助）：下肢担当者

採点者 ＿＿＿＿＿＿＿＿＿＿ 採点日＿＿＿＿＿＿＿＿＿＿

学年 □1年 □2年 □3年 □4年　専攻 □PT □OT

学籍番号＿＿＿＿＿＿＿＿　氏名 ＿＿＿＿＿＿＿＿＿＿

設問：第7頸髄節まで機能が残存している頸髄損傷患者です。療法士に上肢介助の協力を依頼して，2人介助でこの患者を車椅子から治療用ベッドに移乗させてください。移乗後は背臥位にしてください。制限時間は5分です。では，始めてください。

採点者は模擬患者に受験者の言動の適否を適宜確認して，以下の項目を採点してください。

		good	fair	poor
態度	1) 適切な身なりで明瞭な挨拶（開始時・終了時）・自己紹介ができる。	□2	□1	□0
	2) 2つの識別子で患者の確認ができる。	□2	□1	□0
	3) 2人での移乗介助を行う旨を患者に伝え，了承を得ることができる。	□2	□1	□0
	4) 課題全般を通して，患者の様子（表情・心情・姿勢・身体機能）や状況に応じた丁寧な対処（声かけ・触れ方・動かし方）ができる。	□2	□1	□0

小計＿＿＿＿＿＿点（8点満点）

		good	fair	poor
技能	1) 車椅子をベッドの長辺に対し中央付近で駆動輪をベッドに沿わせ，フットサポートとベッドの間を30cm程度離して，ブレーキをかけることができる。	□2	□1	□0
	2) 2人で分担すること，車椅子内で殿部を移動させること，ベッドの端に一旦移乗してからベッド中央に移動することを説明できる。	□2	□1	□0
	3) 腕を組むこと，腋を締め肩を下げること，視線の向きを変えることを患者に説明できる。	□2	□1	□0
	4) 上肢担当者が座位姿勢を安定させたことを確認し，片足ずつ靴底を触れないよう丁寧に患者の靴を脱がせ，移乗の邪魔にならない位置に置くことができる。	□2	□1	□0
	5) 車椅子側の手でアームサポートを把持し，反対側の上肢で患者の下腿部から両膝を抱え，車椅子側の自身の大腿部に肘を置いて患者の下肢の重さを支える，片膝立ち様の介助姿勢をとることができる。	□2	□1	□0
	6) 殿部の向きを変えることを説明し，腋を締め肩を下げること，殿部の移動方向と反対に視線を向けることを指示できる。	□2	□1	□0
	7) 上肢担当者に合図を依頼し，殿部をベッド寄りに移動させ，深く座らせることができる。	□2	□1	□0
	8) アームサポートを把持した上肢を支えにして立ち上がり，素早くアームサポートを把持していた手で患者の殿部を支えることができる。	□2	□1	□0
	9) 上肢担当者と協調して患者の身体をアームサポートよりも高く上げベッド端まで移動させ，殿部からゆっくりと下ろすことができる。	□2	□1	□0
	10) 患者にベッド中央に移動することを説明し，腋を締め肩を下げること，移動方向に視線を向けることを指示できる。	□2	□1	□0
	11) 上肢担当者の合図に合わせて，患者の殿部と両下肢を把持した状態で，ベッドに乗せた自身の足を水平に滑らせながら患者の殿部をベッド中央に移動させることができる。	□2	□1	□0
	12) 患者に肘をつくように指示し協力を得て，患者の両下肢を軽度屈曲位で保持し，背臥位となったらゆっくりと両下肢を完全伸展させることができる。	□2	□1	□0
	13) 移乗中および背臥位姿勢で不快な思いをしていないか，口頭および観察にて確認し，適切な姿勢にできる。	□2	□1	□0

小計＿＿＿＿＿＿点（26点満点）

合計＿＿＿＿＿＿点（34点満点）

藤田医科大学　保健衛生学部　リハビリテーション学科

採点シート 2-1

療法士面接

採点者 _____ 採点日_____

学年 □1年 □2年 □3年 □4年　　専攻 □PT □OT

学籍番号_____ 氏名 _____

設問：脳梗塞により左片麻痺を呈した患者です。療法士面接でこの患者の「主訴」と「要望」を確認してください。制限時間は5分です。では，始めてください。

採点者は模擬患者に受験者の言動の適否を適宜確認して，以下の項目を採点してください。

		good	fair	poor
態度	1) 適切な身なりで明瞭な挨拶（開始時・終了時）・自己紹介ができる。	□2	□1	□0
	2) 2つの識別子で患者の確認ができる。	□2	□1	□0
	3) 療法士面接を行う旨を患者に伝え，了承を得ることができる。	□2	□1	□0
	4) 課題全般を通して，患者の様子（表情・心情・姿勢・身体機能）や状況に応じた丁寧な対処（声かけ・触れ方・動かし方）ができる。	□2	□1	□0

小計_____点（8点満点）

		good	fair	poor
技能	1) 患者の快適な距離で，90°位となるよう，適切に所定の場所へ誘導することができる。	□2	□1	□0
	2) 記録のためメモをとる旨を患者に伝え，了承を得ることができる。	□2	□1	□0
	3) 自由質問法を用いて主訴を確認できる。	□2	□1	□0
	4) 聴取した主訴について，より詳細に（日常生活上のどの場面でどのように困っているのか）確認できる。	□2	□1	□0
	5) 自由質問法を用いて要望を確認できる。	□2	□1	□0
	6) 回答に困る場面で，多項目質問法を用いて確認できる。	□2	□1	□0
	7) 聴取した要望について，より詳細に（日常生活上のどの場面で要望を実現したいのか）確認できる。	□2	□1	□0
	8) 聴取した主訴を要約し，内容に誤りがないかを確認できる。	□2	□1	□0
	9) 聴取した要望を要約し，内容に誤りがないかを確認できる。	□2	□1	□0
	10) 伝え忘れや他に質問がないかを確認できる。	□2	□1	□0
	11) 面接で用いるテクニック（促し，繰り返し，解釈，共感，非言語的コミュニケーションなど）を使い分けることができる。	□2	□1	□0

小計_____点（22点満点）

合計_____点（30点満点）

藤田医科大学　保健衛生学部　リハビリテーション学科

採点シート 2-2

面接所見からの高次脳機能障害の推測

採点者 ＿＿＿＿＿＿＿＿　採点日＿＿＿＿＿＿＿＿＿＿＿

学年　□1年 □2年 □3年 □4年　専攻 □PT □OT

学籍番号＿＿＿＿＿＿＿＿　氏名 ＿＿＿＿＿＿＿＿＿＿＿

設問：脳梗塞により左片麻痺を呈した患者です。意識は清明で失語症は認めません。この患者の初回面接時の会話と書字（本日の日付，氏名，住所）の様子から病態失認，日時の見当識障害，注意障害，半側空間無視，記憶障害，失行について4分以内で評価し，残りの時間で採点者に報告してください。書字は机上の用紙と鉛筆を使用してください。制限時間は5分です。4分の時点で合図します。では，始めてください。

採点者は模擬患者に受験者の言動の適否を適宜確認して，以下の項目を採点してください。

		good	fair	poor
態度	1) 適切な身なりで明瞭な挨拶（開始時・終了時）・自己紹介ができる。	□2	□1	□0
	2) 2つの識別子で患者の確認ができる。	□2	□1	□0
	3) 面接を行う旨を患者に伝え，了承を得ることができる。	□2	□1	□0
	4) 課題全般を通して，患者の様子（表情・心情・姿勢・身体機能）や状況に応じた丁寧な対処（声かけ・触れ方・動かし方）ができる。	□2	□1	□0

小計＿＿＿＿＿点（8点満点）

		good	fair	poor
技能	1) 座位姿勢（頭部・体幹・上下肢の位置）を確認し，姿勢を修正できる。	□2	□1	□0
	2) 患者と適切な位置をとることができる。	□2	□1	□0
	3) 患者に現在の体調や上下肢の動きを口頭で確認できる。	□2	□1	□0
	4) 書字することを患者にわかりやすく説明できる。	□2	□1	□0
	5) 書字の評価は対面位で行い，物品（用紙・鉛筆）を患者の正面正中に適切に呈示できる。	□2	□1	□0
	6) 用紙を片方の手で固定するよう指示し，手による固定が難しい場合は用紙の裏にテープで固定できる。	□2	□1	□0
	7) 本日の日付，氏名，住所を書字することをわかりやすく指示できる。	□2	□1	□0
	8) 用紙の中央に横書きで書字することをわかりやすく指示できる。	□2	□1	□0
	9) 病態失認の可能性を確認し，正しく理由を述べることができる。	□2	□1	□0
	10) 日時の見当識障害の可能性を確認し，正しく理由を述べることができる。	□2	□1	□0
	11) 注意障害の可能性を確認し，正しく理由を述べることができる。	□2	□1	□0
	12) 半側空間無視の可能性を確認し，正しく理由を述べることができる。	□2	□1	□0
	13) 記憶障害の可能性を確認し，正しく理由を述べることができる（書字について指示された3つの事項を記憶できていたか）。	□2	□1	□0
	14) 失行の可能性を確認し，正しく理由を述べることができる。	□2	□1	□0

小計＿＿＿＿＿点（28点満点）

合計＿＿＿＿＿＿点（36点満点）

藤田医科大学　保健衛生学部　リハビリテーション学科

採点シート 2-3

脈拍と血圧の測定

採点者 ＿＿＿＿＿＿＿＿＿ 採点日＿＿＿＿＿＿＿＿＿

学年 □1年 □2年 □3年 □4年　専攻 □PT □OT

学籍番号＿＿＿＿＿＿＿＿＿　氏名 ＿＿＿＿＿＿＿＿＿＿

設問：脳梗塞により左片麻痺を呈した患者です。リハビリテーション開始前，患者に体調を尋ねたうえで，脈拍を測定し，結果を患者に報告してください。時間の都合上，測定時間は15秒程度とします。続いて，血圧を聴診法にて測定し結果を患者に報告してください。今回は心疾患など重篤な既往歴がないことは確認済みとします。制限時間は5分です。では，始めてください。

採点者は模擬患者に受験者の言動の適否を適宜確認して，以下の項目を採点してください。

			good	fair	poor
態度	1)	適切な身なりで明瞭な挨拶（開始時・終了時）・自己紹介ができる。	□2	□1	□0
	2)	2つの識別子で患者の確認ができる。	□2	□1	□0
	3)	脈拍および血圧の測定を行う旨を患者に伝え，了承を得ることができる。	□2	□1	□0
	4)	課題全般を通して，患者の様子（表情・心情・姿勢・身体機能）や状況に応じた丁寧な対処（声かけ・触れ方・動かし方）ができる。	□2	□1	□0

小計＿＿＿＿＿点（8点満点）

			good	fair	poor
技能	1)	体調を尋ね，脈拍と血圧の測定の順番を伝えることができる。	□2	□1	□0
	2)	第2〜4指のうち2〜3本の指腹で橈骨動脈を触診し，脈拍を測定できる。	□2	□1	□0
	3)	血圧測定に適した部位（非麻痺側上肢）を選択し，厚手の長袖上衣を脱衣あるいは測定側の袖を外すことができる。	□2	□1	□0
	4)	肘関節を軽く伸展，前腕回外位にし，上腕部中央を心臓と同じ高さに設定できる。	□2	□1	□0
	5)	ゴム囊が上腕動脈にかかり，肘窩の上2cmの場所にマンシェットの下端がくるように巻くことができる。	□2	□1	□0
	6)	マンシェットの巻く強さ（指が1〜2本中に入る程度）が適切である。	□2	□1	□0
	7)	上腕動脈を触診し，聴診器のチェストピースがマンシェットのゴム囊にかからないよう上腕動脈上に置くことができる。	□2	□1	□0
	8)	普段の値を参考にするか，収縮期血圧値あたりから20〜30mmHgを加えた値まで速やかに加圧できる。	□2	□1	□0
	9)	収縮期血圧，拡張期血圧あたりはゆっくり，それ以外は速やかに減圧できる。	□2	□1	□0
	10)	衣服を元に戻し，器具の片づけができる。	□2	□1	□0
	11)	患者に測定結果およびリハビリテーション開始の可否を伝えることができる。	□2	□1	□0
	12)	測定した脈拍が正確である。	□2	□1	□0
	13)	収縮期血圧，拡張期血圧が両方とも正確である（医用電子血圧計のノーマルモードの場合は除外）。	□2	□1	□0

小計＿＿＿＿＿点（26点満点）

合計＿＿＿＿＿点（34点満点）

藤田医科大学　保健衛生学部　リハビリテーション学科

採点シート 2-4

呼吸パターンと動脈血酸素飽和度の評価

採点者 _____ 採点日_____

学年 □1年 □2年 □3年 □4年　専攻 □PT □OT

学籍番号_____　氏名 _____

設問：軽度の慢性閉塞性肺疾患（COPD）患者です。この患者の呼吸運動（胸式・腹式呼吸の判別，努力性呼吸の有無，呼吸数）と動脈血酸素飽和度，脈拍数を座位にて測定してください。患者は「酸素飽和度」という用語は聞き慣れており，その意味は正確に理解しています。制限時間は5分です。では，始めてください。

採点者は模擬患者に受験者の言動の適否を適宜確認して，以下の項目を採点してください。

態度		good fair poor
	1) 適切な身なりで明瞭な挨拶（開始時・終了時）・自己紹介ができる。	□2 □1 □0
	2) 2つの識別子で患者の確認ができる。	□2 □1 □0
	3) 呼吸運動と動脈血酸素飽和度の測定を行う旨を患者に伝え，了承を得ることができる。	□2 □1 □0
	4) 課題全般を通して，患者の様子（表情・心情・姿勢・身体機能）や状況に応じた丁寧な対処（声かけ・触れ方・動かし方）ができる。	□2 □1 □0

小計_____点（8点満点）

技能		good fair poor
	1) 実施する呼吸運動の評価内容（呼吸の仕方, 呼吸数, 努力性呼吸, 酸素飽和度）をわかりやすく説明できる。	□2 □1 □0
	2) 呼吸困難を生じさせない安楽な座位姿勢にすることができる。	□2 □1 □0
	3) 座位での呼吸運動の評価をすること，患者の胸部と腹部に手を置くことを，デモンストレーションを交えて説明する。	□2 □1 □0
	4) 安静呼吸にて手を胸部と腹部に置き，呼吸の仕方を確認できる。	□2 □1 □0
	5) 安静呼吸にて努力性吸気と努力性呼気の有無を確認できる。	□2 □1 □0
	6) デモンストレーションを交えてパルスオキシメーターを装着し，SpO_2・脈拍数を測定することを説明できる。	□2 □1 □0
	7) 指の循環や皮膚・爪の状態を確認後，パルスオキシメーターを正しく装着できる。	□2 □1 □0
	8) 30秒間の呼吸数測定×2倍の方法にて，1分間あたりの呼吸数を確認できる。	□2 □1 □0
	9) パルスオキシメーターによるSpO_2測定値と脈拍数を，装着開始から約30秒経過後に読み取ることができる。	□2 □1 □0
	10) パルスオキシメーターを外した後に，指の状態を確認できる。	□2 □1 □0
	11) 患者に検査結果をわかりやすく伝えることができる。	

小計_____点（22点満点）

合計_____点（30点満点）

藤田医科大学　保健衛生学部　リハビリテーション学科

採点シート 2-5

関節可動域測定（上肢：肩関節外転）

採点者 ＿＿＿＿＿＿＿＿＿　採点日＿＿＿＿＿＿＿＿＿＿

学年　□1年 □2年 □3年 □4年　専攻 □PT □OT

学籍番号＿＿＿＿＿＿＿＿＿　氏名 ＿＿＿＿＿＿＿＿＿＿

設問：脳梗塞により左片麻痺を呈した患者です。この患者の肩関節外転可動域を座位にて測定してください。測定する前に基本軸・移動軸・参考可動域を口頭で採点者に説明してから測定してください。なお，他動的な関節運動時の確認事項は運動時の姿勢，可動域，疼痛，代償運動のみとします。制限時間は5分です。では，始めてください。

採点者は模擬患者に受験者の言動の適否を適宜確認して，以下の項目を採点してください。

			good	fair	poor
態度	1) 適切な身なりで明瞭な挨拶（開始時・終了時）・自己紹介ができる。		□2	□1	□0
	2) 2つの識別子で患者の確認ができる。		□2	□1	□0
	3) 関節可動域測定(肩関節外転)を行う旨を患者に伝え，了承を得ることができる。		□2	□1	□0
	4) 課題全般を通して，患者の様子（表情・心情・姿勢・身体機能）や状況に応じた丁寧な対処（声かけ・触れ方・動かし方）ができる。		□2	□1	□0

小計＿＿＿＿＿点(8点満点)

技能	1) 肩関節外転運動の基本軸・移動軸・参考可動域を採点者に正確に説明できる。		□2	□1	□0
	2) 患者を足底全面接地，骨盤直立位の座位姿勢にすることができる。		□2	□1	□0
	3) 角度計を用いることを伝え，肩関節外転運動についてデモンストレーションを交えてわかりやすく説明できる。		□2	□1	□0
	4) 非麻痺側の自動運動での姿勢，可動域，疼痛，代償運動を確認できる。		□2	□1	□0
	5) 非麻痺側の他動運動での姿勢，可動域，疼痛，代償運動を確認できる。		□2	□1	□0
	6) 非麻痺側の肩甲骨の上方回旋を補助し，もう一方の手で上肢を把握しながら，ゆっくりと肩関節外転運動を他動的に行うことができる。		□2	□1	□0
	7) 麻痺側の肩関節の状態（亜脱臼，疼痛）を問診と触診ができる。		□2	□1	□0
	8) 麻痺側の自動運動での姿勢，可動域，疼痛，代償運動を確認し，代償運動が生じた場合は正しい運動方向に修正できる。		□2	□1	□0
	9) 麻痺側の他動運動での姿勢，可動域，疼痛の確認，角度計の準備ができる。		□2	□1	□0
	10) 麻痺側の他動運動で肩甲骨の上方回旋を補助し，上肢を把持しながら，ゆっくりと動かすことができる。		□2	□1	□0
	11) 麻痺側の他動的な肩関節外転運動の最終可動域で，基本軸・移動軸に角度計を合わせることができる。		□2	□1	□0
	12) 角度計を押し付けずに当て，適切な位置から目盛りを読み，測定後ゆっくりと上肢を下ろすことができる。		□2	□1	□0
	13) 左右の可動域を比較し，両側とも5°刻みで実測値を患者に伝えることができる。		□2	□1	□0

小計＿＿＿＿＿点(26点満点)

合計＿＿＿＿＿点(34点満点)

藤田医科大学　保健衛生学部　リハビリテーション学科

採点シート 2-5

関節可動域測定（手指：示指 PIP 関節屈曲）

採点者 _____ 採点日 _____

学年 □1年 □2年 □3年 □4年 専攻 □PT □OT

学籍番号_____ 氏名 _____

設問：左示指中節骨骨折の患者です。この患者の示指の PIP 関節屈曲可動域を測定してください。測定する前に基本軸・移動軸・参考可動域を口頭で採点者に説明してから測定してください。なお，他動的な関節運動時の確認事項は可動域，疼痛のみとします。制限時間は 5 分です。では，始めてください。

採点者は模擬患者に受験者の言動の適否を適宜確認して，以下の項目を採点してください。

		good fair poor
態度	1) 適切な身なりで明瞭な挨拶（開始時・終了時）・自己紹介ができる。	□2 □1 □0
	2) 2つの識別子で患者の確認ができる。	□2 □1 □0
	3) 関節可動域測定（示指 PIP 関節屈曲）を行う旨を患者に伝え，了承を得ることができる。	□2 □1 □0
	4) 課題全般を通して，患者の様子（表情・心情・姿勢・身体機能）や状況に応じた丁寧な対処（声かけ・触れ方・動かし方）ができる。	□2 □1 □0

小計_____点（8 点満点）

		good fair poor
技能	1) PIP 関節の基本軸・移動軸・参考可動域を採点者に正確に説明できる。	□2 □1 □0
	2) 患者を前腕中間位，手関節機能的肢位にすることができる。	□2 □1 □0
	3) 角度計を用いることを伝え，MP 屈曲・PIP 屈曲・DIP 屈曲運動についてデモンストレーションを交えてわかりやすく説明できる。	□2 □1 □0
	4) 非障害側の全指屈曲運動を自動運動で行わせ，可動域と疼痛の有無を確認できる。	□2 □1 □0
	5) 非障害側示指を正しく保持し，MP 関節・PIP 関節・DIP 関節を他動運動で動かし，可動域と疼痛の有無を確認できる。	□2 □1 □0
	6) 障害側の全指屈曲運動を自動運動で行わせ，可動域と疼痛の有無を確認できる。	□2 □1 □0
	7) 障害側示指の MP 関節・PIP 関節・DIP 関節屈曲運動を他動運動で，可動域と疼痛の有無を確認できる。	□2 □1 □0
	8) 障害側示指の PIP 関節屈曲角度を測定できるように MP 関節・DIP 関節を固定できる。	□2 □1 □0
	9) 障害側の他動的な PIP 関節の最終可動域で，基本軸・移動軸に角度計を合わせることができる。	□2 □1 □0
	10) 角度計を押し付けずに当て，適切な位置から目盛りを読むことができる。	□2 □1 □0
	11) 左右の可動域を比較し，両側とも2°刻みで実測値を患者に伝えることができる。	□2 □1 □0

小計_____点（22 点満点）

合計_____点（30 点満点）

藤田医科大学　保健衛生学部　リハビリテーション学科

採点シート 2-5

関節可動域測定（下肢：股関節屈曲）

採点者 ＿＿＿＿＿＿＿＿ 採点日＿＿＿＿＿＿＿＿

学年 □1年 □2年 □3年 □4年 専攻 □PT □OT

学籍番号＿＿＿＿＿＿＿ 氏名 ＿＿＿＿＿＿＿＿＿

設問：左変形性股関節症の患者です。この患者の股関節屈曲可動域を測定してください。測定する前に基本軸・移動軸・参考可動域を口頭で採点者に説明してから測定してください。なお，他動的な関節運動時の確認事項は運動時の姿勢，可動域，疼痛，代償運動のみとします。制限時間は5分です。では，始めてください。

採点者は模擬患者に受験者の言動の適否を適宜確認して，以下の項目を採点してください。

		good	fair	poor
態度	1) 適切な身なりで明瞭な挨拶（開始時・終了時）・自己紹介ができる。	□2	□1	□0
	2) 2つの識別子で患者の確認ができる。	□2	□1	□0
	3) 関節可動域測定(股関節屈曲)を行う旨を患者に伝え，了承を得ることができる。	□2	□1	□0
	4) 課題全般を通して，患者の様子（表情・心情・姿勢・身体機能）や状況に応じた丁寧な対処（声かけ・触れ方・動かし方）ができる。	□2	□1	□0

小計＿＿＿＿＿点（8点満点）

		good	fair	poor
技能	1) 股関節屈曲運動の基本軸・移動軸・参考可動域を採点者へ正確に説明できる。	□2	□1	□0
	2) 両股関節0°屈曲位，測定側上肢を胸部の上に置いた背臥位にすることができる。	□2	□1	□0
	3) 角度計を用いることを伝え，股関節屈曲運動についてデモンストレーションを交えてわかりやすく説明できる。	□2	□1	□0
	4) 非障害側の自動運動での姿勢，可動域，疼痛，代償運動を確認できる。	□2	□1	□0
	5) 非障害側の他動運動での姿勢，可動域，疼痛，代償運動を確認し，代償運動が生じた場合は正しい運動方向に修正できる。	□2	□1	□0
	6) 骨盤を固定し，大腿部を把持しながら，ゆっくりと非障害側の股関節屈曲運動を他動的に行うことができる。	□2	□1	□0
	7) 障害側の自動運動での姿勢，可動域，疼痛，代償運動を確認し，代償運動が生じた場合は正しい運動方向に修正できる。	□2	□1	□0
	8) 障害側の他動運動での姿勢，可動域，疼痛の有無，代償運動の確認と運動方向の修正，角度計の準備ができる。	□2	□1	□0
	9) 障害側の他動運動で骨盤を固定し，大腿部を把持しながら，ゆっくりと動かすことができる。	□2	□1	□0
	10) 障害側の他動的な股関節屈曲運動の最終可動域で，基本軸・移動軸に角度計を合わせることができる。	□2	□1	□0
	11) 角度計を押し付けずに当て，適切な位置から目盛りを読み，測定後ゆっくりと下肢を下ろすことができる。	□2	□1	□0
	12) 左右の可動域を比較し，両側とも5°刻みで実測値を患者に伝えることができる。	□2	□1	□0

小計＿＿＿＿＿点（24点満点）

合計＿＿＿＿＿点（32点満点）

藤田医科大学　保健衛生学部　リハビリテーション学科

採点シート 2-6

MMT（上肢）

採点者 ＿＿＿＿＿＿＿＿　採点日＿＿＿＿＿＿＿＿＿

学年　□1年 □2年 □3年 □4年　　専攻 □PT □OT

学籍番号＿＿＿＿＿＿＿＿　氏名 ＿＿＿＿＿＿＿＿＿＿

設問：中心性脊髄損傷の患者です。この患者の両側肩関節屈曲運動の筋力（MMT）を測定してください。制限時間は5分です。では、始めてください。

採点者は模擬患者に受験者の言動の適否を適宜確認して、以下の項目を採点してください。

		good	fair	poor
態度	1) 適切な身なりで明瞭な挨拶（開始時・終了時）・自己紹介ができる。	□2	□1	□0
	2) 2つの識別子で患者の確認ができる。	□2	□1	□0
	3) MMT（上肢）を行う旨を患者に伝え、了承を得ることができる。	□2	□1	□0
	4) 課題全般を通して、患者の様子（表情・心情・姿勢・身体機能）や状況に応じた丁寧な対処（声かけ・触れ方・動かし方）ができる。	□2	□1	□0

小計＿＿＿＿＿＿点（8点満点）

		good	fair	poor
技能	1) 患者を可能な限り骨盤直立位、床に足底接地した座位姿勢にさせることができる。	□2	□1	□0
	2) 口頭で測定肢の左右差を確認し、適切な順序で測定できる。	□2	□1	□0
	3) 両側とも自動的な上肢の動きと疼痛を確認できる。	□2	□1	□0
	4) 両側とも他動的な上肢の動きと疼痛を確認できる。	□2	□1	□0
	5) 運動・測定方法、代償運動についてデモンストレーションを交えて患者に説明できる。	□2	□1	□0
	6) 両側とも「段階3」のテストで代償運動が出現しないよう体幹を固定できる。	□2	□1	□0
	7) 両側とも「段階4/5」のテストで代償運動が出現しないよう体幹を固定できる。	□2	□1	□0
	8) 両側とも「段階4/5」のテストで肘関節直上の上腕遠位端に抵抗をかけることができる。	□2	□1	□0
	9) 両側とも「段階4/5」のテストで垂直方向に抵抗をかけることができる。	□2	□1	□0
	10) 両側とも「段階4/5」のテストで弱い抵抗から最大抵抗へと変化させて抵抗をかけることができる。	□2	□1	□0
	11) 両側とも「段階4/5」のテストで2～3秒程度かけて抵抗をかけることができる。	□2	□1	□0
	12) 全施行で両側とも、代償運動が生じた場合は再測定できる。	□2	□1	□0
	13) 全施行で両側の測定時に最大筋力を発揮させるための適切な声かけができる。	□2	□1	□0
	14) 両側の測定結果から、適切にレベルを判定できる。	□2	□1	□0
	15) 患者に測定結果をわかりやすく伝えることができる。	□2	□1	□0

小計＿＿＿＿＿＿点（30点満点）

合計＿＿＿＿＿＿点（38点満点）

藤田医科大学　保健衛生学部　リハビリテーション学科

採点シート 2-6

MMT（手指）

採点者 ＿＿＿＿＿＿＿＿ 採点日＿＿＿＿＿＿＿＿＿

学年 □1年 □2年 □3年 □4年 専攻 □PT □OT

学籍番号＿＿＿＿＿＿＿＿ 氏名 ＿＿＿＿＿＿＿＿＿＿

設問：左正中神経麻痺の患者です。この患者の両側の母指掌側外転運動の筋力（MMT）を測定してください。制限時間は5分です。では，始めてください。

採点者は模擬患者に受験者の言動の適否を適宜確認して，以下の項目を採点してください。

		good	fair	poor
態度	1) 適切な身なりで明瞭な挨拶（開始時・終了時）・自己紹介ができる。	□2	□1	□0
	2) 2つの識別子で患者の確認ができる。	□2	□1	□0
	3) MMT（手指）を行う旨を患者に伝え，了承を得ることができる。	□2	□1	□0
	4) 課題全般を通して，患者の様子（表情・心情・姿勢・身体機能）や状況に応じた丁寧な対処（声かけ・触れ方・動かし方）ができる。	□2	□1	□0

小計＿＿＿＿＿点（8点満点）

		good	fair	poor
技能	1) 机上にタオルなどを設置し，その上に前腕・手部を置き，前腕回外，手関節中間位とすることができる。	□2	□1	□0
	2) 口頭で測定肢の左右差を確認し，適切な順序で測定できる。	□2	□1	□0
	3) 両側とも自動的な上肢の動きと疼痛，筋緊張を確認できる。	□2	□1	□0
	4) 両側とも他動的な上肢の動きと疼痛，筋緊張を確認できる。	□2	□1	□0
	5) 運動・測定方法，代償運動についてデモンストレーションを交えて患者に説明できる。	□2	□1	□0
	6) 両側とも「段階3」のテストで代償運動が出現しないよう中手骨を固定できる。	□2	□1	□0
	7) 両側とも「段階4/5」のテストで代償運動が出現しないよう中手骨を固定できる。	□2	□1	□0
	8) 両側とも「段階4/5」のテストで第1中手骨頭上面に抵抗をかけることができる。	□2	□1	□0
	9) 両側とも「段階4/5」のテストで掌側内転方向に抵抗をかけることができる。	□2	□1	□0
	10) 両側とも「段階4/5」のテストで弱い抵抗から最大抵抗へと変化させて抵抗をかけることができる。	□2	□1	□0
	11) 両側とも「段階4/5」のテストで2〜3秒程度かけて抵抗をかけることができる。	□2	□1	□0
	12) 全施行で両側とも，代償運動が生じた場合は再測定できる。	□2	□1	□0
	13) 全施行で両側の測定時に最大筋力を発揮させるための適切な声かけができる。	□2	□1	□0
	14) 両側の測定結果から，適切にレベルを判定できる。	□2	□1	□0
	15) 患者に測定結果をわかりやすく伝えることができる。	□2	□1	□0

小計＿＿＿＿＿点（30点満点）

合計＿＿＿＿＿点（38点満点）

藤田医科大学　保健衛生学部　リハビリテーション学科

採点シート 2-6

MMT（下肢）

採点者 _____ 採点日_____

学年　□1年 □2年 □3年 □4年　　専攻 □PT □OT

学籍番号_____　　氏名 _____

設問：両側変形性股関節症の患者です。この患者の両側股関節外転運動の筋力（MMT）を測定してください。制限時間は5分です。では，始めてください。

採点者は模擬患者に受験者の言動の適否を適宜確認して，以下の項目を採点してください。

態度		good 2 / fair 1 / poor 0
態度	1) 適切な身なりで明瞭な挨拶（開始時・終了時）・自己紹介ができる。	□2 □1 □0
	2) 2つの識別子で患者の確認ができる。	□2 □1 □0
	3) MMT（下肢）を行う旨を患者に伝え，了承を得ることができる。	□2 □1 □0
	4) 課題全般を通して，患者の様子（表情・心情・姿勢・身体機能）や状況に応じた丁寧な対処（声かけ・触れ方・動かし方）ができる。	□2 □1 □0

小計_____点（8点満点）

技能	1) 患者を適切な測定姿勢（背臥位および側臥位）にすることができる。	□2 □1 □0
	2) 口頭で測定肢の左右差を確認し，適切な順序で測定できる。	□2 □1 □0
	3) 両側とも自動的な下肢の動きと疼痛を確認できる。	□2 □1 □0
	4) 両側とも他動的な下肢の動きと疼痛を確認できる。	□2 □1 □0
	5) 運動・測定方法，代償運動についてデモンストレーションを交えて患者に説明できる。	□2 □1 □0
	6) 両側とも「段階3」のテストで代償運動が出現しないよう骨盤を固定できる。	□2 □1 □0
	7) 両側とも「段階4/5」のテストで代償運動が出現しないよう骨盤を固定できる。	□2 □1 □0
	8) 両側とも「段階4/5」のテストで膝関節外側面に抵抗をかけることができる。	□2 □1 □0
	9) 両側とも「段階4/5」のテストで垂直方向に抵抗をかけることができる。	□2 □1 □0
	10) 両側とも「段階4/5」のテストで弱い抵抗から最大抵抗へと変化させて抵抗をかけることができる。	□2 □1 □0
	11) 両側とも「段階4/5」のテストで2～3秒程度かけて抵抗をかけることができる。	□2 □1 □0
	12) 全施行で両側とも，代償運動が生じた場合は再測定できる。	□2 □1 □0
	13) 全施行で両側の測定時に最大筋力を発揮させるための適切な声かけができる。	□2 □1 □0
	14) 両側の測定結果から，適切にレベルを判定できる。	□2 □1 □0
	15) 患者に測定結果をわかりやすく伝えることができる。	□2 □1 □0

小計_____点（30点満点）

合計_____点（38点満点）

藤田医科大学　保健衛生学部　リハビリテーション学科

採点シート 2-6

HHD を用いた測定（上肢）

採点者 _____　採点日_____

学年　□1年 □2年 □3年 □4年　専攻 □PT □OT

学籍番号_____　氏名 _____

設問：中心性脊髄損傷の患者です。この患者の両側肩関節屈曲運動の筋力を HHD で測定してください。測定姿勢は，重力除去かつ代償運動を軽減させる目的で背臥位とします。また，試験時間の都合上，測定回数は 1 回としますが，必要に応じて複数回測定してもかまいません。複数回測定する際には，模擬患者の疲労を考慮して測定間に休憩時間を設けてください。なお，筋緊張は自動・他動運動時正常と確認されています。

　制限時間は 5 分です。では，始めてください。

採点者は模擬患者に受験者の言動の適否を適宜確認して，以下の項目を採点してください。

		good	fair	poor
態度	1) 適切な身なりで明瞭な挨拶（開始時・終了時）・自己紹介ができる。	□2	□1	□0
	2) 2つの識別子で患者の確認ができる。	□2	□1	□0
	3) HHD での測定（上肢）を行う旨を患者に伝え，了承を得ることができる。	□2	□1	□0
	4) 課題全般を通して，患者の様子（表情・心情・姿勢・身体機能）や状況に応じた丁寧な対処（声かけ・触れ方・動かし方）ができる。	□2	□1	□0

小計_____点（8 点満点）

		good	fair	poor
技能	1) 口頭で測定肢の左右差を確認し，適切な順序で測定できる。	□2	□1	□0
	2) 両側とも自動的な上肢の動きと疼痛を確認できる。	□2	□1	□0
	3) 両側とも他動的な上肢の動きと疼痛を確認できる。	□2	□1	□0
	4) 運動・測定方法，代償運動についてデモンストレーションを交えて患者に説明できる。	□2	□1	□0
	5) キャリブレーション設定を行い，測定機器を適切に扱い測定できる。	□2	□1	□0
	6) 両側とも肩関節屈曲運動時に生じやすい代償運動を抑制できる。	□2	□1	□0
	7) 両側とも HHD で上腕骨顆部近位に抵抗をかけることができる。	□2	□1	□0
	8) 両側とも HHD で垂直方向に抵抗をかけることができる。	□2	□1	□0
	9) 両側とも HHD で弱い抵抗から最大抵抗へと変化させて抵抗をかけることができる。	□2	□1	□0
	10) 両側とも HHD で4〜5秒程度かけて抵抗をかけることができる。	□2	□1	□0
	11) 全施行で最大筋力を発揮するための適切な声かけができる。	□2	□1	□0
	12) 患者に測定結果をわかりやすく伝えることができる。	□2	□1	□0

小計_____点（24 点満点）

合計_____点（32 点満点）

藤田医科大学　保健衛生学部　リハビリテーション学科

採点シート 2-6

HHD を用いた測定（下肢）

採点者 ＿＿＿＿＿＿＿＿ 採点日＿＿＿＿＿＿＿＿＿＿

学年　□1年 □2年 □3年 □4年　専攻 □PT □OT

学籍番号＿＿＿＿＿＿＿　氏名 ＿＿＿＿＿＿＿＿＿＿

設問：両側変形性股関節症の患者です。この患者の両側股関節外転運動の筋力を HHD で測定してください。測定姿勢は，重力除去かつ代償運動を軽減させる目的で背臥位とします。また，試験時間の都合上，測定回数は 1 回としますが，必要に応じて複数回測定してもかまいません。複数回測定する際には，模擬患者の疲労を考慮して測定間に休憩時間を設けてください。

　制限時間は 5 分です。では，始めてください。

採点者は模擬患者に受験者の言動の適否を適宜確認して，以下の項目を採点してください。

		good	fair	poor
態度	1) 適切な身なりで明瞭な挨拶（開始時・終了時）・自己紹介ができる。	□2	□1	□0
	2) 2つの識別子で患者の確認ができる。	□2	□1	□0
	3) HHD での測定（下肢）を行う旨を患者に伝え，了承を得ることができる。	□2	□1	□0
	4) 課題全般を通して，患者の様子（表情・心情・姿勢・身体機能）や状況に応じた丁寧な対処（声かけ・触れ方・動かし方）ができる。	□2	□1	□0

小計＿＿＿＿＿点（8 点満点）

		good	fair	poor
技能	1) 患者を背臥位にし，偏りのない姿勢で手を腹部に乗せることができる。	□2	□1	□0
	2) 口頭で測定肢の左右差を確認し，適切な順序で測定できる。	□2	□1	□0
	3) 両側とも自動的な下肢の動きと疼痛を確認できる。	□2	□1	□0
	4) 両側とも他動的な下肢の動きと疼痛を確認できる。	□2	□1	□0
	5) 運動・測定方法，代償運動についてデモンストレーションを交えて患者に説明できる。	□2	□1	□0
	6) キャリブレーション設定を行い，測定機器を適切に扱い測定できる。	□2	□1	□0
	7) 両側とも股関節外転運動時に生じやすい代償運動を抑制できる。	□2	□1	□0
	8) 両側とも HHD で大腿骨外側上顆近位部の大腿外側面に抵抗をかけることができる。	□2	□1	□0
	9) 両側とも HHD で垂直方向に抵抗をかけることができる。	□2	□1	□0
	10) 両側とも HHD で弱い抵抗から最大抵抗へと変化させて抵抗をかけることができる。	□2	□1	□0
	11) 両側とも HHD で 4〜5 秒程度かけて抵抗をかけることができる。	□2	□1	□0
	12) 全施行で最大筋力を発揮するための適切な声かけができる。	□2	□1	□0
	13) 患者に測定結果をわかりやすく伝えることができる。	□2	□1	□0

小計＿＿＿＿＿点（26 点満点）

合計＿＿＿＿＿点（34 点満点）

藤田医科大学　保健衛生学部　リハビリテーション学科

採点シート 2-7

前腕周径

採点者 ＿＿＿＿＿＿＿ 採点日＿＿＿＿＿＿＿＿＿

学年 □1年 □2年 □3年 □4年 専攻 □PT □OT

学籍番号＿＿＿＿＿＿＿ 氏名 ＿＿＿＿＿＿＿＿＿＿

設問：軽度の浮腫がある右乳癌術後の患者です。この患者の両側の最大前腕周径を橈骨茎状突起から測定点までの距離も含めて測定し，対側と比較してください。制限時間は5分です。では，始めてください。

採点者は模擬患者に受験者の言動の適否を適宜確認して，以下の項目を採点してください。

態度		good	fair	poor
	1) 適切な身なりで明瞭な挨拶（開始時・終了時）・自己紹介ができる。	□2	□1	□0
	2) 2つの識別子で患者の確認ができる。	□2	□1	□0
	3) 前腕最大周径の測定を行う旨を患者に伝え，了承を得ることができる。	□2	□1	□0
	4) 課題全般を通して，患者の様子（表情・心情・姿勢・身体機能）や状況に応じた丁寧な対処（声かけ・触れ方・動かし方）ができる。	□2	□1	□0

小計＿＿＿＿＿点（8点満点）

技能		good	fair	poor
	1) 前腕最大周径の測定部位と意義をわかりやすく説明できる。	□2	□1	□0
	2) 両側とも測定部位を露出できる。	□2	□1	□0
	3) 視診・触診で測定部位の浮腫や傷および疼痛の有無を確認し両側を比較することができる。	□2	□1	□0
	4) 患者を背臥位または座位とし，前腕を回外位にできる。	□2	□1	□0
	5) メジャーを正しく準備できる。	□2	□1	□0
	6) 両側のランドマーク（橈骨茎状突起）を正確に触診できる。	□2	□1	□0
	7) 非障害側，障害側の順に両側の測定を行うことができる。	□2	□1	□0
	8) 両側とも周辺部位を数カ所測定し，最大周径部を正しく探すことができる。	□2	□1	□0
	9) 両側とも前腕長軸に対し直角に当て，適切な強さで，捻れなくメジャーを巻くことができる。	□2	□1	□0
	10) 両側とも測定部位にスキンマーカーで橈側に正確に印をつけることができる。	□2	□1	□0
	11) 両側ともすべての測定で目盛りに対して垂直な位置で読むことができる。	□2	□1	□0
	12) 患者，採点者に測定結果をわかりやすく説明できる。	□2	□1	□0
	13) 両側の最大周径の測定値が正しい値（正解と比較して5mm以下の誤差）を示している。	□2	□1	□0
	14) 両側のランドマーク（橈骨茎状突起）からの距離を測定することができる。	□2	□1	□0

小計＿＿＿＿＿点（28点満点）

合計＿＿＿＿＿点（36点満点）

藤田医科大学　保健衛生学部　リハビリテーション学科

採点シート 2-7

下肢長

採点者 _____ 採点日 _____

学年 □1年 □2年 □3年 □4年 専攻 □PT □OT

学籍番号_____ 氏名 _____

設問：両側変形性股関節症，右変形性膝関節症の患者です。この患者の両側の下肢長（棘果長：SMD, 転子果長：TMD）を測定してください。制限時間は5分です。では，始めてください。

採点者は模擬患者に受験者の言動の適否を適宜確認して，以下の項目を採点してください。

		good fair poor
態度	1) 適切な身なりで明瞭な挨拶（開始・終了時）・自己紹介ができる。	□2 □1 □0
	2) 2つの識別子で患者の確認ができる。	□2 □1 □0
	3) 下肢長の測定を行う旨を患者に伝え，了承を得ることができる。	□2 □1 □0
	4) 課題全般を通して，患者の様子（表情・心情・姿勢・身体機能）や状況に応じた丁寧な対処（声かけ・触れ方・動かし方）ができる。	□2 □1 □0

小計_____点（8点満点）

技能	1) 下肢長の測定部位と意義をわかりやすく説明できる。	□2 □1 □0
	2) 患者を背臥位で左右対称な姿勢にできる。	□2 □1 □0
	3) 疼痛の有無を確認し両側を比較することができる。	□2 □1 □0
	4) 両側とも測定部位を露出できる。	□2 □1 □0
	5) メジャーを正しく準備できる。	□2 □1 □0
	6) 非障害側，障害側の順に両側の測定を行うことができる。	□2 □1 □0
	7) 両側のランドマーク（上前腸骨棘）に正しくメジャーを当てることができる。	□2 □1 □0
	8) 両側のランドマーク（脛骨内果）に正しくメジャーを当てることができる。	□2 □1 □0
	9) 棘果長（SMD）の測定で，メジャーの捻れ，緩みまたは押し込みなく，上前腸骨棘から脛骨内果の最短距離で測定できる。	□2 □1 □0
	10) 両側のランドマーク（大転子）に正しくメジャーを当てることができる。	□2 □1 □0
	11) 両側のランドマーク（腓骨外果）に正しくメジャーを当てることができる。	□2 □1 □0
	12) 転子果長（TMD）の測定で，メジャーの捻れ，緩みまたは押し込みなく，大転子から腓骨外果の最短距離で測定できる。	□2 □1 □0
	13) 両側ともすべての測定で目盛りに対して垂直な位置で読むことができる。	□2 □1 □0
	14) 患者，採点者に測定結果をわかりやすく説明できる。	□2 □1 □0
	15) 測定値が正しい値（1cm以下の誤差）を示している。	□2 □1 □0

小計_____点（30点満点）

合計_____点（38点満点）

藤田医科大学　保健衛生学部　リハビリテーション学科

採点シート 2-8

drop arm test

採点者 ＿＿＿＿＿＿＿ 採点日＿＿＿＿＿＿＿＿

学年　□1年 □2年 □3年 □4年　専攻 □PT □OT

学籍番号＿＿＿＿＿＿＿　氏名 ＿＿＿＿＿＿＿＿＿

設問：右肩腱板断裂の患者です。この患者に対し，drop arm test を行ってください。制限時間は5分です。
では，始めてください。
採点者は模擬患者に受験者の言動の適否を適宜確認して，以下の項目を採点してください。

			good	fair	poor
態度	1)	適切な身なりで明瞭な挨拶（開始時・終了時）・自己紹介ができる。	□2	□1	□0
	2)	2つの識別子で患者の確認ができる。	□2	□1	□0
	3)	drop arm test を行う旨を患者に伝え，了承を得ることができる。	□2	□1	□0
	4)	課題全般を通して，患者の様子（表情・心情・姿勢・身体機能）や状況に応じた丁寧な対処（声かけ・触れ方・動かし方）ができる。	□2	□1	□0

小計＿＿＿＿＿点（8点満点）

			good	fair	poor
技能	1)	椅子の背にもたれないよう指示し，足底接地，体幹・骨盤直立位の安定した座位姿勢にできる。	□2	□1	□0
	2)	問診にて安静時痛，運動時痛の有無，部位について確認できる。	□2	□1	□0
	3)	患者に drop arm test の方法をわかりやすく説明できる。	□2	□1	□0
	4)	非障害側，障害側の順で検査を行うことができる。	□2	□1	□0
	5)	肩関節外転の可動域（100°以上），疼痛の有無を確認できる。	□2	□1	□0
	6)	障害側の他動運動で疼痛に配慮し，腕を下方から支え，患者の力が抜けていることを確認したうえでゆっくりと外転させることができる。	□2	□1	□0
	7)	手掌面が床に向いた状態で肩関節を100°程度で外転保持させ，ゆっくりと上肢を下ろさせることができる。	□2	□1	□0
	8)	障害側の上腕の急速な落下を確認し，素早く保持できる。	□2	□1	□0
	9)	疼痛の状態を確認し，疼痛を誘発したことに対する配慮ができる。	□2	□1	□0
	10)	患者に検査結果をわかりやすく伝えることができる。	□2	□1	□0

小計＿＿＿＿＿点（20点満点）

合計＿＿＿＿＿点（28点満点）

藤田医科大学　保健衛生学部　リハビリテーション学科

採点シート 2-8

下肢伸展挙上テスト

採点者 _____ 採点日 _____

学年 □1年 □2年 □3年 □4年　専攻 □PT □OT

学籍番号_____　氏名 _____

設問：腰椎椎間板ヘルニアの患者です。この患者に対し，下肢伸展挙上テストを行ってください。制限時間は5分です。では，始めてください。

採点者は模擬患者に受験者の言動の適否を適宜確認して，以下の項目を採点してください。

態度		good	fair	poor
	1) 適切な身なりで明瞭な挨拶（開始時・終了時）・自己紹介ができる。	□2	□1	□0
	2) 2つの識別子で患者の確認ができる。	□2	□1	□0
	3) 下肢伸展挙上テストを行う旨を患者に伝え，了承を得ることができる。	□2	□1	□0
	4) 課題全般を通して，患者の様子（表情・心情・姿勢・身体機能）や状況に応じた丁寧な対処（声かけ・触れ方・動かし方）ができる。	□2	□1	□0

小計_____点（8点満点）

技能				
	1) 問診にて安静時痛，運動時痛の有無・部位について確認できる。	□2	□1	□0
	2) 疼痛の少ない側から背臥位にできる。	□2	□1	□0
	3) 下肢伸展挙上テストの方法について説明できる。	□2	□1	□0
	4) 検査中に生じた疼痛（出現部位と性状）について，検査後に確認することを説明できる。	□2	□1	□0
	5) 疼痛の弱い側から，両側の検査を行うことができる。	□2	□1	□0
	6) 両側とも検査する下肢を正しく保持できる。	□2	□1	□0
	7) 両側とも下肢を膝関節完全伸展位で挙上できる。	□2	□1	□0
	8) 両側とも股関節内外転・内外旋中間位で挙上できる。	□2	□1	□0
	9) 両側とも骨盤の回旋（代償運動）と対側の股関節屈曲の動きを抑制できる。	□2	□1	□0
	10) 両側とも疼痛の有無を確認しながら，ゆっくりと下肢を挙上できる。	□2	□1	□0
	11) 両側とも疼痛の出現部位と性状を確認できる。	□2	□1	□0
	12) 疼痛の軽減を確認し，疼痛を誘発したことに対する配慮ができる。	□2	□1	□0
	13) 患者に検査結果をわかりやすく伝えることができる。	□2	□1	□0

小計_____点（26点満点）

合計_____点（34点満点）

藤田医科大学　保健衛生学部　リハビリテーション学科

採点シート 2-9

筋の触診

採点者 _____ 採点日_____

学年 □1年 □2年 □3年 □4年 専攻 □PT □OT

学籍番号_____ 氏名 _____

設問：左脛骨神経麻痺の患者で，発症直後は下腿三頭筋の筋収縮を確認できませんでした。この患者の下腿三頭筋の触診を行ってください。触診の目的は末梢神経麻痺の回復程度を評価することです。ランドマークに沿って筋の部位を同定した後，筋収縮を確認してください。触診および収縮の確認の際は腓腹筋（内側頭，外側頭）とヒラメ筋を分け，採点者へ口頭で説明しながら進めてください。 制限時間の都合上，麻痺側のみの触診とし，腓腹筋の筋収縮確認は内側頭もしくは外側頭のいずれか一方とします。制限時間は5分です。では，始めてください。

採点者は模擬患者に受験者の言動の適否を適宜確認して，以下の項目を採点してください。

		good	fair	poor
態度	1）適切な身なりで明瞭な挨拶（開始時・終了時）・自己紹介ができる。	□2	□1	□0
	2）2つの識別子で患者の確認ができる。	□2	□1	□0
	3）下腿三頭筋の触診を行う旨を患者に伝え，了承を得ることができる。	□2	□1	□0
	4）課題全般を通して，患者の様子（表情・心情・姿勢・身体機能）や状況に応じた丁寧な対処（声かけ・触れ方・動かし方）ができる。	□2	□1	□0

小計_____点（8点満点）

		good	fair	poor
技能	1）安定した腹臥位にし，下腿をリラックスさせることができる。	□2	□1	□0
	2）両側の筋萎縮や浮腫の有無，皮膚の状態などを視診・触診できる。	□2	□1	□0
	3）ランドマークに沿って腓腹筋を触診できる。	□2	□1	□0
	4）ランドマークに沿ってヒラメ筋を触診できる。	□2	□1	□0
	5）足関節底屈位で膝関節屈曲運動（腓腹筋による自動運動）を能動的に行わせ，代償運動が出現しないように配慮できる。	□2	□1	□0
	6）膝関節伸展・足関節最大底屈位で固定し，膝関節屈曲運動に抵抗をかけ，腓腹筋の収縮（筋腹）を触診できる。	□2	□1	□0
	7）膝関節90°屈曲位・足関節軽度底屈位から足関節底屈運動（ヒラメ筋による自動運動）を能動的に行わせ，代償運動が出現しないように配慮できる。	□2	□1	□0
	8）膝関節90°屈曲位，足関節軽度底屈位から足関節底屈運動を行わせて，ヒラメ筋の収縮（筋腹）を正しい部位で触診できる。	□2	□1	□0
	9）患者に触診結果を伝えることができる。	□2	□1	□0
	10）課題全体を通して，運動時や触診時の疼痛の有無を確認できる。	□2	□1	□0

小計_____点（20点満点）

合計_____点（28点満点）

藤田医科大学 保健衛生学部 リハビリテーション学科

採点シート 2-10

触覚検査

採点者 _____ 採点日_____

学年　□1年 □2年 □3年 □4年　専攻 □PT □OT

学籍番号_____　氏名 _____

設問：頸髄損傷の患者です。この患者の上肢の触覚検査を行って，ASIA に準じて最も高位の触覚残存髄節レベルを推定し，採点者に報告してください。なお，時間の都合上，正常部位との比較は両側とも最も高位の触覚残存髄節レベルとその一つ上位の2髄節ずつとします。制限時間は5分です。では，始めてください。

採点者は模擬患者に受験者の言動の適否を適宜確認して，以下の項目を採点してください。

		good	fair	poor
態度	1）適切な身なりで明瞭な挨拶（開始時・終了時）・自己紹介ができる。	□2	□1	□0
	2）2つの識別子で患者の確認ができる。	□2	□1	□0
	3）触覚検査を行う旨を患者に伝え，了承を得ることができる。	□2	□1	□0
	4）課題全般を通して，患者の様子（表情・心情・姿勢・身体機能）や状況に応じた丁寧な対処（声かけ・触れ方・動かし方）ができる。	□2	□1	□0

小計_____点（8点満点）

		good	fair	poor
技能	1）筆を見せ，触覚検査方法についてデモンストレーションを交えて説明できる。	□2	□1	□0
	2）触覚障害の有無，部位，程度，疼痛の問診を行い，大まかな状態を把握できる。	□2	□1	□0
	3）刺激がわかったところで「はい」と答えることと，その後，正常部位と比較してどの程度わかるかを答えてもらうことを説明できる。	□2	□1	□0
	4）検査部位を露出し，肩関節を軽度外転外旋位にできる。	□2	□1	□0
	5）閉眼するよう指示し，閉眼が持続できているかを確認できる。	□2	□1	□0
	6）両側とも Key Sensory Points を，障害が予想される部位から高位に向かって刺激することができる。	□2	□1	□0
	7）両側ともできる限り軽く一定の刺激にすることができる。	□2	□1	□0
	8）両側とも適切な回数（2〜3回）を刺激することができる。	□2	□1	□0
	9）両側とも上肢全体を検査することができる。	□2	□1	□0
	10）両側とも正常部位と比較することができる。	□2	□1	□0
	11）患者に検査結果をわかりやすく伝えることができる。	□2	□1	□0
	12）両側とも正しい残存髄節レベルの判定ができる。	□2	□1	□0

小計_____点（24点満点）

合計_____点（32点満点）

藤田医科大学　保健衛生学部　リハビリテーション学科

採点シート 2-10

受動運動覚検査

採点者 ＿＿＿＿＿＿＿＿ 採点日＿＿＿＿＿＿＿＿＿

学年 □1年 □2年 □3年 □4年 専攻 □PT □OT

学籍番号＿＿＿＿＿＿＿＿ 氏名 ＿＿＿＿＿＿＿＿＿＿

設問：脳梗塞により左片麻痺を呈した患者です。この患者の母趾の受動運動覚を検査してください。制限時間は5分です。では，始めてください。

採点者は模擬患者に受験者の言動の適否を適宜確認して，以下の項目を採点してください。

		good fair poor
態度	1）適切な身なりで明瞭な挨拶（開始時・終了時）・自己紹介ができる。	□2 □1 □0
	2）2つの識別子で患者の確認ができる。	□2 □1 □0
	3）受動運動覚検査を行う旨を患者に伝え，了承を得ることができる。	□2 □1 □0
	4）課題全般を通して，患者の様子（表情・心情・姿勢・身体機能）や状況に応じた丁寧な対処（声かけ・触れ方・動かし方）ができる。	□2 □1 □0

小計＿＿＿＿点（8点満点）

技能	1）殿部を深くした座位姿勢に修正し，足の力を抜かせることができる。	□2 □1 □0
	2）受動運動覚障害の有無，部位，程度，疼痛に関する問診を行い，大まかな状態を把握できる。	□2 □1 □0
	3）検査部位を露出し，非麻痺側から実施できる。	□2 □1 □0
	4）両側とも母趾の関節可動域を他動的に確認できる。	□2 □1 □0
	5）開眼時に受動運動覚検査方法についてデモンストレーションを交えながら説明できる。	□2 □1 □0
	6）刺激に対する答え方（趾先が足背側に動いた時は「上」，趾先が足底側に動いた時は「下」と答える）の説明ができる。	□2 □1 □0
	7）閉眼するよう指示し，閉眼が持続できているかを確認できる。	□2 □1 □0
	8）両側とも足背部から足部を固定し，母趾を側方から正しく持つことができる。	□2 □1 □0
	9）両側とも適切な速さで動かすことができる。	□2 □1 □0
	10）両側とも適切な回数（2～3回）を動かすことができる。	□2 □1 □0
	11）両側とも適切な角度（全可動域とわずかな動き）を動かすことができる。	□2 □1 □0
	12）両側とも受動運動覚障害の程度を正しく判定できる。	□2 □1 □0
	13）患者に検査結果をわかりやすく伝えることができる。	□2 □1 □0

小計＿＿＿＿点（26点満点）

合計＿＿＿＿点（34点満点）

藤田医科大学 保健衛生学部 リハビリテーション学科

採点シート 2-11

反射検査（腱反射・病的反射）

採点者 _____ 採点日 _____

学年 □1年 □2年 □3年 □4年 専攻 □PT □OT

学籍番号_____ 氏名 _____

設問：脳梗塞により右（もしくは左）片麻痺を呈した患者です。この患者の腱反射および病的反射（下記1～4のうち1つを提示する）を検査してください。制限時間は5分です。では，始めてください。

1. 上腕二頭筋腱反射，バビンスキー反射
2. 上腕三頭筋腱反射，バビンスキー反射
3. 膝蓋腱反射，ホフマン反射
4. アキレス腱反射，トレムナー反射

採点者は模擬患者に受験者の言動の適否を適宜確認して，以下の項目を採点してください。

			good	fair	poor
態度	1) 適切な身なりで明瞭な挨拶（開始時・終了時）・自己紹介ができる。		□2	□1	□0
	2) 2つの識別子で患者の確認ができる。		□2	□1	□0
	3) 反射検査（腱反射・病的反射）を行う旨を患者に伝え，了承を得ることができる。		□2	□1	□0
	4) 課題全般を通して，患者の様子（表情・心情・姿勢・身体機能）や状況に応じた丁寧な対処（声かけ・触れ方・動かし方）ができる。		□2	□1	□0

小計_____点（8点満点）

技能	1) 腱反射・病的反射検査方法をわかりやすく説明できる。		□2	□1	□0
	2) 両側の検査や把持する部位の皮膚に異常がないかを視診にて確認できる。		□2	□1	□0
	【腱反射】				
	3) 両側の検査部位の関節可動域と周辺の筋緊張・疼痛を確認できる。		□2	□1	□0
	4) 両側とも検査に適した肢位をとることができる。		□2	□1	□0
	5) 両側の腱を触診し，位置を確認できる。		□2	□1	□0
	6) 両側とも打腱器を母指・示指で持ち，手関節の力を抜いて速やかに手関節を返すよう刺激を与えることができる。		□2	□1	□0
	7) 両側とも適度な刺激を2～3回ずつ与えることができる。		□2	□1	□0
	8) 両側とも適切な部位に刺激を与えることができる。		□2	□1	□0
	【病的反射】				
	9) 両側の検査部位の関節可動域と周辺の筋緊張・疼痛を確認できる。		□2	□1	□0
	10) 両側とも適切な肢位をとり，関節を固定できる。		□2	□1	□0
	11) 両側とも適度な刺激を2～3回ずつ与えることができる。		□2	□1	□0
	12) 両側とも適切な部位と方向に刺激を与えることができる。		□2	□1	□0
	【腱反射・病的反射共通】				
	13) 腱反射・病的反射検査について非麻痺側，麻痺側の順で検査できる。		□2	□1	□0
	14) 腱反射・病的反射の左右差を正しく判定し，患者に検査結果を伝えることができる。		□2	□1	□0

小計_____点（28点満点）

合計_____点（36点満点）

藤田医科大学　保健衛生学部　リハビリテーション学科

採点シート 2-12

視野検査

採点者 ＿＿＿＿＿＿＿　採点日＿＿＿＿＿＿＿＿

学年　□1年 □2年 □3年 □4年　専攻 □PT □OT

学籍番号＿＿＿＿＿＿＿　氏名 ＿＿＿＿＿＿＿＿

設問:脳梗塞により左（もしくは右）片麻痺を呈した患者です。この患者の視野検査を行ってください。検査の際は，方法を口頭で採点者に説明しながら進めてください。制限時間は5分です。では，始めてください。

採点者は模擬患者に受験者の言動の適否を適宜確認して，以下の項目を採点してください。

			good	fair	poor
態度	1) 適切な身なりで明瞭な挨拶（開始時・終了時）・自己紹介ができる。		□2	□1	□0
	2) 2つの識別子で患者の確認ができる。		□2	□1	□0
	3) 視野検査を行う旨を患者に伝え，了承を得ることができる。		□2	□1	□0
	4) 課題全般を通して，患者の様子（表情・心情・姿勢・身体機能）や状況に応じた丁寧な対処（声かけ・触れ方・動かし方）ができる。		□2	□1	□0

小計＿＿＿＿＿点（8点満点）

			good	fair	poor
技能	1) 患者の正面に座り，互いの眼の高さを合わせることができる。		□2	□1	□0
	2) 患者と受験者の眼の間隔を80cmにすることができる。		□2	□1	□0
	3) 視野検査についてデモンストレーションを交えて説明を行うことができる。		□2	□1	□0
	4) 両側とも患者に片方の眼を自身の手で覆うよう指示し，視覚遮断されているか確認し，必要に応じて修正できる。		□2	□1	□0
	5) 両側とも開眼している側の眼で受験者と向かい合った眼を見てもらうよう指示し，眼が動いていないか確認し，修正できる。		□2	□1	□0
	6) 自分の視野を基準に，検査に必要な視野の範囲を決定することができる。		□2	□1	□0
	7) 受験者は両側の指を垂直に立て，適切な位置（左上端-右下端，左下端-右上端）に広げることができる。		□2	□1	□0
	8) 患者と受験者の中央に受験者の指を設定できる。		□2	□1	□0
	9) 両側とも受験者の指をランダムに動かし，左右どちらの指が動いたかを回答させることができる。		□2	□1	□0
	10) 検査から視野範囲を正しく判定できる。		□2	□1	□0
	11) 患者に検査結果とADLに与える影響について伝えることができる。		□2	□1	□0

小計＿＿＿＿＿点（22点満点）

合計＿＿＿＿＿点（30点満点）

藤田医科大学　保健衛生学部　リハビリテーション学科

採点シート 2-13

Brunnstrom Recovery Stage（BRS）

採点者 _____ 採点日 _____

学年 □1年 □2年 □3年 □4年　専攻 □PT □OT

学籍番号_____　氏名 _____

設問：脳梗塞により左片麻痺を呈した患者です。数日前，BRS の Stage は上肢 Ⅳ（または Ⅴ），手指 Ⅳ（または Ⅴ），下肢Ⅳ（または Ⅴ）と判定されました。この患者に，指示された1項目（上肢または下肢）の Stage の再評価を行い，課題の完成度を採点者に説明してください。制限時間は5分です。では，始めてください。

採点者は模擬患者に受験者の言動の適否を適宜確認して，以下の項目を採点してください。

		good	fair	poor
態度	1）適切な身なりで明瞭な挨拶（開始時・終了時）・自己紹介ができる。	□2	□1	□0
	2）2つの識別子で患者の確認ができる。	□2	□1	□0
	3）機能障害（BRS）の検査を行う旨を患者に伝え，了承を得ることができる。	□2	□1	□0
	4）課題全般を通して，患者の様子（表情・心情・姿勢・身体機能）や状況に応じた丁寧な対処（声かけ・触れ方・動かし方）ができる。	□2	□1	□0

小計_____点（8点満点）

		good	fair	poor
技能	1）座位姿勢を確認し，足底全面接地，骨盤直立位に修正できる。	□2	□1	□0
	2）他動的に測定部位の状態を確認できる。	□2	□1	□0
	【再評価を指示した項目（上肢・下肢）について採点する】　*上肢は3課題（3〜5）），下肢は2課題（3，4））を採点する			
	3）課題動作1についてデモンストレーションを交えてわかりやすく説明し，課題を実施できる。	□2	□1	□0
	4）課題動作2についてデモンストレーションを交えてわかりやすく説明し，課題を実施できる。	□2	□1	□0
	5）課題動作3についてデモンストレーションを交えてわかりやすく説明し，課題を実施できる。	□2	□1	□0
	6）代償運動が出現したときに動作を止め，代償運動を出現させないよう指示し再度課題動作を行うことができる。	□2	□1	□0
	7）患者に検査結果（麻痺の程度）をわかりやすく伝えることができる。	□2	□1	□0
	【採点者に報告】　*上肢は3課題（8〜10）），下肢は2課題（8，9））を採点する			
	8）課題動作1について完成度（動作の可・不可，分離の程度）を正しく判定し，説明できる。	□2	□1	□0
	9）課題動作2について完成度（動作の可・不可，分離の程度）の判定ができる。	□2	□1	□0
	10）課題動作3について完成度（動作の可・不可，分離の程度）の判定ができる。	□2	□1	□0

小計_____点（20点満点）

合計_____点（28点満点）

藤田医科大学　保健衛生学部　リハビリテーション学科

採点シート 2-13

SIAS（麻痺側運動機能の評価）

採点者 ＿＿＿＿＿＿＿＿　採点日＿＿＿＿＿＿＿＿＿＿

学年　□1年 □2年 □3年 □4年　専攻 □PT □OT

学籍番号＿＿＿＿＿＿＿＿　氏名 ＿＿＿＿＿＿＿＿＿＿

設問：脳梗塞により左片麻痺を呈した患者です。この患者の麻痺側運動機能について，SIAS の 5 種類のテストの中から指定された上下肢各 1 項目を実施し，結果を採点者に報告してください。制限時間は 5 分です。では，始めてください。

採点者は模擬患者に受験者の言動の適否を適宜確認して，以下の項目を採点してください。

	上肢	下肢
近位	膝・口テスト	股屈曲テスト
		膝伸展テスト
遠位	手指テスト	足パット・テスト

		good fair poor
態度	1) 適切な身なりで明瞭な挨拶（開始時・終了時）・自己紹介ができる	□2 □1 □0
	2) 2つの識別子で患者の確認ができる。	□2 □1 □0
	3) 上肢または手指，下肢の機能障害の検査を行う旨を患者に伝え，了承を得ることができる。	□2 □1 □0
	4) 課題全般を通して，患者の様子（表情・心情・姿勢・身体機能）や状況に応じた丁寧な対処（声かけ・触れ方・動かし方）ができる。	□2 □1 □0

小計＿＿＿＿＿点（8 点満点）

技能	1) 座位姿勢を確認し，足底全面接地，骨盤直立位に修正できる。	□2 □1 □0
	2) 他動的に測定部位の状態を確認できる。	□2 □1 □0
	3) 上肢テストについてデモンストレーションを交えてわかりやすく説明し，課題を実施できる。	□2 □1 □0
	4) 下肢テストについてデモンストレーションを交えてわかりやすく説明し，課題を実施できる。	□2 □1 □0
	5) 上肢テスト・下肢テストとも非麻痺側，麻痺側の順でテストが実施できる。	□2 □1 □0
	6) 上肢テストの課題動作を両側とも 3 回程度行わせることができる。	□2 □1 □0
	7) 下肢テストの課題動作を両側とも 3 回程度行わせることができる。	□2 □1 □0
	8) 上肢テストで代償運動が出現したときに動作を止め，代償運動を出現させないよう指示し再度課題動作を行わせることができる。	□2 □1 □0
	9) 下肢テストで代償運動が出現したときに動作を止め，代償運動を出現させないよう指示し再度課題動作を行わせることができる。	□2 □1 □0
	10) 患者に検査結果（麻痺の程度）をわかりやすく伝えることができる。	□2 □1 □0
	【採点者に報告】	
	11) 上肢テストについて正しく判定し，麻痺側の動きを説明できる。	□2 □1 □0
	12) 下肢テストについて正しく判定し，麻痺側の動きを説明できる。	□2 □1 □0

小計＿＿＿＿＿点（24 点満点）

合計＿＿＿＿＿点（32 点満点）

藤田医科大学　保健衛生学部　リハビリテーション学科

採点シート 2-14

構音障害のスクリーニング

採点者 ＿＿＿＿＿＿＿＿ 採点日＿＿＿＿＿＿＿＿＿

学年 □1年 □2年 □3年 □4年 専攻 □PT □OT

学籍番号＿＿＿＿＿＿＿＿ 氏名 ＿＿＿＿＿＿＿＿＿＿＿

設問：脳梗塞により左片麻痺を呈した患者です。意識は清明です。主治医より構音機能に問題があると言われています。この患者の発語器官の評価（流涎の有無，顔面の観察，開口幅，口唇・舌の運動）と最長発声持続時間（MPT）の測定，開鼻声の評価，oral diadochokinesis を実施してください。必要な事項は記録用紙に記録して，簡潔にまとめて患者へ説明してください。制限時間は5分です。では，始めてください。

採点者は模擬患者に受験者の言動の適否を適宜確認して，以下の項目を採点してください。

		good fair poor
態度	1) 適切な身なりで明瞭な挨拶（開始時・終了時）・自己紹介ができる。	□2 □1 □0
	2) 2つの識別子で患者の確認ができる。	□2 □1 □0
	3) 構音障害のスクリーニングを行う旨を患者に伝え，了承を得ることができる。	□2 □1 □0
	4) 課題全般を通して，患者の様子（表情・心情・姿勢・身体機能）や状況に応じた丁寧な対処（声かけ・触れ方・動かし方）ができる。	□2 □1 □0

小計＿＿＿＿＿点（8点満点）

		good fair poor
技能	1) 開始前に速乾性擦式手指消毒液で消毒し，ディスポタイプ手袋を手順に従い衛生的に着脱できる。	□2 □1 □0
	2) 患者と適切な位置（正面かつ近距離）がとれる。	□2 □1 □0
	3) 観察により，流涎の有無，顔面の左右差・口角下垂の評価ができる。	□2 □1 □0
	4) デモンストレーションを交えながら，開口幅，口唇突出－横引きの検査ができる。	□2 □1 □0
	5) デモンストレーションを交えながら，挺舌の最大可動域を検査できる。	□2 □1 □0
	6) デモンストレーションを交えながら，最長発声持続時間（MPT）の測定ができる。	□2 □1 □0
	7) 鼻漏出の有無や程度を確認するため，鼻息鏡を発声してからのタイミングで鼻のすぐ下に垂直に軽く当て検査できる。	□2 □1 □0
	8) oral diadochokinesis「パ」の方法について正しい教示を行い，5秒間に構音できた回数を数えることができる。	□2 □1 □0
	9) 患者に検査結果をわかりやすく説明できる。	□2 □1 □0

小計＿＿＿＿＿点（18点満点）

合計＿＿＿＿＿点（26点満点）

藤田医科大学　保健衛生学部　リハビリテーション学科

採点シート 2-15

摂食嚥下障害のスクリーニング

採点者＿＿＿＿＿＿＿＿　採点日＿＿＿＿＿＿＿＿＿

学年　□1年 □2年 □3年 □4年　専攻 □PT □OT

学籍番号＿＿＿＿＿＿＿＿　氏名 ＿＿＿＿＿＿＿＿＿

設問：食事中ムセることが多い，脳梗塞により左片麻痺を呈した患者です。この患者に座位にて口腔（口腔の観察，挺舌・舌左右運動）と咽頭機能の評価（軟口蓋運動，発声），喉頭機能（咳払い，湿声の有無）の評価と反復唾液嚥下テスト（RSST）による，簡易的な摂食嚥下評価を行ってください。観察による評価の際は，口頭で採点者に説明しながら進めてください。制限時間は5分です。では，始めてください。採点者は模擬患者に受験者の言動の適否を適宜確認して，以下の項目を採点してください。

		good	fair	poor
態度	1) 適切な身なりで明瞭な挨拶（開始時・終了時）・自己紹介ができる。	□2	□1	□0
	2) 2つの識別子で患者の確認ができる。	□2	□1	□0
	3) 口腔・咽頭・喉頭機能評価と嚥下機能スクリーニングテストを行う旨を患者に伝え，了承を得ることができる。	□2	□1	□0
	4) 課題全般を通して，患者の様子（表情・心情・姿勢・身体機能）や状況に応じた丁寧な対処（声かけ・触れ方・動かし方）ができる。	□2	□1	□0

小計＿＿＿＿＿点（8点満点）

		good	fair	poor
技能	1) 座位姿勢を確認し，骨盤直立位で下顎を少し引いた姿勢に修正できる。	□2	□1	□0
	2) 手指を消毒し，ディスポタイプ手袋を装着できる。	□2	□1	□0
	3) 観察により，流涎，口角下垂の評価ができる。	□2	□1	□0
	4) 口腔内の衛生状態（食物残渣の有無），乾燥状態の観察ができる。	□2	□1	□0
	5) デモンストレーションを交えて，舌の動き（挺舌，左右の動き）を最大可動域で評価できる。	□2	□1	□0
	6) 舌圧子を使用する直前に袋から取り出し，少し水で濡らしてから，軽く舌前部を下方に押すことができる。	□2	□1	□0
	7) 咽頭機能の評価（軟口蓋の運動，発声）ができる。	□2	□1	□0
	8) 随意的な咳払いの可否，強弱の評価ができる。	□2	□1	□0
	9) 口腔内を湿らせ，RSST の実施方法を教示できる。	□2	□1	□0
	10) 示指で舌骨，中指で甲状軟骨を触診し，30秒間の嚥下回数を正確に測定できる。	□2	□1	□0
	11) 手順通りに皮膚に触れず衛生的に手袋を外すことができる。	□2	□1	□0
	12) 患者に評価結果をわかりやすく伝えることができる。	□2	□1	□0

小計＿＿＿＿＿点（24点満点）

合計＿＿＿＿＿点（32点満点）

藤田医科大学　保健衛生学部　リハビリテーション学科

採点シート 2-16

運動失調検査

採点者 _____　採点日 _____

学年　□1年 □2年 □3年 □4年　専攻 □PT □OT

学籍番号_____　氏名 _____

設問：小脳梗塞の患者です。この患者に鼻指鼻試験，Foot Pat を行ってください。また，検査終了後，検査の結果からこの患者の運動失調の特徴を採点者に説明してください。試験の都合上，鼻指鼻試験はスピードの段階ごとに4回ずつ施行し，Foot Pat は片側ずつ実施してください。制限時間は5分です。では，始めてください。

採点者は模擬患者に受験者の言動の適否を適宜確認して，以下の項目を採点してください。

態度		good	fair	poor
	1) 適切な身なりで明瞭な挨拶（開始時・終了時）・自己紹介ができる。	□2	□1	□0
	2) 2つの識別子で患者の確認ができる。	□2	□1	□0
	3) 運動失調検査を行う旨を患者に伝え，了承を得ることができる。	□2	□1	□0
	4) 課題全般を通して，患者の様子（表情・心情・姿勢・身体機能）や状況に応じた丁寧な対処（声かけ・触れ方・動かし方）ができる。	□2	□1	□0

小計_____点（8点満点）

技能		good	fair	poor
	1) 患者の座位姿勢を確認し，修正ができる。	□2	□1	□0
	2) 問診による障害の左右差，リーチ範囲の確認を行うことができる。	□2	□1	□0
	3) 2つの検査を症状の軽い側・症状の重い側の順に両側とも実施できる。	□2	□1	□0
	【鼻指鼻試験】			
	4) 鼻指鼻試験の方法をデモンストレーションを交えてわかりやすく説明できる。	□2	□1	□0
	5) 両側とも受験者の指先の位置を患者の肘が伸びきらない程度の位置に設定できる。	□2	□1	□0
	6) 両側とも受験者の指先の位置を1回ごとに変えて実施できる。	□2	□1	□0
	7) 両側とも速度を変えて（「患者の行いやすい速度」「速く」「ゆっくり」）実施できる。	□2	□1	□0
	【Foot Pat】			
	8) Foot Pat の方法をデモンストレーションを交えてわかりやすく説明できる。	□2	□1	□0
	9) 実施した2つの検査の結果を患者にわかりやすく伝えることができる。	□2	□1	□0
	【採点者への報告】			
	10) 鼻指鼻試験について，正しく判定し，運動失調の特徴を説明できる。	□2	□1	□0
	11) Foot Pat について，正しく判定し，運動失調の特徴を説明できる。	□2	□1	□0

小計_____点（22点満点）

合計_____点（30点満点）

藤田医科大学　保健衛生学部　リハビリテーション学科

採点シート 2-17

立位バランスの評価

採点者 ＿＿＿＿＿＿＿ 採点日＿＿＿＿＿＿＿＿

学年 □1年 □2年 □3年 □4年　専攻 □PT □OT

学籍番号＿＿＿＿＿＿＿　氏名 ＿＿＿＿＿＿＿＿＿

設問：脊髄後索障害による運動失調症の患者です。この患者に転倒予防のためのベルトを装着して，静止立位姿勢を観察し，結果を採点者に報告してください。その後，Romberg Test を行い，患者を座位に戻し，検査結果と転倒のリスク，日常生活での注意点について簡潔に採点者に説明してください。今回の足幅（両第2中足骨頭間の距離）は座位の段階で両坐骨結節間の距離とし，起立させることとします。なお，検査前の準備は採点者に依頼してください。制限時間は5分です。では，始めてください。

採点者は模擬患者に受験者の言動の適否を適宜確認して，以下の項目を採点してください。

			good	fair	poor
態度	1) 適切な身なりで明瞭な挨拶（開始時・終了時）・自己紹介ができる。		□2	□1	□0
	2) 2つの識別子で患者の確認ができる。		□2	□1	□0
	3) 立位バランスの評価を行う旨を患者に伝え，了承を得ることができる。		□2	□1	□0
	4) 課題全般を通して，患者の様子（表情・心情・姿勢・身体機能）や状況に応じた丁寧な対処（声かけ・触れ方・動かし方）ができる。		□2	□1	□0

小計＿＿＿＿点（8点満点）

			good	fair	poor
技能	1) 転倒予防のためのベルトを装着する理由を説明し，ベルトの下半分が骨盤にかかる高さで，ベルトと身体の間に隙間ができないよう装着できる。		□2	□1	□0
	2) 検査前に採点者へ固視点の修正と閉眼状況の確認を依頼し，立位時の目線の高さ，患者から2～3m前方に固視点を定めることができる。		□2	□1	□0
	3) 患者の足幅を両坐骨結節間の距離にし，安全に立ち上がり，立位保持をさせることができる。		□2	□1	□0
	4) 静止立位姿勢の観察結果（介助の必要性，身体動揺の程度，身体アライメント）を採点者に伝えることができる。		□2	□1	□0
	5) Romberg Test を行うにあたり，開眼時・閉眼時とも患者に閉脚立位を保持させることができる。		□2	□1	□0
	6) Romberg Test において，開眼，閉眼の順に検査できる。		□2	□1	□0
	7) 受験者と患者の距離は，受験者が患者の後方で肩関節と肘関節を軽度屈曲した際，手指が軽く触れる程度で，いつでも介助できる構えがとれる。		□2	□1	□0
	8) ベルトを操作するタイミングに注意し，患者の動揺した方向に受験者が移動し，常に安全に検査ができる。		□2	□1	□0
	9) ストップウォッチで時間計測しながら評価し，転倒のリスク管理ができる。		□2	□1	□0
	10) 患者を安全に座位に戻し，転倒予防のためのベルトを外すことができる。		□2	□1	□0
	11) 条件別の重心動揺の程度を比較し，転倒リスクや日常生活での注意点について採点者に伝えることができる。		□2	□1	□0

小計＿＿＿＿点（22点満点）

合計＿＿＿＿点（30点満点）

藤田医科大学　保健衛生学部　リハビリテーション学科

採点シート 2-18

下肢装具の調整

採点者 _____ 採点日_____

学年 □1年 □2年 □3年 □4年　　専攻 □PT □OT

学籍番号_____　　氏名 _____

設問：1カ月ぶりに来院された脳梗塞により左片麻痺を呈した患者です。金属支柱付き短下肢装具の足継手を確認したところ，緩みが生じています。この装具の足継手を背屈2°固定に調整してください。その後，この患者へ装具装着介助を行ってください。今回は時間の都合上，座位・立位でのフィッティング確認は省きます。制限時間は5分です。では，始めてください。

採点者は模擬患者に受験者の言動の適否を適宜確認して，以下の項目を採点してください。

		good	fair	poor
態度	1) 適切な身なりで明瞭な挨拶（開始時・終了時）・自己紹介ができる。	□2	□1	□0
	2) 2つの識別子で患者の確認ができる。	□2	□1	□0
	3) 装具の角度調整を行う旨を患者に伝え，了承を得ることができる。	□2	□1	□0
	4) 課題全般を通して，患者の様子（表情・心情・姿勢・身体機能）や状況に応じた丁寧な対処（声かけ・触れ方・動かし方）ができる。	□2	□1	□0

小計_____点（8点満点）

		good	fair	poor
技能	1) 座位姿勢を確認し安定した姿勢（骨盤直立位かつ足底接地）に修正することができる。	□2	□1	□0
	2) 関節角度計を用いて外側支柱と装具中底の軸に合わせ現状の角度設定を確認できる。	□2	□1	□0
	3) 角度調整時，スパナを用いてナットを，マイナスドライバを用いて金属ロッドを，調整することができる。	□2	□1	□0
	4) 手際よく（1回以下のやり直しで）角度調整を行うことができる。	□2	□1	□0
	5) 正確に（1°以下の誤差で）角度設定を行うことができる。	□2	□1	□0
	6) 調整後，外側支柱と装具中底の軸に角度計を合わせ，確認できる。	□2	□1	□0
	7) 金属ロッド，ナットの締め込みを最終的に4カ所，確実に行うことができる。	□2	□1	□0
	8) 座位にて，適切な手順（装着前にベルトを処理する，下腿を装具へ収める，足関節部→前足部→下腿半月部の順にベルトを締める）で迅速に装具装着介助を行うことができる。	□2	□1	□0
	9) 装具の足底を触れずに，装具を丁寧に扱うことができる。	□2	□1	□0
	10) 角度調整時，安全面に配慮できる。	□2	□1	□0

小計_____点（20点満点）

合計_____点（28点満点）

藤田医科大学　保健衛生学部　リハビリテーション学科

索 引

和 文

あ

アームサポート	81
アームスリング	56
アネロイド型血圧計	147
亜脱臼	55, 56
足継手軸	67, 382

い

医用電子血圧計	142, 149
咽頭	342
陰性支持反射	316

う

運動失調	356
運動分解	360

え

嚥下造影	345

お

オシロメトリック法	142, 143

か

カーテン徴候	348
下位腰椎椎間板ヘルニア	242
下肢遠位テスト	319
下肢近位テスト	319
下肢伸展挙上テスト	242, 250, 251
下肢長	228
下腿周径	228
下腿半月	68
開鼻声	343
隔離ガウン	16, 19
肩腱板損傷	242
患者誤認	21
乾熱	44
感覚	275
顔面神経麻痺	306, 307

き

キャスタ	81
キャリブレーション設定	200, 218, 222
記憶障害	129
基準課題	7
共感的理解	35
共同運動	315

き（つづき）

協働収縮不能	360
胸式呼吸	158, 159
棘果長	228
筋	264
緊張性迷路反射	315

く

クワド・ピボット	101
駆動輪	81
口すぼめ呼吸	159
車椅子	81, 93

け

傾聴技法	35, 38, 41
見当識障害	129
腱反射	291
腱板	242

こ

コミュニケーション技法	120
コロトコフ音	144
コロトコフ法	142, 143, 144
ゴーグル	16
呼吸パターン	157
呼吸運動	158
股継手軸	67
誤嚥性肺炎	342
口腔	342
抗抵抗自動運動テスト	196
高次脳機能障害	128
喉頭	342
構音	331
骨指標点	227

さ

嗄声	332
最長発声持続時間	333
三角巾	55

し

視覚消去現象	305
視野検査	303, 304, 308
自由質問法	121
時間測定障害	360
識別子	21
失行	129
湿声	344
湿熱	44
実地技術の習得	9
手指衛生	16, 17

し（つづき）

主訴	120
受動運動覚	275, 280
重点的質問法	121
小脳性運動失調症	356
上肢遠位テスト	318
上肢近位テスト	318
上肢長	228
上腕周径	228
触診	264
触覚	275
信頼関係	120
振戦	360

す

スタンダードプレコーション	16
ステーション	11
スライディングボード	95, 105

せ

ゼロ補正	200, 218, 222
脊髄性運動失調症	356
摂食嚥下	342
舌圧子	348
選択肢型質問法	121
前庭・迷路性運動失調症	357
前腕周径	228

そ

装具	65
測定障害	360

た

多項目質問法	121
体重比	198
対称性緊張性頸反射	315
対人関係能力	9
対面位	120
大腿遠位半月	67
大腿近位半月	67
大腿周径	228
大脳性運動失調症	357
代償運動	196
短下肢装具	65

ち

チェックアウト	385
知覚検査筆	279
知覚循環	93
蓄尿袋	33
窒息	342

中立的質問法 121
注意障害 129
長下肢装具 65
調節式二方向制御足継手 383
聴診器 149
直接的質問法 121

て

ティッピングレバー 81
手続き課題 8
転移性 8

と

徒手筋力計 194
徒手筋力検査 194
努力性呼吸 159
同名性半盲 305, 308
特異性の原則 8
閉じられた質問法 121

な

内視鏡下嚥下機能検査 345
軟口蓋 343

に

ニーズ 120
尿道留置カテーテル 32
尿路感染 33

の

脳神経 302
脳卒中重症度スケール 314

は

バイタルサイン 140
バウストリング徴候 253, 254
バランス能力 370
パルスオキシメーター 161, 162, 163
発語器官機能 332
発声 332
発話明瞭度 333
鼻指鼻試験 363
反復拮抗運動不能 360
反復唾液嚥下テスト 344
半側空間無視 129

ひ

非言語的コミュニケーション 35
非対称性緊張性頸反射 315
膝継手軸 67
標準模擬患者 11
標準予防策 16
病態失認 129
病的反射 291

開かれた質問法 121

ふ

ファカルティ・デベロップメント 9
フィッティング 387
フォースカップル 244
フットサポート 81
ブラガード徴候 253, 254
腹式（横隔膜）呼吸 158, 159

へ

並列位 120

ほ

ホットパック 44
歩行補助具 389

ま

マスク 16, 19
前トレール 83

め

面接 120

よ

要望 120
陽性支持反射 316
腰椎椎間板ヘルニア 249
抑止テスト 195

ら

ラポール 120
ランドマーク 264

り

リハビリテーションの中止基準 140
利他的行為者姿勢 9
療法士面接 120
――で用いるテクニック 121

れ

レストステーション 11
連合反応 314

数字

90°位 120

欧　文

A

American Spinal Cord Injury Association（ASIA） 277

B

Barrows HS 11
Bloom BS 10
Bowstring sign 253, 254
Bragard sign 253, 254
break test 195, 198
Brunnstrom Recovery Stage （BRS） 312

C

COSPIRE 6
criterion task 7

D

drop arm test 242, 244

E

end feel 173

F

faculty development 9
Foot Pat 363
Fugl-Meyer Assessment （FMA） 313

G

GRBAS 尺度 332

H

hand-held dynamometer （HHD） 194
Harden RM 11
Hawkins-Kennedy の手技 248

I

impingement 242, 245
impingement test 248
interview 120

J

Japan Stroke Scale（JSS） 314
JOA score 247
Jobe test 248

K

Key Sensory Points 277

M

make test	196, 198
Mann Test	356
manual muscle test（MMT）	194
multi-task assessment	312

N

National Institute of Health Stroke Scale（NIHSS）	313
Neer の手技	248

O

oral diadochokinesis	333

P

painful arc test	248
procedural task	8

R

Romberg Test	370
rotator cuff	242

S

Scale for the Assessment and Rating of Ataxia（SARA）	360
Semmes-Weinstein monofilament	276

T

Semmes-Weinstein monofilament 知覚検査	277
single-task assessment	312
standardized patient（SP）	11
Stroke Impairment Assessment Set（SIAS）	312

T

trick motion	196

V

videoendoscopic examination of swallowing（VE）	345
videofluoroscopic examination of swallowing（VF）	345

PT・OTのための臨床技能とOSCE
コミュニケーションと介助・検査測定編［Web動画付き］

2015年4月10日	第1版発行
2019年5月1日	第2版発行
2020年3月3日	第2版補訂版第1刷発行
2025年1月20日	第6刷発行

監修　才藤栄一
編集　金田嘉清・冨田昌夫・大塚　圭・杉山智久
　　　前田晃子・鈴木めぐみ・鈴木由佳理
　　　土山和大・山田将之

発行者　福村直樹

発行所　金原出版株式会社
〒113-0034 東京都文京区湯島 2-31-14
電話　編集(03)3811-7162
　　　営業(03)3811-7184
FAX　　 (03)3813-0288
振替口座 00120-4-151494
http://www.kanehara-shuppan.co.jp/
ISBN 978-4-307-75058-5

©才藤栄一, 2015, 2020
検印省略
Printed in Japan
印刷・製本／教文堂

JCOPY ＜出版者著作権管理機構 委託出版物＞
本書の無断複製は著作権法上での例外を除き禁じられています．複製される場合は，そのつど事前に，出版者著作権管理機構（電話 03-5244-5088，FAX 03-5244-5089，e-mail：info@jcopy.or.jp）の許諾を得てください．

小社は捺印または貼付紙をもって定価を変更致しません．
乱丁，落丁のものはお買上げ書店または小社にてお取り替え致します．

WEBアンケートにご協力ください
読者アンケート(所要時間約3分)にご協力いただいた方の中から抽選で毎月10名の方に図書カード1,000円分を贈呈いたします．
アンケート回答はこちらから ➡
https://forms.gle/U6Pa7JzJGfrvaDof8

臨床実習前後の評価、「標準化された技能」の修得のために！　2022・4

PT・OTのための 臨床技能とOSCE 第2版
機能障害・能力低下への介入編

Web動画付き

[監修] 才藤 栄一
[編集] 金田 嘉清・冨田 昌夫・大塚　圭・鈴木由佳理・谷川 広樹・吉田 太樹
　　　前田 晃子・鈴木めぐみ・松田 文浩・藤村 健太・土山 和大・櫻井 宏明

「機能障害・能力低下への介入編」待望の改訂！
視覚的な理解を促す豊富な写真、採点者・模擬患者の注意点などの特長はそのままに、内容の刷新を図った。好評のweb動画もアップデートし、分析・介入のポイントをより理解しやすいものとなった。指定規則改定により臨床実習前後の評価が必修化され、OSCEの重要性が増すなか、臨床家を目指す学生のみならず、養成校教員、臨床実習指導者まで必読の1冊となった。

[読者対象] PT・OTおよび養成校の学生・教員

◆A4判　344頁　◆定価6,050円（本体5,500円+税10%）　ISBN978-4-307-75067-7

ますます高まるOSCEのニーズに対応した第2版補訂版！　2019・12

PT・OTのための 臨床技能とOSCE
コミュニケーションと介助・検査測定編
第2版補訂版

Web動画付き

[監修] 才藤 栄一
[編集] 金田 嘉清・冨田 昌夫・大塚　圭・杉山 智久・前田 晃子
　　　鈴木めぐみ・鈴木由佳理・土山 和大・山田 将之

初版同様、コミュニケーションと介助（レベル1）、検査測定（レベル2）で構成。各項目の前半部に技能の解説とOSCE実施の手順のポイント、後半部にOSCE課題を配置。全編撮り下ろしのOSCE課題に対応の動画をWeb配信。また、OSCE実施時の模擬患者、採点者の注意点や環境設定のポイントがすぐにわかる「OSCE担当者確認事項」を加えた。各項目をより最新の療法士教育の動向を踏まえた内容にアップグレード。指定規則の改正でますますニーズが高まるOSCEの最適の教本。

[読者対象] 理学療法士、作業療法士、養成校の学生・教員

◆A4判　460頁　◆定価6,050円（本体5,500円+税10%）　ISBN978-4-307-75058-5

金原出版　〒113-0034 東京都文京区湯島2-31-14　TEL03-3811-7184（営業部直通）FAX03-3813-0288
本の詳細、ご注文等はこちらから　https://www.kanehara-shuppan.co.jp/